圖書在版編目（CIP）數據

河南寺庙道观碑刻集成. 洛阳卷. 四 / 杨振威主编.
-- 郑州 : 中州古籍出版社, 2021.12
ISBN 978-7-5738-0149-4

Ⅰ. ①河… Ⅱ. ①杨… Ⅲ. ①寺庙－碑刻－汇编－洛阳 Ⅳ. ①K877.42

中国版本图书馆CIP数据核字(2021)第279170号

HENAN SIMIAO DAOGUAN BEIKE JICHENG・LUOYANG JUAN・SI
河南寺廟道觀碑刻集成・洛陽卷・四

策劃編輯　吕兵偉
責任編輯　謝曉敏　高　雅　何慧婷
責任校對　梁　鬱
美術編輯　古青風
裝幀設計　新　佳

出 版 社　中州古籍出版社（地址：鄭州市鄭東新區祥盛街 27 號 6 層
郵編：450016　電話：0371-65788693）
發行單位　河南省新華書店發行集團公司
承印單位　河南瑞之光印刷股份有限公司
開　　本　787 mm × 1092 mm　1/8
印　　張　57.5
字　　數　640 千字
印　　數　1—1000 册
版　　次　2021 年 12 月第 1 版
印　　次　2022 年 5 月第 1 次印刷
定　　價　420.00 元

本書如有印裝質量問題，請與出版社調換。

《河南寺廟道觀碑刻集成》
叢書編輯委員會

總　　編：楊振威　余扶危

《洛陽卷　四》編輯委員會

主　　編：楊振威

執行主編：田冰峰　郭水濤

副 主 編：白　潔　李　珍　鄭學通

前言

自古以來，中國就是一個熱愛和崇敬文化的國度。今天，我們更加清醒地認識到，每個國家都有自己的文化，文化是一個國家的靈魂，文化興則國家興，文化亡則國家亡。洛陽是河洛文化的中心地區，是國家首批歷史文化名城，十三朝古都的歷史蘊積了無比燦爛的豐厚文化。煌煌祖宗業，永懷河洛間。歷史事實告訴我們，洛陽及其附近地區是中國最早的文化發源地之一，並在相當長時間内一直是華夏文化的核心區域，因此洛陽也長期成爲中國政治、經濟、文化的中心。洛陽文化的繁榮體現在諸多方面，不僅儒學、玄學、理學等肇始於此，古代中國的宗教不少也源起於此，尤其是道教和佛教與洛陽有着十分密切的關係。

從普徧的人類歷史看，宗教是一種重要的文化現象，在不同民族和國家的發展史上都發揮過重要而獨特的作用，即使到今天，宗教對世界上許多國家仍然具有巨大的現實影響力，因此以理性與科學的態度看待和研究宗教才是我們應有的態度。我們要傳承和弘揚華夏文化，同樣不能回避這一問題。衆所周知，古代宗教不僅在我國本土起源很早，而且不斷吸收融合外來宗教，形成了多種宗教互相借鑒、共生共長的複雜局面和形態，對我國社會文化的方方面面都産生了相當廣泛而深刻的影響，並不斷融入中國人的精神世界、習俗文化和日常生活之中，早已成爲我們傳統文化的重要組成部分。作爲古代文化中心的洛陽，其宗教文化自然不可忽視。從原始宗教、民間宗教和道教、佛教等各種宗教的發展和傳播來看，洛陽這片土地聚留了無數的宗教印記和宗教元素，雖歷經千年的滄桑歲月，但仍需要凝聚我們的目光和心力去探尋其中藴藏的文化智慧，挹取其精華，剔除其糟粕，爲我們今天的文化建設服務。

從本土宗教來看，道教無疑是對中國文化影響最大的一種宗教。追尋道教的源頭和歷史，必然就會探源尋根到洛陽。道家乃至道教都尊崇老子，老子是春秋時期著名的思想家、道家學説的創始人，在洛陽做官和居住，長期擔任東周王室的“守藏室之史”，即國家圖書館館長。老子精通歷史，在洛陽他飽覽文獻，匯通古今，仰觀宇宙，俯察天下，從而撰寫出藴含無限智慧的《道德經》。老子的學説被稱作道家學説，在道家學説的基礎上，衍生演化而形成道教，自然老子也成爲世代膜拜的道教創始人。洛陽周圍的嵩山、王屋山等後來也成爲道教名山，使道教在洛陽及其附近發展傳承下來。

與道教不同，佛教是外來宗教，在東漢永平年間傳入都城洛陽，由官方在洛陽建造了當時中國第一座佛教寺院白馬寺。以此爲濫觴，佛教在中國以洛陽爲中心向四方傳播，開始並逐步完成了其中國化的進程。到北魏時，由於綿延賡續幾百年的傳播，加上數代統治者的大力提倡，社會上信佛崇佛之人衆多，佛教之風已經吹徧中華大地，及北魏遷都洛陽後，佛教在洛陽更是達到頂峯，據《洛陽伽藍記》載，北魏後期僅洛陽一地的寺廟就多達一千多座，可謂徧地開花，洛陽成爲名副其實的佛教中心。今天，名聞中外的世界文化遺産、位於洛陽城南的巍峨壯觀的龍門石窟，就是開鑿於北魏，歷經隋、唐諸朝，斷斷續續數百年而形成的佛教石窟，是古代洛陽佛教興盛的一個縮影和最好見證。

宗教信仰的興盛必然帶來宗教文化藝術的興盛。道教、佛教等宗教的存在和長期發展，不僅促進了社會文化的交流和融合，也促進了與宗教相關的建築、繪畫、音樂、雕塑等文化藝術的發展。同時，獨具中國特色的文化藝術載體碑刻與書法藝術、宗教緊密結合在一起，這些特點在古都洛陽充分體現出來。由於歲月侵蝕、戰争破壞等各種原因，洛陽歷史上北魏寺廟道觀林立的景象早已不復存在（少量頑强保留到現在的寺觀也大多保護力度不够），同時消失的還有大量的宗教建築和雕塑壁畫等宗教藝術作品，但值得慶幸的是，由於石頭本身的堅固不朽，洛陽的許多宗教碑刻仍然保存了下來。洛陽現存道教的道觀有北邙的上清宫、下清宫、吕祖庵，洛陽老城的祖師廟、城隍廟，洛陽關帝廟，新安縣的洞真觀，樂川的老君山等，這些道觀保存下了許多非常珍貴的碑刻，尤其是興建于元朝的祖師廟、洞真觀，保存下來了一些珍貴罕見的元朝碑刻，關林的關帝廟保存下來的明清民國時期的一百多塊碑刻也十分珍貴。相比較而言，佛教碑刻遺存數量更多，現在洛陽佛教寺廟白馬寺、大福先寺、洛陽廣化寺、龍門香山寺、偃師唐僧寺、伊川浄土寺、嵩縣雲岩寺、宜陽靈山寺、汝陽觀音寺、偃師白雲寺、洛寧羅嶺香山寺等都保存下來大量的碑刻，有些碑刻如白馬寺的北宋《御賜封號碑》、金代《大金國重脩河南府左街東白馬寺釋迦舍利塔記碑》等都屬於珍稀碑刻。

據不完全統計，洛陽及周邊縣區現存的寺廟道觀碑刻不下數千方，這些碑刻真實地記録了當時的社會政治、經濟、軍事、文化、民俗等方方面面的資訊，對於研究者是不可多得的珍貴碑刻文獻，是極其重要的第一手資料。尤其是那些已經不存在的寺廟的宗教碑刻，它們無所附麗，没有建築物的遮擋，也無人看管和保護，由於長期裸露在室外和荒野，常年日曬雨淋，有些碑刻已經漫漶不清，亟須搶救性地進行保護、整理和研究。否則，隨着時間的推移，這些碑刻將逐漸從我們的視野消失，到那時其損失將是無法彌補的。現在，我們把這些碑刻裒輯整理並出版面世，就是希望保存這些珍貴的文化資源，並期望引起世人的關注，共同來保護和傳承包括碑刻在内的優秀民族文化。

宗教碑刻雖只是洛陽古代文化的一個小的側面，但它所藴含的歷史智慧和文化資訊卻可以使我們洞察天下，知古鑒今。“若問古今興廢事，請君只看洛陽城”，先哲的話言猶在耳。文化興衰事關民族復興之成敗，以洛陽爲中心的河洛文化是中華文化的核心和源頭，它不僅在古代規塑和滋養了中華民族的精神和心靈，我們相信，在傳統文化涅槃重生的今天，它也必將焕發出新的動人光彩！

凡例

一、《河南寺廟道觀碑刻集成》的收録範圍爲佛寺、道觀碑刻。佛寺包括佛教的寺、廟、堂、殿、庵等，道觀包括道教的觀、廟、殿、庵、洞、宫、閣等。

二、《河南寺廟道觀碑刻集成》的各册先按市、縣、區排列，再依佛寺、道觀分别排列。碑刻則依其年代先後順序排列。

三、本書的釋文部分，以忠實於原文爲原則，使用規範的繁體字，碑别字、俗字等改爲規範的繁體字。

四、碑刻因年代久遠、風雨剥蝕，或出土過程中出現的刮痕、石花及漫漶不清等，字跡無法辨識者，釋文中用“□”標出。若連續出現多字無法辨識的，則用“……”表示。

五、凡碑刻有首題的，統一置於釋文的第一行。無確切題名，或首題不能準確表達其内容的，自擬題目。

六、凡碑首有題字的，釋文時將其題字放在首行，並在其題字前加“〔〕：”。若碑首有不同内容的題字，則在不同題字中間空兩個字符。例如：“〔碑首〕：流傳百代　　日月”。

七、凡碑刻中的施錢符號統一用“銀”或“錢”表示。

目録

道觀

汝陽縣

佛寺

道觀

宜陽縣

佛寺

道觀

嵩縣

SONGXIAN

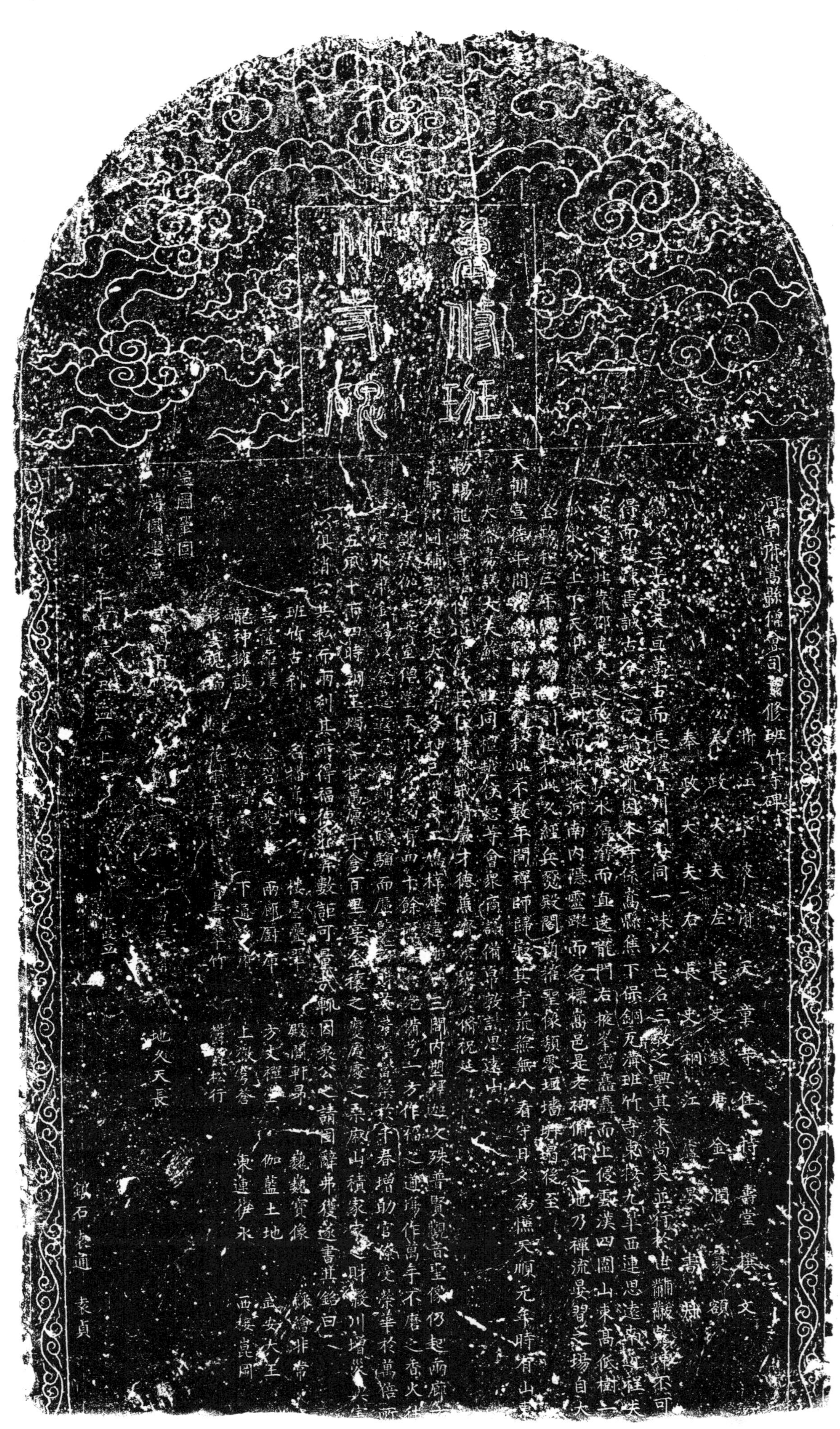

【〇〇一】 河南府嵩縣僧會司重修班竹寺碑

年代：明成化五年

尺寸：碑高 133 釐米，寬 76 釐米

立石地點：嵩縣田湖鎮南洼村班竹自然村班竹寺

〔碑首〕：重脩班竹寺碑

河南府嵩縣僧會司重修班竹寺碑

浙江寧波府天童寺住持壽堂撰文，奉政大夫左長史錢唐金潤篆額，奉政大夫右長史桐江盧晏書丹。

竊以三光麗天，亘萬古而長耀；百川到海，同一味以亡名。三教之興，其來尚矣，並行於世，黼黻乾坤，不可得而親疎焉，誠古今之確論也。輒因本寺係嵩縣焦下保銅瓦溝班竹寺，東接九阜，西連思遠，南近程夫子之陵，北靠邵堯夫之墓。左襟伊水，潺潺而直遶龍門；右掖峯巒，矗矗而上侵雲漢。四圍山東高低樹，一派泉分上下天，中藏古刹而聲振河南，内隱靈蹤而名標嵩邑。是老衲脩行之地，乃禪流晏習之場。自大金政和三年，□□禪師創建於此，久經兵燹，殿閣崩摧，聖像頹零，垣墻坍塌。後至天朝宣德年間，□□禪師□□於此，不數年間，禪師歸寂，其寺荒蕪，無人看守，日夕爲慊。天順元年，時有山東大参嘉議大夫蘇公典同檀越侯恕等，會衆商議，備帛敦請思遠山敕賜龍興寺籍僧道霞爲其住持，齋戒精嚴，才德兼濟，領衆焚脩，祝延聖壽，以圖補報。於是，太檀等各抽己資，命工鳩梓，肇建佛殿三間，内塑釋迦、文殊、普賢、觀音聖像。仍起兩廊，方丈、護法、伽藍、禪室、僧堂，大小房屋約有四十餘楹，俱各完備，爲一方作福之道場，作萬年不磨之香火。往來雲水，飛金錫以登遊；遐邇縉紳，控驊騮而歷覧。掄財英彦，享福樂於千春；增助官僚，受榮華於萬倍。所異五風十雨，四時調玉燭之和；萬廩千倉，百里享金穰之慶。處處之桑麻山積，家家之財穀川增。災與害以俱消，公共私而兩利，其所得福德，非筭數詎可量哉！輒因衆公之請，固辭弗獲，遂書其銘曰：

班竹古刹，名播嵩陽。樓臺疊翠，殿閣軒昂。巍巍寶像，綵繪非常。菩薩羅漢，金碧交光。兩廊厨庫，方丈禪堂。伽藍土地，武安大王。龍神擁護，妖孽潜藏。下通幽府，上徹穹蒼。東連伊水，西接崑岡。彩雲現瑞，花雨呈祥。青青翠竹，鬱鬱松行。皇圖鞏固，藩國遐昌。風調雨順，國阜民康。高海闊□，地久天長。

明成化五年龍集己丑孟春上浣節宿代住持道霞立。

鐫石袁通、袁貞。

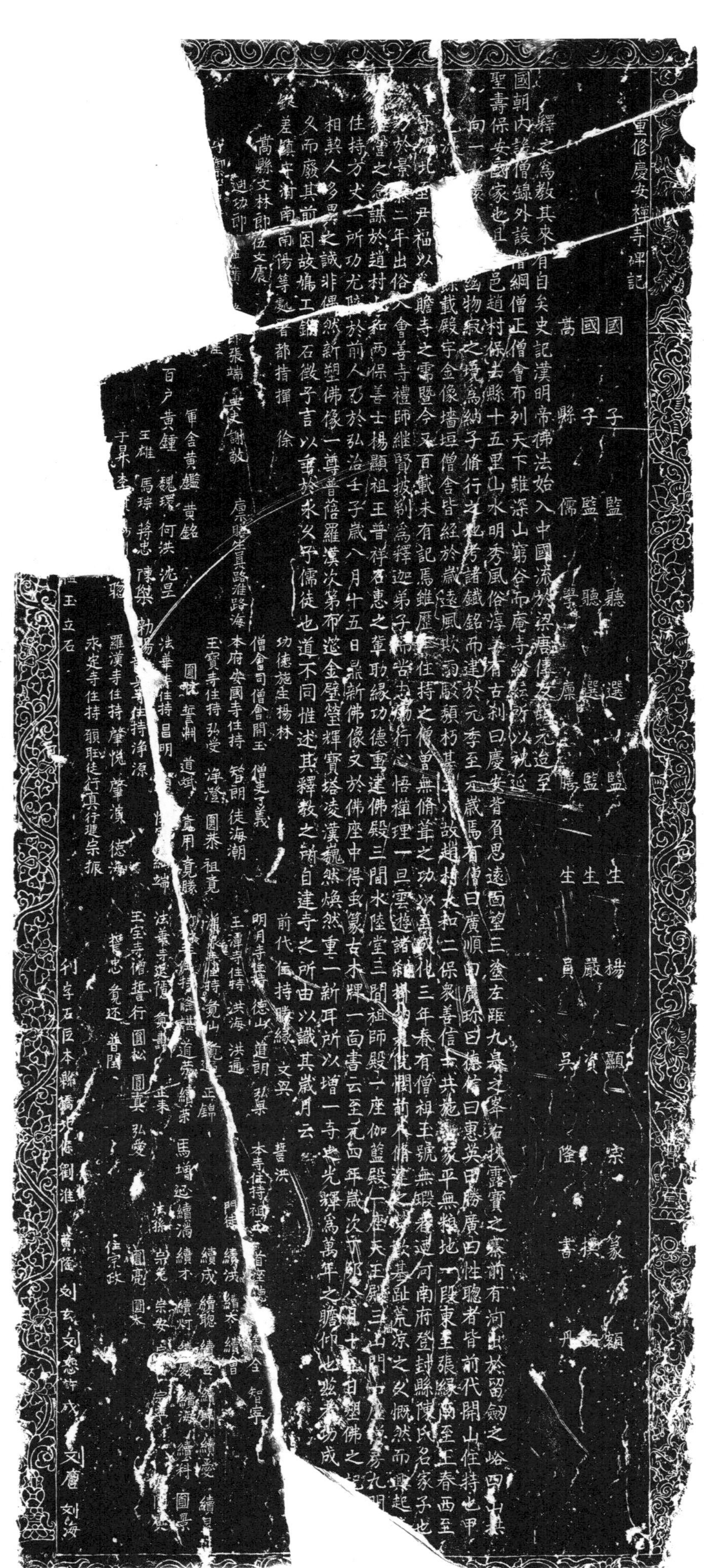

【〇〇二】 重修慶安禪寺碑記

年代：明弘治五年

尺寸：高227釐米，寬97釐米

立石地點：嵩縣大坪鄉棗園村慶安禪寺

重修慶安禪寺碑記

國子監聽選監生楊顯宗篆額，國子監聽選監生嚴資撰文，嵩縣儒學廩膳生員吴隆書丹。

釋之爲教，其來有自矣。史記漢明帝佛法始入中國，流於梁唐，傳及胡元。迨至國朝，内設僧録，外設僧綱，僧正僧會布列天下，雖深山窮谷，而庵寺紛紜，所以祝延聖壽、保安國家也。且嵩邑趙村保，去縣十五里，山水明秀，風俗淳善，有古刹曰慶安，背負思遠，面望三塗，左距九臯之峯，右挾露寶之寨，前有河出於留劍之峪，四山拱向，一水環繞，□□幽物寂之境，爲納子脩行之地。考諸鐵銘，而建於元季至元歲焉，有僧曰廣順、曰廣琢、曰德信、曰惠英、曰勝廣、曰性聰者，皆前代開山住持也。甲乙流派，□□□□餘載，殿宇、金像、墻垣、僧舍，皆經於歲遠，風欺雨駁，頽朽甚矣。以故趙村太和二保衆善信士，共施□家平無糧地一段，東至張緣，南至王春，西至于□，北至尹福，以爲贍寺之需。暨今又百載，未有記焉，雖歷任住持之僧，曾無脩葺之功。以至成化三年春，有僧祖玉號無瑕者，迺河南府登封縣陳氏名家子也，乃於景泰二年，出俗入會善寺，禮師繼賢，披剃爲釋迦弟子，而苦志勵行，心悟禪理。一旦雲遊諸刹，掛納是院，憫前人脩建之勞，嘆基趾荒涼之久，慨然而興起□經營之念。謀於趙村、□和兩保善士楊顯祖、王普祥、石惠之輩，助緣功德，重建佛殿三間、水陸堂三間、祖師殿一座、伽藍殿一座、天王殿三間、山門一座、僧房九間、□住持方丈一所，功尤□於前人。乃於弘治壬子歲八月十五日，鼎新佛像。又於佛座中得蟲篆古木牌一面，書云“至元四年歲次丁卯八月十五日塑佛之記”。□□相契，人多異之，誠非偶然。新塑佛像一尊，普薩、羅漢次第布筵，金璧瑩輝，寶塔凌漢，巍然焕然，重一新耳。所以增一寺之光輝，爲萬年之瞻仰也。兹者功成□□□久而廢其前因，故鳩工鐫石，徵子言以垂於永久。子儒徒也，道不同，惟述其釋教之所自，建寺之所由，以識其歲月云。

欽差鎮守河南南陽等處署都指揮徐，嵩縣文林郎伍文震，迪功郎孟廣，□□張端，典史謝敬，守禦……準，軍舍黄鑑、黄銘、百户黄鍾、魏環、何洪、沈昱、王雄、馬琮、蔣忠、陳傑、于昇、李□、楊□、□聰、廩膳生員路淮、路海、功德施主楊林、僧會司僧會開玉、僧吏了義。本府安國寺住持智朗、徒海潮。玉寶寺住持弘受、浄澄、圓恭、祖覺、圓曉、誓淵、道斌、覺用、覺勝。法華寺住持昌明、□□、性□、綱端。敕楊龍興寺住持浄源。羅漢寺住持肇悦、肇演、德海。永定寺住持願旺、徒行真、行璉、宗振。前代住持滕緣、文興、誓洪、明月寺住持德山、道朗、弘果。玉潭寺住持洪海、洪通。湧泉寺住持覺仙、覺通、正錦。竹林寺住持隆諶、道榮、續榮。法華寺退隱覺壽、正來。玉寶寺僧誓行、圓松、圓真、弘愛、誓忠、覺還、普聞。本寺住持祖玉、首座德□、義全、智寧。門徒續洪、續太、續會、續成、續聰、續善、續□、續愛、續昱、馬增延、續滿、續才、續燈、續慶、續海、續科、圓景、法孫、宗免、宗安、宗□、宗寧、□□□、圓亮、圓太。

祖玉立石。刊字石匠：本縣橋北保劉淮、黄隆、劉玄、劉恕、許成、劉唐、劉海。

【〇〇三】　重修羅漢寺碑記

年代：明正德七年

尺寸：高 210 釐米，寬 85 釐米

立石地點：嵩縣何村鄉橋頭村溝門自然村羅漢寺

〔碑首〕：重脩羅漢寺記

重修羅漢寺碑記

寓伏牛雲巖東谷栝衲圓極子撰，吏部聽選監生邑人孫浩書。

粤凡天下名山勝壤，巋然其高，窅然其深，夷然其平曠，所以儲精而徵秀者，罔非尋常可居，然而蟠礴遠邇，環顧嵬莪，唯佛寺者稱焉。縣治之西二十里，有古刹曰羅漢寺，三塗山一脉，夐然落此，背觀思遠藍，名南抵伏牛勝概，十峯環翠，二寨雄連，鸞峪嶺俯顧其左，黑馬澗潺湲其前，市遠而塵紛絶，土沃而□味甘，林行交茂，風清鳥啼，幽然一佳境也。聖朝洪武初間，有一異僧晝則乞食於村煙，夜則莫知其所處。人皆疑而論曰：兹境也，素無庵寺，其僧何自而來？密限訪之，見一土洞存焉，顧僧失其所在，乃知僧即應真之化也。後即此建寺，故名曰羅漢寺。永樂間，胡宗□過此，遺詩曰：羅漢由來舊是禪，功成行滿脱塵緣。如今學佛諸徒侶，要使心如鐵石堅。始正統間，□僧曰清、□春、圓真、明然，相繼開拓治地，得一古鼎，上載其年曰貞祐，餘字湮没，莫考其詳。成化間，代及住持肇悦、其徒僧會開玉等，展新工，撤舊址，陶瓦掄材，矻矻孜孜，不憚辛勤。由是四方檀信，無間遠邇，捐貲助力者，……肇悦師徒以德孚人者深，故人所以樂助者衆爾。不數年，而紺宇崇像設具，祖師堂、伽藍祠，□所宜有者，咸修葺焉。今本寺僧曰開瓆，欲豎貞石，用傳不朽，遠賫香幣，需記於山舍，□老弊山林，識起立□□□□文辭之用，而祈益切，既弗獲已，乃詢其興復始末以謂之曰：非應真，孰能發其蹤於脱往微肇□□復振是頽□，抑顯以繼其□於方今，還舊觀於將來，即宜慎守，以全其終。高山仰止，俾後學企而慕之，代代相□，兹寺□愈□，而愈不墜也，尚其勉之。是爲記。

正德七年歲在壬申九月。

恩進級懷遠將軍指揮僉事盧準，知嵩縣事文林郎温陽王鋭，嵩縣守禦千户所正千户盧樟，嵩縣儒學教諭申佐、訓導李寧，將仕郎主薄吴榮祖、黄欽，副千户張隆，訓術員文，訓□王良弼，本寺致仕僧會□玉、師弟開瓆、助緣僧□□，致仕百户楊銘，典史鄧顯、張璟、李貴，百户王雄、蔣忠、倪聰、楊輝，僧會徹海，署道會馬□仙。

【〇〇四】　重修九皋山雲居寺記

年代：明正德十一年

尺寸：高 212 釐米，寬 83 釐米

立石地點：嵩縣九皋鎮九皋村官廟洼村

〔碑首〕：重脩九皋山雲居寺記

重脩九皋山雲□寺□

翰林院五經博士程繼祖譔，河南府僧綱司都綱悟本篆，伏牛山雲巖寺禪人真祥書。

嘗聞佛教初由梵僧至中國，不知其道而務駕其説，師徒精承，日言天堂地獄，善惡報應，使人作塔廟禮佛，飯僧而已。厥後，達磨以化緣來，始傳佛道，無怪譎，無刓飾，思而未嘗思，動而未嘗動。物有萬類，何物非己；性有萬品，何性非佛。一言開釋，皆得成道。由是建立精舍，聚徒説法，以衣鉢相傳授，其大弟子各以所聞分化海内，故崇山通都，庵院稱禪，往往而是，庸俾邪佞洗心從學，豪貴稽首承教，蓋老氏無爲、莊子自然，義雖或近，此其盛哉。然末俗多敝，護法有非其人，而以往時叢林私於院之子弟。僧門治産，參禪誦經，求利爲斯功，失所□□，而崇奉其教，始異於前矣。我皇朝□有多方重道崇儒，禮樂□□之樂，咸正□錢，又擴愛□□色之心，以佛道或有益也。廣祠度衆，不懈益勤，聖聖相承，罔有更革。故私創有律，而招提徧天下；私度有禁，而緇流徧四方。獨怪夫務祖風、守律戒者，不多見耳。嵩縣北四十里許，地名九皋山，世傳有曰雲居寺，地主吴君漢見其殿宇遠年朽腐，刻刻懸心，不遇道德之者。忽有正德元年秋月之間，偶遇僧德省率領徒衆，苦心經營數十餘載，鄉者老人吴謙、男吴昂、婿王璽、鄉□秦鳳等，家資不記其數，以無慳悋之心，欣喜而施，又同十方啓建梵刹。門有蒼龍之池，冬不冰而夏不污，池中蓮花昊天，開之千朵，猶如公據，真乃佛聖之場。昔訪給孤之地，前朝啓建，重脩數次，今者新造禮佛有殿，供祖有堂，伽藍、天王之宇，兩廊僧室，水陸十王，代代傳流。遂書以刻之。

正德十一年十一月吉日立。

嵩縣知縣胡、主簿吴。

汝州石匠：王佐，弟王善，男王瓚。

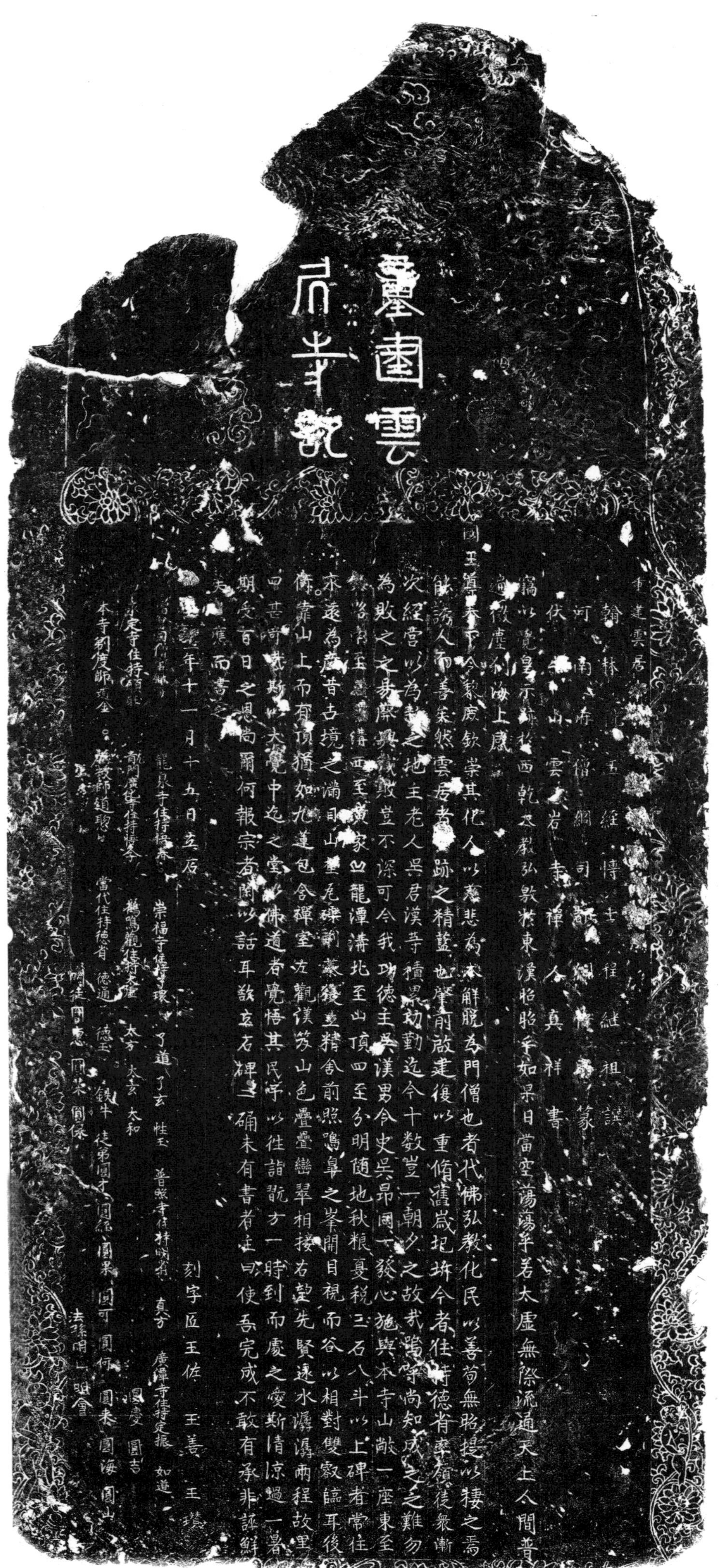

【〇〇五】　重建雲居寺碑記

年代：明正德十一年

尺寸：高 202 釐米，寬 88 釐米

立石地點：嵩縣九皋鎮九皋村官廟洼村

〔碑首〕：重建雲居寺記

重建雲居寺□

翰林院五經博士程繼祖譔，河南府僧綱司都綱悟本篆，伏牛山雲巖寺禪人真祥書。

竊以覺皇示跡於西乾，大教敷於東漢，昭昭乎如杲日當空，蕩蕩乎若太虚無際。流通天上人間，普遍微塵刹海，上感國王尊奉，下令黎庶欽崇。其化人以慈悲爲本，解脱爲門。僧也者，代佛弘教，化民以善，苟無昭提以棲之，焉能誘人而善矣。然雲居者，□跡之精藍也，肇前啓建，復以重脩。舊歲圮坼，今者住持德省率領徒衆漸次經營，以爲新之。地主老人吴君漢等，積累功勤，迄今十數，豈一朝夕之故哉！嗚呼！尚知成之之難，勿爲敗之之易，廢興成敗，豈不深可？今我功德主吴漢男令史吴昂，同一發心，施與本寺山敞一座，東至□路，南至□□溝，西至黄家凹龍潭溝，北至山頂，四至分明，隨地秋糧夏税三石八斗，以上碑者常住，永遠爲産。昔古境之滿目山□瓦礫，創蓁復立，精舍前照鳴皋之峯，開目視而谷以相對，雙鏊臨耳，後倚靠山，上而有頂，猶如九蓮包含禪室。左觀漢筊，山色疊疊，巒翠相接，右望先賢，逯水潺潺，兩程故里，四甚奇哉。斯以大覺中迄之堂，以佛道者覺悟其民。予以往詣翫方一時，到而處之，愛斯清涼，過一暑期，受百日之恩，尚爾何報宗者？閑以話耳。欲立石碑二通，未有書者，主曰使吾完成，不敢有承，非誣鮮矣，□應而書之。

正德十一年十一月十五日立石。

僧會司僧官徹海，龍泉寺住持悟春，崇福寺住持了環、了道、了玄、性玉，普照寺住持明省、真方，廣潭寺住持定振、如道，永定寺住持願□，龍門廣化寺住持悟學，鶴鳴觀住持太虚、太方、太玄、太和，本寺剃度師道金，□授師道聰，當代住持德省、德通、德玉、鐵牛，徒弟圓才、圓經、圓果、圓可、圓何、圓來、圓海、圓山、圓慶、圓吉，門徒圓惠、圓榮、圓保，法孫明□、明會。

刻字匠：王佐、王善、王瓚。

伏牛山雲岩寺記

嵩治城南望[illegible]百里山曰伏牛孝之邑志有唐號自在禪師者行次嶺巔聞野牛停憩人師適遇牛俛首[illegible]
然故名之傳倍謂牛乃龍化其言不經亦未之深究厥寺曰雲岩者即師住錫明心之所以形勝名也有上下之[illegible]
固有道以牛上得山而定居良不偶此山之所以秀拔群岳名擅海宇凡耳之者咸知為嵩林巨擘四方緇流[illegible]
數千余亦嘗聞之未及見丁丑歲余筮仕承乏茲邑蒞政明年以當道憲僉汪公檄[illegible]觀民風取歷嵩山[illegible]
此境寺僧群然遮邀道左羅拜於前曰明公賢勞過此少憩山門之光也因邀遊登覽于[illegible]
之東步不能百有古澗屹中多怪石泉声如鳴珮環僧橋其上以達厥繼閣之起崇臺飛甍接漢延宇[illegible]
既而四顧蒼崖嶙峋壁立萬仞松檜陰森龍[illegible]翠清馨襲人僧舍亂落徧岩谷高下[illegible]隱半見遠眺諸山[illegible]
若星拱[illegible]詢之僧歷歷指白犄此者曰大[illegible]龍從人可攀躋嶋道縈紆徐緣石磴三十許里[illegible]後躍巔頂上有[illegible]
靈異莫敢近有嶫曰東邨曰西邨[illegible]雄峙聯[illegible]而相望楓環溜飛雲霞出沒直陽當[illegible]曰嵩[illegible]左曰[illegible]
鷄脚三峯相去靡可以尋仞計然皆揮[illegible]迤曰[illegible]如列屏翠羽之木龍鱗之石均蔭其上嵬逸家遊與夫啼月[illegible]
風之虎交跡于中而鳴禽幽鳥又未悉以類舉也山之外曰[illegible]河洪流環抱其麓以限旁邑計[illegible]山盤據方[illegible]
子散處事農詠茅為庵者不下數百墅其間層巒疊嶂深[illegible]崇岳得其名者其繁[illegible]伏牛冠之猶[illegible]之在[illegible]
勝槩若此蓋天鍾秀於是方果前唐之世淪于荒落欤僧應曰釋氏傳[illegible]有號辟支者嘗基樂道于斯乖植[illegible]
滿峪因名之蓮華山第世遠不稽何代而佛之舍利靈骨猶存之西余[illegible]而且[illegible]如置之惟謂嵩之提封久此[illegible]
之國不是過厥既剔矣余叩吏之則夫山[illegible]之美風景之殊民俗之[illegible]四境之內宜悉更知[illegible]伏牛山[illegible]
酷愛其佳麗而欲識之以追著千古之遺蹟求[illegible]無事而空行者[illegible]子論觀游為為政之與僧然歟乃撰其事[illegible]
若夫山之疆土廢而復之者續載于陰僧拜手曰我[illegible]志也遂刻之下[illegible]雲岩寺[illegible]上雲[illegible]下[illegible]
大明正德十三年歲舍戊寅秋九月吉文林郎知河南府嵩縣事前[illegible]進士華容王官之撰[illegible]
嵩縣縣丞宋惟中　主簿李森　典史鄧顯　[illegible]
儒學教諭申佐　訓導任必紹　時[illegible]

【〇〇六】　伏牛山雲巖寺記

年代：明正德十三年

尺寸：高 198 釐米，寬 88 釐米

立石地點：嵩縣白河鎮上寺村雲巖寺

伏牛山雲巖寺記

嵩治城南望三百里，山曰伏牛，考之邑志，有唐號自在禪師者，行次嶺巔，聞野牛獰惡噬人，師適遇牛，俛首仆地，若降伏然，故名之。傳俗謂牛乃龍化，其言不經，亦不之深究。厥寺曰雲巖者，即師住錫明心之所，以形勝名也，有上下之分。然以固有道以牛卜得山而定居，良不偶。此山之所以秀拔群岳，名擅海宇，凡耳之者，咸知爲叢林巨擘，四方緇流托處，動□數千。余亦嘗聞之，未及見。丁丑歲，余筮仕承乏茲邑，莅政明年，以當道憲僉汪公檄委觀民風，跋歷萬山，臨出羊腸而遊此境。寺僧群然遮迎道左，羅拜於前曰：明公賢勞，過此少憩，山門之光也。固邀，遂登覽于寺，□彼殿廡華堂，焕乎整飾。寺之東步不能百，有古澗，屹中多怪石，泉聲如鳴珮環，僧橋其上，以達藏經閣，閣起崇臺，飛甍接漢，延宇垂阿，而輪奂驚目。既而四顧，蒼崖嶙峋，壁立萬仞，松檜陰森競翠，清馨襲人。僧舍亂落，徧巖谷高下，隨之半隱半見。遠眺諸山，歸然來朝，勢若星拱。因詢之僧，歷歷指白：倚北者曰大𡾰龍㟪，人可攀躡，鳥道縈紆。徐緣石磴三十許里，而後距絶頂，上有娑竭龍池，靈異莫敢近。有垛曰東邙、曰西邙，嶒峗雄峙，聯𡾰而相望，楓環溜飛，雲霞出没，直陽當對，曰嵩黄□，左曰黄崎岱垛，右曰雞腳三峯，相去靡可以尋仞計。然皆插霄近日，連聳如列屏，翠羽之木，龍鱗之石，均蔭其上；鹿逸豕遊，與夫啼月之猿、嘯風之虎，交跡于中；而鳴禽飛鳥，又未悉以類舉也。山之外曰白河，洪流環抱，其麓以限旁邑。計厥山盤據方五百里，而□子散處，事農誅茅爲庵者，不下數百墅。其間層巒疊嶂，深壑峻岩，得其名者甚繁，概以伏牛冠之，猶自之在綱也。噫！山之勝概若此，蓋天鍾秀於是，方果前唐之世淪于荒落歟？僧應曰：釋氏傳云：佛有號辟支者，肇基樂道于斯，手植旱蓮，花香滿峪，因名之蓮華山。第世遠不稽何代，而佛之舍利靈骨猶存之函。余將信而且疑，始置之。惟謂嵩之提封及此，古千乘之國不是過，厥既劇矣。餘叨吏之，則夫山川之美，風景之殊，民俗之淳漓，四境之内宜悉受知也。今伏牛山得乘便一閲，酷愛其佳麗而欲識之，以追著千古之遺蹟，亦非無事而空行者。柳子論觀遊爲，爲政之具信然歟！乃撰其事，書石之陽，若夫山之疆土，廢而復之者，續載于陰。僧拜手曰：我衆志也。遂刻之下雲巖、雲空寺、菩提場，俱上雲巖下院。

大明正德十三年歲舍戊寅秋九月吉。文林郎知河南府嵩縣事前舉進士華容王官之撰，廩膳生員穆敖書。

嵩縣縣丞宋惟中、主簿李森、典史鄧顯、儒學教諭申佐、訓導任必紹、時熙，本寺住持僧興隆、舊住持龔石……

重修慶安寺建鐘樓碑記

重修慶安禪寺碑記

國□監聽選監生陳體乾撰文

嵩陽丁卯科舉人汪景華篆額

儒學生員房柎書丹

邑北十五里地名趙村有寺曰慶安蓋古剎也相傳創建於元季至元歲造

國朝景泰間有僧號無瑕月空□□至□者重加修葺歷今幾二百年殿宇垣墻不無傾圮以故住持僧明鐘暨化主明欽

謀諸鄉之好善者呂祿五瓚張雲峩歆嗣前功於是攢□諸鄉人各捐□資重修佛殿三間僧舍五間又創建山門一

間鐘樓一座其諸佛聖像及戶牖垣墉皆煥然一新既底績乃屬予為文用垂不朽予惟佛法傳於我中國久矣然緇衣

錫杖竊其行佛而已求其遵佛之教以佛之心法佛之法者不多見焉嘗考釋氏之書有五千四十八卷闕寔其目則曰

論曰戒曰懺曰贊曰頌曰銘曰記曰序曰錄至其大要則不過曰空曰捨曰慈悲而已今之入釋者憧憧擾擾與世俗無

異焉在其為空既不能空則自為之念重為人之念輕又焉能捨既不能捨則一膜之外視為胡越藩墻之隔分為比鄰

又焉能急人之難以行慈悲之教昔疊山先生撰觀音經序其略云天下有溺者由己溺之禹之所思也天下有飢者由

己飢之稷之所思也天下有不被堯舜之澤者若己推而納諸溝中伊尹之所思也禹稷伊尹之所思即觀世音尋聲救

苦之謂也然則儒佛之道固亦有同者要不越乎一心而已明□輩乃今之賢僧也蓋亦悟之於心乎必也以空為本以

捨為忘以慈悲為務勿以七善四諦自多而以三緣五戒為重由是上祝

九重之壽下祈萬姓之安衍法嗣於無疆紹宗教於不墜則茲寺之修亦釋道之所由興也豈徒曰新其殿宇飾其垣墻而已

哉明鐘輩恍然而悟若有明諸心者於是再□受辭請刻石以為之記 穆顯祖 王晉祥 石會

知嵩縣事文林郎宋含弘 迪功郎程鎰 將仕郎孫漢 典史翟爵

守禦所武德將軍張永太 沇 一元 鎮撫何魁 百戶夏鳴雷 壹佛社首路堂等化主真川

儒學教諭韓桐 訓導王愛 丘士俊 生員何宗乾 張達 楊萬程 陳應珠

大明隆慶二年歲次戊辰孟月初五日立石 首篆楊一時 石匠張引弘鐫

【〇〇七】　重修慶安寺碑記

年代：明隆慶二年

尺寸：高 201 釐米，寬 82 釐米

立石地點：嵩縣大坪鄉棗園村慶安禪寺

〔碑首〕：重脩慶安寺暨鐘樓碑記

重修慶安禪寺碑記

國子監聽選監生陳體乾撰文，嵩陽丁卯科舉人汪景莘篆額，儒學生員房枘書丹。

邑北十五里地名趙村，有寺曰慶安，蓋古刹也。相傳創建於元季至元歲，迄國朝景泰間，有僧號無瑕月空□□王子玉者，重加脩葺，歷今二百年，殿宇、垣墻不無傾圮。以故住持僧明鐘暨化主明欽，謀諸鄉之好善者石禄、王瓚、張雲輩，欲嗣前功。於是，瓚輩倡諸鄉人，各捐己資，重修佛殿三間、僧舍五間，又創建山門一間，鐘樓一座，其諸佛聖像及户牖垣墉皆焕然一新。既底績，乃屬予爲文，用垂不朽。予惟佛法傳於我中國久矣，然緇衣錫杖，竊其仿佛而已。求其遵佛之教，心佛之心，法佛之法者，不多見焉。嘗考釋氏之書，有五千四十八卷，閱寔其目，則曰論、曰戒、曰懺、曰贊、曰頌、曰銘、曰記、曰序、曰録。至其大要，則不過曰空、曰捨、曰慈悲而已。今之入釋者，憧憬擾擾，與世俗無異，烏在其爲空？既不能空，則自爲之念重，爲人之念輕，又烏能捨？既不能捨，則一膜之外，視爲胡越，藩墻之隔，分爲比鄰，又烏能急人之難，以行慈悲之教？昔疊山先生撰觀音經序，其略云：天下有溺者，由己溺之，禹之所思也；天下有飢者，由己飢之，稷之所思也；天下有不被堯舜之□者，若己推而納諸溝中，伊尹之所思也。禹、稷、伊尹之所思，即觀世音尋聲救苦之謂也。然則儒佛之道，固亦有同者，要不越乎一心而已。明堂輩乃今之賢僧也，盍亦修之於心乎？必也以空爲本，以捨爲志，以慈悲爲務，勿以十善四諦自多，而以三緣五戒爲重。由是上祝九重之壽，下祈萬姓之安，衍法嗣於無疆，紹宗教於不墜，則茲寺之修，亦釋道之所由興也，豈徒曰新其殿宇，飾其垣墻而已哉！明鐘輩恍然而悟，若有明諸心者，於是再□受辭請刻石，以爲之記。

知嵩縣事文林郎宋含弘，守禦所武德將軍張永太，儒學教諭韓桐，迪功郎程鎰，沈一元，訓導王愛，將仕郎孫漢，鎮撫何鯢、丘士俊，典史鞏爵，百户夏鳴雷，生員何宗乾，省祭楊一時、張遥、楊顯祖、王普祥、石會。

金佛社首路堂等，化主真川、楊萬程、陳應珠。

大明隆慶二年歲次戊辰五月初五日立石。

石匠張引弘鐫。

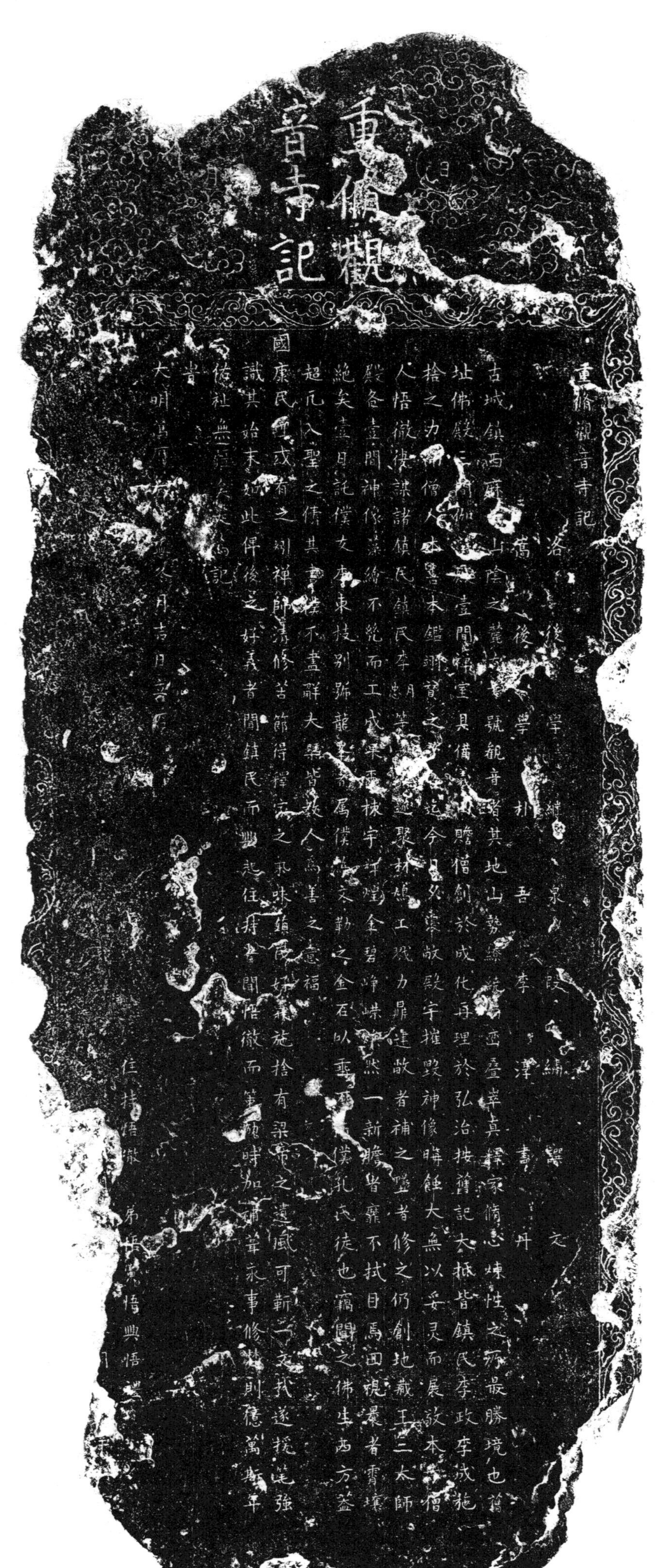

【〇〇八】 重脩觀音寺記

年代：明萬曆六年

尺寸：高 163 釐米，寬 60 釐米

立石地點：嵩縣田湖鎮關齡村佛海禪寺

〔碑首〕：重脩觀音寺記　日月

重脩觀音寺記

洛後學繼泉段繡撰文，嵩後學樸吾李淳書丹。

古城鎮西麻□山陰之麓，有寺號觀音者，其地山勢繚繞，崗巒疊崒，真釋家脩心煉性之所，最勝境也。舊址佛殿三間，伽藍殿壹間，禪室具備，義田贍僧，創於成化，再理於弘治。按舊記，大抵皆鎮民李政、李成施捨之力，而僧人本善、本鑑翊贊之□也。迄今日久浸敝，殿宇摧毁，神像晦蝕，大無以妥靈而展敬。本寺僧人悟徹，復謀諸鎮民，鎮民李月、李忠等，□□遂聚材鳩工，勠力鼎建，敝者補之，墜者脩之。仍創地藏王、三太師殿各壹間，神像藻繪，不幾而工成，果爾棟宇輝煌，金碧峥嶸，焕然一新，瞻者靡不拭目焉，回視曩者，霄壤絶矣。壹日，托僕友李東枝别號龍峯者，屬僕爲文，勒之金石，以垂不朽。僕，孔氏徒也，竊聞之佛生西方，蓋超凡入聖之儔，其書僕不盡解，大概皆教人爲善之意，福國康民，理或有之。矧禪師清脩苦節，得釋家之氣味，鎮民好義施捨，有梁帝之遺風，可靳一文哉！遂援筆强識其始末，此俾後之好義者聞鎮民而興起，住持者聞悟徹而策勵，時加補葺，永事脩焚，則億萬斯年，佑祉無疆矣。是爲記。

時大明萬曆六年孟冬月吉日立石。

住持：悟徹。弟：悟寅、悟興、悟禮。

重修紅椿寺記

浮蘆沂弱水西入中華，肪於漢，延於唐，熾於元魏，埜靈巖美輪奐，以時焚修，迨及

國初烏斯藏能藏慈壽壽明寺妙淨莊嚴宗律式振菩提化現壽國兼民。河南古豫州，爲角亢之分，亘中嶽，支伏牛，屬嵩邑，岩門絶巘田字段

壽勝甲天下，四方檀樾以進影攝緇爲幸。阜城里許額有名紅椿寺者，建自嘉靖之初，臨濟正宗第二十五世荊壁老人來

荊壁者，族世西夏，法諱德山，號翠峯，荊壁其別號也。幼嗜禪學，過函谷擇椿寺居焉，索然一欄，逾二十年餘，足不履城市，口茶下煙火，性定念

與真宗沙門傳法無慮數百人，既而遊京都，妙悟益深，依歸益衆，事皆前知，臨化有一拳打破虛空囑，得諸佛退位之偈。其徒

欽依宗師華住持延壽印空，恪守宗風，廣興禪舍，今又逾三十餘禩矣，季久傾頹。荊壁孫明海，號慈舟，幼入

掖庭，皈敬謹飭，龔藩王一日謝時俗，祝髮閉關，抱玄茹和，爲緇衣第一流，撫然歉新之，謀同參法派明本等捐貲，卑遂

復鏟崖堙卑，驅石剪棘，剷汚穢，泉高隅，乃棟若宇以楠以榲，修千佛藏經殿，去數武增三大士殿，配殿之左右則天王、祖師、伽藍也，次禪堂，儉

不陋，麗不奢，森沉燥濕，餘清積翠，輝暎金璧，炳煥一新矣。嘗

慈聖宣文明肅皇太后

欽賜大藏全經，復增禪堂，延衆檢閱，以虔祝延。夫貪溺者自[illegible]，[illegible]者不振，藉令知守者泛以傳舍爲虛幻，烏能纘承先志，[illegible][illegible]像[illegible]清淨觀

梵於霄漢之表，儼廟貌於日月之傍，若是哉！吁，若慈舟者，將不得爲賢乎哉！昔柳子以善大顛爲師，文暢公亭亦嘉其行，以[illegible]教本苦空，而

其普照機鋒，圓通者證上乘，不爾亦足以望彼岸，而不至淪溺之甚，是有以濟吾道之所不及者也。是爲記。

賜進士出身侍

經筵戶科左給事中關西穩來輔撰

萬曆十七年四月初八日立石　三十六年四月吉日立碑樓記

【〇〇九】　重修紅椿寺記

年代：明萬曆十七年

尺寸：高 280 釐米，寬 96 釐米

立石地點：嵩縣車村鎮高峯村

重修紅椿寺記

浮蘆沂弱水西入中華，昉於漢，延於唐，熾於元魏，筮靈巖美輪奐，以時焚脩。迨及國初，烏斯藏乩藏慈，壽壽明寺，妙浄莊嚴，宗律式振，菩提化現，壽國康民。河南古豫州，爲角亢之分，亘中嶽，支伏牛，屬嵩邑，崇岡絶巘，□日争霞，壽勝甲天下，四方檀樾以進影攝緇爲幸。阜城里許，額有名紅椿寺者，建自嘉靖之初臨濟正宗第二十五世荆璧老人。夫荆璧者，族世西夏，法諱德山，號翠峯，荆璧其别號也。幼嗜禪學，過函谷，擇椿寺居焉。索然一榻，逾二十年餘，足不履城市，口不下煙火，性定慧契真宗沙門，傳法無慮數百人。既而遊京都，妙悟益深。依歸益衆，事皆前知，臨化有一拳打破虚空，嚇得諸佛退位之偈。其徒欽依宗師，兼住持延壽、印空恪守宗風，廣興禪舍，今又逾三十餘禩矣，年久傾頹。荆璧孫明海，號慈舟，幼入掖庭，敏敬謹飭，襲蟒玉。一日，謝時俗祝髮閉關，抱玄茹和，爲緇衣第一流，撫然欲新之。謀同参法派明本等，捐貲集施，復鏟崖堙阜，驅石剪棘，削污壤，裒高隅，乃棟若宇，以桷以楹，脩千佛藏經殿，去數武增三大士殿。配殿之左右，則天王、祖師、伽藍也，次禪堂，儉不陋，麗不奢，森沉燥濕，餘清積翠，輝映金璧，炳焕一新矣。恭荷慈聖宣文明肅皇太后欽賜大藏全經，復增禪堂，延衆檢閲，以虔祝延。夫貪溺者自私，鄙狹者不振，藉令知自守者，必以傳舍爲虚幻，烏能纘承先志，恢弘像□，使清浄規梵於霄漢之表，儼廟貌於日月之傍若是哉吁，若慈舟者，將不得爲賢乎哉！昔韓、柳二公善大顛爲師，文暢公序亦嘉其行，以□教本苦空，而其普照機鐸圓通者，證上乘，不爾，亦足以望彼岸，而不至淪溺之甚，是有以濟吾道之所不及者也。是爲記。

賜進士出身侍經筵户科左給事中關西穆來輔撰。

萬曆十七年四月初八日立石，三十六年四月吉日立碑樓記。

【〇一〇】 重修伏牛山紅椿寺記

年代：明萬曆十七年

尺寸：高 285 釐米，寬 96 釐米

立石地點：嵩縣車村鎮高峯村

重修伏牛山紅椿寺記

佛肇西方，教延中國，抑彌熾遏彌流耶。何故也？跡其教，固有旁覺群盲，陰裨世化，深入人心於莫解者。此我聖祖曠千古而定制，統以宗伯，隸以有司，名山大川，悉有梵宫，不廢以佛理，佛厥旨深哉！伏牛勝概甲寰區，佛所闡靈地也。而寰區之披緇誦唄者，率亦視爲宗印，蓋自唐已然矣。然所謂伏牛者何？辟支隱居，野牛阻路，自□和尚降之，名斯著耳，詳載禪乘，無容贅論。論其顯者，山之寺環雲巖□□五十餘區，寶刹霞張，衲流雲聚。世宗時，荆璧和尚修之，印空和尚復修之。既□額山額，炳烺輝煌，諸天媲美。洊歷年所，剥落傾頹，是不可無精行者，出於其間，增飾之也。乃慈舟上人以中貴披剃，棲跡伏牛幾星霜矣。企荆璧，踵印空，殫心肆力，大振宗風，潤色招提，盡復當年之勝。仗同參伯然之力，而大士、天王創新，諸殿蘭若精舍廣甃石垣，周密巍莪，抑有大過焉者，豈偶致哉？良由上人棄榮蟒玉，究竟波羅關，隱三年，淘□脩持，殆與釋迦悟心、達磨面壁爲庶幾者，所以聲教□□。慈宫頒經錫鏹，且奉懿旨建千盤勝會，講演秘典。而聖上敕諭，震耀山靈，尤爲異數。上人走書轉答，中貴弘齋，誠軒□□□□□□□□餘聞文起□、道齊□，非□□□□□□□於大顛文暢，若拳拳者，以其墨名而儒行也。世謂古今人不相及者，非□□□□□□□□□□□□□汩没而無悔□□□□□□□□□□□繁華爲敝屣，視蔬素爲甘怡，超脱尋常，不啻霄壤已爾。此墨□□儒行……禧勸俗，又佛弟子之正諦，此旁覺群盲，陰裨世化也。允若兹□□□泰山，余不敢望……無疑，豈能□□言哉。爰托貞珉，庸垂永世。

賜同進士出身翰林院脩撰參務郎博野肖及徐聯芳撰。

欽□御馬監太監張思、陳儒、李官、魯瓚、李忠、李才、王壽、閻進、李添壽。

萬曆十七年四月初八日立石。

創建觀音堂碑記

伏以竺乾大教爵興必藉於長者始建神堂布施須還於檀信嘗謂人之作善仍舊者易創始者難協力者易獨成者難理勢固然耳人之所以作事恒樂於其易而憚於其難也廼者邑北趙村常家居士胥豐民庶綢密數輩無聞此有堂宇今本鎮鄉民石甫周學[illegible]劉庫等日夜懸思朝夕心慕覩河洛者思禹功享粒食者思后稷吾鄉之民蒙此覆庇未必非神之祐也可不見像作福報答生成之恩乎剏觀音神堂街衢里巷城廓鄉村建立焚修遍處下皆然非淫祀者可比吾輩生長此土可不建立此堂命僧朝夕焚脩庶不愧於天耶常論於衆信俱曰甚善每向於二三無不歡成遂然衆議敦請慶安寺禪僧如善請允化主不辭運水拖泥豈怕衝霜冒雪持簿募化日夜心懃不憚寒暑欲成勝事請集信官石蘊呈洟施吉地一區復有信士石國楓施捨正殿山門二項木植所已創建大殿三間廂房二座週圍墻垣門樓處所內塑菩薩五尊羅漢諸天十王聖衆殿宇神像所費錢糧百緡悉出十方衆信粧繪完滿金壁輝煌望之者悚然起敬今聖殿穫意尊崇庶神明[illegible]以妥妥慈風浩蕩吹噓樂善之心化雨霑濡膏潤種德之門俾無嗣者即生智慧之男令有嗣者早受金章之榮求名者[illegible]秋香而聯春浪理財者庫貫朽而廩陳紅雖大造普物以無心而神明輒緣感而以有應成千載迎祥之地作四民植福之場住持僧不辭懃勞二六時延修佛事以之報國恩則聖祈保無疆之永以之報親恩則劬勞起宥灞之纏至若諸天衛護八部嘉祥豈有人民熟不歸化此則不憚於創始協力之難者哉所謂昔年荊棘地一旦成叢林勒石垂萬古亦為不朽哉

嵩縣管糧廳周一竜　淺大嶺巡撿司徐天民　一鄉善人王從善　[illegible]梁山主閻業十三　畝

峕萬曆四十五年十一月吉日立石為誌　本堂作看[illegible]世長久之記

【○一一】 創建觀音堂碑記

年代：明萬曆四十五年

尺寸：高 155 釐米，寬 61 釐米

立石地點：嵩縣庫區鄉常店村

創建觀音堂碑記

伏以竺乾大教鬱興，必籍於長者；始建神堂布施，須還於檀信。嘗謂人之作善，仍舊者易，創始者難；協力者易，獨成者難，理勢固然耳。人之所以作事，恒樂於其易，而憚於其難也。迺若邑北趙村常家店，土膏豐腴，民庶稠密，數輩無聞此有堂宇。今本鎮鄉民石甫、周學文、劉庫等，日夜懸思，朝夕心慕，覩河洛者思禹功，享粒食者思后稷。吾鄉之民蒙此覆庇，未必非神之祐也，可不見像作福，報答生成之恩乎？矧觀音神堂，街衢里巷、城廓鄉村，建立焚修，遍天下皆然，非淫祀者可比。吾輩生長此土，可不建立此堂，命僧朝夕焚脩，庶不愧于天耶？常論於衆信，俱曰甚善；每向於二三，無不欲成。遂然衆議敦請慶安寺禪僧如善，請允化主，不辭運水拖泥，豈怕衝霜冒雪，持簿募化，日夜心勤，不憚寒暑，欲成勝事。請集信官石蘊呈，乃施吉地一畝，復有信士石國楓施捨正殿、山門二項木植，所以創建大殿三間、廂房二座，周圍墻垣、門樓處所，内塑菩薩五尊、羅漢諸天十王聖衆。殿宇、神像所費錢糧百緡，悉出十方衆信。粧繪完滿，金壁輝煌，望之者悚然起敬。今聖殿獲意尊崇，庶神明籍以安妥，慈風浩蕩，吹噓樂善之心；化雨霑濡，膏潤種德之門。俾無嗣者即生智慧之男，令有嗣者早受金章之榮，求名者假秋香而聯春浪，理財者庫貫朽而廩陳紅。雖大造普物以無心，而神明輒緣感而以有應，成千載迎祥之地，作四民植福之場。住持僧不辭勤勞，二六時延脩佛事，以之報國恩，則聖祈保無疆之永；以之報親恩，則劬勞超有漏之纏。至若諸天衛護，八部嘉祥，豈有人民熟不歸化？此則不憚於創始協力之難者哉！所謂多年荆棘地，一旦成叢林，勒石垂萬古，亦爲不朽云。

嵩縣管糧廳周一龍，後大嶺巡檢司徐天民，一鄉善人王從善。

衆山主開荒十三畝，本堂作香火地，長久之計。

時萬曆四十五年十一月吉日立石爲記。

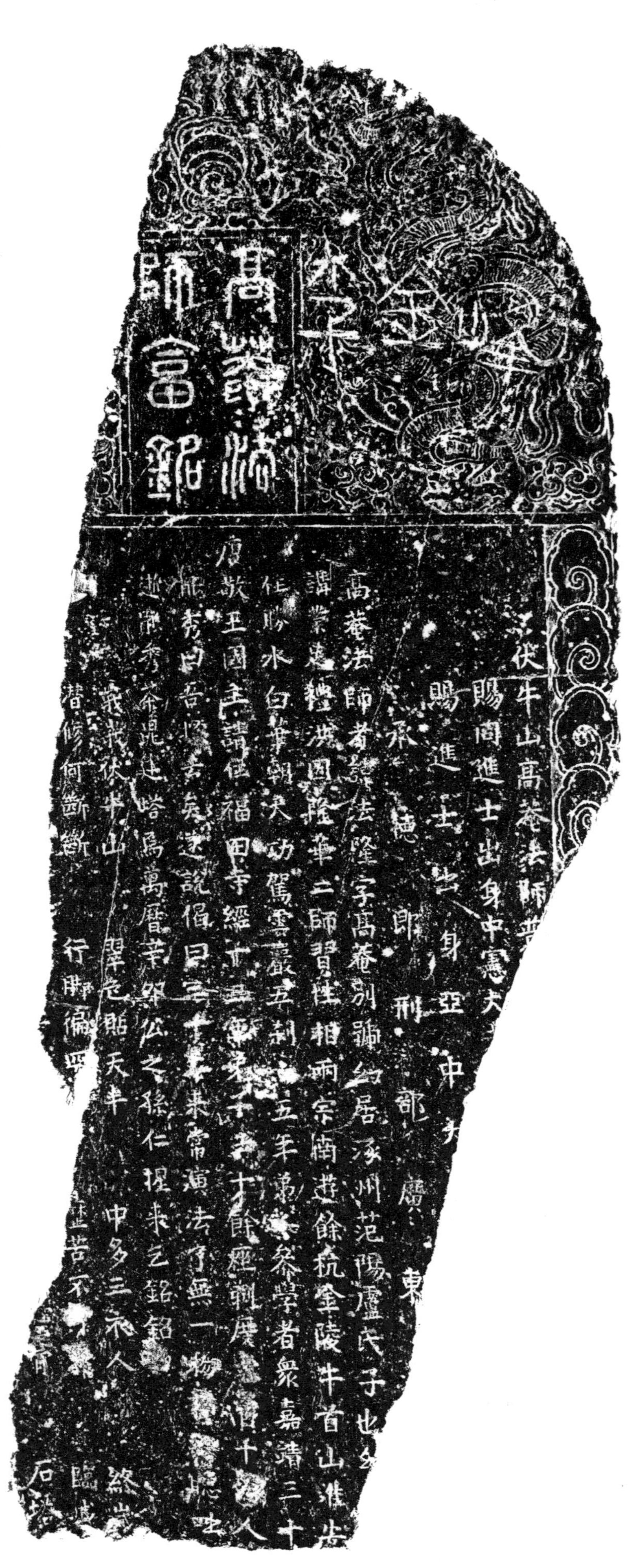

【〇一二】 伏牛山高庵法師塔銘

年代：明萬曆年間

尺寸：高 133 釐米，寬 65 釐米

立石地點：嵩縣白河鎮下寺村雲巖寺

〔碑首〕：高庵法師塔銘

伏牛山高庵法師……

賜同進士出身中憲大夫……賜進士出身亞中大夫……承德郎刑部廣東……

高庵法師者諱法隆，字高庵，别號幻居，涿州范陽盧氏子也。……講業忠禮洪，因隆華二師習性相，兩宗南遊餘杭、金陵、牛首山、淮安……任勝水白華朝天，功駕雲巖五刹。□五年弟□參學者衆。嘉靖三十……唐敬王國主請任福田寺，經一二年，弟子三十餘，座剃度者僧千□人。……能秀曰：吾將去矣。遂説偈曰：三十年來常演法，了無一物□□聽，……逝能秀荼昆建塔焉。

萬曆辛卯，公之孫仁惺來乞銘。銘曰：

我莪伏牛山，翠色貼天半。中多三衣人，終歲□□□。潜脩何斷斷，行脚徧四□。歷苦不□□，臨□□□□。

【〇一三】　重修三潭寺碑

年代：明萬曆年間

尺寸：高 150 釐米，寬 80 釐米

立石地點：嵩縣何村鄉橋頭村三潭寺

〔碑首〕：□新宗派：性理傳宗，奇規遠繼，浮湛覺圓，印澄心地。

嵩縣縣丞孫承光，主簿衛邦才，典史陳巖，儒學教諭陳討，訓導路沛、王三錫，嵩縣千户張敏政，汝州衛指揮何宗乾，太學生何宗泰、何宗豫，僧會司護記行高，道會司道會王真相，玉寶寺住持正喻、行鎮，羅漢寺□□、□機、悟天、正如、如見，明月寺名鈴、□福、如洪、生員楊復亨、張子順、孫潤、賈時榮、蕭子翰、董應孝、何宗恒、何出圖、張存禮、張命德、閆自立、楊崇儒、省祭李之用、閆一琴、李永長、袁應魁、李定邦、李從諫，舍餘何流、何滿、何平、何穩、南店一里三甲本寺里長李□、李威、李良、李天之、李志魁、李行舟、李上巖、李二義、李永恭、李永聘。功德施主：江西客人魯貴，許州客人郭子來、傅山、陳營、陳月、陳登、陳連、孫承嗣、安朝陽。在城：胡守信、吴存□、李從仕、楊成、李定民、李定吉、王福海、郭君錫、郭守政、郭守忠、郭從恩、袁富、張蘭、張□。各鄉村：陶艾、山何、袁進忠、鄧才、馬進京、董應熊、董應忠、陶年萬、郭君愛、牛得高、牛得會、牛江、趙隆、趙□。黄寨川承差董武刻造梁武懺板。張朝□、楊廣、張惟庫、霍寬、張九功、霍洪、靳庫、楊朝卿、袁中、靳如、靳學、李朝云、張好善、鄭秋。同緣善人里長厘寵、羅守道、劉受、韓盤、申成、趙大禄、張萃、潘榮、朱富、朱林、閆一其、閆一儒、吕江、趙鸞、王世虎。發心脩造僧妙從：門徒意臻、意尚、意焕、意相，法孫性傳、性高、性遠、性平、性舉、性美、性旋、性端，俗侄陳誥、陳壯，□軍嶺劉伯方、白孟陽、曹良、王秋、金太林、宋貴、張苑、張雨、王敖，合寺僧衆真明、法演、妙正、妙恩、徒意松、黄寨觀音堂意香、意秋、意成、意良、意蘭、意用、意冬、意忠、意零、意愛、意曉、意道、意成、意本、意坤、意進、意介，孫性□、性□、性旺、性杲、性天、性雲、性洗、性佃、性好、性倉、性剛、性朋，典坐祖演、□興、會通。信士李良、李棟、李尚巖三人同捨。水陸一堂入常住供奉妙浄、妙經、妙受、妙法、妙延、妙廂，本寺下院王處□，竹林寺妙桂、妙同，聖水庵如成，漏明堂、龍泉庵脩造僧妙金，羅漢寺僧悟任，凡臺寺宗清、廣潭，華法庵真寶，妙從造完常住銅佛三尊：水陸一堂、十王一堂、華嚴經十一……　座。本寺地畝東至楊瓦溝，西至高垛嶺，南至嶺，北至江罩溝。化主意……佛像一堂，天□殿……梁武懺板一部。

木匠：閆官、閆上、□林。泥水匠：張大臣、靳良。解鋸匠：……程思齊、薛治。窑匠：寧九高。石匠：劉尚學、趙有銀、劉尚義鐫石。

【〇一四】 重脩竹林寺碑記

年代：明崇禎元年

尺寸：高 141 釐米，寬 55 釐米

立石地點：嵩縣紙房鄉紙房村竹林寺

重脩竹林寺碑記

歷稽嵩圖古籍，□□里許有□氏陵門間，一泉每變，日現五色，俗稱變泉，乃嵩嶽洩液、伊脈呈彩，奇境也。其境似天竺，因建一竹林寺。茲寺也，創自明興國初，時嵩土積□□申國寶裔孫法名開玉，係玉寶寺僧會司欽授儀官，王□祖地内有是泉，而自建浮屠宫殿三楹，泉左伽藍殿一間，前帥殿三楹，僧廊五間，輪奂鼎新，佛像巍然，班班稱美。峯巒崧翠，泉湧澄映，蒼柏挺秀，脩篁緑猗。嵩邑士大夫□□勝概，僉曰：申氏捐資，足稱雲搆，且開玉又成是佛境，此嵩籍里名寺上鄉、名寺莊所由起也。迄今二百餘年，歲久垣宇頽圮，甍甓秺牏，攲謝摧折，觀者追憫。有□孫申詳之□□寧悲□祖舉，亟招化主柳國務，募緣脩葺。越二載，正殿三楹，赫然恢崇，伽藍、水陸二殿六楹，倍竪輝煌，帥殿、僧廊整飾壯麗，肖神塑像金粧丹繪，焕然復新。則瞿……衆生，密靡不仰五天梵語而崇佛也。余與浮屠氏、道教不同塗，然而知浮屠者，非余罔真。是以本方士庶、社首又進表彭河，因茲脩葺功成，屢年遠湮没，更捐資礱石，懇爲文，□紀其績，不佞辭謝弗已，因衆人之虔謝，□□休耑書，付之剞劂，以垂不朽云。

申詳之、□朝讓、□□□、高讚、高登云、生員葉其芳、生員葉其蓁、生員申大德、張高、張申、胡邦慶、高守禮、楊朝、楊陳氏、張俊彦、申自智、張正統、生員□□□、王□、朱□、安弘祚、安弘業。

木匠：申自友。泥水匠：張禮、翟進禄。畫匠：薛明堯、劉得義、劉三魁。石匠：吴林仝男吴尚現沐手刻。竹林寺住持：意定、性可、□□、理序、理法。

嵩縣儒學增廣□□葉其芳，廩膳生員葉其蓁撰。

崇禎元年歲次戊辰乙卯月十六日。

【〇一五】 雲巖寺各大嵈及火場記

年代：明代

尺寸：高133釐米，寬65釐米

立石地點：嵩縣白河鎮上寺村雲巖寺

龍池大嵈、□柳嵈、呼□河、寒□□、桃花嵈、菩薩嵈、□大場、□法平、盤龍嵈、頂□石、陳宅表、盤岫里、東倉頭、日□墁。冷水澗、龜背石、松君嵈、觀音嵈、勝林嵈、各火場：□平里、滕家嵈、胡家嵈、寨溝、龔家平、古佛平、白果樹、黄土崗、□花嵈、掃帚墁、廣悟莊、黑龍狀、紅春嵈、明海、真迎、□花嵈、敲鑼崖、潛龍嵈、西火場、吉祥平、香爐嵈、朝天顔、霄松嵈、西冷水嵈……

【〇一六】 重修佛殿金塑聖像創建天王完工碑記

年代：清康熙二十二年

尺寸：高 143 釐米，寬 57 釐米

立石地點：嵩縣田湖鎮南洼村班竹自然村班竹寺

〔碑首〕：重修班竹寺碑　日月

嘗閱藏教，諦審源流，佛生西域，祥夫□□□朝，聖教東流，金像夢於漢帝。夫何□□□□□□□□其道則妙萬物而爲言，其言則盡幽冥性命之理，其教則捨惡而承善，去僞而歸真，□□□□□□□者，而於現世能福、能慧、能壽矣。知恩之人，羨慕已深。立班竹寺者，欲後人見像而作福，□□□□□在何時，歷唐宋元明，巋然不朽。迨至明末，流土交訌，人心離散，殿宇傾頽，聖像暴露，荒涼堪□□皇清定鼎，有衲僧慧空雲遊至此，視之心酸，勸化一方，人心復初，重修正殿而去之。後有女善人侯門王氏，沿門乞化，金粧佛像，菩薩、羅漢、韋馱、護法、地藏、伽藍，焕然復新，所未竟者，天王四像。又有功德主韓守官、池現蛟、程佳松、住持可澄等，創建殿宇，四像繪焉，荒涼之區，漸見輝煌，前人之功，後人之繼。□方衆等徵記於餘，餘何能記哉。寺之貌，是山而環水；佛之慈，誓願而度生。昭然在人心目者，不須贅也。但就事言事，令後之人仰此寺，□□□□□然曰：某年月某人等建立此也，某年月某人等重脩此也。相繼而善，用是不磨，千秋萬載，□□□之保□□之永新也。

功德主：韓守官：施銀三兩四分。池現蛟：六錢。柴自成：五錢。程按廉：五錢。侯進善：五錢。池騰蛟：四錢。陳大貴：五錢。張廷龍：二錢。李奉：錢半。文光成：二錢。李□林：一錢。趙祥：一錢。陳大學：二錢。張慎明：一兩。梁福：一錢。懷慶牛孟仰：一兩。省客羅天才：三錢。陳三益：一錢。于蘭：二錢。任□賓：五分。黄光明：一錢。邢光明：一錢。吕良今：一千錢。高尚升：一錢。阮五云：二錢。□賢：二錢。孫守太：二錢。黄尊玄：二錢。陳門黄氏：二錢半。武現：二錢。王聰德：二錢。喬門趙氏：二錢。權柄：二錢。周文星：二錢。劉芳升：二錢。陳五林：二錢。畫匠馬安：五錢。□財僧力道。

侯封官施捨地一段，東、北至車路，南至本寺，西至十字嶺，坐落東、北二嶺。

住持僧：可澄。

大清康熙貳拾貳年歲次癸亥拾月拾伍吉日立。

重修碑記

【〇一七】 重修班竹寺碑記

年代：清康熙五十三年

尺寸：高159釐米，寬70釐米

立石地點：嵩縣田湖鎮南洼村班竹自然村班竹寺

〔碑首〕：重修碑記　日月

嘗聞先賢有云：世間所有諸快樂，無一不從三寶修。富哉，言于。足以爲作福□之憑□也。所謂快樂者何？□華□□也；三寶者何？佛法僧也。緣木而求神，烏可得乎？有住持僧可澄，俗籍河南□州人也。因連離亂，□□□門，永□□道，玆非爲本，隨處建寺，□□遇人勸化爲善。自康熙□□，逍遥於河南嵩邑，邑之東五十里，有一荒寺名□□□□□此寺……聖境也。其中殿宇止有一所，椽瓦朽□，不堪□□，□有佛寺之名，實爲虎狼之巢。於是，可澄捨生亡安，勞其筋骨，親身□歷，重脩佛殿，□□□□，創修天王、山門，□□□□，周圍房屋，焕然一新。□□□三十里有大石橋，東西通衢，離人遥遠，堪可結緣之處。於是，躬叩前信士盧□□□□□□□功德主，創建善度寺□一所，施茶結緣，閤邑□□勝事。□平寺北去□里有石佛寺，年深倒懷，重建鼎新，恢復舊制。三……四壁輝煌，日□鐘聲明亮，一時課誦而常。奈焚修□□焦勞，修理□□，二園開墾薄田數頃，庶幾佛祖香火延□，有年持□□子□□□□□□其香火永固。□旦可澄時至耄年，猶如風燭黄花，□□何以立垂□□□悠久，特將善信姓名，隨寺焚修香火地畝……永垂不朽云耳。

……

大清康熙伍拾叁年歲次甲午拾壹月吉旦。

佛日增輝

【〇一八】　重脩十方禪院建立地藏菩薩大殿並塑神像碑記

年代：清康熙五十七年

尺寸：高 142 釐米，寬 70 釐米

立石地點：嵩縣車村鎮孫店村瘟神殿

〔碑首〕：佛日增輝

重脩十方禪院建立地藏菩薩大殿並塑神像碑記

蓋聞諸佛住世有大梵刹，有大護法。梵刹者，支提也，又名蘭若，又名精舍。此名常住，常住者，□□□之所，□□種福之田園，衲僧行道之勝地也。我釋迦文佛出世於西乾中音國土，爲太子身，棄捨轉輪王位，出家脩道於靈山。六年苦□□□止此現在靈鷲山王舍城舍衛國祇樹給孤獨國轉大法輪，有平沙□淡斯匿王祇佗太子、給孤長者護持佛□，脩理精舍，供給所須。地藏菩薩出世於東巽暹樂國土，爲太子身，棄捨國位出家，於九華山脩行，苦行數□□□菩薩道，有閔公長者護持佛教，脩理精舍，爲化成寺，供給所須。昔日世尊傳法於迦葉尊者，始爲初祖，次傳阿難尊者，傳至菩提達磨，廿有八世。達磨□□□□東都震旦國王，會梁武帝不契，踏蘆遇坎，寓嵩山面壁行道，傳法於慧可禪師。磨後示寂，隻履西逝，□□□□□□初祖，慧可爲二祖，至今四十餘代。由是有馬祖門人自在禪師，此山行道，建立精舍七十二處，□□□□□□□棘虎鄉孤兒棲身之地。山内有川，名曰太和，相近嵩邑二百里許，川左有養老溝，前有山場一處，勝□□□□□□□十方禪院，荒基一所，不知何時興□。年深代遠，風雨銷鑠，殿堂傾頹，止有基址所存。此係彌陀庵住持實登□□爲業，登情願施捨與行僧如乾，發心重脩十方禪院，永爲香火養膳之資。其山地四至：東至北一截至□□頂□水爲界，南一截至三橋溝爲界，西至北一截至王宅地爲界，南一截至河爲界，南至河爲界，北至王宅山地爲界。六界四至，迄裏土木相連，自施之後，許如乾經管爲業，不言價銀，言定每年總糧銀伍錢，彌陀庵名下六□。如乾會知唐、武、姬、朱、梁、孫、李、夏、馮九大善士公議，重脩十方禪院，題名化成庵。十人共發善念，各出己貲，同募□□，謹□十方貴官長者、紳□士庶、經商客旅、善男信女、緇素人等，隨心喜捨，樂助貲財，共成厥事。□乙未三月廿八日建立地藏菩薩大殿三楹，兩廊草屋十楹，虔請銅佛一尊，莊塑地藏菩薩一軀，十殿冥王、三大士菩薩、彌勒菩薩、韋駄伽藍、監齋思王菩薩、達磨自在祖師、關公、道明姑像、文公土地，大小金像三十餘尊，刻鏤龕室，經桌、香案、鐘鼓、禩磬，悉皆製造。繪畫墻壁，朱彩廊廡，焕然一新，金碧交輝，竟獲完美。據終至始，年有四載，樂成善果。共費白金二百二十餘兩，具從檀那信人所出。特記其事，爲文勒石，永垂不朽，以示後主，上表衆善功德云爾。

時大清康熙五十七年歲次戊戌季秋菊月吉日。

山主：明誠、明禧，徒侄：實登。功德主：孫名立、梁志、孫禄，會首：唐天有、武盛雲、姬有寶、夏悦胡、朱魁元、李桂英、馮時泰仝立。

萬壽無疆

日　日

佛日增輝　法輪常轉

重修伏牛山演法坪佛殿碑記

越嵩台而南二百餘里爲伏牛山蓋昔自在禪師歸棲之所也以其峭壁凌虛故寺曰雲[illegible]

履其地山僧爲予言勝國時琳宮梵宇益碧陸離所在皆是而以雲岩寺爲最其[illegible]

嵃核桃嵃等處山場皆以供梵修之資者讀碑記其高都陳氏名箕之於世祖諱[illegible]備男諱[illegible]

號望雲爲雲巖寺核桃嵃功德山主也適逢末運流寇氛擾佛像蒙塵僧[illegible]散向之金碧陸離者[illegible]

淪荒烟蔓草中不可復識迨千戈甫定而四方游[illegible]之娱會材木渠疏之利盤踞其中呼盧酣歌[illegible]

相戕雖髡其頂實無異於禽獸於是邑之紳士屈公昌張應登張星燦李根大孫敏學之奎屋必[illegible]

公升張銳等慨然奮興謀之邑令盡行驅逐敦請風穴首座大曉禪師住持雲岩寺演法坪與[illegible]

嵯峨均令護持以助伊蒲之供爲修飭之資邑侯陳公諱公復屢示嚴禁遊僧[illegible]聞佛[illegible]經[illegible]

今山谷晨鐘暮鼓響徹林巒俾此濁世界忽成清淨道場無何大曉禪師圓寂其徒普恒實[illegible]

繼厥志計山利所積獨力建造雲岩寺佛殿三楹演法坪正殿三楹前殿三楹左右配殿各三楹雖[illegible]

靈妙像不能無藉於居民之藻繢而修理之一木一石皆普恒凡家所竭蹶而成之者也其餘[illegible]

且經營締造有志未遑而向之頹簷破壁荒榛野蔓煥然改觀頓復琳宮梵宇之舊圖大曉師[illegible]

竹之勤而亦其之人振刷而培護之故並此卑不倭亦與其列故詳叙始末於貞珉以垂後[illegible]

文林郎知嵩縣事[illegible]賢　舊縣巡檢司巡檢加一級金成龍[illegible]典史呂[illegible]

而閣[illegible]中書戊子科舉人[illegible]星煜薰沐拜譔

嵩邑庠生陳宗[illegible]書丹

龍飛大清康熙五十九年歲次庚子孟[illegible]月[illegible]穀旦全衆休息自恣之日　石匠李文昇[illegible]

住持僧[illegible]徒通信通成通際通亨通福　石匠甯可強仝立石

【〇一九】　重修伏牛山演法坪佛殿碑記

年代：清康熙五十九年

尺寸：高 147 釐米，寬 68 釐米

立石地點：嵩縣車村鎮黄柏村演法坪寺

〔碑首〕：萬壽無疆　日月　佛日增輝　法輪常轉

重修伏牛山演法坪佛殿碑記

越嵩治而南二百餘里爲伏牛山，蓋唐自在禪師歸棲之所也。以其峭壁凌虚，故寺曰雲巖。予不獲□履其地，山僧爲予言：勝國時，琳宫梵宇，金碧陸離，所在皆是，而以雲巖寺爲最。其演法坪蘇家幔、白水幔、核桃幔等處山場，皆以供焚修之資，考諸碑記，其高都陳氏名箕之六世祖諱全字德備、男諱明相號望雲，爲雲巖寺核桃幔功德山主也。適逢末運，流寇氛擾，佛像蒙塵，僧衆犇散，向之金碧陸離者，幾淪荒煙蔓草中，不可復識。迨干戈甫定，而四方遊惰之氓，貪材木、果蔬之利，盤踞其中，呼盧酣歌，争奪相戕，雖髡其頂，實無異於禽獸。於是，邑之紳士屈必昌、張應登、張星焕、李根大、孫敏、吴之奎、屈必顯、屈必升、張鋭等，慨然奮興，謀之邑令，盡行驅逐。敦請風穴首座大曉禪師住持雲巖寺，演法坪與夫前之各幔，均令護持，以助伊蒲之供，爲脩飭之資。邑侯陳公、許公復屢示，嚴禁遊僧擾亂。始聞佛號經聲，互答山谷；晨鐘暮鼓，響徹林巒，俾此污濁世界，忽成清净道場。無何，大曉禪師圓寂，其徒普恒、實慧復能繼厥志，計山利所積，獨力建造雲巖寺佛殿三楹，演法坪正殿三楹，前殿三楹，左右配殿各三楹。雖莊嚴妙像，不能無藉於居民之藻蹟而脩理之，一木一石，皆普恒兄弟所竭蹶而成之者也。其餘寮舍，方且經營締造，有志未遑，而向之頹簷破壁、荒榛野蔓，焕然改觀，頓復琳宫梵宇之舊，此固大曉師徒苦行之勤，而亦□之人振刷而培護之故至此，予不佞，亦與其列，故詳叙始末於貞珉，以垂後焉。

文林郎知嵩縣事靳樹賢，舊縣巡檢司巡檢加一級金成龍，典史吕直。

内閣中書戊子科舉人張星煜薰沐拜譔，邑庠生陳宗虞書丹。

石匠：李文昇、寧可强仝立石。

住持普恒、實慧，徒：通信、通成、際亨、通福。

龍飛大清康熙五十九年歲次庚子孟秋仲浣令辰休夏自恣之日。

萬壽同歸
日
月
伏牛山壽聖禪林惠遠十方常住
雍正九年十月初壹日

【〇二〇】　伏牛山壽聖禪林永遠十方常住碑

年代：清雍正九年
尺寸：高 150 釐米，寬 56 釐米
立石地點：嵩縣車村鎮解家莊

〔碑首〕：萬善同歸　日月

曹洞正宗第三十二代上月下明持公和尚重建。
伏牛山壽聖禪林永遠十方常住。
監院福明籌□。
雍正九年十月初壹日。

大清

重修　帝主殿並金粧　聖像碑記

嵩治北十里許其地曰龍駒村村之東南有孤峰獨峙相傳為興龍山東臨伊水西通九峪南望城市阿衡之[illegible]

遠北瞻峻嶺陸渾之古蹟猶存此則興龍山之大觀也登其巔正有。三聖行宮已經修葺左有廣生祠一楹風雨

鳥鼠將及傾頹有禪師諱淨蘭字馨然者云遊至止覽其形勝屬本鄉之山主功德化生紳士鄉耆各捐已貲復修從

衆善並禪師積儲命後工人易一楹而三楹施五采而粧飾肇始於乾隆六年夏告竣於乾隆九年冬將見鳥革翬

金碧輝煌溯其由來非善士禪師之力不及此因思天地盛衰相循之理人事往過來續[illegible]情後之視今亦猶今[illegible]視

昔脫穎葉之下或有起而重為之修飾者發後先有同揆也是以述其始末俾勒諸石[illegible]

汝州伊陽縣庠生郭文錦纘菴氏薰沐拜手撰文書丹敬[illegible]

大清乾隆九年歲次甲子冬月吉旦

【〇二一】　重修廣生殿並金粧聖像碑記

年代：清乾隆九年

尺寸：高156釐米，寬61釐米

立石地點：嵩縣庫區鄉龍駒村龍駒寺

〔碑首〕：大清

重修廣生殿並金粧聖像碑記

嵩治北十里許，其地曰龍駒村，村之東南有孤峯獨峙，相傳爲興龍山，東臨伊水，西通九峪，南望城市，阿衡之流風未遠；北瞻峻嶺，陸渾之古蹟猶存，此則興龍山之大觀也。登其巔，正有三聖行宫已經脩葺，左有廣生祠一楹，風雨鳥鼠，將及傾頹。有禪師諱浄蘭字馨然者，雲遊至止，覽其形勝，屬本鄉之山主、功德化主、紳士鄉耆，各捐己貲，復募化衆善，並禪師積儲，命彼工人易一楹而三楹，施五采而粧飾。肇始於乾隆六年夏，告竣於乾隆九年冬，將見鳥革翬飛，金碧輝煌。溯其由來，非善士、禪師之力不及此，因思天地盛衰相循之理，人事往過來續之情，後之視今，亦猶今之視昔，脱奕葉之下，或有起而重爲之修飾者，蓋後先有同揆也。是以述其始末，俾勒諸石。

汝州伊陽縣庠生郭文錦繡庵氏薰沐拜手撰文書丹敬鐫。

檀越生員石文英：七錢。石□□：二錢。石紹先：二錢。

功德主翟所從，妻仝氏，子長正傑、次正俊、次正德：一兩一錢，又金正神一尊。

化主石守貴，妻劉氏，子長文煌、次文燦、次文明、次文科：五錢，又金正神一尊。化主石清，妻翟氏，子璸：四錢。化主生員石文煒，妻馮氏、周氏，子長珩、次璉、次珍、次瑄、次瑛、次玷：五錢，又大梁一根。化主石大松，妻賈氏、周氏，子保童：八钱五分。化主石枚，妻朱氏，子生桂：七錢。化主魏可忠，妻張氏，子法：二兩二錢。化主成周太，妻馬氏，子長群、次鎖：三钱六分。化主馮聰智，妻程氏、梁氏，子長上、次名：五錢五分。化主霍都成，妻馬氏，子文玉：二錢。化主張起禎，妻李氏，子松：一錢。化主張烈，妻閆氏，子明德：四錢。化主常守金，妻王氏，子章：五錢。化主朱銓，妻張氏，子奉祥：二錢。化主生員陳鈞，妻李氏，子宗瑞：一錢。化主吏員王子鋭，妻韓氏：二錢。化主鄭門韓氏。化主馮門趙氏。化主位門張氏。化主王門張氏。化主石門賈氏。化主石門劉氏。化主田門于氏。化主張門石氏。化主張門陳氏。化主于門孫氏。化主柳門程氏。石太林：三錢。石太□：三錢。石文煌：七錢。石琴：二錢。石永福：二錢。石珩：一兩。石璉：一錢。石珍：一錢，梁一根。石文明：二錢。石文燦：七錢。石瑄：一錢。石旺：一錢。石文：一錢。石耀鳳：二錢。石耀龍：一錢。石瑨：一錢。石琦：一錢。石丕星：一錢。石大椿：一錢。石丕月：一錢。石耀雲：一錢。

宫村：王守仁：二錢。温束瑾：一錢。石文魁：一錢。楊□九：一錢。馮士太：一錢。王正：一錢。解都青：一錢。李作蕚：錢半。程天亮：五分。田中路：二錢。田建忠：一錢。孫學：一錢。賈忠：一錢。李壙：三錢半。解都教：一錢。趙廷琦：一錢。李星：二錢。薛有功：一錢。劉明温：一錢。李德林：一錢。田俊：一錢六分。蘆蓮：一錢。蘆富：一錢。楊世明：錢半。魏承宗：六錢。秦章：小梁一根。上家嶺：安爾正：三錢半。安從義：三錢。安從天：二錢半。安俊：二錢。安昇：二錢半。張懷：二錢半。安右：二錢半。安世賢：二錢。安洪：二錢。張惟斗：一錢。申行權：一錢。穆坤：一錢。任元臣：一錢。孫繼臣：一錢。楊奉奇：一錢。李天佑：五分。李天保：一錢。路仁：一錢。馮士彦：錢半。侯亮：一錢。翟所尚：五錢。翟正傑：二錢六分。翟耀：二錢六分。王國傑：二錢。梁自貴：一錢六分。吕登榮：錢半。蔡始學：一錢。牛堯金：一錢。黄泉定：一錢。楊名昌：一錢。王安福：二錢半。褚文學：一錢三分。劉維法：一錢三分。楊文璞：一錢二分。卓榮：一錢。褚言曾：一錢。楊運平：一錢三分。黄建功：三錢。鄭文公：三錢。郭宗府：二錢八分。翟從禮：二錢半。王少選：二錢半。李文喜：二錢。鄭大福：二錢半。成守金：一錢三分。馮贊：二錢。翟柏：一錢三分。艾景益：一錢三分。周□金：一錢二分。馮聰睿：四錢。黄玉恒：五分。常家凹：常守艮：二錢。常林春：二錢。常永祥：二錢。張方如：一錢。常雲：一錢。張梅：二錢。于德：二錢。張信：六分。張順：六分。王忠：一錢。趙青：一錢。張坤：一錢。楊進師：一錢。張家凹：張志義：二錢。張子壽：一錢五分。張柱：錢半。張子禄：錢半。張林：錢半。薛惟星：錢半。張永林：錢半。張子福：錢半。張明道：五錢。張起祥：二錢。程起誥：一錢。賀恭：錢半。張平：一錢。張信聲：一錢。橋鋪：楊子昌：三錢。王奇瑞：二錢。柴鳳：一錢。張永昨：一錢。毛守艮：五分。翟昆：五分。陳萬鎰：一錢。温遂文：一錢。喬爾華：五分。張岐：五分。王福見：五分。胡開明：五分。王可福：五分。馬家村：馬騰龍：二錢。馬三德：一錢。于德謙：一錢。石璜：一錢。王新仁：一錢。匡六龍：一錢。馬似龍：一錢。馬三卿：一錢。董興：一錢。趙成秀：五分。李起龍：五分。趙申：五分。西山：戴天爵：二錢。司標：三錢。鄭國望：一錢。丁學武：一錢。陳義：一錢。宫村：段從禮：一錢。張印：一錢。張嶺：張珣：一錢。生員王用汲：三錢。李秀于：四錢。解度乃：四錢。程天壽：一錢。張太：一錢。宋果獻：一錢。張瑞：一錢。杜光先：五分。趙之珍：一錢。程門石氏：一錢。□門周氏：一錢。常門□氏：一錢。王門孫氏：五分。常門宋氏：一錢。柳門陳氏：一錢。王門常氏：五分。胡門常氏：五分。吴門馬氏：五分。常門劉氏：五分。常門于氏：五分。常門張氏：五分。常門趙氏：五分。張家嶺：張門陳氏：八分。張門石氏：五分。張門張氏：五分。張門閆氏：五分。張門王氏：六分。張門韓氏：六分。張門閆氏：六分。田門趙氏：一錢。張門閆氏：五分。張門楊氏：五分。張門李氏：五分。張門陳氏：五分。田家凹：趙門賈氏：五分。趙門郭氏：五分。李門李氏：一錢。石門朱氏：一錢。朱門張氏：五分。朱門韓氏：五分。馬門張氏：五分。宫家村：王門程氏：一錢。程門王氏：一錢。翟家嶺：馬門王氏：一錢三分。橋鋪：席門張氏：一錢。席家嶺：盧門李氏：五分。馬村：馬門于氏：一錢。馬門李氏：一錢

木工：王□：二錢，王□：二錢。孟津畫工：付天祥。伊陽石工：郭隆、郭金珠、郭旺。本廟住持僧：静蘭、静紅，徒：真艮。

石清施地一段，坐落溝南，三至溝，南至嶺。

大清乾隆九年歲次甲子冬月吉旦。

古蹟猶存此則興龍山之大觀也登其巔

師諱淨蘭字馨然者雲遊至止覽其形勝

後工人易一楹而三楹施五采而粧飾肇

非善士禪師之力不及此因思天地盛衰

起而重爲之修飾者蓋後先有同揆也是

縣庠生郭文錦繡撰

原大局部

【〇二二】　改修廣生殿碑記

年代：清乾隆二十年

尺寸：高 160 釐米，寬 62 釐米

立石地點：嵩縣大坪鄉白圪垱村商山廟

〔碑首〕：重修廣生殿碑

改修廣生殿碑記

溯自太極初分，兩儀既判，而後乾知大始，坤作成物，大生者死，廣生者恖，蓋陰陽相濟，而生生之理以昭。周之太姒，文王之妃也；漢之薄姬，文帝之母也。雖其生不同時，要皆體大生之德，布廣生之仁，而以天地好生之心爲心者也。是以天下後世崇之以殿宇，奉之爲神明，將享妥侑於無窮焉。邑北保安山有廣生殿一座，不知創於何時，而考其所誌，始重脩於隆慶庚午，再重脩於□□癸亥。迄今歷年久遠，址敗榱殘，棟折梁朽。且基於老君殿之前，規模狹隘，地勢促淺，大非妥神之□□□。故住持宜慧概然動念，謀諸鄉之善士李廣、王義等，欲擴曩時之規模，以種此日之福田。但千□□□，非一狐之腋所能成；廣大之廈，豈一木之細所可辦。不得已於各捐己資之外，復募化衆善，同□□□，□費經營，相其形勢，正其方位，移故址於老君殿之南，改修廣生殿三間，高其臺榭，崇其垣□。□□峻起，廟貌其巍峨也；神像金粧，冠裳其輝煌也。煥然聿新，視舊制而有加焉。既底績慂餘爲文，□□□之，不得已，聊爲俚詞，敘其事之始末，紀其年之次第，以垂不朽云。

邑庠增廣生員任元珄撰文，邑庠生員任元掄篆額，功德主任元卿敬書。

功德主：李廣、子□花，王義，趙之璧。

住持：李清江，門徒：楊宜誠、宋宜慧，徒孫：王陽貴、張陽泰、沈陽保，曾孫：周來鳳、任來存、孔來儀、温來學，玄孫：張復元。仝立。

石工：李廷玫、胡朋鑴。

大清乾隆二十年歲次乙亥仲冬之吉。

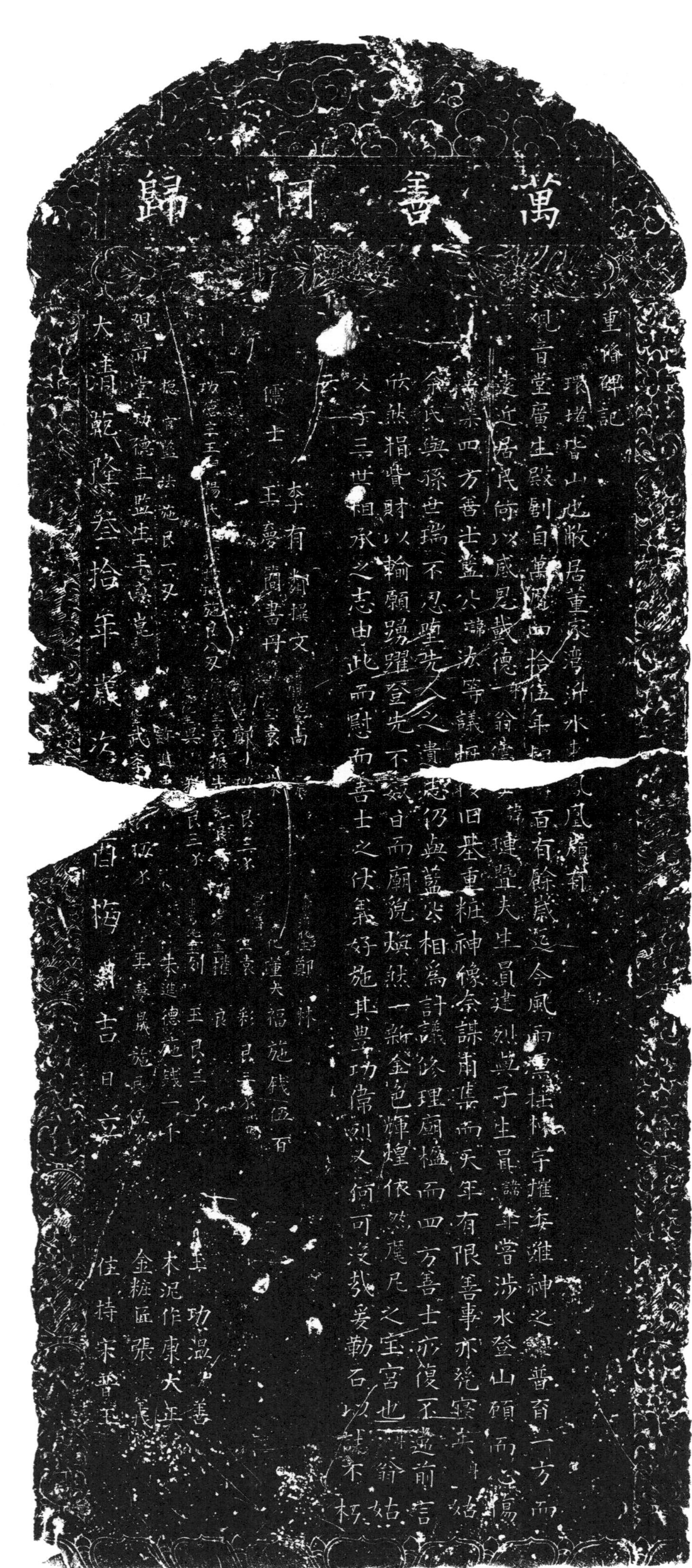

【〇二三】　重脩觀音堂廣生殿碑記

年代：清乾隆三十年

尺寸：高158釐米，寬65釐米

立石地點：嵩縣大章鄉東灣村

〔碑首〕：萬善同歸

重脩碑記

環堵皆山也，敝居董家灣，沂水東鳳凰嶺有觀音堂、廣生殿，創自萬曆四拾伍年，□□百有餘歲。迄今風雨漂摇，棟宇摧委，雖神之靈普育一方，而遠近居民何以感恩戴德？身翁儒士諱璉暨夫生員建烈與子生員諱年，嘗涉水登山，顧而心傷，爰集四方善士藍公諱浤等議，恢復舊基，重粧神像。奈謀甫集，而天年有限，善事亦幾寢矣。身姑余氏與孫世瑞，不忍墮先人之遺志，仍與藍公相爲計議，修理廟楹，而四方善士亦復不違前言，欣然捐貲財以輸，願踴躍登先，不數日而廟貌焕然一新，金色輝煌，依然麾尼之寶宫也。身翁姑父子，三世相承之志，由此而慰，而善士之伏義好施，其豐功偉烈，又何可没哉？爰勒石以誌不朽云。

李有鄰撰文，儒士王夢簡書丹。

功德主王門楊氏暨孫世瑞施銀八兩，總管藍法施銀一兩，觀音堂功德主監生王夢崑。

老道溝化主高震、安家坪化主袁榮、趙溝化主鄭小璐：銀三錢。任嶺化主袁振先：施銀二錢。白露溝化主吴□：銀三錢。許進忠、老道溝化主李□□：伍錢。大東溝化主鄭林、白露溝化主董大福：施錢伍佰。袁彩：銀三錢。□峪溝化主權良、董灣化主劉玉：銀三錢。朱進德：施錢一千。王夢晟：施銀五錢。

玉功：温善。木泥作：康大正。金粧匠：張義。住持：宋普玉。

大清乾隆叁拾年歲次□酉梅月吉日立。

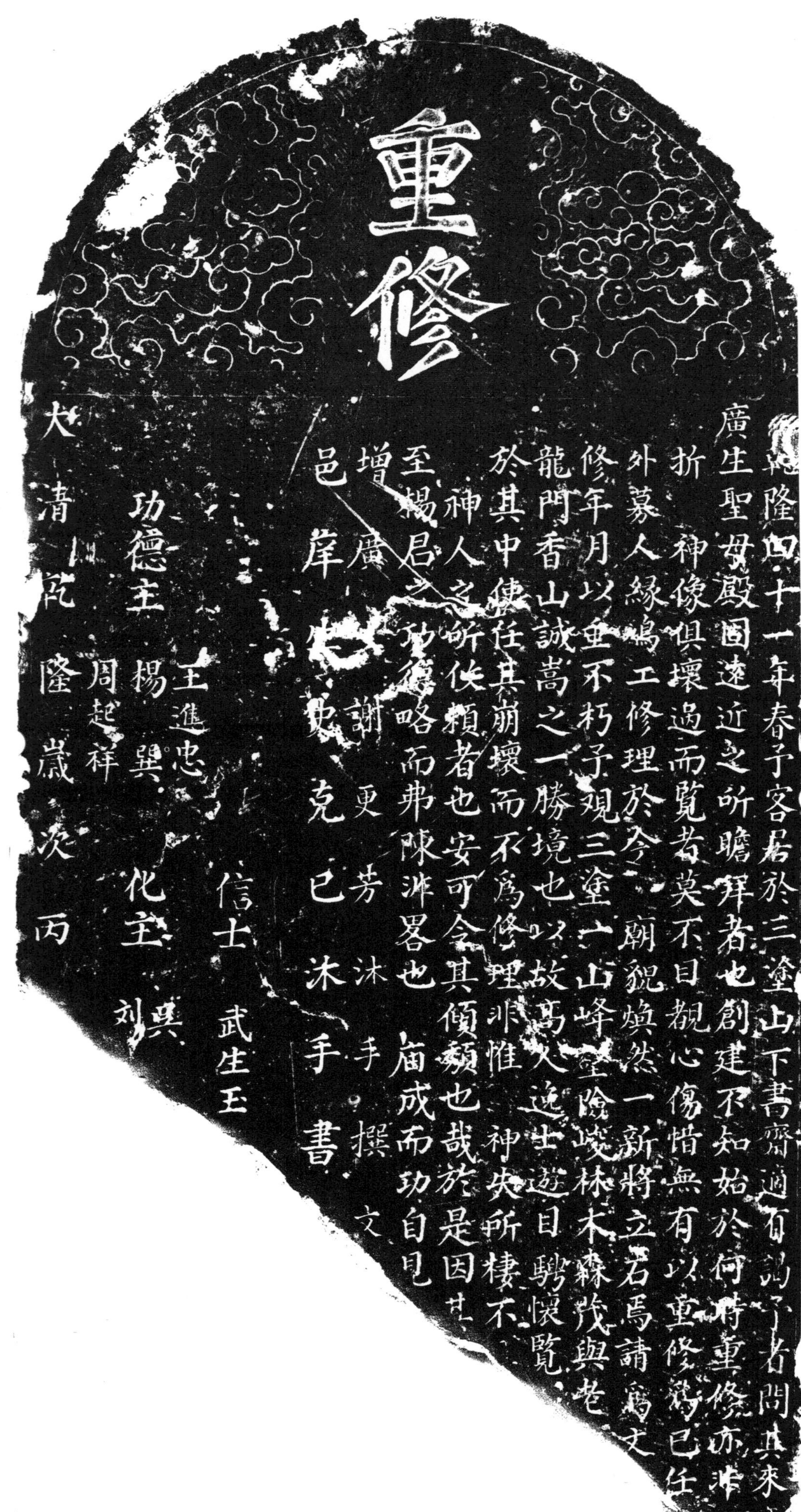
重修
乾隆四十一年春予客居於三塗山下書齋適有詣予者問其來
廣生聖母殿固遠近之所瞻拜者也創建不知始於何時重修亦非
折神像俱壞過而覽者莫不目覩心傷惜無有以重修爲己任
外募人緣鳩工修理於今廟貌煥然一新將立石焉請爲之
修年月以垂不朽予觀三塗一山峰巒險峻林木森茂與老
龍門香山誠嵩之一勝境也以故高人逸士遊目騁懷覽
於其中使任其崩壞而不爲修理非惟神失所棲不
神人之所依賴者也安可令其傾頹也哉於是因其
至楊君之功德略而弗陳潞畧也廟成而功自見
增廣謝更芳沐手撰文
邑庠生克己沐手書
信士武生王
王進忠
功德主楊巽
周起祥
化主吳
刘
大清乾隆歲次丙

【〇二四】　重修廣生聖母殿碑記

年代：清乾隆四十一年

尺寸：高 105 釐米，寬 53 釐米

立石地點：嵩縣何村鄉大巖口三塗山木門廟

〔碑首〕：重修

乾隆四十一年春，予客居於三塗山下書齋，適有謁予者，問其來意，……廣生聖母殿，固遠近之所瞻拜者也。創建不知始於何時，重修亦非一……折，神像俱壞，過而覽者，莫不目覩心傷，惜無有以重修爲己任……外募人緣，鳩工修理，於今廟貌煥然一新，將立石焉，請爲文……修年月，以垂不朽。予觀三塗一山，峯巒險峻，林木森茂，與老……龍門香山，誠嵩之一勝境也。以故高人逸士遊目騁懷，覽……於其中，使任其崩壞，而不爲修理，非惟神失所棲，不……神人之所攸賴者也，安可令其傾頹也哉！於是因其……至楊君之功德，略而弗陳，非略也，廟成而功自見……

增廣生謝更芳沐手撰文，邑庠生史克己沐手書丹。

功德主：王進忠、楊巽、周起祥。信士：武生王□□。化主：吴□□、劉□□。……

大清乾隆歲次丙申……

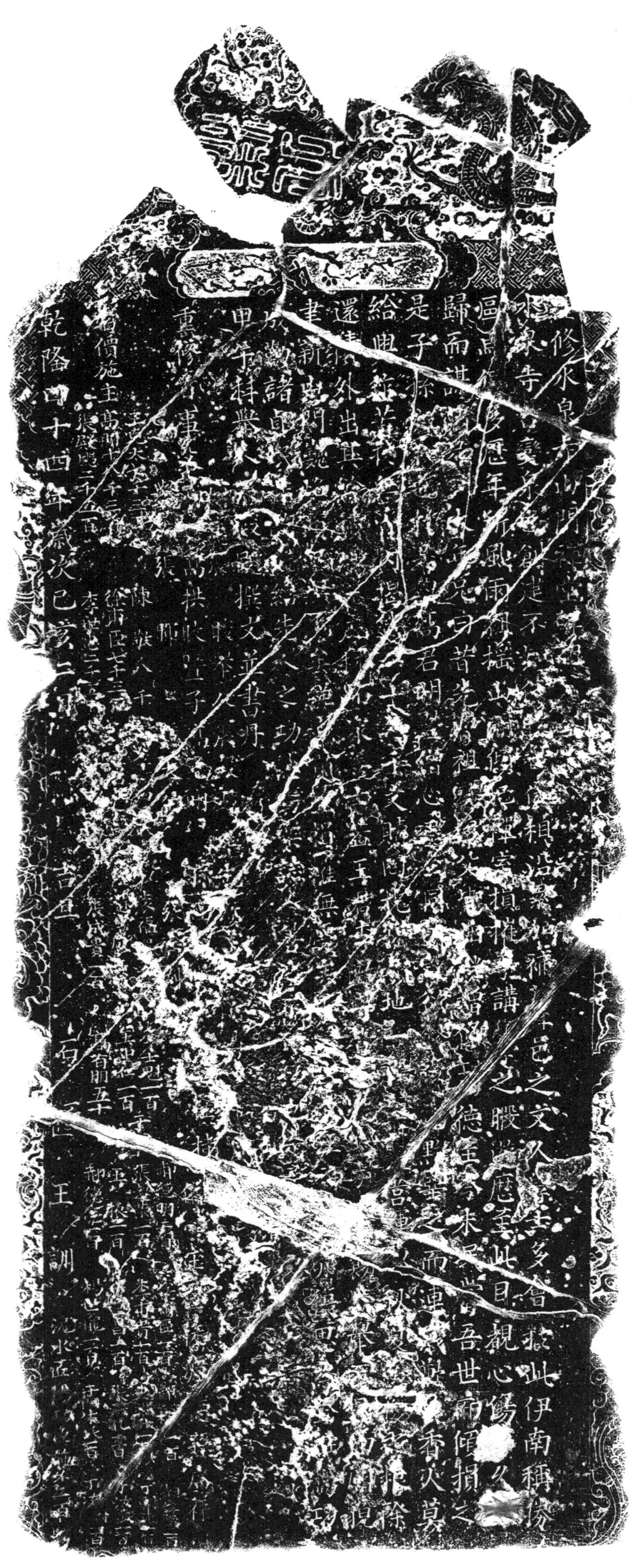

【〇二五】 重修水泉寺山門禪堂碑記

年代：清乾隆四十四年

尺寸：高 160 釐米，寬 63 釐米

立石地點：嵩縣紙房鄉高村太平溝水泉寺

重修水泉寺山門禪堂碑記

水泉寺，古變泉也，創建不知何代，各代相沿，累加補葺。邑之文人學士，多會於此，伊南稱勝區焉。但多歷年所，風雨飄摇，山門傾圮，禪室損摧。予講學之暇，遊歷至此，目覩心傷，□久□歸而謀諸知己，大年兄曰：昔先□祖慶梁父皆相繼增修，功德至今未泯，當吾世而傾損之，是子孫之罪也。於是，約高君明暨僧心□，公同商議，欲修□□黝堊之。而連歲歉□，香火莫給，興作苦於無資，因揭錢一十一千文，贖回槐□□地一畝，□□營運，以秋夏□獲之糧，除還債外，出其餘積，鳩工庀材，□衆善士若王君、李君等，皆□□□□□□□勷□舉，爰是廟貌聿新，山門巍炤，以□□□矣，禪□□一損罹無□矣。□□□□□□□亦復思之金粧焉。功成勒諸貞珉，非□□紹先人之功德，□□誌人善之□□也。是爲記。

甲午科舉人張殿□撰文並書丹。

重脩首事人：張晙、舉人張殿颺、高拱旼暨子高□明、張暉、張太□、張齊剛……

□價施主：王克太：七千三百。高明：十八千三百。張殿颺：二千五百。陳敬：八千。徐甫臣：七千三百。李世忠：二千五百。……袁福□：□百。趙鳴成：□百。張成貴：一百。□士魁：一百。王中仁：一百。高有明：五十。郝德明：二百。張起榮：一百。王振：一百。郝德亮：一百。李雨臣：一百。李有貴：一百。李克昌：一百。楊世龍：一百。郝松：一百。□禮升：一百。張□禮：一百。于門朱氏：一百。郝正□：一百。丁朝先：一百。丁汝步：一百。丁汝同：一百。石匠：王訓。泥水匠：楊功臣：施錢二百。

乾隆四十四年歲次己亥二月吉旦。

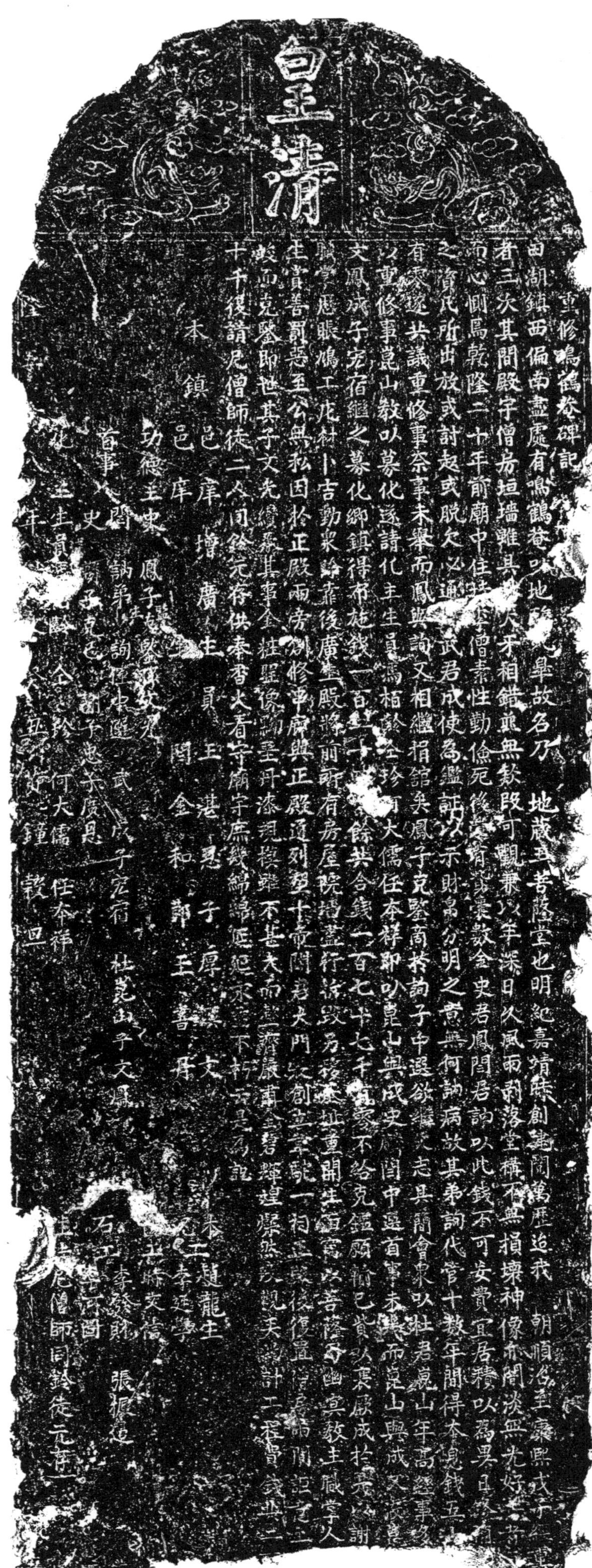

【〇二六】 重修鳴鶴庵碑記

年代：清乾隆五十八年

尺寸：高 173 釐米，寬 63 釐米

立石地點：嵩縣田湖鎮北街

〔碑首〕：皇清

重修鳴鶴庵碑記

田湖鎮西偏南盡處，有鳴鶴庵，以地臨九臯故名，乃地藏王菩薩堂也。明紀嘉靖時創建，閱萬曆，迨我朝順治至康熙戊子，經重□者三次。其間，殿宇、僧房、垣墻雖具，然犬牙相錯，並無款段可觀，兼以年深日久，風雨剥落，堂構不無損壞，神像亦闇淡無光，好善者目覩而心惻焉。乾隆二十年，前廟中住持李僧素性勤儉，死後遺有貲囊數金，史君鳳、閆君訥以此錢不可妄費，宜居積以爲異日修補之資，凡所出放，或討起或脱欠，必通□武君成使爲鑑證，以示財帛分明之意。無何，訥病故，其弟詢代管。十數年間，得本息錢五十□有零，遂共議重脩事。奈事未舉，而鳳與詢又相繼捐館矣。鳳子克鑪商於詢子中選，欲繼父志，具簡會衆，以杜君崑山年高經事多，□以重修事。崑山教以募化，遂請化主生員馬柏齡、仝珍、何大儒、任本祥，即以崑山與成、史麟、閆中選首事。未幾，而崑山與成又没。崑山□文鳳、成子宏宿繼之，募化鄉鎮，得布施錢一百二十四□餘，共合錢一百七十七千有零。不給，克鑑願輸己貲，以襄厥成。於是，以謝子□職掌歷賬，鳩工庀材，卜吉動衆，除靠後廣生殿，將前所有房屋、院墻盡行拆毁，另移基址，重開生面。竊以菩薩乃幽冥教主，職掌人□□生，賞善罰惡，至公無私，因於正殿兩旁創修串廊，與正殿通，列十帝閻君。大門裏創立韋馱一祠，正殿後復置僧房兩間。詎意工□□竣，而克鑑即世，其子文光纘承其事，金粧聖像，黝堊丹漆。規模雖不甚大，而整齊嚴肅，金碧輝煌，燦然改觀矣。約計工程費錢共二百□十千。復請尼僧師徒二人同鈐、元存供奉香火，看守廟宇。庶幾綿綿延延，永垂不朽云。是爲記。

本鎮邑庠增廣生員王湛恩子厚撰文，邑庠生閆金和節玉書丹。

功德主：史鳳，子監生克鑑，孫文光。

首事人：閆訥，弟詢，侄中選。武成，子洪宿。杜崑山，子文鳳。史麟，子克己。謝子忠，子廣恩。化主：生員馬柏齡、仝珍、何大儒、任本祥。

木工：趙龍生。泥工：李廷學。畫工：時文信。石工：李發財、李可圖、張振邊。住持尼僧師同鈐，徒元存。

乾隆五十八年歲次癸丑黄鐘穀旦。

萬善同歸

【〇二七】　重修三潭寺花費碑記

年代：清嘉慶五年

尺寸：高 103 釐米，寬 47 釐米

立石地點：嵩縣何村鄉橋頭村三潭寺

〔碑首〕：萬善同歸

重修三潭寺花費刻列于後：

乾隆四十二年重修觀音菩薩殿，創修□堂，磚瓦、石灰、工價共費銀五十五兩。五十九，重修大佛殿、天王殿，磚瓦、石灰、□地工價，共使銀五十餘兩。乾隆四十二年，本村重佃户重修地藏菩薩殿，共使銀二十兩。嘉慶五年，重修地藏殿、鐘樓、七星殿，佛殿外臺，永（用）灰、磚瓦、工價，共使銀二十三兩。

本寺佃户衆姓刻列于後：

楊剛：錢一千五百。吴天壽：錢一千。楊祥法：錢五百文。孫蘭生：錢五百文。王朝棟：錢六百文。王朝龍：錢六百文。武正印：錢五百文。王朝林：錢五百文。楊朝：錢五百文。王文全：錢五百文。王文昌：錢五百文。張大喜：錢五百文。……

本寺住持：了然，徒孫：廣成、廣先。

嘉慶五年七月十五日。

【〇二八】　重修龍興寺碑記

年代：清嘉慶八年

尺寸：高 156 釐米，寬 66 釐米

立石地點：嵩縣閆莊鎮楊大莊村龍興寺

〔碑首〕：流芳百代

重修龍興寺碑記

思遠山之巔，有古刹焉，創始於唐，亦花宫仙梵也。山勢如鷲嶺，然正佛轉法輪處，龍興寺之建，顧可没後歟。但歷年久遠，傾圮頹落，遺址僅有存者，而諸佛像尤覺狼狽堪憫。時有楊、陳、朱、賀等君，目覩心傷，慨然有恢復之意，因各捐己貲，兼募四方。於是，鳩工庀材，經始於壬戌孟春，落成於癸亥初夏。余聞之，輒陟其嶺，第見地勢鴻敞，樹林蔭翳，後有龍泉，□帶左右，真勝境也。徐而入其寺，高甍聳翠，巨桷清丹，諸□數連，殿□□□□□□□，然見十丈金身，其外新建禪室三間，圍墻百丈，山門雙峙，鐘樓特□，規模更□□□□□□□其自而提錫香界修□，可以答遠□而生清風。此前□頹垣□整□莫繼也。僧堂□□□□補處，□□□整□□，此前□之蒼煙白露而荆棘也。慧眼鏡心，光明玲瓏，此前□□□□模糊，□殘□缺也。予低徊□□，是知後人無過於前人□意，後人克媲其前人之功也。是爲記。

邑太學生李景偶佑平氏薰沐撰文，邑增□生員李□慧□野氏敬書丹。

功德主：楊有生、子□：施銀叁兩。陳斌、子廷輔：施銀拾兩。楊世璽、子梅：施銀拾兩。朱長安、子士傑：施銀拾兩。賀復隆、子時清：施銀拾兩。首事人：張彩：施銀叁錢。韓正修：施銀叁錢。李漢章：施銀壹兩。李南仲：施銀壹兩。

管錢糧：石佛寺僧道雲，徒：深明。住持僧：□安，徒：遠法。

金塑匠：蔣仁：施銀二錢，許安國：施銀一兩。木作匠：李景明：施錢五百。鐵筆匠：谷登朝：施錢二百。

大清嘉慶歲次癸亥孟夏之月穀旦。

流芳百代

日　月

洛南[illegible]坪寺院迷遠百世禪業漸消矣今有祥吉禪
師因寺無養廉不足以養育僧人化於西黃柏居民錢文家倉
無不捐納[illegible]務於善心也各納資財開列於後今買到張姓山
坡地一段東至渠心西至荒嶺南至王姓地界北至陳姓地界
此地內有官渠一道居民修渠用土皆賴此地々主不能阻擋
以垂無休故詳叙始末於貞珉以垂後焉

石匠

[illegible]道光九年七月二十二日　住持僧人祥吉[illegible]

【〇二九】 演法坪寺募財及買地碑記

年代：清道光九年

尺寸：高 108 釐米，寬 49 釐米

立石地點：嵩縣車村鎮黄柏村演法坪寺

〔碑首〕：流芳百代　日月

嵩南西黄柏演法坪寺院遥遠百世，禪業漸消矣。今有祥吉禪師因廟無養廉，不足以養育僧人，化於西黄柏居民錢文，衆信無不捐納，□發於善心也。各納資財開列於後。今買到張姓山坡地一段，東至渠心，西至元嶺，南至王姓地界，北至陳姓地界。此地内有官渠一道，居民脩渠用土皆賴此地，地主不能阻隔，以垂無體，故詳敘始末於貞珉，以垂後焉。

王朋飛：施錢一十八千文。尚天佑：施錢九千文。陳亮：施錢十千零八百。陳書：施錢十四千四百文。陳欽：施錢五千四百文。陳大喜：施錢四千五百文。王朋禮：施錢六千三百文。寧法：施錢三千六百文。夏永太：施錢十四千四百文。寧財：施錢二千七百文。寧儉：施錢三千六百文。劉斌：施錢三千六百文。劉全：施錢二千七百文。劉進：施錢三千六百文。陳壽：施錢九百文。張進昇：施錢九百文。王金成：施錢一千八百文。謝中魁：施錢二千七百文。韓耀：施錢九百文。王復初：施錢九百文。劉復貴：施錢九百文。張進旺：施錢九百文。

石匠。

住持僧人：祥吉。

龍飛道光九年七月二十二日穀旦。

皇清

重脩太佛殿禪室碑記

聞之靡不有初鮮克有終天下事無在不然而況於神聖之靈應乎德亭鎮西有廟一所名曰松泉寺不知創於何代始於何人但世遠年湮鼠牙雀角風雨漂搖神像廟宇幾乎頹矣住持僧廣惠目覩心傷意欲重脩獨力難成因募化四方各捐貲財於是鳩工庀材缺者葺之廢者脩之佛神從新善殿如故並重修禪堂三楹越期而功始成焉僉云雖係人力實神聖有以感之也是為記

己卯科舉人候選知縣胡汝霖撰文

至聖後裔孔繼周書丹

管學明施錢六千二百五十
王文煥施錢伍千
管學順施錢伍千
王修德施錢伍千

木作李登元施錢六百
玉工雷春盛
畫工任

住持僧廣惠
西來
徒嚴覺
嚴全
仝立

大清道光二十五年十一月谷旦

【〇三〇】　重脩大佛殿禪室碑記

年代：清道光二十五年

尺寸：高 129 釐米，寬 53 釐米

立石地點：嵩縣德亭鄉黄水庵村大坪村嵩泉寺

〔碑首〕：皇清

重脩大佛殿禪室碑記

聞之靡不有初，鮮克有終。天下事無在不然，而況於神聖之靈應乎？德亭鎮西有廟一所，名曰松泉寺，不知創於何代，始於何人。但世遠年湮，鼠牙雀角，風雨漂摇，神像、廟宇幾乎頽矣。住持僧廣惠目覩心傷，意欲重脩，獨力難成，因募化四方，各捐貲財。於是鳩工庀材，缺者葺之，廢者脩之，佛神從新，菩殿如故。並重修禪堂三楹，越期而功始成焉。僉云雖係人力，實神聖有以感之也。是爲記。

己卯科舉人候選知縣胡汝霖撰文，至聖後裔孔繼周書丹。

管學明：施錢六千二百五十。王文焕：施錢伍千。管學順：施錢伍千。王修德：施錢伍千。

木作李登元：施錢貳百。玉工：雷春盛。畫工：任。住持僧：廣惠、廣西、廣來，徒：嚴寬、嚴全。仝立。

大清道光二十五年十一月穀旦。

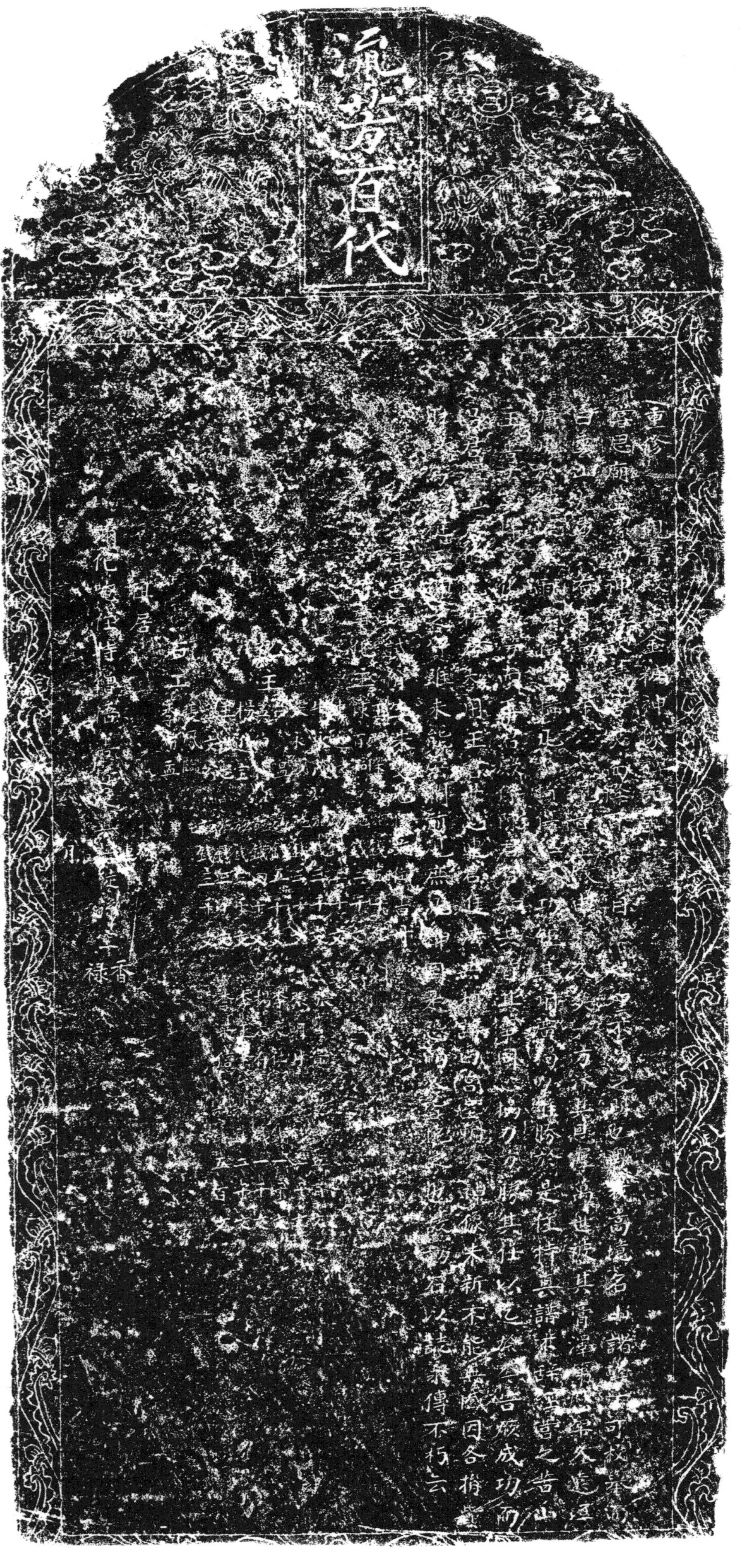

【〇三一】 重修觀音殿並金粧神像碑記

年代：清道光三十年

尺寸：高 145 釐米，寬 63 釐米

立石地點：嵩縣白河鎮鎮五馬寺村

〔碑首〕：流芳百代

重修觀音殿並金粧神像碑記

嘗思廟堂潔而神居歆，積善家而降百祥。此目□之理，不易之明也。粤我嵩境名山諸峯，不可枚舉，而白雲山尤□異者。有烏崗金之觀音寶殿，由來久矣，一方沐其恩厚，萬世被其膏澤。第歷年久遠，垣墉幾於□□，風雨飄摇，堂構幾於損傷。但其功鉅、其項廣，獨力難勝。於是，住持真譜不辭經營之苦，山主善士莫憚募化之勞，而王君殿傑、陳君□□，共首其事，同心協力，方勝其任。以迄於今，告厥成功。而□君温、孟君伯龍、楊君大用、王君世魁、連君進法共相謀曰：宮室輪奂，神像未新，不能無憾。因各捐貲財，又爲金粧□神之貲。雖未能宏開前規，庶幾神罔是怨，而人皆愧之也。故勒石以誌，永傳不朽云。

□□□□□年邑院試佾生朱文魁撰文並書丹。

……

七寶莊嚴
月
日
重修水泉寺山門神像碑記
邑太平溝有水泉寺一座古名刹也中供　佛祖旁列群神山門配以西王所以
為吾嵩捍災禦患者實嘉賴焉登臨其地見羣山之蒼翠清流之掩映茂林修竹不
問而知為毓秀鍾靈之區古人所為祀以時而
神降福良有以也廟建伊始棟宇煇煌以妥以侑固足以伸嵩人之敬而肅崇奉之
但多歷年所風雨剝蝕神像非昔牆垣傾圮不覺目擊而神傷也沙門從文有志
重修欲與都人士共襄其事柰連歲荒歉有志未逮茲謹獨出囊金鳩工庀材禪
神像一新山門巍峙此雖不足上答神庥以隆祀典而登降拜跪肅聞僾見之誠用
是以俾越九月工竣爰紀其事於貞珉以為繼起者勸
邑後學　童　錢先登道岸氏沐手敬書
住持僧從文　徒心意　悟　如　樂　徒孫運和　中　金　立石
信士布施　高　施錢
泥水匠于全
畫匠　元林
玉工徐諒
大清咸豐拾年歲次庚申孟夏之月穀旦

【〇三二】　重修水泉寺山門神像碑記

年代：清咸豐十年

尺寸：高 141 釐米，寬 55 釐米

立石地點：嵩縣紙房鄉高村太平溝水泉寺

〔碑首〕：七寶莊嚴　日月

重修水泉寺山門神像碑記

邑太平溝有水泉寺一座，古名刹也，中供佛祖，旁列群神，山門配以四王，所以爲吾嵩捍災禦患者，實嘉賴焉。登臨其地，見群山之蒼翠，清流之掩映，茂林脩竹，不問而知爲毓秀鍾靈之區。古人所爲祀以時，而神降福，良有以也。廟建伊始，棟宇輝煌，以妥以侑，固足以伸嵩人之敬，而肅崇奉之心。但多歷年所，風雨剥蝕，神像非昔，墻垣傾圮，不覺目擊而神傷也。沙門從文有志重修，欲與都人士共襄其事，奈連歲荒歉，有志未逮。兹謹獨出囊金，鳩工庀材，禆神像一新，山門巍峙，雖不足上答神庥，以隆祀典，而登降拜跪，愾聞僾見之誠，用是以伸焉。越九月工竣，爰紀其事於貞珉，以爲繼起者勸。

邑後學儒童錢先登道岸氏沐手敬書。

住持僧：從文、從來，徒：心意、心悟、心如、心樂，徒孫，運和、運中。仝立石。

信士布施：李芝蘭：施錢拾伍千文。高禮：施錢五百文。

泥水匠：于全。畫匠：潘元林。玉工：徐讓。

大清咸豐拾年歲次庚申孟夏之月穀旦。

【〇三三】 重脩竹林寺碑記

年代：明崇禎元年

尺寸：高 141 釐米，寬 55 釐米

立石地點：嵩縣紙房鄉紙房村竹林寺

重脩竹林寺碑記

嵩縣儒學增廣（生員）葉其芳，廩膳生員葉其蓁撰。

歷稽嵩圖古籍，□□里許，有□氏陵門間，一泉每變，日現五色，俗稱變泉，乃嵩嶽洩液、伊脉呈彩奇境也。其境似天竺，因建一竹林寺。茲寺也，創自明興國初，時嵩土積□□申國寶裔孫法名開玉，係玉寶寺僧會司欽授儀官，王□祖地，内有是泉，而自建浮屠宫殿三楹，泉左伽藍殿一間，前帥殿三楹，僧廊五間，輪奂鼎新，佛像巍然，班班稱美。峯巒裰翠，泉湧澄映，蒼柏挺秀，脩篁緑猗。嵩邑士大夫□□勝概，僉曰：申氏捐資，足稱雲搆，且開玉又成是佛境，此嵩籍里名寺，上鄉名寺，莊所由起也。迄今二百餘年，歲久垣宇頽圮，甍甓秺犐，欹謝摧折，觀者追憫。有□孫申詳之□□寧悲□祖舉，亟招化主柳國務，募緣脩葺。越二載，正殿三楹赫然恢崇，伽藍、水陸二殿六楹倍竪輝煌，帥殿、僧廊整飾壯麗，肖神塑像金粧丹繪，焕然復新。則瞿□□□……衆生靡不仰五天梵語而崇佛也。余與浮屠氏、道教不同塗，然而知浮屠者，非余罔真。是以本方士庶、社首又進表彭河，因茲脩葺功成，屢年遠湮没，更捐資礱石，懇餘爲文，□紀其績，不佞辭謝弗已，因衆人之虔謝，□□休耑書，付之剞劂，以垂不朽云。

申詳之、□朝讓、□□□、高讃、高登云、生員葉其芳、生員葉其蓁、申大德、張高、張申、胡邦慶、高守禮、楊朝、楊陳氏、張俊彦、申自智、張正統、生員□□□、王□、朱□、安弘祚、安弘業。

木匠：申自友。泥水匠：張禮、翟進禄。畫匠：薛明堯、劉得義、劉三魁。石匠：吴林仝男吴尚現沐手刻。竹林寺住持：意定、性可、□□、理序、理法。

崇禎元年歲次戊辰乙卯月十六日。

【〇三四】　籌辦慧光寺善後事宜碑

年代：清光緒十四年

尺寸：高 172 釐米，寬 70 釐米

立石地點：嵩縣車村鎮頂寶石村慧光寺

〔碑首〕：一統萬年

籌辦慧光寺善後事宜碑

嗟哉！天下事亦何常之有哉！問嘗□覽子□虞，□□□四千餘年，秦有□遊鳳儀等事，□有虎國□□等事，神有化佛公仙等事，幻有肘塔鉢蓮等事，以及九流三教□□不消善，善報□奇，□怪□□□反巧成□恩成怨，遂□□□□□□□□兩蛇交戰，八鷁起飛，雞與鷺而争食等事，□□萬騰，□□一□，不啻風雲之變態，殊令人感慨之，而不勝感慨，浩□之而不□□笑也已。第事之來也，有常焉者，即有變焉者；有順焉者，即有□焉者。常者、順者，事之易也；變者、□者，事之難也。易者能守以□，而事道難者，不濟以權而事□，當左難右難，進難退難之會。倘若不隱忍之、含容之、寬待之，則小事釀大事，淡事成禍事，旁觀之曉事扶事者，咸笑爲生事多事。攬其事而不能曲成其事，則反爲之不見事，而不省事。如今日慧光寺之事，宜尌□焉。是寺也，與靈瑞寺兄弟也，粤開山至今二百數十餘年矣，定如碑憨休撰，猶歷歷可讀也。愚流萬頂寶，謬叨推許，與□經邦公趙君□札練團，偕□超公、靖邦公、彦邦公、世芳公、景榮公、蓮青公、翟一萬、趙一郭諸君領袖團社，捍匪禦寇。始備靈瑞傾繼，逢慧光荒□，靈瑞而説雲□僧保慧光，而委翟應辰爲此二寺，心操盡矣，難作□矣，氣生盡矣。力施龍象，撑住大千半壁；□□媧皇，補起梵天。六欲變空，空而爲是空，非空之境，换無無而成，是無非無之界，空桑于□□否耶。回憶往事，未嘗不三復流涕，噓□曰：虻也，何也。蓋就事而論，今昔凡欲墨誅而率伐、而平情、而按歸，結不如氣忍而聲吞。夫聖人□□□於物，而與世轉移，與錢錢而□□，益悃悃而欵欵，因其濁淈其泥而揚其波，因其醉餔其槽而歠其醨，之爲渾爲厚也哉！咸□應辰□□□趙即□經省兼理慧光，以專青成，以踐僧會司之前議，寶禪幫□□啓秦佛空亮監臨，查訪弊端。翟應辰勞心十年，無歸□寺，生殆□□厚葬。過去事概不討教，於來事妥爲籌畫，僧俗共議，爰立十戒，□諸碑左，鑒垂永遠。僉曰：善爾住持，□各勉旃，將見青精飯玉版，苟□□社，羅漢果指顧向也。豈不懿哉！制詞：□□□奸賭酒盜鴉片，穢污佛廟，還有那賊窩匪，召當賣地肥娘親，諄諄垂教，犯十戒被逐，防惹人哭。

雲龍峯□之巖笑梅齋精□子撰，譚乃烈書丹，索天禄鎸玉。

總辦：忠義團社。

住持：空祥、空省、空亮仝立。

光緒十四年歲次戊子仲秋月穀旦。

山名曰王蟒寨山山陽之下有寺名曰松泉寺

基址僅存佛像傾壞蕩然無迹矣有善士薛君

摧折者復崇隆在望矣但財匱力竭而塑粧未

幸又有孔君諱志俊陳君諱開泰薛君諱子白武

遑寧處傾壞無迹者復輝煌可睹矣僉曰非衆君

杉云

施山山主薛子白施山一段東至河西至興寺溝至元山嶺南至

洞沭手撰文並書

伊邑玉工郭玥珠鐫字

画匠卓兆鳴

又一

西至

住持僧人明海徒

文輝

志俊施良三雙。

陳開泰施良三雙

薛子白施良二雙

光壁施良二雙

夏月上浣之吉

功德主陳起泰施良二兩

化主靳吉昌　化主李庭階

化主倪林宗　化主王李義

化主郭君明　化主史鳳鳴

化主毛福君　化主喬典謨

化主尚益志　化主田林

化主武生金　化主王大成

化主楊王　化主萬祿

本寺香火地坐落寺前后左右東至溝東北至

又一段坐落本寺河南東西北三至寺南至

【〇三五】 重修松泉寺碑記

年代：清代

尺寸：高 63 釐米，寬 56 釐米

立石地點：嵩縣德亭鄉黄水庵村大坪村松泉寺

……山名曰王蟒寨山，山陽之下有寺名曰松泉寺，……基址僅存，佛像傾壞，蕩然無跡矣。有善士薛君……摧折者，復崇隆在望矣。但財匱力竭，而塑粧未……幸又有孔君諱志俊、陳君諱開泰、薛君諱子白、武……遑寧處傾壞無跡者，復輝煌可覩矣。簽曰非衆君武……不朽云。

施山山主薛子白施山一段，東至河，西至興寺溝，至元嶺，南至……

……洞沐手撰文並書，伊邑玉工郭玥珠鐫字。

□文輝。孔志俊：施銀三兩。陳開泰：施銀三兩。薛子白：施銀二兩。□光璧：施銀二兩。功德主陳起泰：施銀二兩、化主靳吉昌、化主倪林宗、化主郭君明、化主毛福君、化主尚顯志、化主武生金、化主楊玉、化主李庭階、化主王學義、化主史鳳鳴、化主喬興讓、化主田林、化主王大成、化主萬禄。

畫匠：卓兆鳴。住持僧人：明海，徒……

本寺香火地坐落寺前後左右，東至溝，東北至……。又一段坐落本寺河南，東西北三至寺，南至……

……夏月上浣之吉。

【〇三六】　重修送子觀音陪殿並金粧神像碑記

年代：清代

尺寸：高 150 釐米，寬 62 釐米

立石地點：嵩縣白河鎮鎮五馬寺村

〔碑首〕：萬善同歸　日月

重修送子觀音陪殿並金粧神像碑記

余聞莫爲之前，雖美弗彰；莫爲之後，雖盛弗傳。嵩邑二百里世有送子觀音陪殿一座，住持慶合、徒同聚，徘徊良久，視之殿宇年深日久，椽瓦退節，墻傾楫摧，神像風雨漂損，目擊心傷。奉請功德暨合溝衆善士商議，公□理應重脩殿宇並金粧神像，上可□贊位育，亦能保我子孫，庇方之福祥也。但功果浩大，侖奂之致，□籍一木巍峨之勢，豈僅□名，獨是力難成也。又請化主募化四方，衆善出己財，共勷厥事。今當落成，寔録其事，故刊勒石銘鼎，以記不朽云。

河南府洛邑處士賈三樂沐手撰文，河南府宜邑處士閆進寶沐手書丹。

功德主：□世全、子進柯：施錢二千文。□福、子世慶：施錢一千文。

衆化主：楊學仁：施銀一兩。李春玉：施銀一兩。郅爾勤：施銀一兩。王法春：施銀一兩。張進朝：施錢八百。馮朝：施錢五百。丁天植：施錢五百。蘇自直：施錢五百。張大成：施錢五百。都秀：施錢五百。高登朝：施錢五百。申長法：施錢五百。王士成：施錢五百。喬世榮：施銀五錢。吴國年：施銀五錢。　胡世□：施銀五錢……。永和號：施銀六兩。萬有庫：施錢五百。鄭興□：施錢五百。牛天順、張茂林、李進壽、張枝、楊□臣、樊仕義、楊廷合……

重修水
陸殿記

【〇三七】 重修水陸殿記

年代：明弘治九年

尺寸：高 160 釐米，寬 74 釐米

立石地點：嵩縣閆莊鎮楊大莊村龍興寺

〔碑首〕：重修水陸殿記

……寶殿記

□□大夫江……廩膳生員曲……

粵□□□□□□□來矣，以寂……勤修□□□□□□善于四事者……虎豹潛□□□□□□煙迥絶悲志於樂道者……紳賢哲□□□□□□□□過留憩，清頑於此……志樂林□□□□□□□□□矣。□□寖憂其殿宇年……危掾梠……前後□傾隤，鼎新財寡，……人勝事難以成就□□□□□隆□□□身□務而募化諸□董……成之，使金碧玄目，煥然□□□□□嚴燦然□□安致水陸諸天晨夕……業師住持清□肇始建□□□也。而□使□境黎庶□越有其瞻仰也。遊覽……頫訊施賄者，得其□□□其□□□□人神共喜，澤□生□，諸聖□庥千祥畢……果無虛應矣。聖朝□海宴然□□六□混□一家□□□□廣布慈□釋風大□□夷梵宇棊分□□□……刹土斯乃□□利生之請也歟……

□匠劉居士同男□□□。

大明弘治九年歲次丙辰冬梅……

【〇三八】 重修鶴鳴觀記

年代：明嘉靖十四年

尺寸：高180釐米，寬71釐米

立石地點：嵩縣九皋鎮九皋山頂鶴鳴寶觀

〔碑首〕：重脩鶴鳴觀記

河南府嵩縣儒學教諭黄梅撰並篆書。

嘉靖壬辰夏六月，余奉命領教嵩庠。越明年癸巳春三月朔日，因公暇，顧謂二三子曰：聞嵩治東望有山曰九皋，古賀蘭仙居于兹有遺跡，群鶴昔鳴于上，誠嵩景之甲焉。今時值上巳，古有祓除不祥之説，俗亦弗戾于義，我輩盍往登之，可乎？僉曰無無不可。命介遂行，二三子亦偕至焉。既而迺登，峯回路轉，有觀曰“鶴鳴”，有池曰“黄龍”“黑龍”“白龍”也。顧瞻左右，復謂二三子曰：美哉山也！環嵩皆山也，無如兹山之秀；凡山皆可樂也，無如兹山之尤可樂焉。層峯疊嶂，翠色可掬，隱然有仙氣，信爲高人隱士之居。所謂山不在高，有仙則名，水不在深，有龍則靈，兹之謂與美哉？僉曰美哉。語畢揖而坐，陸子恩復進，揖于余曰：生輩際先生于兹，固幸也，亦住持趙太和輩幸也。曰何言之？僉曰：兹山之有兹觀，其來也遠，脩葺不知其幾。稽成化間，子恩祖監生陸阜、民伍全因圮而復葺之，迄嘉靖戊子歲復圮，太和暨全之孫伍寅、恩之侄陸昇，復葺而恢擴焉。於辛卯春成正殿，於壬辰春成大門，而兩廊亦就緒。凡兹皆太和暨寅輩經畫百廢，合衆以成之者也。久欲記，無何由，因先生幸兹，托生輩祈言記之，幸無拒。曰：子言迺若兹爾太和暨寅輩功其懋哉，區畫甚周悉哉。構殿三楹者，因其地而廣之也，肖塑有像，悉全碧之者，起謁者之欽肅也。增兩廊者，便焚脩者之起居也。門一楹高敞南向者，取離明之義也。治地凡二百畒者，收儲以備往來達人及焚脩者之供也。且地東至關家峡，西至白龍溝口，南至百澗溝，北至山頂，悉二尹王公鋭斷決明焉。又以塞儉人之侵漁也，若輩功其懋哉！僉曰然。太和暨寅再拜，稽首而謝。遂記于石。時與偕者牛子溥、蕭子志定、賈子儼、王子寵、牛子畊、董子進之、李子楫、王子鏞、蕭子鉉鏞、馬子龍、賈子恩賜、董子齊之、牛子庭桂。余則教諭嵩庠，麻城北村黄梅也。

助緣善士賈員、陸穀。刊字匠：王善、王廷嚴。

時嘉靖十四年歲次辛未四月吉日立石。

重修玉帝殿宇

【〇三九】　重修玉帝殿宇碑記

年代：明嘉靖二十四年

尺寸：高 140 釐米，寬 54 釐米

立石地點：嵩縣九皋鎮九皋山頂鶴鳴寶觀

〔碑首〕：重修玉帝殿宇

嘉靖十三年冬十一月丙子，重修九皋山鶴鳴觀，增其舊制，求余爲文以記之。予觀夫□十於□□嵩治□四□□峥嶸，□□峡□□□成廟之□□兩山之絶□夷……名之時，佑旱□民性□□，罔不舊以而潭旁有洞，□□□昔□□□古有□□□□上元永保□□，亮奉朝旨，立貲駐□，□禦方寇，兼壘□□尚未泯此之築，□之人觀也。越明年乙巳春，若任子寅曰，盍□登之□□二三子偕友陸子君□氏者，□□登瞻□闕，觀少室里太何嵩□山峯遠近不同，□山一□□之□，下視伊流楊無□滙春亦和鳴，萬物震動，把酒臨風，神怡氣盈，美哉！兹登其樂□十壽，□□里闕□□□宫寧□静，塑像金碧丹漆，維陳進揖我子者，□壬□□大和也。伍子曰，觀之□□□□□其似勝國□祀間□祖全陸祖通，蠲紫用□財，奉太□師□□成修葺之□傾圮，率衆鳩工，□□子天祐也，協□□理者，峨□昇也。□□求□振本廢省，趙太□□惟樂觀厥成而已。然治地□□餘畝，厥……用□□□遊幸備厥弗□昭諸久遠。予曰：盍□□□同諸子□現拜請，唯事銘石，因□□□□云□，亦同□□子□史子書□□□□□。

嘉靖二十四年孟春吉日。

……

【〇四〇】 伊府脩建禮聖觀碑記

年代：明嘉靖二十六年
尺寸：高185釐米，寬73釐米
立石地點：嵩縣田湖鎮古城村泰清宫

〔碑首〕：伊府脩建禮聖觀記

伊府脩建禮聖觀碑記

環嵩□□也，其□□□勝□，不知其幾，而表之爲福區，崇之爲秘□□□□□稔也。治之北四……映臯巒者，禮聖觀也。觀之名曰玄地三官祠，其來舊矣。凡煙聚麻虎之□□□於斯，報於斯，水……既遠，守弗得人，蕞爾舊區，遂用圮敝，隘不足以展禮，陋不足以棲神，遐邇□□者□之歲上……心籲神竭虔，苦募鄉耆，見而悦之，詢謀僉同，遂爲興廢之舉。繇是富輸貲，貧荷畚，以協……埴，況備之貝，鳩工飭衆，羣力用勵。先營三殿，而廡序以周；次來兩觀，而垣唐以就；次植筠檜，而苞……與夫配法從之屬，旄纛儀伏之數，罔不循序畢舉。越數禩而落成，隆敞閎邃，跂翼翬飛，丹刻黝堊，……湖一曲養真之靈境也。鄉之祈報□祀，對揚神休者，或□有所，而年之雨暘時，若穡人成□者，視□爲有……也。敬啓國主賜名"禮聖觀"，隨親書碑匾，遣官禮送。倚歟休哉！□□大洪暨鄉耆□□、常奉嵩、文貴、常振等，懇丐余言，以……工見於國親方介山之筆者已詳，固不容贅，而禮聖名觀，□□□□以三元玄天，實惟正神，捍災禦患，祀典不廢。斯觀……而子之守之也，其思所以禮之者乎，苟朝鍾夕磬，誦呪□心，恪守清規，益□德之風，順從大道，不媿琅函之號，……而後爲不朽也。

賜進士第知益都縣事、文林郎吕良，河南府洛陽縣庠生、崑峯山人邢清，翰林院五經博士、迪功郎程心傳，賜進士第知嵩縣事、蜀人陳善治，縣丞、保定人陳世昌，主簿、蜀人鄭麒，典吏、儒學署教諭事、四川舉人周鼎，訓導、嘉祥許滌，曲沃傅廷錦，宜陽縣耆老王公義宰、王卿，鄉民王翰、王林、古城烏仁施碑□□。

宜陽縣石工郭仲德、郭仲仁、郭仲禮、郭仲信。

大明嘉靖二十六年歲次丁未十一月十七日建立碑記。

重修三官祖師廟記
日
月
大明萬曆九年三月吉旦

【〇四一】　重修寶泉山三官祖師廟記

年代：明萬曆九年

尺寸：高 124 釐米，寬 57 釐米

立石地點：嵩縣大坪鄉三官廟村三官廟

〔碑首〕：重修三官祖師廟記　日月

重修寶泉山三官祖師廟記

竊以嵩北廓二十里許寶泉山者，面向思遠，背負負塗，左股嶽頂，右肱九皋耳。伴禪林，腰帶源溪，□山拱向，二水環流，乃幽巖物□之境，真羽士修心之鄉。昔正德元歲，功德主耿騰、耿勝具價銀三兩五錢，買耿德地六畝，隨錢稅糧四升，南至耿守湖，東西北皆至於河，捨與□。吴道玄募化十方，啓建廟宇。遞于萬曆元年，男耿馱、耿駁洎侄耿臣、耿厚，見此廟宇所據□麗敏，毁祖捨之情，十方施財之功，立言出賣。住持段玄高不捨幾輩修葺，□成奏□，不於彰□勵言。沙坪保壽官張雲洎男□□、張恩言，高年居塵境，道德兩全，商議會□一境衆人，共施錢三千六百，贖買捨與段玄高、王浄福等，始爲十方香火之地。價外與高索樂斷舌錢七千二百，立契絶賣，永無侵争。買後雲高傾，增修三官祖師金殿六間、道房二十餘數、山門一座，周匝互牗墻垣，俱捐善資，殿宇崇建，金像□粧，道舍次第布筵，周備崇亦新爾。尚恐年深，□張公衆信施財之功毁，師徒傾心崇建之營□，刻立石，永爲遵□，與耿無干，十方常住，摽論後裔，陸續焚修禮誦，上祝九重之聖□，下祈萬姓以咸安。法嗣皆暢，道範綿長，四恩總報，三宥均資云耳。

社首：壽官張雲、張朝、李鸞、趙堂、趙應紀、李現、壽官朱浩民、朱尚尅、賈儒、孟進朝、謝佑、□明清。

十方功德主：石禄、胡守信、楊誠、王邦現、翟連佐、劉榮、石儀、朱魁、胡仲、安世雄。

住持：段玄高。門徒：王静福，徒孫：梁真山、温真梅、張真果、馮真金，重孫：劉常順、林常□。師叔：裴通秀。石工：劉尚學、劉尚義。

趙村慶安寺真寶選文並篆額書録。

大明萬曆九年三月吉旦。

【○四二】 九皋山鶴鳴觀進香修醮碑記

年代：明萬曆三十二年

尺寸：高91釐米，寬45釐米

立石地點：嵩縣九皋鎮九皋山頂鶴鳴寶觀

九皋山鶴鳴觀進香修醮碑記

伏以位鎮玄天，化身於浄樂宮中；尊居北極，成道於武當山上。千里投誠，朝真謁帝，衆信發心，以祈福祐，凡有修崇，敢不聞奏？今據大明國河南等處承宣布政使司、河南嵩縣神陰鄉□里人氏，見在渠上居住，奉神啓建，朝叩九皋仙山，進香修醮三次完滿，衆發誠心，各拔資帛，致造黄傘一把，玄帝聖前永遠供奉，祈保各家康泰，老幼迪吉，四時有慶，八節無虞。上祝皇圖永久，帝道遐昌，風調雨順，國泰民安，二儀永固，七曜玄明，星辰順度，□限光亭。祈父母壽身康健，祈己躬夫婦平安。凡在照臨，悉叩恩佑。具有衆信花名開列于後：

社首：李慎、李從舟、李性、李情、趙祥、趙坤、趙宣化、趙溢、趙世平、趙則順、趙世科、趙潤、趙世才、李用、金還、劉月、小朱住、蘆全、陸宗真、李江、徐仕、楊林、晁斌、吕登、劉進才、趙謹、楊有吉、張垌、鄭佐、王在、侯朝卿、楊一花、李進忠、小來順、楊九韶。

本廟住持道人：陸來真。石匠：趙進福、趙進禄。

時大明萬曆三十二年孟春二十八日立記。

【〇四三】　九皋山進香三次完滿建醮碑記

年代：明萬曆三十六年

尺寸：高 86 釐米，寬 45 釐米

立石地點：嵩縣九皋鎮九皋山頂鶴鳴寶觀

□□□□□三次完滿建醮碑記

蓋聞天□言□□□，人有感則能通，凡將一念之虔誠，必動高明之鑒□。凡有投誠，敢不奏聞？奏爲大明國河南府嵩縣伊陽鄉各里人氏不同，見在下赤莊居住，奉道朝山進香脩醮，順星保安。

信女社首：趙門付氏、淡門徐氏。衆信人：孫門雷氏、高志魁、徐門楊氏、肖門郭氏、豆廷宰、李門田氏、趙門董氏、齊一變、蘆孟光、張防、豆廷甫、王來聘、蔣門趙氏、徐門賈氏、付門鄭氏、李一□、張應立、肖其鳳、蘆門□氏、田門李氏、賈門白氏、付門張氏、方昇世、楊三聘、鄧門孫氏、李門胡氏、賈門李氏、楊門蘆氏、霍門張氏、方門賈氏、李從舟、張門張氏、陳門翟氏、孫三省、鄧門郭氏、賈門陳氏、楊仁、蘆承邵、蘆門劉氏。

本山住持：李復□。

萬曆叁拾陸年十二月初十日立。

九皋山鶴鳴觀進香修醮記
蓋聞作善降之百祥，作不善降之百殃
之家必有餘慶，積不善之家必有餘
地名樊店村居住善士社首張朝、張胡、杜
九皋仙山進香建醮三次，完滿祈保合家
滿利吾書名于後，不朽為記
隨會人張加惠　郭孝　王從善　閆大清
賈其祿　張加賓　王仲言　閆
張加美　張芳譽　張國儒
常天福　閆道先　都天
張万倉　郭太時　燕廷
彭文　杜性貞　彥從
安科　張加忠　常
萬曆乙卯歲[illegible]春十三日

【〇四四】　九皋山鶴鳴觀進香修醮記

年代：明萬曆四十三年

尺寸：高 38 釐米，寬 39 釐米

立石地點：嵩縣九皋鎮九皋山頂鶴鳴寶觀

九皋山鶴鳴觀進香修醮記

蓋聞作善降之百祥，作不善降之百殃。積善之家，必有餘慶；積不善之家，必有餘殃。今□地名樊店村居住，善士社首張節、張胡枝□□九皋仙山進香建醮三次完滿，祈保各家□□□滿，刊石，垂名于後，不朽爲記。

隨會人：張加惠、賈其禄、張加美、常天福、張萬倉、彭友、安科、郭孝、張加賓、張芳譽、閆道先、郭大時、杜惟貞、張加忠、王從善、王仲言、張國儒、都天□、燕廷富、李從□、常□□、閆大清、閆西、李□□……

萬曆乙卯歲孟春十三日。

【〇四五】 九皋山進香修醮記

年代：明萬曆四十四年

尺寸：高 55 釐米，寬 40 釐米

立石地點：嵩縣九皋鎮九皋山頂鶴鳴寶觀

□□山進香修醮記

□明國河南府嵩縣鶴鳴鄉各里人氏，見在夾河村居住，奉道朝叩九皋仙山，進香建醮三次完滿，祈各門而利泰，保逐户以咸寧，四時有慶，八節無虞。再願皇圖永久，帝道遐昌，風調雨順，國泰民安。凡在照臨，全叨恩祐。謹記。

社首：張從、張誥。隨社人：張就詔、張就顯、張訪、張斐茂、張樸茂、張登鰲、張暢茂、鄭天才、王京、范懷、高可旺、高可名、孫才、李守福、張卓、吴東枝、穆進寶、龔昭、胡智、張師孔、王東枝。

趙進祥刻石。

時萬曆四十四年孟春二十六日。

三次完滿

九[illegible]鶴鳴觀進香修醮記
大明國河南等處承宣布政使
見在洛[illegible]村善士社首伍三
九峯仙古進香建醮三次完滿
有慶八節無虞再頓皇圖永
瘟不染火盜双消醮功完滿
隨社人伍尚仲　趙天佑　陳
吴詩　趙進孝　吴三
伍尚進　趙天知　馬
伍應賢　趙天仕　馬
伍三營　趙天海　馬
伍季夏　趙天好
本山修醮住持陸來真　刻字
旹大明萬曆四十七年仲春

【〇四六】 九皋山鶴鳴觀進香修醮記

年代：明萬曆四十七年

尺寸：高 42 釐米，寬 40 釐米

立石地點：嵩縣九皋鎮九皋山頂鶴鳴寶觀

〔碑首〕：三次完滿

九皋山鶴鳴觀進香修醮記

大明國河南等處承宣布政使……見在霑霔村善士社首伍三……九皋仙山進香建醮三次完滿，……有慶，八節無虞。再願皇圖永……瘟不染，火盜雙消。醮功完滿……

隨社人：伍尚仲、吴詩、伍尚進、伍應賢、伍三營、伍景夏、趙天佑、趙進孝、趙天知、趙天仕、趙天强、趙天好、陳□、吴三□、馬一□、馬□□、馬□□、任天□。

本山脩醮住持：陸來真。刻字：□□□。

時大明萬曆四十七年仲春……

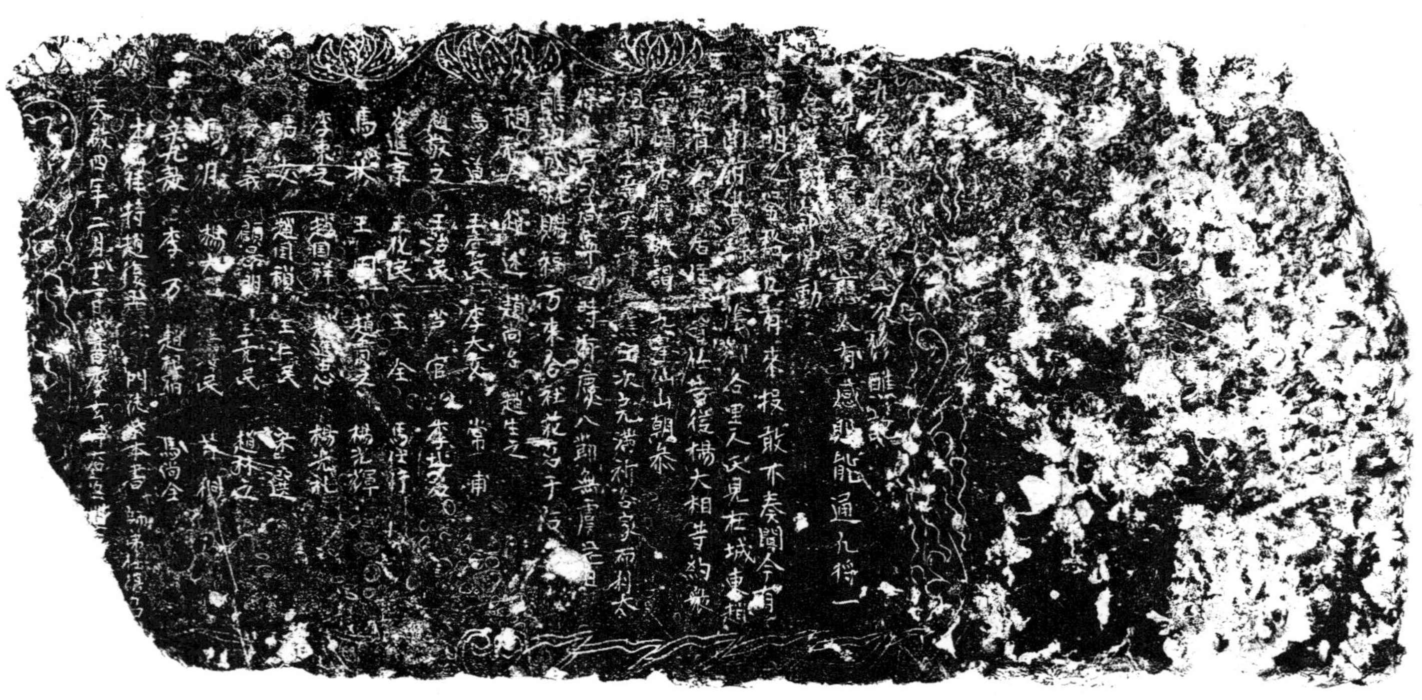

【〇四七】　九皋山進香三次修醮記

年代：明天啓四年

尺寸：高 82 釐米，寬 41 釐米

立石地點：嵩縣九皋鎮九皋山頂鶴鳴寶觀

九皋山進香三次修醮記

□示言□善應人有感，即能通凡，將一念籙變錢□，動高明之鑒格，凡有來報，敢不奏聞？今有河南府嵩縣神陰鄉各里人氏，見在城東趙家溝各莊居住，社首任吉從、楊大相等約衆虔備香□，敬謁九皋仙山朝参祖師、上帝、聖□□醮三次完滿，祈各家而利太，保□□以咸寧，四時有慶，八節無虞。是□醮功成，就賜福方來。合社花名于後：

隨社人：趙述、趙尚忠、趙生之、馬道、王袁氏、李大文、常甫、趙敬之、王治民、蘆官、李北名、谷進京、王化民、王全、馬仕行、馬狀、王□、趙書文、楊光輝、李東之、趙國祥、趙進忠、楊光禮、馬文、趙國禎、王仁民、宋選、安義、顧景明、王堯民、趙林之、馬月、楊□□、王治民、蘆桐、辛九敖、李萬、趙根宿、馬尚全。

本廟住持：趙復玉。門徒：柴本書。師弟：任復召。

代書：李玄坤。石匠：□□□。

天啓四年二月十二日。

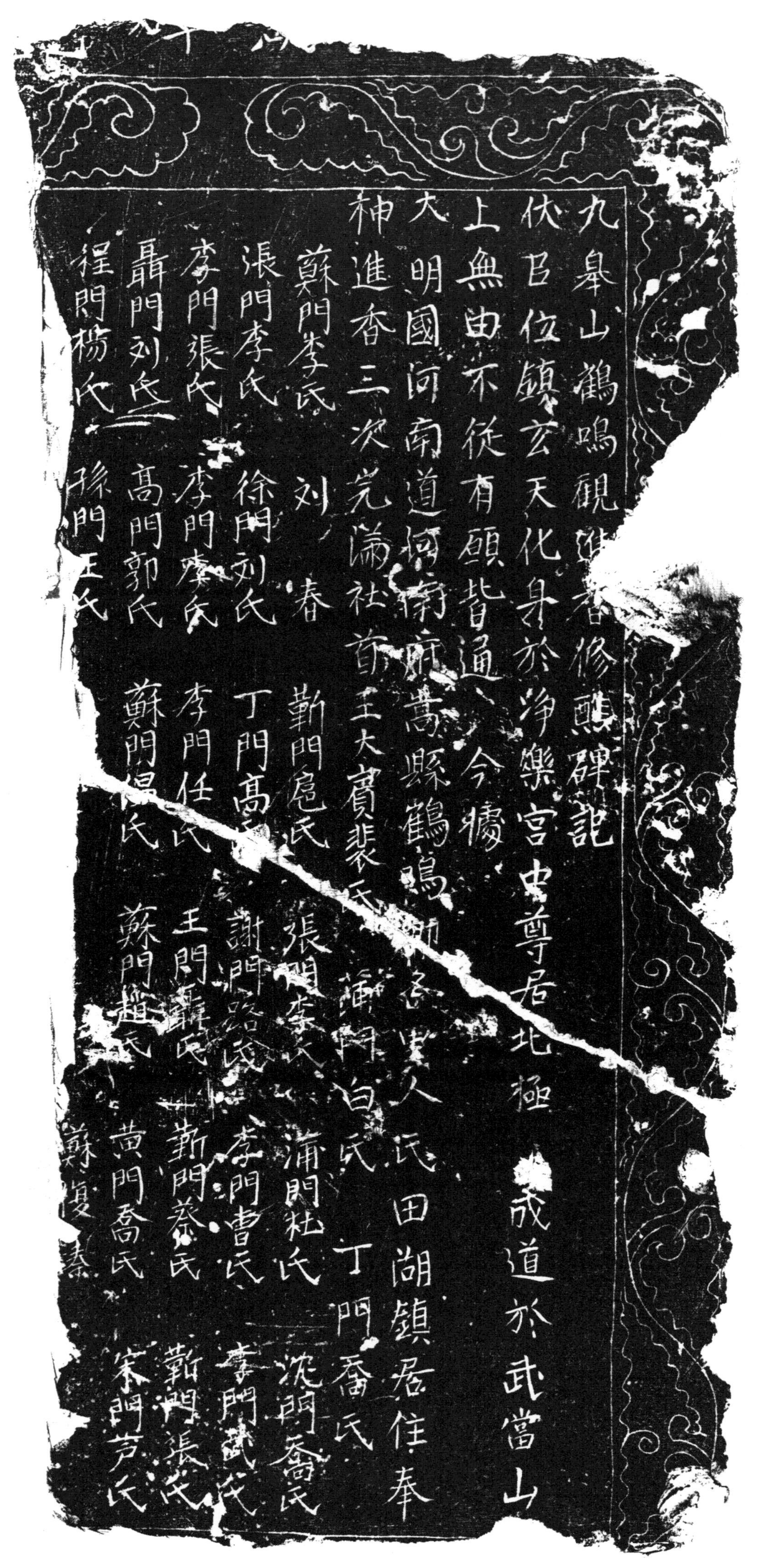
九皋山鶴鳴觀
伏以位鎮玄天化身於淨樂宮中尊居北極 成道於武當山
上無由不從有願皆通
大明國河南道河南府嵩縣鶴鳴
人氏 田湖鎮居住奉
神進香三次完滿社首王大賓裴氏
白氏 丁門喬氏
蘇門李氏 刘 春 靳門扈氏 張門李氏 蒲門杜氏 沈門喬氏
張門李氏 徐門刘氏 丁門高氏 謝門路氏 李門曹氏 李門武氏
李門張氏 李門秦氏 李門任氏 王門聶氏 靳門蔡氏 靳門張氏
聶門刘氏 高門郭氏 蘇門楊氏 蘇門趙氏 黄門喬氏 宋門芦氏
程門楊氏 孫門王氏 蘇復泰

【〇四八】　九皋山鶴鳴觀進香修醮碑記

年代：明代

尺寸：高 63 釐米，寬 30 釐米

立石地點：嵩縣九皋鎮九皋山頂鶴鳴寶觀

九皋山鶴鳴觀進香修醮碑記

伏以位鎮玄天，化身於浄樂宫中，尊居北極，成道於武當山上。無由不從，有願皆通。今據大明國河南道河南府嵩縣鶴鳴鄉各里人氏，田湖鎮居住，奉神進香，三次完滿。

社首王大賓裴氏、蒲門白氏、丁門喬氏、蘇門李氏、劉春、靳門扈氏、張門李氏、蒲門杜氏、沈門喬氏、張門李氏、徐門劉氏、丁門高氏、謝門路氏、李門曹氏、李門武氏、李門張氏、李門李氏、李門任氏、王門聶氏、靳門蔡氏、靳門張氏、聶門劉氏、高門郭氏、蘇門温氏、蘇門趙氏、黄門喬氏、宋門蘆氏、程門楊氏、孫門王氏、蘇復□。

【〇四九】　重修關帝廟碑記

年代：清康熙四十六年

尺寸：高 122 釐米，寬 57 釐米

立石地點：嵩縣大坪鄉宋嶺村關帝廟

〔碑首〕：大清

重修關帝廟碑記

嘗謂忠義者，萬年概世之模；善行者，百代作福之功。神有忠義，人有善行，相因而作於其間。本鎮有古刹關帝廟一座，其來久矣，山環水繞，廟宇又被松柏所蓋，觀其耿耿忠義，與松柏何異？巍巍□真古基之盛境也。自明末廟宇損壞，自我清鼎以來，依然重修。迨至年久日深，又被損壞，凡在一方，不忍坐視，無不動念修理，或助人力，或捐資財，將廟宇、神像又復煥然一新。於是，勒碑開名，永垂於後云。

功德主：程起鳳、馬生福。胡養龍：三錢。□珍、劉溥、□甫、石信、石成章、黨國隆、秦治國、周志德、□成、孫祥、賀成美、李君祥、李君報、生員劉勳、吏員李見道、李見聰、唐起禎、郭子著、石成祥、茹自海、孔印弘、吏員吕光勳、孫景儒、孟光星、賀冀祥、耿國耀、翟希聰、曹名云、黨文偉、王進德、孫國□、楠魁春、馬崙生、王世敬、生員王恭、王前，以上俱一錢。中嶺村下壹仟，□存仁、張起英、蕭得印、王加福、賀尚信、吕成、周自德、李君祥、王起龍、王起奉、孫玉才、王世敬、王世□、吕光禄、王忠、王行信、王遜、楊光玉、洪景隆、郭冀生、高□平、賀向興、韓林山、朱珍、王門謝氏、陳□青、温二祥、張玉、黨如奉、胡□明、賈□□、劉□、賈起□，以上俱柒分。吕光鼎、荆使念、宋起龍、張邦朝、蕭得印、馬生金、王起奉、王守喜、張懷乍、徐信、李一名、魏克恭、夏存仁、曹景相、吕雪增、許國安、□守法、黄進忠、王行禮、王廷隆、陳進禄、張思安、奚金、王懷福、賀自龍、關賜弘、石大臣、石見臣、王廷楝、石五、劉敬、石良臣、石鼎臣、胡德順、朱宣、王都謙、周起印、李起龍、石成福、温起林、胡守庫、石成祚、胡廷瑞、張□、胡大明、吕光壽、曹清海、王世奉、寧六章、楊本立。伊養云，以上俱五分。薛思政、王世政、王世隆、□起祥、韋蘭、鄧時訓、翟之艮、都進學、唐起交、翟虎龍、王進禮、黄成相、左繼堯、韋彬、秦□信、賈純、□凡德、郭□山、李化龍、楊坤、王可舉、李五公、李六、賀自昇、李洪春、馬松、趙文得、寧起斌、李自祥、賀小九、王增祥、張自得、李廷桂，以上俱三分。

泥水匠：郭子培、原世芳、秦□七。金塑匠：張三畏。石匠：程國章、程國珣。

康熙四十六年六月仝立。

【〇五〇】　創修子孫聖母殿並立山門碑記

年代：清雍正五年

尺寸：高96釐米，寬56釐米

存石地點：嵩縣大坪鄉東源頭村泰山廟

〔碑首〕：功德碑記　日月

創修子孫聖母殿並立山門碑記

嘗聞古之人豐功偉烈……世所也。兹者源頭村有泰山廟□□□□，其來久矣。余……兩門某也。就……未之聞也。……不足爲神依，□某惻然動念，罄其素貯，傍建聖母殿三間，……觀，非若從前之枯陋也。又□□興詔地四畝三分，用價四兩……彼從，各村善男信女各發虔誠，金粧神像，樂捐恐後。雖曰人……於石，倘世遠年深，□幾湮没而不傳乎？余以俚言云，亦以冀……

雍正丁未年秋月吉旦。

【〇五一】　重修集仙臺東嶽寢宫及羣廟碑記

年代：清乾隆六年

尺寸：高 47 釐米，寬 106 釐米

立石地點：嵩縣何村鄉閆村岱嶽廟

重修集仙臺東嶽寢宫及羣廟碑記

嵩治西離城十里許，有古壇曰集仙臺，七峯作屏，……洵巍巍鉅觀也。辛酉歲，餘設帳其中，課徒之暇，……霞成三塗九勝蹟，遡劍□之遺躅。覺心與修竹俱……遊蓬萊仙苑，幾不知有人間事也。因徘徊古柏旁，……人，奈世遠年湮，無可深攷。銘於鐘者，第有嘉靖時……時買香火地之張道□，而創建之始與創脩之……寢殿告成，樓臺高北斗，宫闕對南山，畫棟飛朝雲，……成金所建，募化衆緣所修也。直以世家鄒魯訪……有如此地之山清水秀，可停鶴駕者，遂自出己之……東嶽大殿落成於雍正八年，三元行宫告竣於……拜殿、舞樓次第脩理，焕然改觀。至於東嶽寢宫……益宏，其藻彩益輝，餘目覩其盛，勸其勒石，以……辭，忽見荒簷之下，横八寶玉柱，長五尺，圍四……草黄，不諜何年所製，余以數卜之卦，得重坤……乃盛唐所竪，夫世已幾更，筆跡俱泯，……彰善之坊也。異日者□□之火候，俱刻……其始末，後世之覽斯文者，……河南府優學廩膳生員鳴皋鎮陶……陽縣儒學增廣生員富流店繡庵……

……

大清乾隆六年梅月吉旦。

【〇五二】　重脩白水庵碑記

年代：清乾隆十年

尺寸：高170釐米，寬64釐米

立石地點：嵩縣大坪鄉閆屯村白水庵

〔碑首〕：重脩白水□□碑記

重脩白水庵碑記

邑北趙村□□二十里堡曰閆家屯，有白水庵，蓋古刹也，而慶安寺之屬地焉。其地窕而曲，邃而遠。白雲無心以出岫，河水日清□且漣，四圍山東高低樹，一泒泉分上下天，誠講習經法之所，而焚修晏息之場也。但肇建於明，沿及我朝，百有餘歲矣。歷年久遠，風雨漂摇，宫室、垣墻頹廢無存，所有者僅破殿三間耳，其餘摧殘剥落之象，可勝嘆哉。幸有慶安寺住持僧會司自明者，心菩薩之心，性菩薩之性，於康熙六十年，不事募化，獨力營建，創脩山門三間、禪室四間，東白衣堂，西廣生殿，左右各爲一間，十數年整頓脩理，其規模、氣象固已焕然一新矣。乃及其徒而更有進焉者，長性存、次性禄、三性洛，踵師之功，繼師之志，欲廣前人之舊規，以種一己之福田。又有閆家屯衆善士，同心協力，捐金輸資，以佐其不逮。於是重修正殿三間，而棟宇峻起；金粧菩薩三尊，而光彩奪目。天兵神將雲集乎上，兩壁甚絢爛也；閆君羅漢環列乎旁，五采亦繽紛也。丹楹刻桷，峻宇雕墻，巍乎可觀，燦然有章，煌煌乎巨業，視舊制而有加焉。昔昌黎韓文公與於襄陽，書云：莫爲之前，雖美弗彰；莫爲之後，雖盛不傳。惟兹自明與門徒性存輩，師作於前，而不辭創垂之勞；弟承於後，而克殫紹述之功。上自熙雍，下迄乾隆，兩世相繼經營二十餘載，而功始告竣，可謂後先濟美者矣。從此晨鐘暮鼓，而雲堂青燈之下，經聲與鐘聲相叶，妥神崇祀，而救災恤難之餘，心法與佛法相通，是則宫殿之崇焕，豈徒飾美盛、壯觀瞻已哉，嘉哉！乃僧洵爲沙門之傑出者與，宜乎方内釋子，既推其師作緇衣之領袖，又將戴其徒而爲盧行之冠冕也，豈不幸甚。兹於功成事落，乃懇余爲文，用鐫諸石，以垂不朽。余不自揣忘其固陋，略爲蕪詞以述其功德、識其歲月云。

邑庠增廣生員任元珪撰文，邑庠生員任元壁篆額，邑庠生員任元掄書丹。

住持僧性存、性禄、性洛，門徒圓會、圓德、圓桂、圓善、圓貴、圓進、圓智、圓林仝立。

石匠：高烧鐫。

大清乾隆拾□歲次乙丑拾月季秋之吉。

大清

重修泰山廟碑記
益聞莫為之前雖
頭村有太山廟一
廟建於茲則神道
縱一切由中四生
往來者窺之
之責也夫遂為
文以勸於石永
水流長村萬更
源頭活水並流
與人同别有天
儒學生員
儒學生員
乾隆十

【〇五三】 重修泰山廟碑記

年代：清乾隆十年

尺寸：高 69 釐米，寬 58 釐米

立石地點：嵩縣大坪鄉東源頭村泰山廟

〔碑首〕：大清

重修泰山廟碑記

蓋聞莫爲之前，雖美……頭村有太山廟一……廟建於兹，則神道……縱一切由中四生……往來者，窺之竊……之責也夫。遂爲之……文，以勒於石，永……水流長，材高更……源頭活水並流……與人同别有天……

儒學生員……儒學生員程……

乾隆十年……

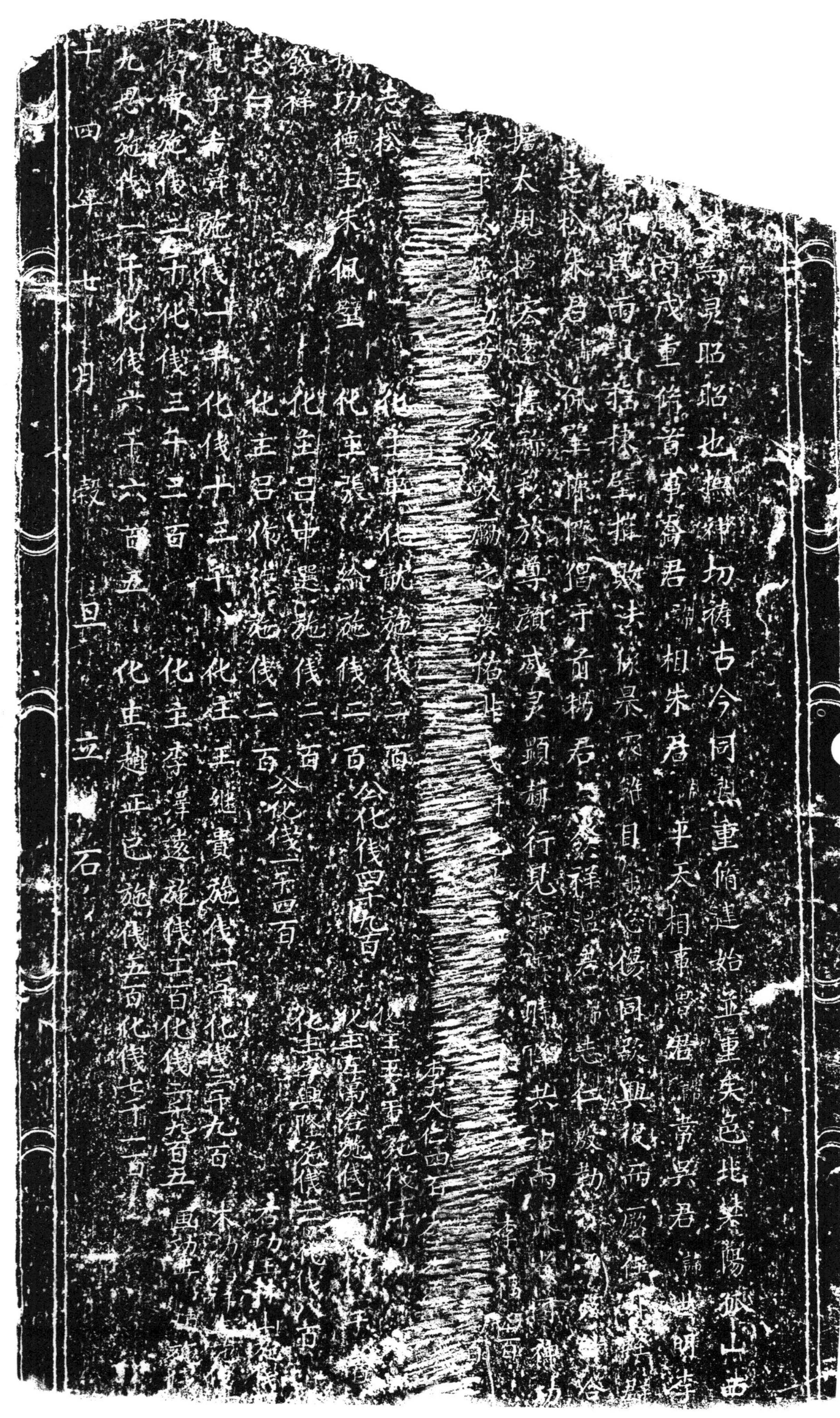

【〇五四】　重脩五龍廟碑記

年代：清乾隆十四年

尺寸：高 158 釐米，寬 60 釐米

立石地點：嵩縣閆莊鎮五龍廟村五龍廟

〔碑首〕：皇清

易曰：飛龍在天，雲行□□。□之爲靈昭昭也。撫神切禱，古今同然，重脩、建始並重矣。邑北樊陽孤山西□五龍行宫一間，創建不知□□，康熙丙戌重脩，首事喬君諱相，朱君諱平、天、相、事，魯君諱韋，吴君諱士明，李君諱志道，至今昭然。但□□□□所，風雨飄摇，榱壁摧敗，法像暴露，雖目覩心傷，同欲興復，而厥任□輕群□董成之繼也。幸有温君諱志松、朱君諱佩璧慷慨倡於前，楊君諱發祥、温君諱志仁殷勤贊於後，糾合□善，經營締造，因舊址擴大規模宏遠標新彩於尊顔，威靈顯赫，行見霜霖時降，共沾雨露者，固神功浩蕩，衆善感歷，抑以工振作於始，□□於終，鼓勵之獲佑，非□得也。是爲序。

功德主温志松、徽國文公後裔十九世孫功德主朱佩璧、總管楊發祥、總管温志仁、□子希舜：施錢一千，化錢十三千。□復帝：施錢二千，化錢三千三百。□九思：施錢一千，化錢六千六百五。化主單化龍：施錢二百。化主張綸：施錢二百。公化錢四千九百。化主吕中選：施錢二百。化主吕作德：施錢二百。公化錢一千四百。化主王繼貴：施錢一千，化錢二千九百。化主李澤遠：施錢二百，化錢二千九百五。化主趙正己：施錢五百，化錢七千一百。李大仁：四百。化主王重：施錢一千。化主左萬倉：施錢二百，化錢一千三百。化主李興隆：施錢二百，化錢八百。李福：四百。石功王林山：施錢四百。木功籍祥生：施錢四百。畫功王□邦：施錢□□。

清乾隆十四年七月穀旦立石。

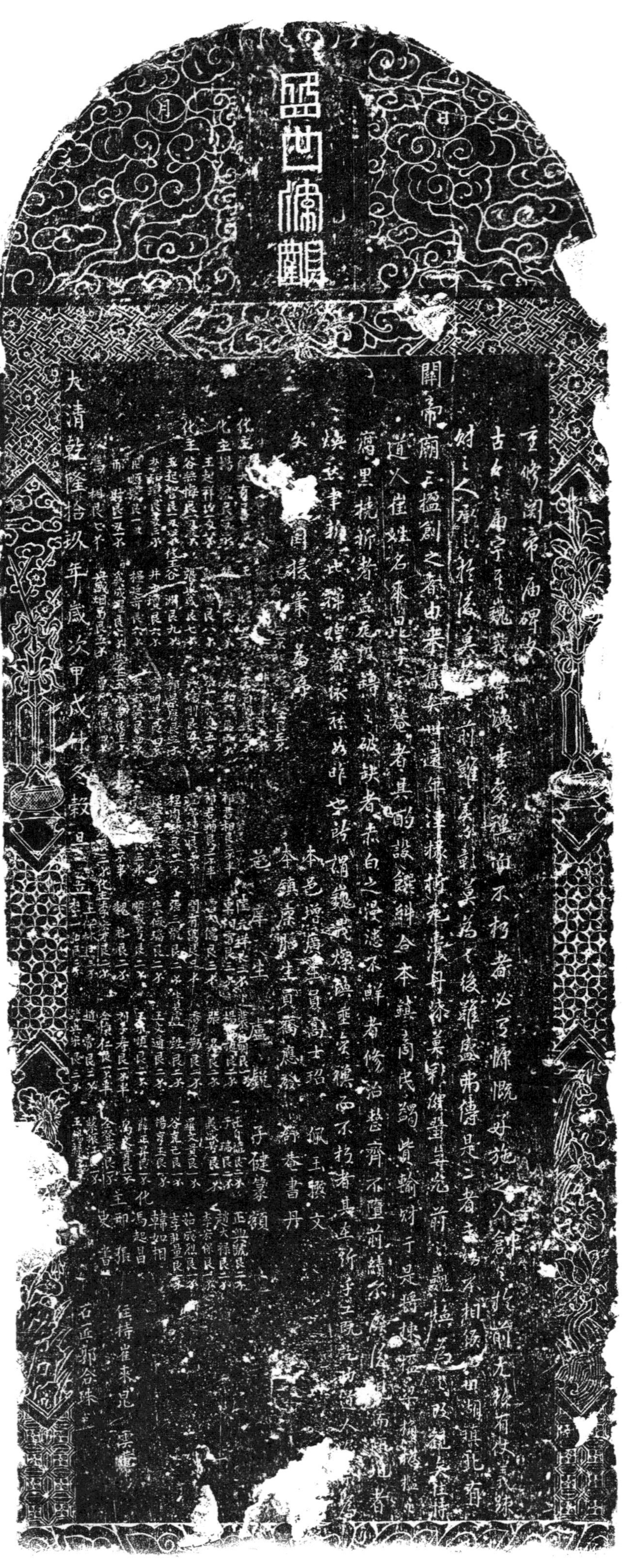

【〇五五】 重修關帝廟碑文

年代：清乾隆十九年

尺寸：高160釐米，寬62釐米

立石地點：嵩縣田湖鎮北街關帝廟

〔碑首〕盛世偉業　日月

重修關帝廟碑文

古今之廟宇，其巍莪燦焕，垂奕祺而不朽者，必有慷慨好施之人創之於前，尤賴有仗義疏財之人承之於後。莫爲之前，雖美弗彰；莫爲之後，雖盛弗傳。是二者未妨不相須也。田湖鎮北有關帝廟三楹，創之者由來舊矣，世遠年湮，椽折瓦覆，丹漆莫彩，黝堊無光，前之巍焕爲之改觀矣。住持道人崔姓名來昆字虚菴者，具酌設饌，糾合本鎮商民蠲貲輸財，于是將棟楹、梁桷、板檻之腐黑橈折者，蓋瓦毁罏之破缺者，赤白之漫漶不鮮者，修治整齊，不墮前績，不廢後觀。而傾圮者焕然聿新，此輝煌者依然如昨也。所謂巍莪燦焕，垂奕祺而不朽者，其在斯乎？工既訖功，道人囑余爲文以□□，因援筆以爲序。

本邑增廣生員高士玿佩玉撰文，本鎮廩膳生員喬應發舒菴書丹，邑庠生盧鋭子健篆額。

化主：蘇大有：錢□千文。楊檳：銀一兩二錢。王起祥：銀一兩八錢。化主谷無悔：銀一兩五錢。王起智：銀一兩四錢。李如璜：銀一兩三錢。□順號：銀一兩。邢財：銀一兩一錢。馮相：銀七錢。程自祥：銀三錢。張佑：銀□□。王曉：銀九錢。孫□：銀八錢。張世興：銀八錢。張興盛：銀七錢。化主谷淵：銀九錢。井士壇：銀六錢。程廷奇：銀六錢。奚成耀：銀六錢。興盛煙局：銀五錢。姚全：銀五錢。陳生榮：銀六錢。李自周：銀五錢。永和號：銀五錢。張一龍：銀五錢。吴德剛：銀五錢。郭景唐：銀五錢。李明道：銀四錢。李壬□：銀四錢。監生王永吉：銀五錢。曹天福：銀四錢。韓萬奎：銀三錢。祁君相：銀三錢半。□爾璉：銀三錢。程周輔：銀三錢。孫宏亮：銀三錢。張□：銀三錢。喬□：銀三錢半。□□號：銀三錢。陸元祥：銀二錢。車相雷：銀三錢。雷大儒：銀三錢。閆有萬：銀三錢。張三龍：銀二錢。朱佩瑞：銀二錢。順盛號：銀二錢。魏禮：銀二錢。化主李宏才：銀二錢。王保林：銀三錢。李一弘：銀三錢。裴自明：銀一錢。楊相捷：銀二錢。張昇：銀二錢。喬克勤：銀二錢。生員盧甡：銀二錢。王文通：銀二錢。王小順：銀二錢。劉子壽：銀一錢半。仝懷仁：錢一錢半。趙常：銀二錢。韓興宋：銀三錢。王自福：銀二錢。于瑞：銀二錢。義盛號：銀一錢。羅文貴：銀一錢。谷克己：銀一錢。楊亨玉：銀一錢。薛正昇：銀一錢。馮文貴：銀一錢。仝登武：銀一錢。蔡振江：銀一錢。王錫禄：銀一錢。正興號：銀二錢。趙大禄：銀二錢。李宏保：銀一錢。茹成烈：銀一錢。李弘量：銀一錢。化主：韓如相、馮起昌、邢張、史書。

住持：崔來昆、雲菴。石匠：郭合珠。

大清乾隆拾玖年歲次甲戌仲冬穀旦立。

【〇五六】　重新泰山廟神像碑

年代：清乾隆二十年

尺寸：高134釐米，寬63釐米

立石地點：嵩縣大坪鄉東源頭村泰山廟

〔碑首〕：大清

重新泰山廟神像碑

嘗讀《禮經》，有曰：因物之精制爲□□，明命鬼神□□□首，則百衆以畏，□□□□之義也。以故中土及四方，其□□□不有神，而泰山者，則東岳泰岱之神也。其位將□□公其望右於群神，出雲降雨，福善禍□□□□□□之宫室，而復圖其形，繪其貌，機□□目，儼然如生生之者，敬之也，敬之者□□□。我嵩里許源頭村東舊有泰山廟一座，遠接山光，近挹川靈，誠一方之勝槩。□□□以爲崩毁，苟非有人焉，復爲維新於□□，其何以妥神靈而顯赫濯哉？兹有□□□雲者，□□任，鳩衆興干。閲以時日於乾隆辛未仲秋，廟貌增新，已刻石以示後矣。而金塑之功復告竣於乙亥，□□□維□□惟耳目，而居人士咸望而即之，焚脩拜跪，洋洋乎如在其上，如在其左右，……於是僧求記於余，余本固陋，□□俚言以爲之記云。

□學增廣生吕鐘拜撰，邑庠生吕作睿敬書。

……

乾隆二十年季冬穀旦。

【〇五七】　重修玉皇廟碑記

年代：清乾隆二十三年
尺寸：高 148 釐米，寬 56 釐米
立石地點：嵩縣閆莊鎮竹園溝村玉皇廟

重修玉皇廟碑記

嘗讀《易》，有之曰“作善降之百祥”。以是知積善獲福，理固然也。竹園溝口山曲水秀，乃藏風聚氣之所，真勝區也。故老相傳舊有玉皇大帝行宫，周圍之享祝者，無不有感輒應焉。但歷年久遠，風吹雨灑，棟折榱崩，舊規杳不可覩，所僅存者，明時遺址耳。一旦有向善者出，起而重修之，而廢者復興矣。丙子歲，余寓馬溝村訓飭士子，閑步此廟，見夫廟宇輝煌，神像金粧，心竊喜之，未識伊誰之力也。遊倦而遞訪□契友，始知首其事者朱君諱西舟也，而佐之者，則王君諱思文、朱君諱煌斗焉。三人同心，公議修理，恐力有不給，因而設筵恭請□總領，募化四方，而四方之善男信女亦欣然樂從，願輸貲財。遂卜期興造，不數月而功告竣焉。總合數百人之善而始成，而經□措置則固三人之力居多也。爲善即不邀福，而感應自爾不爽，行見介爾景福受天百禄矣。戊寅春，意吹列諸貞珉，以永垂不朽，□文於余，余聊記其史之巔末，願爲後之向善者勸。

府庠生員安長庚沐手撰文，胞弟、邑庠生員安文□書丹。

……

乾隆貳拾三年歲次戊寅春月初二穀旦立。

皇清
創建火神祠碑記
五行之生先諸水火火陽之精也於位為南於時為夏於卦為離於天光為日其
帝曰炎帝其神曰祝融其柄察乎善惡而其祀通乎里社三代以後天子以下咸
崇而奉之尸而祝之火神之為靈昭昭也但無妥神之所恐難以將誠懇于是
茲里有善士彭劉高魏諸君者公議在藥王廟西創建殿宇設為形像且將藥王
廟同為補修庶有以妥神靈而將誠懇瞻徉之下自兢兢為常存為善去惡之念
矣然猶恐大廈非一木所能支又請化主募化四方共勸其事至功告竣首事者
持其所得里人捐貲之名與數及廟外施茶香火地畝欲勒石傳後乃窮鄉僻壤
未有操筆者予館在此曰無以助若助若以文字可予鐫石之費予俱給之分使
後人笑予徒以筆墨為布施是為記　學師闞廣韶重華氏撰文并書篆
功德主
彭三如施銀二兩
劉發施銀一兩
魏宗信施銀二兩
高德珍施銀二兩
化主
薛天才銀一兩
劉文忠錢三百
陳世蘭銀一兩 根大樑一
劉文信銀一兩
王玉 郭進珠施錢二百
塑工王寫 施錢二百
木工孟發旺施錢五百
大清乾隆四十年歲次乙未律中姑洗月吉旦　住持道人刘揚貴

【〇五八】 創建火神祠碑記

年代：清乾隆四十年

尺寸：高 112 釐米，寬 49 釐米

立石地點：嵩縣大章鄉趙嶺村藥王廟

〔碑首〕：皇清

創建火神祠碑記

五行之生，先諸水火。火，陽之精也，於位爲南，於時爲夏，於卦爲離，於天光爲日。其帝曰炎帝，其神曰祝融，其柄察乎善惡，而其祀通乎里社。三代以後，天子以下，咸崇而奉之，尸而祝之，火神之爲靈昭昭也。但無妥神之所，恐難以將誠愨。于是茲里有善士彭、劉、高、魏諸君者公議，在藥王廟西創建殿宇，設爲形像，且將藥王廟同爲補修，庶有以妥神靈而將誠愨。瞻拜之下，自兢兢焉常存爲善去惡之念矣。然猶恐大廈非一木所能支，又請化主募化四方，共勷其事。至功告竣，首事者持其所得里人捐貲之名與數，及廟外施茶香火地畝，欲勒石傳後，乃窮鄉僻壤，未有操筆者，予館在此，曰：無以助，若助若以文字可乎？鐫石之費，予俱給之，勿使後人笑予徒以筆墨爲布施。是爲記。

學師關賡詔重華氏撰文並書篆。

功德主彭三如：施銀二兩。劉發：施銀一兩。魏宗信：施銀二兩。高德珍：施銀二兩。化主薛天才：銀一兩。劉文忠：錢三百。陳世蘭：銀一兩，大梁一根。劉文信：銀一兩。

玉工郭進珠：施錢二百。塑工王振：施錢二百。木工孟發旺：施錢五百。住持道人劉揚貴。

大清乾隆四十年歲次乙未律中姑洗月吉旦。

萬古流芳

重脩大童 關帝廟碑記

大義之垂炳如星日神武之威顯若河山乾坤存正氣今古見英淼也自昔漢室傾頹群雄割據
聖帝毅然而起奮其英武施厥智勇識先主於草茅之中拒孫曹於僭竊之餘艱難百戰慷慨争先
忠款恢復漢祚以繼高光之業其豊功偉烈誠非筆墨所能殫述也無論通都大邑廟食百世即窮
鄉僻壤亦莫不建祠設祭崇禮而尊奉之
帝廟之建大童也群峯紫臨層峦朝殿宇之增伊水瀠帶波光射棟楹之輝稱巨觀者迺創自前明天啟
七年及我朝定鼎浜殿曾經重修 聖廟依然如故歷季久遠風蝕雨剥不無棟折榱崩之虞本鎮
信士吕大信薛天才等暨本廟住持李合正欲起而新之敬約同志共勤厥事各出己貲廣募人緣
鳩工庀材晨夜展力自乾隆四十五年九月闗工至四十七年八月告竣其間拓隘為厰易故而新
經營慘淡幾費心力迄今神彩燦爛金璧輝煌殿堂門廡煥然改觀是役也興廢舉墜雖諸君樂善
不倦而實 聖帝之忠義神武默脊以感之耳使一方之人士登堂頂禮咸思景芳躅於既往敦節
義於方來是亦勵風維俗之善舉也是為記

邑庠儒學生員楊淑時道南塗鄰氏薰沐譔文
邑郡儒學生員傅于天凌霄碧峯氏篆額書丹

首事 呂大信艮十二兩 薛天才艮十二兩
單本立艮六兩 楊甲全艮廿五 程秉鑑艮三兩
呂童艮廿兩 高德琇艮五兩 梁光先艮三兩五
樊宗聖艮七兩 楊林艮四兩
高華艮五兩 賈祿孝艮廿伍 何守智艮三兩

石匠郭玥珠 木匠康成名 画匠胡依永 住持李合正徒孫

大清乾隆四十七年歲次壬寅菊月吉旦敬立

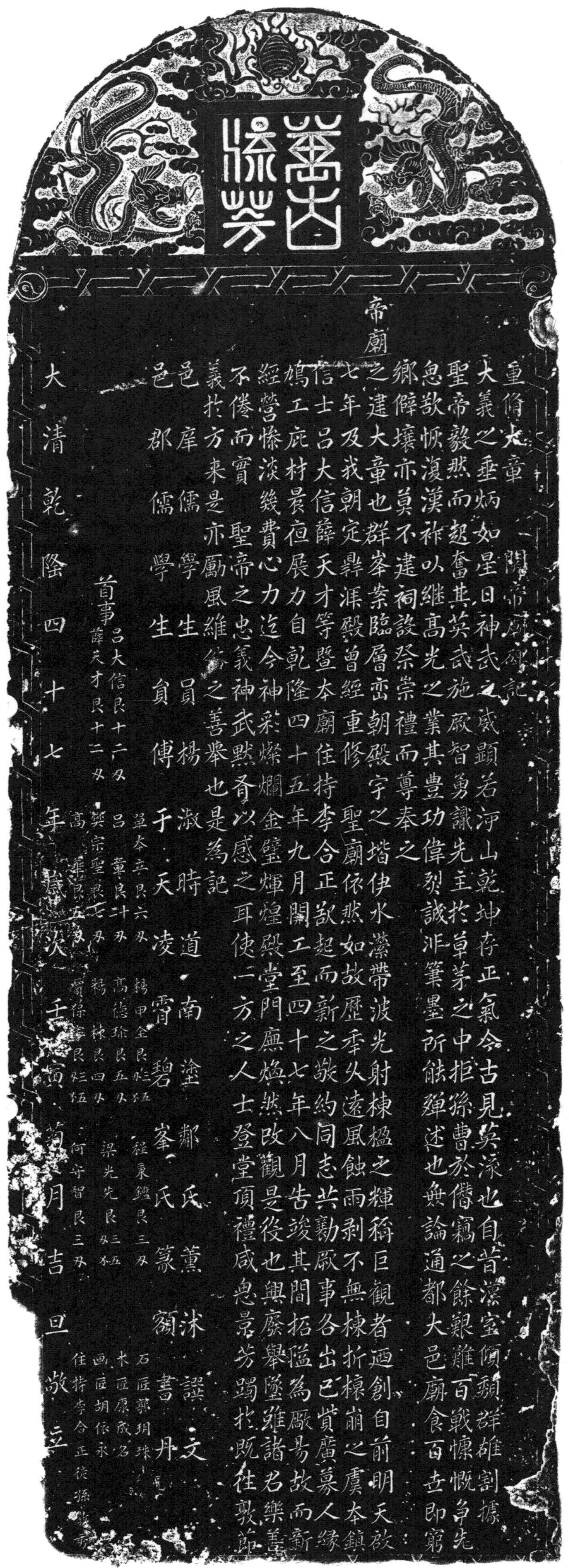

【〇五九】 重脩大章關帝廟碑記

年代：清乾隆四十七年

尺寸：高 195 釐米，寬 67 釐米

立石地點：嵩縣大章鄉大章村關帝廟

〔碑首〕：萬古流芳

重脩大章關帝廟碑記

大義之垂，炳如星日；神武之威，顯若河山。乾坤存正氣，今古見英流也。自昔漢室傾頹，群雄割據，聖帝毅然而起，奮其英武，施厥智勇，識先主於草茅之中，拒孫曹於僭竊之餘。艱難百戰，慷慨争先，思欲恢復漢祚，以繼高光之業。其豐功偉烈誠非筆墨所能殫述也。無論通都大邑，廟食百世，即窮鄉僻壤，亦莫不建祠設祭，崇禮而尊奉之。帝廟之建大章也，群峯案臨，層巒朝殿宇之階；伊水瀠帶，波光射棟楹之輝，稱巨觀者。迺創自前明天啓七年，及我朝定鼎，拜殿曾經重修，聖廟依然如故。歷年久遠，風蝕雨剥，不無棟折榱崩之虞。本鎮信士吕大信、薛天才等暨本廟住持李合正，欲起而新之，敬約同志共勷厥事。各出己貲，廣募人緣，鳩工庇材，晨夜展力。自乾隆四十五年九月開工，至四十七年八月告竣。其間，拓隘爲廠，易故而新，經營慘淡，幾費心力。迄今神彩燦爛，金璧輝煌，殿堂、門廡焕然改觀。是役也，興廢舉墜，雖諸君樂善不倦，而實聖帝之忠義神武默有以感之耳，使一方之人士登堂頂禮，咸思景芳躅於既往，敦節義於方來，是亦勵風維俗之善舉也。是爲記。

邑庠儒學生員楊淑時道南塗鄰氏薰沐譔文，邑郡儒學生員傅于天凌霄碧峯氏篆額書丹。

首事吕大信：銀十二兩。薛天才：銀十二兩。單本立：銀六兩。吕章：銀十二兩。樊宗聖：銀七兩。高華：銀五兩。楊甲全：銀三兩五錢。高德珍：銀五兩。楊棟：銀四兩。賈保寧：銀三兩五錢。程秉鑑：銀三兩。梁光先：銀三兩五錢。何守智：銀三兩。

石匠：郭玥珠。木匠：康成名。畫匠：胡依永。住持：李合正。徒：孫教秀。

大清乾隆四十七年歲次壬寅菊月吉旦敬立。

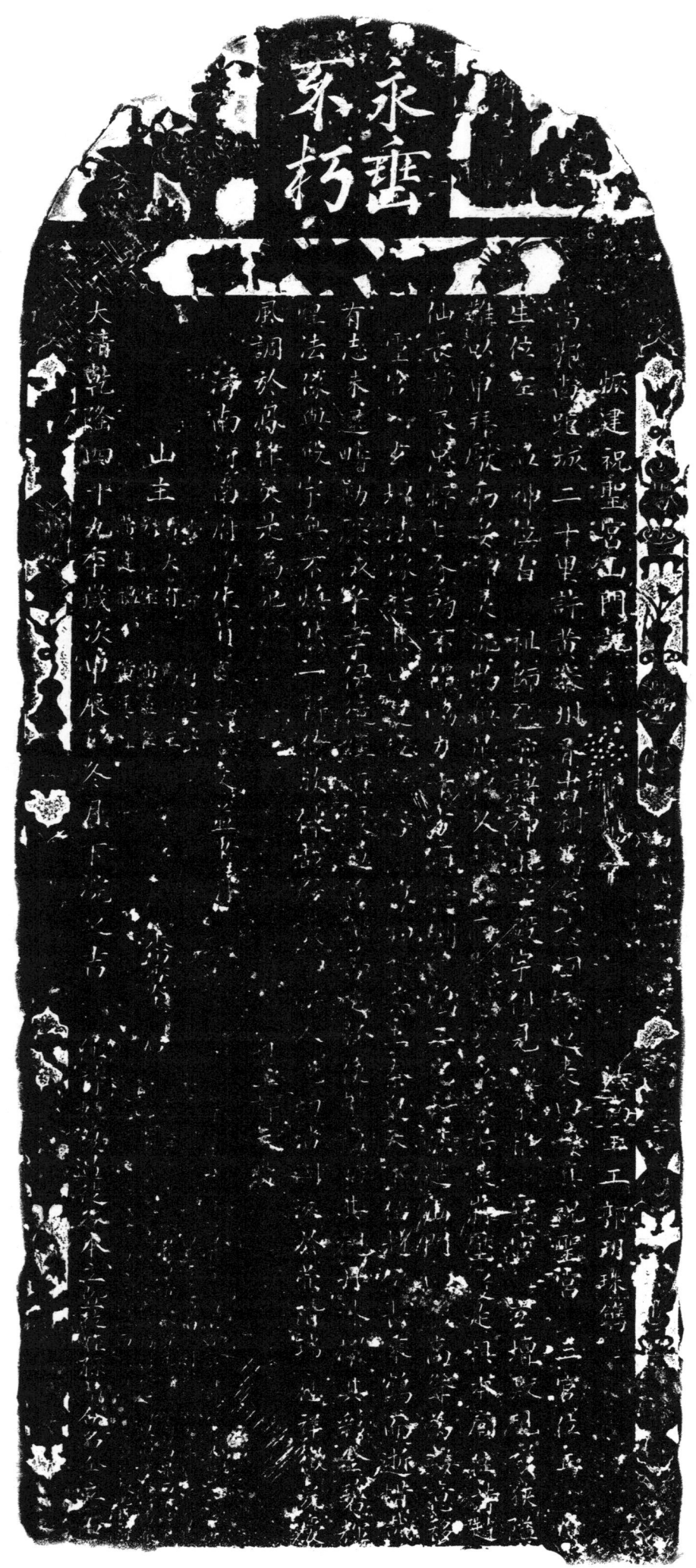

【〇六〇】 恢建祝聖宮山門記

年代：清乾隆四十九年

尺寸：高 128 釐米，寬 53 釐米

立石地點：嵩縣何村鄉黄村中王村祝聖宮

〔碑首〕：永垂不朽

恢建祝聖宮山門記

嵩郭□距城二十里許黄寨川有古刹，常然於回□之，表曰□真祝聖宮，三官位正，廣生位左，瘟神位右，祖師□□諸神□□殿宇俱見巍峨。惟靈宮玄壇殿規模狹隘，難以申拜獻而妥神靈。況物換星移，久歷風雨，剥蝕□□，棟折榱崩，壓□是俱本廟住持趙仙長諱東忠，怦怦有動，不假協力，十方傾囊到□，鳩工庀材，恢建山門兩楹，高聳爲□意，移靈官玄壇法像於其中，更使□宮□尊神於其土。奈皇天不□留，趙仙長乘鶴而逝。惜哉！有志未逮，疇勷厥成乎。幸伊徒侄姬復遇善繼善□，務使□□□其觀，丹漆□其彩，金碧輝煌，法像與殿宇無不焕然一新。倚歟休哉！□□□忻人悦功，沾□浹於冥階；瑞應祥徵，爰慶風調於鳳律矣。是爲記。

河南河南府學生員□琦譔文並書丹。

山主：李芳、賈大有、劉寶、黄建楹、黄連宗、馬玉、黄□從、黄廷逢。

住持姬復遇、徒谷本立暨徒侄孫□合名仝立石，汝南玉工郭玥珠鐫。

大清乾隆四十九年歲次甲辰□冬月下浣之吉。

永垂不休

重修祖師廟碑記

嘗聞莫爲之前雖美弗彰莫爲之後雖盛弗傳[illegible]北十五里

廟一座廟有祖師殿三間面向寶泉背下通[illegible]西望羊[illegible]

區也前一重修者不知凡幾然歷年久遠不無風雨鳥鼠所[illegible]

有曰地則猶是也而廟貌不堪觀矣住持董欽齋前人之德容[illegible]

知何適有竹園村喬君諱而典大坪村王君諱不興福源頭村九[illegible]

君者異鄉同心目覩心傷慨然念曰前人之興之今廢若此若不[illegible]

人之功德不將泯沒無存乎於是同心協力經之營之敦請化[illegible]

今廟貌煥然一新雖曰十方之財以輔之而要非三[illegible]

囑余作文以誌之余愧謭陋不過即諸君之[illegible]

歌曰嵩峰蒼蒼伊瀍洋洋三秋懋[illegible]

邑儒童張玶撰文

邑後學朱有章書丹

乾隆五十二年孟冬月穀[illegible]

【〇六一】 重修祖師廟碑記

年代：清乾隆五十二年

尺寸：高 126 釐米，寬 59 釐米

立石地點：嵩縣大坪鄉三官廟村三官廟

〔碑首〕：永垂不休

重修祖師廟碑記

嘗聞莫爲之前，雖美弗彰；莫爲之後，雖盛弗傳。城西北十五里……廟一座，廟前有祖師殿三間，面向寶泉，背近思源，西望華嶽……名區也。前之重修者不知凡幾，然歷年久遠，不無風雨鳥鼠所……有曰地則猶是也，而廟貌不堪覩矣。住持道欲廣前人之德，奈……如何。適有竹園村喬君諱而典、大坪村王君諱興福、源頭村孔君……君者，異鄉同心，目覩心傷，慨然念曰：前人興之，今廢若此，若不有……人之功德不將泯没無存乎？於是同心協力，經之營之，敦請化主……今廟貌焕然一新。雖曰十方之財以輔之，而要非三君……囑余作文以誌之。余愧謭陋，不過即諸君之……歌曰：嵩峯蒼蒼，伊湍洋洋，三公懋德，□□□□。

邑儒童張玶撰文，邑後學朱有章書丹。

乾隆五十二年恤冬月穀旦。

【〇六二】 重修太山廟拜殿暨廣生聖母殿碑記

年代：清嘉慶七年

尺寸：碑身高 156 釐米，寬 62 釐米

立石地點：嵩縣大坪鄉東源頭村泰山廟

〔碑首〕：皇清

重修太山廟拜殿暨廣生聖母殿碑記

源頭鄉太山廟舊有拜殿一楹、廣生聖母殿一楹，□□輝煌，神采俊麗，據方山之左，而大阜峻□□□環繞，臨活水之津，而清流激湍，上下映帶，啓億萬人之靈秀，開千百世之□□。十方遠近，拜跪祈禱，歲歲不絶，是誠□□□□功之浩大，而爲一鄉所不可少之區也。奈年深日久，風雨損壞，棟宇不□□□□漸頽，幾於前人之功德，盡隳後人之□□無所矣。幸有本廟界亮、界旺二上人者，慨然以增修爲己任，因率其徒方璽、方道等，募化村莊，大斸貲財，以鳩衆興工，改造拜殿，擴其棟宇，重修聖廟，繪其神像，使制度之巍焕於方山，而俱永□□□光耀，與活水而同長。由是而生人之拜跪彌□，一鄉之祈禱不窮，開秀靈於無既，啓文明於後世。前功可繼，神惠日永，此□一方善士共濟之力，而實二上人率徒經營之功也。予忝居近鄉，不揣固陋，聊撰俚言，叙其始末，刻勒於石，以誌不朽云。

儒學邑庠生員□耀先撰文，後學儒童任□春沐手敬書，後學□額朱□章沐手書丹，邑地高都鐵筆李永泰刻石。

住持：界亮、界旺，徒：方道、方璽、方義，孫：廣竹、廣樂、廣惠仝立。

大清嘉慶七年歲次壬戌孟秋上浣之吉。

萬善同歸

【〇六三】 重修正殿拜殿並創建舞樓碑記

年代：清嘉慶十三年

尺寸：高 164 釐米，寬 67 釐米

立石地點：嵩縣車村鎮孫店村

〔碑首〕：萬善同歸

重修正殿拜殿並創建舞樓碑記

《易》曰：聖人以神道設教，而天下服。《禮》曰：凡有功烈於民者祀之。俾后土發有萬物，山嶽能興雲雨，功莫大焉，德莫隆焉，可不有以祀之哉！嵩南孫家店舊有土地、山神祠堂三楹，拜殿三間居鎮之中，每值春祈秋報，農工商賈莫不沐手焚香入廟告虔，以祈神佑焉。奈歷年久遠，風雨銷蝕，棟宇傾頹，既不堪以壯觀瞻，又何足以妥神靈乎？而且廟前崇山拱峙，汝水環帶，佳景□□。而舞樓先□，無以爲作樂酧神之所，奚以咏神聽而和平耶？住持了見目覩心傷，欲踵事而□□，嘆獨力之難營，□出廟内營餘之貲，外又募化本鎮四方，得費頗多，遂鳩工庀材，既重脩□□□□，焕然一新，又創建舞樓，令現□改觀。計於嘉慶十年，至十三年冬十月□功始落成焉。……之力，□以倡於前，非衆善樂施於後，□成功於後矣。爰列貞珉，並垂不朽。

……

時嘉慶十三年……穀旦。

流芳百代

靈佑關聖大帝廟補修碑記
或有問於余曰祀典所以報
載乃嵩城北隅有廟
曰利物足以和義予曾
曰雍正八年衆商人於
靈佑關聖太帝神像後創
帝之神聖文武匹夫匹婦
則專祠以祭可也
祭祭法也國典
道主乎義陰之道
直養之無害悟
人之向廟以答
房戲樓東山
之覽者亦將有
乾隆戊申嘉
邑儒學
大清嘉慶二十

【〇六四】　靈佑關聖大帝廟補修碑記

年代：清嘉慶二十年

尺寸：高 80 釐米，寬 64 釐米

立石地點：嵩縣庫區鄉望城崗村東關組

〔碑首〕：流芳百代

靈佑關聖大帝廟補修碑記

或有問於余曰：祀典所以報……載，乃嵩城之北隅有廟。巍……曰利物，足以和義。予曾……曰雍正八年，衆商人於……靈佑關聖大帝神像，復創……帝之神聖，文武匹夫匹婦……則專祠以祭可也。而……祭祭法也。國典……道主乎義陰之道，……直養之無害悟集……人之同廟以祭……房，戲樓東□山……之覽者，亦將有……乾隆戊申，嘉……

邑儒學……

大清嘉慶二十……

【〇六五】　重裝玉皇殿神像碑記

年代：清嘉慶二十三年

尺寸：高 95 釐米，寬 64 釐米

立石地點：嵩縣庫區鄉龍駒村龍駒寺

〔碑首〕：皇清

重裝玉皇殿神像碑記

昔先王以神道設教，上下神祇百神、河嶽，莫不……此南郊祀天典至□也，義□本也。下逮成羣賜……玉皇殿中置天尊帝座，風雲雷雨，諸□旁，一時都邑居……色不無剥落。寺僧□然念之，因募化近……以地接嵩伊，星分張柳，自西嶽蜿蜒而來……水激湍，翠柏脩竹映帶左右，山川之秀麗亦……觀者歟。每值風和景明，雲破月來，騷人……書聲俱韻，則斯廟不但爲士女結社之所，……古有豢龍氏者，善訓龍，龍多歸而居其泉……底龍泉直千里駒也，故取以名寺。噫！二説……

歲貢候選教諭翟士……儒學生員張福載沐手……

大清嘉慶二十三年歲次戊寅……

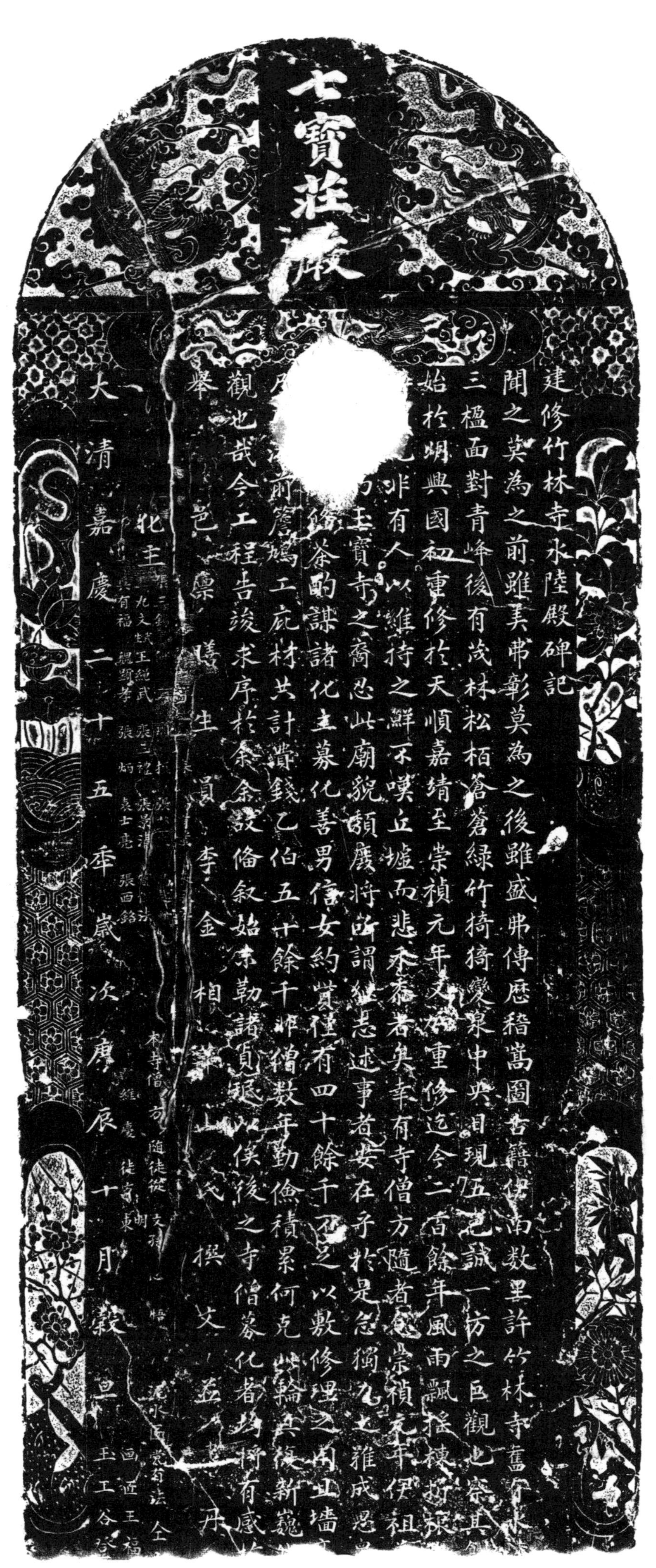

七寶莊殿

建修竹林寺水陸殿碑記

聞之莫為之前雖美弗彰莫為之後雖盛弗傳歷稽嵩圖告籍伊南数里許竹林寺舊有水
三楹面對青峰後有茂林松栢蒼蒼緑竹猗猗變衆中興日現五花誠一坊之巨觀也發其
始於明興國初重修於天順嘉靖至崇禎元年又重修迄今二百餘年風雨飄摇棟折榱
非有人以維持之鮮不嘆丘墟而悲禾黍者矣幸有寺僧方隨者念崇禎元年伊祖
玉寶奇之裔忍此廟貌頹廢將所謂繼志述事者安在乎於是忽獨力難成愿
絡余酌謀諸化主募化善男信女約費價有四十餘千忍之以數修理之內山墻
前簷鳩工庀材共計費錢乙伯五十餘千非積數年勤儉積累何克煥輪奐復新巍
觀也哉今工程告竣求序於余余故備叙始末勒諸貞珉以俟後之寺僧募化者均將有感
峯邑庠增生員李金相撰文並書丹

化主

大清嘉慶二十五年歲次庚辰十月穀旦

【〇六六】　建修竹林寺水陸殿碑記

年代：清嘉慶二十五年

尺寸：高 148 釐米，寬 58 釐米

立石地點：嵩縣紙房鄉紙房村竹林寺

〔碑首〕：七寶莊嚴

建修竹林寺水陸殿碑記

聞之莫爲之前，雖美弗彰；莫爲之後，雖盛弗傳。歷稽嵩圖古籍，伊南數里許竹林寺，舊有水陸殿三楹，面對青峯，後有茂林，松柏蒼蒼，緑竹猗猗，變泉中央，日現五色，誠一方之巨觀也。察其創□，始於明興國初，重修於天順、嘉靖。至崇禎元年，又加重修，迄今二百餘年，風雨飄摇，棟折榱崩，□□□□非有人以維持之，鮮不嘆丘墟而悲禾黍者矣。幸有寺僧方隨者，□崇禎元年，伊祖□□□□爲玉寶寺之裔，忍此廟貌頹廢，將所謂繼志述事者安在乎？於是，念獨力之難成，思衆□□□，□□備茶，酌謀諸化主，募化善男信女，約貲僅有四十餘千，不足以敷修理之用。且墻高□□，□□前簷，鳩工庀材，共計費錢乙佰五十餘千。非僧數年勤儉積累，何克此輪奐復新，巍然□觀也哉！今工程告竣，求序於余，余故備叙始末，勒諸貞珉，以俟後之寺僧募化者，均將有感於□舉。

邑廩膳生員李金相華山氏撰文並書丹。

化主：張三錫、吴九文、吴有福、何□、武生王繩武、魏顯孝、□春、周振、張三禮、張炳、高□漢、張時仕、張景清、袁士亮、袁永仁、高起舟、賀保法、張西銘。

本寺僧：方隨，徒：從文，孫：心悟、維慶，徒：方明、方東。

泥水匠：黨有法。畫匠：王福。玉工：谷登。

大清嘉慶二十五年歲次庚辰十月穀旦。

流芳百世

【〇六七】　修建關聖大帝金像創立寺前月臺并創寺廟龍王殿月臺碑記

年代：清嘉慶二十五年

尺寸：高 119 釐米，寬 61 釐米

立石地點：嵩縣白河鎮下寺村雲巖寺

〔碑首〕：流芳百世

修建關聖大帝金像創立寺前月臺並創寺廟龍王殿月臺碑記

嘗思神功之德無窮，人之善事宜盡，自生民以來，孰不賴神聖保佑哉！嵩邑南二百餘里，有雲巖古寺，坐于崇山峻嶺，類多異材，誠盛地也。今于佛祖中殿敬脩關聖帝，君之德爲獨勝也，德配天地，道貫古今，威風凜凜，護持萬民。因廟前脱跡無案，竪立月臺，以爲神聖悠久之地哉。寺南有火神、龍王殿，威靈顯赫，普照四方，被水損壞。本寺住持旺印、興如等，秉德純良，約會信士衆善，募化四方商民、信女捐貲，頗有善士鳩工，不憚勞瘁，即爲功成告竣。兩廟之功巍然，觀者耀乎。善男信女名列碑陰，共垂永久。而僧人世守，勤加修葺，人既栽之以作善，天必□之以降祥。廟常盛而弗衰，□亦常興而無敗也。斯時也，善心洋溢，光輝發外，積善之家有餘慶，不善之家有餘殃。後之人倘有同志者，斯庶廟之不朽云耳。

嵩邑白河儒童黄金聚熏沐敬書丹。

國學李恭：施錢三千文。王金隆：施錢二千。南永興：施錢一千。善士張來賓招管下廟□成

化主：侯永花：施錢一千。閆本恒：施錢一千。黄金盛：施錢一千□百。胡如貴：施錢一千。張國安：施錢一千。胡如法：施錢一千。王鳳喜：施錢一千。閆光信：施錢一千。公順號：施錢一千。順興號：施錢一千。舒文虎：施錢五百。趙朝友：施錢五百。蘇有年：施錢五百。馬安：施錢八百。張文彩：施錢一千。白法：施錢五百。李文友：施錢五百。康順：施錢五百。孟殿魁、李士臣、王重、劉王恭、高居、温文平、侯如林、益隆號、焦□魁、陳萬魁、方魁，以上各施錢五百。王官、唐有明、解永、永發號、席九朝、馮盡忠、張永朝，以上各施錢三百文。鄭孝：錢一千。王高祥：錢五百。鄭學富：施錢五百。

住持係宜陽縣穀中寺祖庭傳臨□正宗比丘，監院：宣化。總理：客遂。知事：宣成、大衆仝立。

金塑匠：□邦因。清衆：祖乾、宏界、祖合。

皇清嘉慶二十五年三月十五日吉時。

普百代

修火神廣生二聖殿山門及禪室序

嵩山於五岳最尊而其神爲最靈是故廟而祀之者遍天下嵩邑北有地名廟凹者因舊有泰山廟而得名也廟西後建火神聖殿廣生聖殿　王聖之靈四方賴之爲之重修者屢矣但泰山殿前設立山門而二聖殿無之又禪房破損住持無以安其居享祀者往往以爲憾道光丁亥春有善士高君等慨然各出貲財並約四鄉募化共得金若干由是鳩工庀材月餘門牆房屋煥然觀成諸君慮衆善之没無以彰於來茲也求余文以記之余觀入此廟者覩巖巖之處仰烈烈之体緬雍雍肅肅之化其所以心藏心寫斯慕斯傳者豈有既與夫神道與人道相流通者也人之祀神也誠神之福以[illegible]大意者衆善所感　聖恩覃敷災害不興秀士誕降力田逢年之餘多就傅以成其才由是詩書以澤其躬理義以潤其心庶幾立身孝以弟也待人謙而恭他且事神之際內竭誠而外盡儀也豈非三聖之爲靈昭昭而是廟之繼嗣輝煌而愈永永有賴乎爰重諸君之請而勒石以俟

邑增廣生員賀汝起卓山氏撰文並書丹

功德主

高中和施錢伍仟
高成施錢弍仟
裴天德施錢伍仟
國學高尚志施錢什仟
王進孝施錢伍仟
國學趙元金施錢伍仟

首事人

□如君施錢伍佰
王如金施錢貳仟
高振朝施錢伍佰

木匠王喜魁施錢三百
玉工王心極施錢三百

住持方理

【〇六八】　重修火神廣生二聖殿山門及禪室序

年代：清道光七年

尺寸：高173釐米，寬67釐米

立石地點：嵩縣閆莊鎮泰山廟村泰山廟

〔碑首〕：流芳百代

重修火神廣生二聖殿山門及禪室序

泰山於五嶽最尊，而其神爲最靈，是故廟而祀之者遍天下。嵩邑北有地名廟凹者，因舊有泰山廟而得名也。廟西復建火神聖殿、廣生聖殿，王聖之靈，四方賴之，爲之重修者屢矣。但泰山殿前設立山門，而二聖殿無之，又禪房破損，住持無以安其居，享祀者往往以爲憾。道光丁亥春，有善士衛君等，慨然各出貲財，並約四鄉募化，共得金若干，由是鳩工庀材，月餘門墻、房屋焕然觀成。諸君慮衆善之没，無以彰於來兹也，求余文以記之。余觀入此廟者，覩巖巖之度，仰烈烈之体，緬雍雍肅肅之化，其所以心藏心寫、斯慕斯傳者，豈有既與夫神道與人道相流通者也。人之祀神也，誠神之福人也。大意者衆善所感，聖恩覃敷，災害不興，秀士誕降，力田逢年之餘，多就傅以成其才。由是詩書以澤其躬，理義以潤其心，庶幾立身孝以弟也，待人謙而恭也。且事神之際，内竭誠而外盡儀也，豈非三聖之爲靈昭昭，而是廟之繼嗣輝煌，不愈永永有賴乎？爰重諸君之請，而勒石以俟。

邑增廣生員賀汝超卓山氏撰文並書丹。

功德主：李中和：施錢伍仟。高成：施錢貳仟。裴天德：施錢伍仟。國學高尚志：施錢什仟。王進孝：施錢伍仟。國學趙元金：施錢伍仟。

首事人：□如君：施錢伍佰。王如金：施錢貳仟。高振朝：施錢伍佰。

木匠王喜魁：施錢二佰。玉工王心柱：施錢二佰。住持方理，徒廣梅，侄廣惠，孫演雙立。

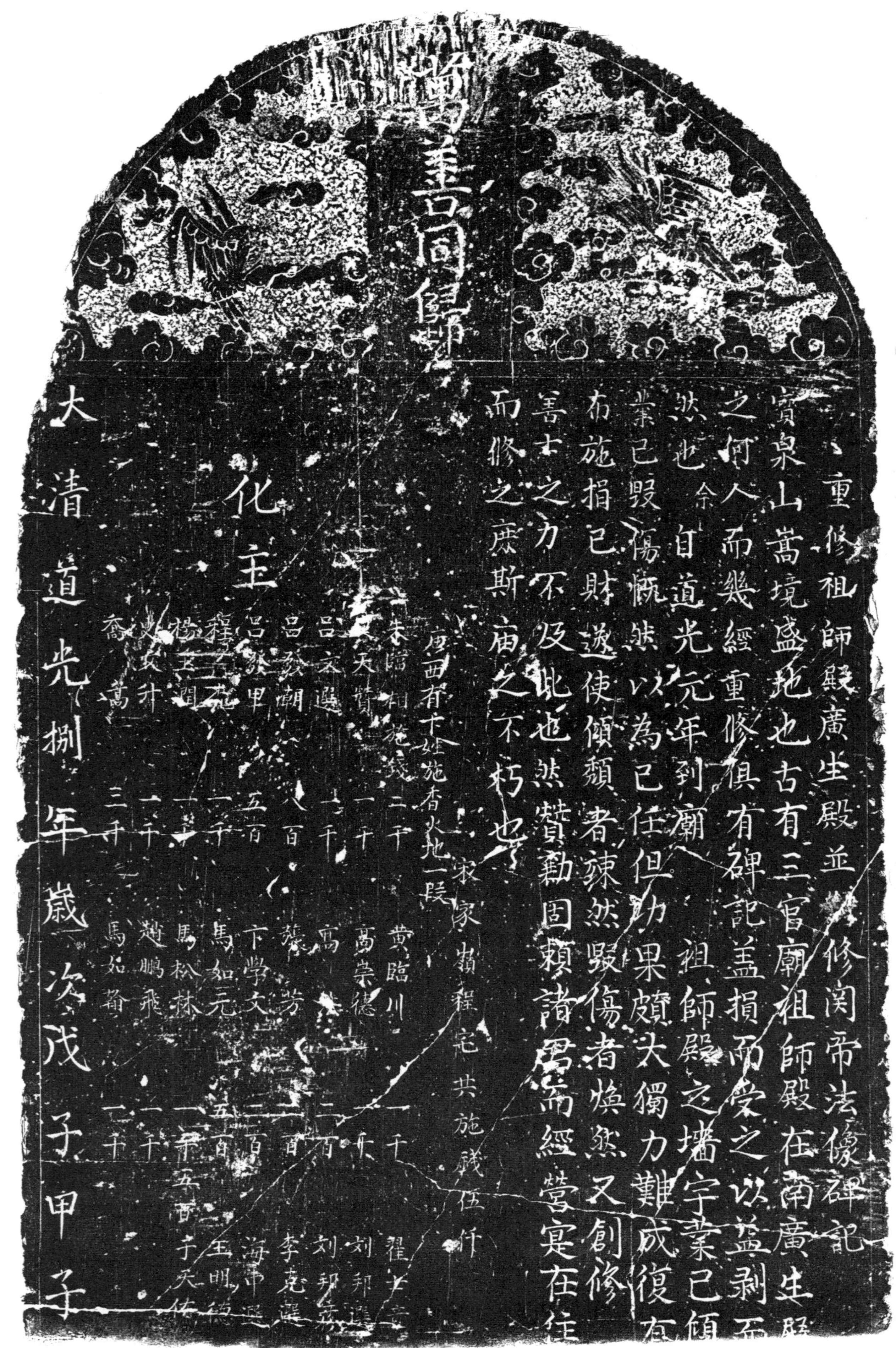
善同歸
重修祖師殿並修關帝法像碑記
寶泉山嵩境盛地也古有三官廟祖師殿在南廣生殿
之何人而幾經重修俱有碑記
然也余自道光元年到廟 祖師殿之墻宇業已傾
業已毁傷慨然以為已任但功果頗大獨力難成復有
布施捐已財遂使傾頹者煥然毁傷者煥然又創修
善士之力不及此也然贊勸固賴諸君而經營寔在住
而修之庶斯廟之不朽也
家嶺程宅共施錢伍仟
化主
吕文選　一千
吕發潮　八百
吕發甲　五百
大清道光捌年歲次戊子甲子

【〇六九】 重修祖師殿廣生殿並粧修關帝法像碑記

年代：清道光八年

尺寸：高 90 釐米，寬 56 釐米

立石地點：嵩縣大坪鄉三官廟村三官廟

〔碑首〕：萬善同歸

重修祖師殿廣生殿並粧修關帝法像碑記

寶泉山，嵩境盛地也。古有三官廟，祖師殿在南，廣生殿……之何人，而幾經重修，俱有碑記。蓋損而受之以益，剥而……然也。余自道光元年到廟，祖師殿之墻宇業已傾……業已毀傷，慨然以爲己任。但功果頗大，獨力難成，復有……布施捐己財，遂使傾頽者竦然，毀傷者焕然。又創修……善士之力，不及此也。然贊勷固賴諸君，而經營寔在住持……而修之，庶斯廟之不朽也。

宋家嶺程屯共施錢伍仟，廟西有卞姓施香火地一段。

化主：朱臨相：施錢二千。□天贊：施錢一千。吕文選：施錢一千。吕發朝：施錢八百。吕發甲：施錢五百。程桃：施錢一千。楊玉潤：施錢一千。史文升：施錢一千。喬高：施錢三千。黄臨川：一千。高崇德：一千。高法：二百。張芳：二百。卞學文：二百。馬如元：五百。馬松林：一千五百。趙鵬飛：一千。馬如翰：一千。翟士奇、劉邦選、劉邦彦、李克選、海中選、王明德、于天佑……

大清道光捌年歲次戊子甲子……

大清

重修泰山廟碑記
蓋聞莫爲之前雖
頭村有太山廟一
廟建於兹則神道
縱古一切由中四生
往來者窺之窮理
之責也夫遂爲
文以勸於石永
水流長村高更
源頭活水並流
與人同別有天
儒學生員
儒學生員
乾隆十

【〇七〇】　重修泰山廟碑記

年代：清乾隆十年

尺寸：高 69 釐米，寬 58 釐米

立石地點：嵩縣大坪鄉東源頭村泰山廟

〔碑首〕：大清

重修泰山廟碑記

蓋聞莫爲之前，雖美……頭村有太山廟一座……廟建於茲，則神道……縱一切由中四生……往來者，窺之竊……之責也夫。遂爲之……文，以勒於石，永……水流長，材高更……源頭活水並流……與人同別有天……

儒學生員……儒學生員程……

乾隆十年……

韓廟春秋祀典碑

甲辰春二月二十三日夜閱卷署内得一紙呈韓維諾等禀邑北三十里許滕王村有
先賢文公祠春秋祀典祭期無常祭品未全樂工廟夫未備主祭執事祀生缺數公懇定准以光祀
典余始覩而信之轉又思而疑之疑果昌黎後裔否越數日復禀到縣呈驗世譜詞稱有卷
可考翌日着該管房六科詳查他房卷宗雖存[illegible]糜莫憑兵房檢有道光十三年卷宗奉前縣
堂諭滕王村望城岡韓姓實係昌黎後裔准免夫小差徭承奉春秋祀典道光二十年卷宗
張前縣堂諭韓兆瑞韓維德言等實係昌黎後裔仍免軍需採買河工徭役差徭既閱前卷並
驗宗譜因不禁慨然曰韓維言等的屬昌黎苗裔也祀典應隆春秋也特祭期無常祭品執
事未備賢裔雖亦追遠或失拜獻之儀孝孫祀不以時更乏俎豆之序則與凡厥庶民之祀其
先者等將何以彰先賢之盛德也所以祭期則定以仲丁並獻燭帛粢盛而又准主祭執事祀
生八名移學查照註冊撥田湖居戶一人附近樂工六名各給執照以為拜獻資既全祀典復
著成規始可見
文公之德益彰賢裔之祭永隆實合邑之光豈僅韓裔族姓之[illegible]而已哉爰刻貞珉以昭永久云

執事祀生名目

通禮一名韓開士　獻帛一名韓維城
贊禮一名韓兆賢
主祭一名韓得一　讀祝一名韓兆禧
執禮一名韓永安
贊禮一名韓永昌　獻爵一名韓維揚

祭品名目

香燭二對　全香一封　祭豬一口田湖居戶供辦
帛二段　清酒一樽　祭羊一隻田產行戶供辦
廟夫四名二人[illegible]二人[illegible]廟宇
粢盛二盤　白[illegible]一刀　樂工六名附近吹手承值

賜進士出身知嵩縣事後學李翰昌沐手拜撰

大清道光二十六年歲次丙午六月十三日　穀旦

【〇七一】 韓廟春秋祀典碑

年代：清道光十六年

尺寸：高155釐米，寬65釐米

立石地點：嵩縣田湖鎮滕王溝村韓愈文廟

韓廟春秋祀典碑

甲辰春二月二十三日夜，閲卷署内，得一紅呈，韓維善、韓維言等稟，邑北三十里許，滕王村有先賢文公祠，春秋祀典，祭期無常，祭品未全，樂工、宰夫未備，主祭、執事、祀生缺，數公懇定准以光祀典。余始覩而信之，轉又思而疑之，疑果昌黎後裔否？越數日，復稟到縣，呈驗世譜，詞稱有卷可考。翌日，着該管房六科詳查他房卷宗，雖存腐糜莫憑。兵房檢有道光十三年卷宗，秦前縣堂諭：滕王村望城岡韓姓，實係昌黎後裔，准免大小差徭，承奉春秋祀典。道光二十年卷宗，張前縣堂諭：韓兆瑞、韓維言、韓維德等，實係昌黎後裔，仍免軍需採買、河工、襍泛差徭。既閲前卷，並驗宗譜，因不禁慨然曰：韓維言等的屬昌黎苗裔也，祀典應隆，春秋也，特祭期無常，祭品、執事未備，賢裔雖亦追遠，或失拜獻之儀，孝孫祀不以時，更乏俎豆之序，則與凡厥庶民之祀其先者等，將何以彰先賢之盛德也？所以祭期則定以仲丁，並獻燭帛粢盛。而又准主祭、執事、祀生八名，移學查照註冊，撥田湖屠户一人，附近樂工六人，各給執照，以爲拜獻資。既全祀典，復著成規，始可見文公之德益彰，賢裔之祭永隆，實合邑之光，豈僅韓裔族姓之榮而已哉！故爰列貞珉，以昭永久云。

執事、祀生名目：贊禮一名：韓聞一，贊禮一名：韓兆賢，主祭一名：韓得一，贊禮一名：韓永安，贊禮一名：韓永昌。獻帛一名：韓維城。讀祝一名：韓兆禧。獻爵一名：韓維揚。

祭品名目：香燭二對，印帛二段，粢盛二盤，全香一封，清酒一樽，白印一刀，祭豬一口，祭羊一隻。廟夫四名：二人領祭送胙，二人打掃廟宇。樂工六名，附近吹手承值。

賜進士出身知嵩縣事後學李翰昌沐手拜撰。

大清道光一十六年歲次丙午六月十三日穀旦。

【〇七二】　重修五龍廟碑記

年代：清道光二十四年

尺寸：高 103 釐米，寬 64 釐米

立石地點：嵩縣閆莊鎮五龍廟村五龍廟

〔碑首〕：萬善同歸

重脩五龍廟碑記

蓋聞莫爲之前，雖美不彰；莫爲之後，雖盛弗傳。……經營建立，以爲禱雨祈年之所，誠盛舉也。奈年湮……幸有王君諱義、朱君諱文蔚，目覩心惻，宛起重修……王君諱金龍、張君諱玉瑞等，共酌其支費，諸君……余觀其廟貌焕然，不禁欣然有感曰：非王君、朱君……趨事赴功，絶無異志。余不敏，聊叙之，以誌不朽。

邑庠生劉錫田□，邑庠生□華□。

首事人：王義：施錢□千文。朱文蔚：施錢六千文。

化主：張魁：施錢五百、化錢五千三百。王明德：施錢一千、化錢八千文。喬鳳書：施錢五百、化錢十千。王金龍：施錢五百、化錢五千。陳有福：施錢五百文、化錢□□。王生魁：施錢三千文……

龍飛道光二十四年……

皇清

蓋聞莫為之前雖美弗彰莫為之後雖盛弗傳德亭西桐貫溝有藥王廟一座歷年多所
不無破壞經善士某某改舊易新現有碑記斯亦無煩再計矣奈又歷數十年河水[illegible]廟
宇傾頹往來行人觀心傷不知凡幾俱無出其右者時有劉復盛等不忍坐視或捐己財
或募人力開山鑿土增其舊制蓋瓦房兩間素藥王火神二尊而成吉役謹誌以善繼
善而為之前諸其美仍彰以善繼善而為之後者其盛並傳云

居士馬德範撰文
居士宋于廉書丹
山主[illegible]李進[illegible]施錢[illegible]文
功德主劉復盛施錢貳拾千文
首事人[illegible]
木工馬占[illegible]
画工朱文光
玉工劉[illegible]建

道光二十六年歲次丙午孟秋月　穀旦

【〇七三】 重修藥王廟碑記

年代：清道光二十六年

尺寸：高 142 釐米，寬 59 釐米

立石地點：嵩縣德亭鄉黃水庵村藥王廟

〔碑首〕：皇清

蓋聞莫爲之前，雖美弗彰；莫爲之後，雖盛弗傳。德亭西桐貫溝有藥王廟一座，歷年多所，不無破壞，經善士某某改舊易新，現有碑記，斯亦無煩再計矣。奈又歷數十年，河水懷襄，廟宇傾覆，往來行人目覩心傷，不知凡幾，但無出其右者。時有劉復鰲等，不忍坐視，或捐己財，或募人力，開山鑿土，增其舊制，蓋瓦房兩間，素藥王、火神二尊。功成告俊，謹誌。以善繼善，而爲之前者，其美仍彰；以善繼善，而爲之後者，其盛並傳云。

居士馬德範撰文，居士宋子廉書丹。

山主李進華：施錢五佰文。功德主劉復鰲：施錢貳拾千文。首事人：李進忠、趙全。于大興、于東：各錢貳千文。共花錢壹千零貳十文。

木工：馮占福。畫工：朱天光。玉工：劉連。

道光二十六年歲次丙午孟秋月穀旦。

【〇七四】　重修白衣堂廣生殿瘟神殿山門東西禪房碑記

年代：清咸豐二年

尺寸：高 170 釐米，寬 65 釐米

立石地點：嵩縣白河鎮鎮政府院内

〔碑首〕：皇清　日 月

重修白衣堂廣生殿瘟神殿山門東西禪房……

嵩之爲縣也，以山高得名。治西南二百里許龍王廟鎮，……殆高之中又高者歟！白河之水，自西北方來，流向東北，而□□□□□□若玉帶□勝□已。生其土者，得山川之靈秀，沿風俗之醇厚，凡有善舉，莫不踴躍争先，絶無吝色。鎮東偏舊有白衣大士堂，歷年久遠，風雨剥落，黯淡無色。住持宣□及徒□祖、乾思爲重脩計，請□於衆，而衆首事無不樂從，各捐貲財，兼爲募化，共得數百金，鳩工庀材，不數月而工告竣，金碧輝煌，焕然一新。夫斯舉也，功程浩大，□□□□□通□大邑鮮不經年□□難以落成，而深山窮巖之内，反能舉重若輕，如斯之□□□獨其地勢，□於□邑□□□之好善樂施，亦□出於□常萬萬也，是不可以不記。□於□□□□叢立於□觀音本紀，皆□古觀世音，無婦人□，而滿景盧夷堅志所載，孫氏金龍生男□熙載舟覆，得□數餘，皆以觀世音□女像，何是何非，考古之君子，當有能辨之者矣，兹不具論。

邑□歲貢候選訓導李文□沐手撰文，邑□□生□□□□尚定周沐手書丹。

首事人：……

咸豐貳年季春下浣吉旦。

【〇七五】　安陵村創建三聖殿並拜殿舞樓記

年代：清咸豐五年

尺寸：高66釐米，寬168釐米

立石地點：嵩縣庫區鄉安嶺村三聖殿

安陵村創建三聖殿並拜殿舞樓記

建廟立祀，所以酬神應、答福庇也。故有功德于民者，恒建廟以祀之。如火神、瘟神、關帝，一則弄火化，而民獲烹飪；一則除癘疫，而民除疾災；一則秉大義，核綜嘗，而民知忠義。茲三聖者，以有功德于民而祀之，所不容己任也，安陵村結社祀之，由來久矣。唯火神有廟一楹，關帝、瘟神有社無廟，每當致祭之時，妥神靈則架棚欄以設俎，□歌舞則構木臺以演樂，此乃一時權宜之術，要非久遠之計。且時遭風雨，演停棚摧，竟難成禮，衆所苦之。茲此壽官翟公諱星斗者，首舉建脩之議，安公諱鵬翼勸積麥豆四十餘石，以蓄建脩之資。奈二公有志未逮，相繼捐館。翟公之子士福、安公之子鳴盛，各承厥考，邀集同村諸首事公同計議，俱以工程浩大，蓄積未充，又募同村，各捐己貲，以補不足。火神雖有廟一楹，乃雍正五年，生員翟公諱錦首議，翟公鐸施地基二分，安公諱爾公、安公諱從明、魏公諱可忠、艾公景祥、鄭公起順，募化創建。迄今百有餘載，金像剥落，且廟貌湫隘，難以竝容，因公換魏君廷瑞地六分三釐，以爲廟址，買任君永光地六分三釐，以建舞樓，易火神廟一楹，增建大殿三間，妥三聖於其中。拜殿三間，以爲拜跪之地。前建舞樓三間，以爲演樂之所。公議既定，太學生翟君士掄、安君□盛、生員翟君鐸、太學生魏君瑶圃，府知事魏君廷瑞、太學生翟君東白、魏君維徵、安君國興、安君國均、安君如玉，或總庶務，或辦物料，或督工作，或理錢糧，各任一事，罔弗妥善。而任君建興、陳君萬福、任君之楨、王君振萬、翟君德明、翟君欽、安君正心，又皆力爲贊勷。由是捐資者踴躍，赴功者鼓舞，無憑殿宇巍莪，舞樓壯麗，極目大觀，屹然入望，行見鳥革翬飛，聳山峙鐵尊，簷鐸響雲中。前此風雨之患，至此胥無可無矣。是役也，亦惟□酬神應、答福庇，牲醴告處，得以成禮而已。至於補下沙、聚龍脈，無稽之論，謬妄之見，非諸君之言，亦非同村之意也，余故不贅及。惟序創建之始末，據其實而爲之紀，以垂不朽云。

時咸豐五年歲次乙卯仲春月上浣，邑儒學生員紫崖李嵩芝頓首拜撰並書。

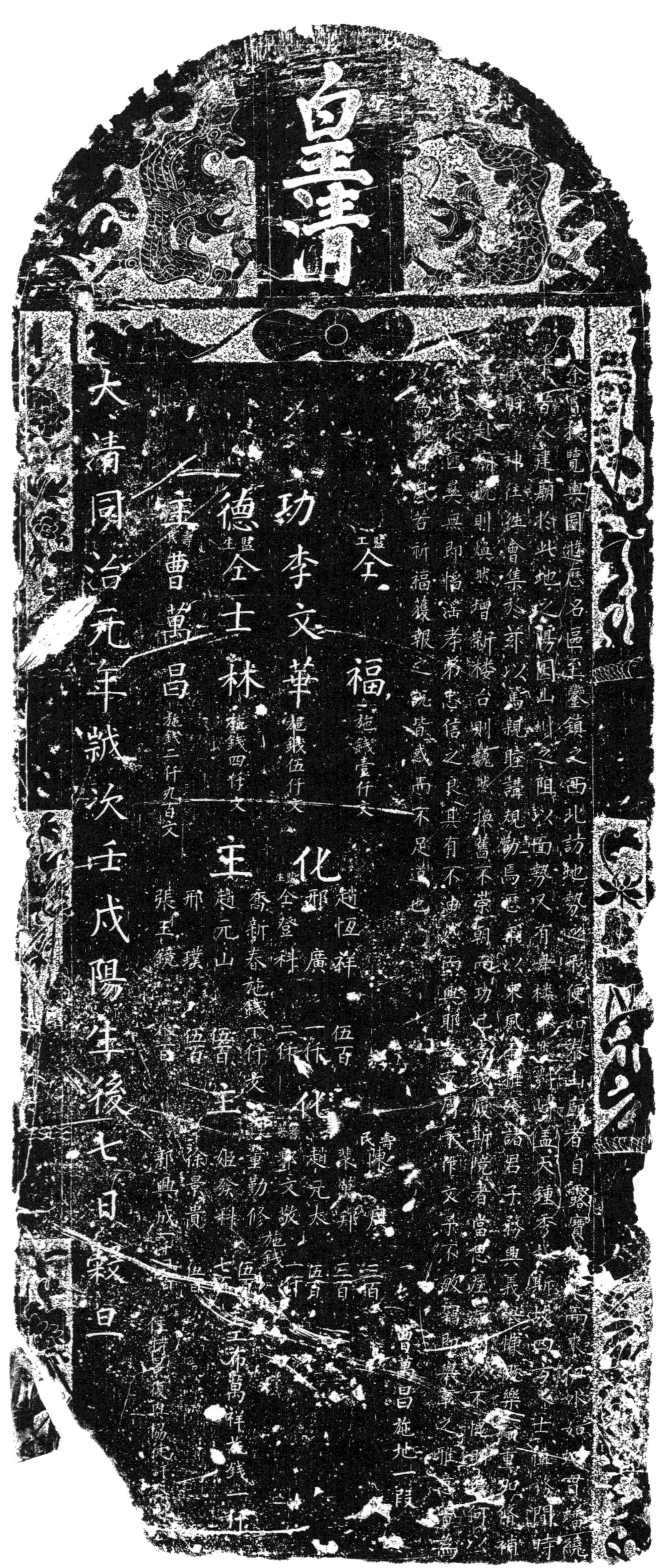

【〇七六】 重修泰山廟碑記

年代：清同治元年

尺寸：高 172 釐米，寬 69 釐米

立石地點：嵩縣閆莊鎮泰山廟村泰山廟

〔碑首〕：皇清

余嘗提覽輿圖，遊歷名區，至鑾鎮之西北，訪地勢之形便，如泰山廟者，自露寶蜿蜒而來，伊水如虹貫，蟠繞□下，昔人建廟於此地之陽。因山川之阻以面勢，又有舞樓聳然對峙，蓋天鍾秀於斯，故四方人士值務閑時，□戲酧神，往往會集於茲，以篤親睦、講規勸焉。歷年以來，風雨摧殘，諸君子務興義舉，慷慨樂輸，重加脩補，□爲之赴。廟貌則焕然增新，樓臺則巍然换舊，不崇朝而功已告竣。履斯境者，當思屋漏，因以不愧，明德何以□馨，無從匪彝，無即慆淫，孝弟忠信之良，其有不油然而興耶！吾友囑予作文，予不敏，竊即舉事之雅意著爲□以爲觀者風。若祈福獲報之説，皆惑而不足道也。

功德主、監工仝福：施錢壹仟文。李文華：施錢伍仟文。監生仝士林：施錢四千文。壽民曹萬昌：施錢二仟九佰文。

化主趙恒祥：施錢伍佰。邢廣：施錢一千。監生仝登科：施錢二仟。喬新春：施錢一仟文。趙元山：施錢伍佰。邢璞：施錢伍佰。張玉鏡：施錢八佰。壽民陳廣：施錢三佰。裴萬邦：施錢三佰。趙元太：施錢伍佰。耆英郭文敬：施錢一仟。吏員董勤脩：施錢伍佰。姬發科：施錢七佰。徐景貴：施錢伍佰。郭興成：施錢一千三佰。曹萬昌：施地一段。玉工：布萬祥：施錢一千。

住持景復興協徒許本明仝立。

大清同治元年歲次壬戌陽生後七日穀旦。

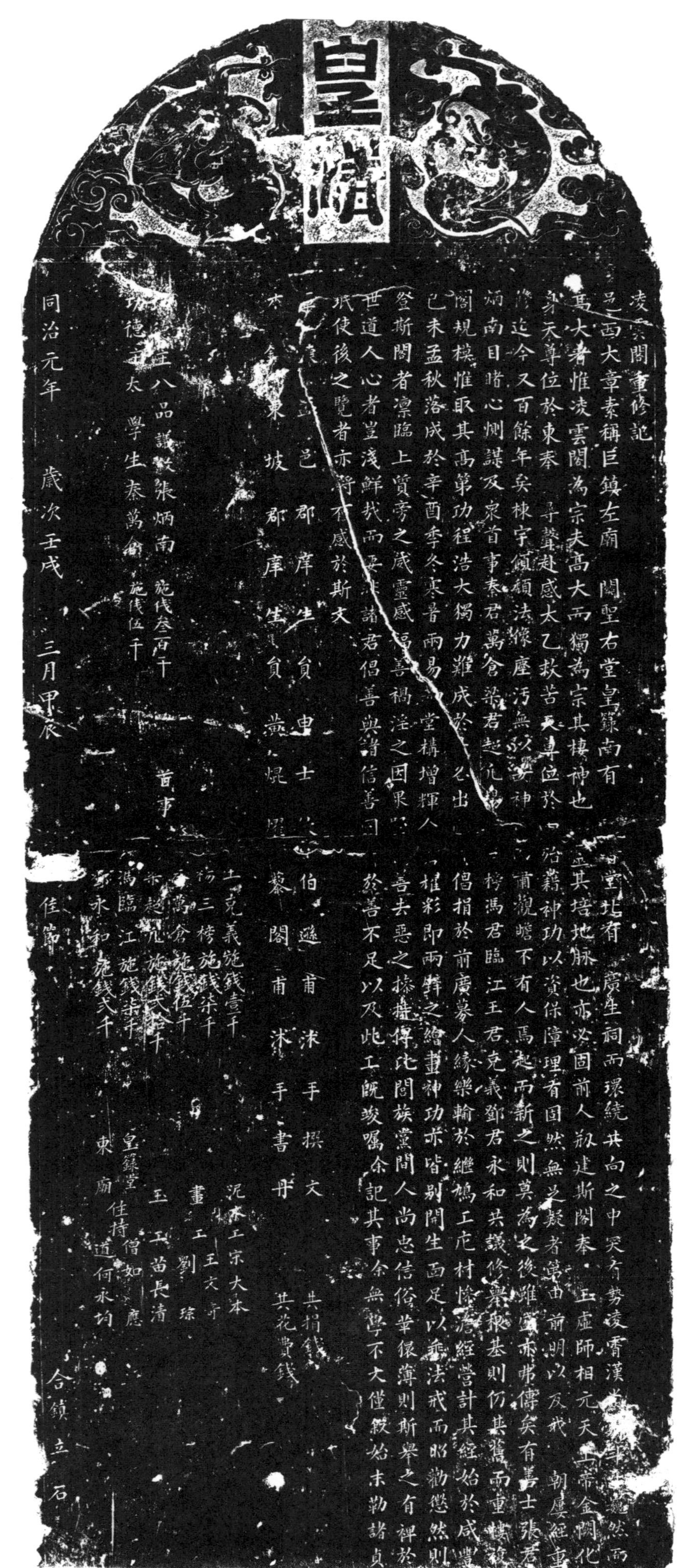

【〇七七】　凌雲閣重修記

年代：清同治元年

尺寸：高178釐米，寬69釐米

立石地點：嵩縣大章鄉大章村關帝廟

〔碑首〕：皇清

凌雲閣重修記

邑西大章，素稱巨鎮。左廟關聖，右堂皇籙，南有觀音堂，北有廣生祠。而環繞共向之中，突有勢凌霄漢，堂聚斗牛，巍然而高大者，惟凌雲閣爲宗，夫高大而獨爲宗，其棲神也□靈，其培地脉也亦必固。前人創建斯閣，奉玉虚師相元天上帝金闕化身天尊位於東，奉尋聲赴感太乙救苦天尊位於西，殆藉神功，以資保障，理者固然，無足疑者。第由前明以及我朝，屢經重修，迄今又百餘年矣，棟宇傾頹，法像塵污，無以妥神靈而肅觀瞻，不有人焉起而新之，則莫爲之後，雖盛亦弗傳矣。有善士張君炳南目覩心惻，謀及衆首事秦君萬倉、梁君超凡、楊君三榜、馮君臨江、王君克義、鄧君永和共議，修舉根基，則仍其舊，而重樓復閣，規模惟取其高。第功程浩大，獨力難成，於是各出己貲，倡捐於前，廣募人緣，樂輸於繼，鳩工庀材，慘澹經營。計其經始於咸豐己未孟秋，落成於辛酉季冬，寒暑兩易，而堂構增輝，金碧耀彩，即兩壁之繪畫神功亦皆別開生面，足以垂法戒而昭勸懲。然則登斯閣者，凜臨上質旁之威靈，感福善禍淫之因果，堅向善去惡之操持，俾比閭族黨間，人尚忠信，俗革猥薄，則斯舉之有裨於世道人心者，豈淺鮮哉！而要非諸君倡善，與諸信善同歸於善，不足以及此。工既竣，囑余記其事，余無學不文，僅叙始末，勒諸貞珉，使後之覽者亦將有感於斯文。

卑□盛邑郡庠生員申士欽伯遜甫沐手撰文，本□東坡郡庠生員黄焜燿藜閣甫沐手書丹。

功德主八品議叙張炳南：施錢叁百千。功德主太學生秦萬倉：施錢伍千。

首事：王克義：施錢壹千。楊三榜：施錢柒千。喬萬倉：施錢伍千。梁超凡：施錢貳拾千。馮臨江：施錢柒千。鄧永和：施錢貳千。共捐錢、共花費錢。

泥木工：宋大本。畫工：王文奇、劉琮。玉工：苗長清。皇籙堂住持僧：如應。東廟住持道：何永均。

同治元年歲次壬戌三月甲辰佳節合鎮立石。

萬善同歸

且夫　玉皇之廟由來舊矣風雨漂搖屋□損折惟我楊　公諱維翰職列登仕名重鄉閭觸目生心
久欲補葺奈　咸豐七年賊匪入嵩將　公辭去行至葉縣適有　玉皇大殿而　公素心復萌於以
禱祝其間遂得保佑而歸嗚嘑　神之靈矣功可已歟然時值荒亂未暇從事延至　同治十年仝
踰七旬而毅然倡之衆社即欣然應之因各捐以財咸勷以力而鴻功遂以不日而告竣廟宇　神象
煥然以新遠邇觀者莫不欣悅乃未□作記而　公已去世其子諱甲瑞者恐年深日遠明　神之靈
驗與□之雅意掩没弗彰也敬囑予作記以誌不朽云
邑庠生萬殿舉撰并書
邑儒耆英甲瑞子玉珍仝立

首事人
王□川　外出大五百文
楊玉發　外出大五百文
張玉斗　外施錢□百文
朱文光　外施錢□百文
許文耀　外出大五百文
張衍全
黃衣朝　外施錢五百文
仝登科　外出大五百文
党守成
張書義

水凹共弍串文
眠陽坡
高梁村十二串二百文
石槽溝錢壹十五串文
上竹園溝九串三百文
下竹園溝十五串七百文
王莽垛壹十四串文
馬溝朱姓壹千文
甲瑞玉珅捐錢弍拾串文

龍飛光緒拾五年三月二十八日穀旦
素工陳景冬
玉工黃瑞

【〇七八】 重修玉皇廟碑記

年代：清光緒十五年

尺寸：高159釐米，寬62釐米

立石地點：嵩縣閆莊鎮竹園溝村玉皇廟

〔碑首〕：萬善同歸

且夫玉皇之廟，由來舊矣，風雨漂摇，屋瓦損折。惟我楊公諱維翰，職列登仕，名重鄉閭，觸目生心，久欲補葺。奈咸豐七年，賊匪入嵩，將公拏去，行至葉縣，適有玉皇大殿，而公素心復萌，於以禱祝，其間遂得保佑而歸。嗚嘑！神之靈矣，功可已歟！然時值荒亂，未暇從事。延至同治七年，公踰七旬，而毅然倡之，衆社即欣然應之。因各捐以財，咸助以力，而鴻功遂以不日而告竣，廟宇、神象焕然以新，遠邇觀者莫不欣悦。乃未及作記，而公已去世。其子諱甲瑞者，恐年深日遠，明神之靈驗與衆人之雅意掩没弗彰也，故囑予作記，以誌不朽云。

邑庠生萬殿舉撰並書。

邑儒耆英甲瑞、子玉珍仝立。

首事人王四川：外出錢五百文。楊玉發：外出錢五百文。張玉斗：外施錢五百文。監生朱文光：外施錢五百文。許文耀：外出錢五百文。張衛全、耆英黄衣朝：外施錢五百文。監仝登科：外出錢五百文。黨守成、張書義、水凹、眠陽坡：共貳串文。高垛村：十二串二百文。石槽溝：錢壹十五串文。上竹園溝：錢九串三百文。下竹園溝：錢十五串七百文。王莽窑：錢壹十四串文。馬溝朱旺：錢壹千文。甲瑞、玉坤：捐錢貳拾串文。

素工：陳景冬。玉工：黄瑞。

龍飛光緒拾五年三月二十八穀旦。

【〇七九】 重修白鹿寺並回地畝碑

年代：清光緒十五年

尺寸：高 153 釐米，寬 67 釐米

立石地點：嵩縣大章鄉任嶺白鹿寺

〔碑首〕：永垂不朽

重修白鹿寺並回地畝碑

有白鹿寺者，嵩邑之勝地，而南北之要衝也。其創始不知於何年，但傳流已久，兼之主持不得其人，遂致廟貌傾圮，香火資蕩然無存，村人心竊傷之。有靳君者，重加補葺，並繪神像，而外□諸君子又偕同舊山主王君，各量力捐財，以爲□地資，另擇老成用祀神聖。庶乎規模悉仍其舊，蘭若焕然一新。爰荷衆議，勒諸貞珉，以垂永遠，且示不朽也。是爲序。

功德主國子監太學生漢章靳步雲暨侄□□。

邑儒學生員星白劉金西撰文，邑儒童客周王賓書丹。

首事：……

大清光緒拾五年歲次己丑仲夏月吉旦。

皇清

重塑廣生聖殿神像碑記

昔先王以神道設教所以崇祀典[illegible]也邑治東北十里[illegible]龍山馬自露

寶寨山蜿蜒而來寺之列其巔者曰龍駒王寺氣象巍峩瞻[illegible]者每登臨以

為快但歷年久遠雖屢經重修[illegible]風雨消磨不無摧殘之虞光[illegible]十八年

村公延僧法名祥順其徒戒發主持此寺香烟目覩其狀不勝[illegible]心遂慨然有

整修之志數年以來勤儉積蓄即將左廡　廣生聖殿神像[illegible]後者悉為

金粧兩山之缺壞者俱為補全以及山門兩旁室宇無不修飾潤[illegible]新

太有可觀是誠功德足表之一端也　村恐其湮沒弗彰因為勒珉以[illegible]

朽謹序

邑廪貢生益菴張光謙薰沐拜撰

宜邑業儒靜軒王泰安薰沐拜書

[illegible]立

大清宣統元年又二月上浣　谷旦

【〇八〇】 重塑廣生聖殿神像碑記

年代：清宣統元年

尺寸：高 122 釐米，寬 54 釐米

立石地點：嵩縣庫區鄉龍駒村龍駒寺

〔碑首〕：皇清

重塑廣生聖殿神像碑記

昔先王以神道設教，所以崇祀典、盡人心也。邑治東北十里□□龍山焉，自露寶寨山蜿蜒而來，寺之列其巔者曰龍駒土寺，氣象巍莪，瞻□者每登臨以爲快。但歷年久遠，雖屢經重修，而風雨消磨，不無摧殘之虞。光緒十八年，□村公延僧法名祥順，其徒成發主持此寺香火，目覩其狀，不勝□心，遂慨然有整修之志。數年以來，勤儉積蓄，即將左廡、廣生聖殿神像□□者，悉爲金粧，兩山之缺壞者，俱爲補全，以及山門兩旁室宇，無不修飾潤□，□□一新，大有可觀，是誠功德足表之一端也。村恐其湮没弗彰，因□爲勒珉，以□□朽。謹序。

邑廩貢生益菴張光謙薰沐拜撰，宜邑業儒静軒王泰安薰沐拜書。

……仝立。

大清宣統元年又二月上浣穀旦。

其左則 三官殿也其右則 廣生殿也而位乎三殿之前者則又有 灵[illegible]

[illegible]歷年愈多亦剝落愈甚殿宇神像勢將就湮矣時有首事人等慨然以繼善為己

煥然其各殿神像亦金粧耀目大非前日比首事諸君不鄙固陋屬予作文以誌之豈

後有作者或有感於斯云尔

[illegible]知縣劉金相撰文并書

李心源[illegible] 楊元捐錢八百文 地方馬見德施伐一千文

趙鵬羽捐錢一千文 刘廷弼捐錢一千文

文 鄧良臣一千文

刘起文 監生李春太一千 吳法崇 閆秀成 [illegible]芳 范崇道 胡文斐

趙朋飛 監生李太貞一千 刘自芳 楊[illegible]標 謝振 曹西海 胡文煥

侯德懋 李[illegible]五百 侯元明 李[illegible]亮 何西寧 牛連魁 郎萬福

刘廷富 趙[illegible]五百 侯元盛 楊天沛 何[illegible]勤 胡元昌 曹法祿

[illegible]思恭 監生[illegible]一千 健[illegible] 李有平 王金標 曹[illegible]銳 牛先和

[illegible]珩 生員李茂華六百 寇吉芳 趙[illegible]斌 何文春 曹學[illegible] 王金川

[illegible]澤 侯[illegible]斌五百 項萬倉 [illegible]昇 何[illegible]廷 以上各一百 曹自[illegible] 閆九平 以上各[illegible]

[illegible]建功 太合芳五百 董[illegible] 謝王珍 賈家川 曹自孝

侯法仕 呂良弼五百 郭[illegible] 以上各二百 柴新福 牛先覺[illegible] [illegible]文魁 以上各[illegible]

孔繼太 生員郭樹屏五百 何文林 趙思敬 胡德[illegible] 郎廣書

趙克信 生員李長太四百 何[illegible]欽 何[illegible]忠 以上各二百 牛德魁[illegible] 曹西經

刘廷茂 刘金相三百 謝有法 柴新旺二百 牛先春八百 曹西綸

周兌仁 黃輔清四百 何大德 何元[illegible] 牛金魁八百 曹[illegible]元

[illegible]川 侯元景四百 何法順 王金煉 [illegible]標八百 何法才

郭体乾五百 李鳴九 奇昌芳 謝克崇 牛俊魁 孟春太

何宗[illegible]三百 侯[illegible]崇 李[illegible]魁 范[illegible]玉 胡元鶴 孟春榮

李[illegible]变二百 謝明道 李金相 閆清道 曹光耀 牛印川

郭体忠五百 謝玉林 侯玉芳 陳廷瑞 曹亮 胡崇信

郭体恕一千 謝玉廣 又與芳 陳法 趙自得 以上各三百 張進朝

王金柱一千 黃玉清 范[illegible]朋 付清 李天順二百 牛先用

塑工王福貴施伐二千文

木工 刘廷臣 刘廷文

玉工李萬年

住持黃本性 仝立

[illegible]之吉

【〇八一】 重修三官殿廣生殿及金粧神像碑記

年代：清代

尺寸：高 110 釐米，寬 63 釐米

立石地點：嵩縣何村鄉窑北坡村長春觀

……其左則三官殿也，其右則廣生殿也。而位乎三殿之前者，則又有靈……歷年愈多，亦剥落愈甚，殿宇、神像勢將就湮矣。時有首事人等慨然以繼善爲己……焕然，其各殿神像亦金粧耀目，大非前日比。首事諸君不鄙固陋，囑予作文以誌之，豈……後有作者，或有感於斯云爾。

知縣劉金相撰文並書。

李心源：捐錢一千文。趙鵬羽：捐錢一千文。鄧良臣：捐錢一千文。楊元：捐錢八百文。劉廷弼：捐錢一千文。地方馬見德：施錢一千文。

……劉起文、趙鵬飛、張德懋，以上工二個。劉廷富、李思恭、吴珩、□澤、王建功、張法仁、孔繼太、趙克信、劉廷花、周志仁，以上工一個。監生李春太：錢一千。李太貞：錢一千。李春元：錢五百。趙玉：錢五百。監生陳□：錢一千。貢生李茂華：錢六百。張斌：錢五百。太合號：錢五百。吕良弼：錢五百。貢生郭樹屏：錢五百。李長太：錢四百。舉人劉金相：錢三百。黄輔清：錢四百。張元景：錢四百。黄□川、監生郭體乾：錢五百。化主何宏典：錢三百。化主李變：錢二百。監生郭體忠：錢一千五百。貢生郭體恕：錢一千。監生王金柱：錢一千。李鳴九、張榮、謝明道、謝玉林、謝玉廣、黄玉清、吴法榮、劉自芳、張元明、張元盛、健興號、惠吉號、頓萬倉、董興、郭均，以上各三百、何文林、何欽、謝有法、何大德、何法順、奇昌號、李永魁、李金相、張玉芳、義興號、范朋、閆秀成、楊標、李亮、楊天沛、李有平、趙斌、 高昇、謝玉珍、柴新福、趙思敬、何忠，以上各二百。柴新旺：錢一百五十。何文運：錢一百五十。王金棟、謝克榮、范玉、閆清道、陳廷瑞、陳法、付清、聯輝號、謝振、何西寧、何勤、王金標、何文春、何旺，以上各一百。賈寨川：化主牛先覺：錢一千。化主胡德著：錢五百。牛德魁：錢一千。牛先春：錢八百。牛金魁：錢八百。郎標：錢八百、牛復魁、胡元鶴、曹光輝、曹亮、趙自得，以上各三百。李天順：錢二百。范宏道、曹西海、牛連魁、胡元昌、曹鋭、曹芝蘭、曹自善、曹自學、牛文魁，以上各二百。郎廣書、曹西經、曹西綸、李景元、何法才、孟春太、孟春榮、牛印川、胡崇信、張進朝、牛先用、胡文斐、胡文焕、郎萬福、曹法禄、牛先和、王金川、閆九平，以上各一百。

塑工：王富貴：施錢二千文。木工：劉廷臣、劉廷文。玉工：李萬年。住持黄本性仝立。

……浣之吉。

歷年愈多亦剝落愈甚殿宇神像勢將就湮矣

然其各殿神像亦金粧耀目大非前日比首事諸

作者或有感於斯云尔

知縣劉金相撰文並書

李心源一千文　楊元捐錢八百文

趙鵬羽捐錢一千文　劉廷弼捐錢一千文

地方馬見德

鄧良臣一千文

原大局部

汝陽縣

RUYANGXIAN

【〇八二】 圓明禪院銘記

年代：明成化三年

尺寸：高 133 釐米，寬 74 釐米

立石地點：汝陽縣三屯鄉北堡村圓明寺

〔碑首〕：圓明禪院銘記

汝州儒學訓導三山黄叔温撰，教讀李子華書。

竊聞佛氏之興，有自來矣，肇自漢唐，以迄于今。其間尚否不一，而佛法流行，未嘗泯也。何耶？蓋以佛氏之教，勸善戒惡，死者誦經以超昇，生者祈福而福應，亘古至今，莫不皆然。洪惟聖朝誕膺，大命統一，寰宇内而京□外，而羣邑寺院之設，亦各有之。汝之州西百里之餘，有寺號曰圓明禪院，南峴山而北雲夢，西嵩邑而東湧泉，其地勢雄壯，可喜可觀。始自圓公長老守住，迄夫通公長老，□不侔凡，志不流俗，其於講經談法，無不周知；論道演教，靡不灼見，所謂出類拔萃者□。耆見其卓行學識如此，故凡寺中殿宇、廊廡之狹隘者，悉皆弗吝己貲，翕然命工，以□其繪畫之，既而殿宇、廊廡、鐘樓、三門大勢嚴正，廩隅整飾，棟宇峻起，簷阿華采，莫不焕然一新。正殿若郭大承，而伽藍殿又有譚朝舉者焉。水陸殿閣若長老通大方、劉志福，而鐘樓、廣生殿則又有劉温、楊昇、孫宗器、張表之儔者焉。於是，通公長老感戴信士之營建，□□刻之，而敝有時，將無以垂營建于永久，盍勒之貞石，庶幾前人之營建不泯，而因以起後人之善心者歟。俾予記夫寺之建也，豈徒然耶，正以爲祝。聖壽於無窮，祈皇圖而鞏固，□營建信士垂譽於後世，立名於當時。有所族者必有所報。易曰：積善之家，必有餘慶。厥後子孫繩繩乎！多福壽無害，若不卜而可知矣。是爲記。

（住持）：通大方、功德主王宏共立石。郑石匠人：寧普寬、劉成、段浩。

成化叁年季春吉旦。

【〇八三】 重修觀音禪林記

年代：明成化十二年

尺寸：高 155 釐米，寬 71 釐米

立石地點：汝陽縣陶營鎮柿園村華嚴寺組

〔碑首〕：重修觀音禪林

河南府嵩縣神陰鄉王耆保馬□山重修觀音禪林記

敕賜法藏寺第二代開山住持前天□弘宗闡教接物利坐雲中野叟順雲撰。

切以神□□被亘萬古，而誰歸濟渡，昏昏闡空虛，千劫而就作明鑒。惟我大聖覺皇垂□□□□□□□牢籠，法界指□□而恒焕真乘，是以王世諸佛，皆乘願力而□□□□□□□□□□至欲興□茵山□洎賴宰官，長者曰：輒因本郡馬鞍山□洪福□□□□□□□久經兵燹，殿閣崩摧，聖像傾□□坍塌，往來過客無不傷懷，遐邇村人書□□□於正統年間，李普明重建，□□内塑聖容。後於天順年間，□人□□□得汝州龍泉寺僧定溪□行篤實□□□博覽羣經，善説法要，於是任米琎同室李氏妙爲□善人等，禮請□□□爲本山住持，領衆焚修，祝□□朝夕不缺，以圖補報。隨思大殿三間，内塑地藏拾□□□殿堂，南北廊廡，是以水秀山□，可謂地靈人傑，則曰□□名山。東連少室之翠巒，西近香爐之古□，面向汝州之穴，境内四□□□明一境□□之教，五雲回處，洞長春高□□嶂鎖樓……成□代之香火，永遠而摩之，招提亦共□，於是比丘定曇與□□□勒石，命予作文以記善，又以爲之銘曰。

嵩縣知縣戈宣，縣丞賀招，主布寇嵩，典史張鑄，僧會司僧官午瓆。

稷山縣刊字匠：文廣、黄景明。

時大明成化十二年歲次丙申孟夏吉日，住持定曇、米□同立。

【〇八四】　河南汝州伊陽縣觀音寺住持道圓太虚長老功行之碑

年代：明弘治十五年

尺寸：高225釐米，寬80釐米

立石地點：汝陽縣小店鎮聖王臺村觀音寺

河南汝州伊陽縣觀音寺住持道圓太虚長老功行之碑

敕賜崧山大少林祖庭晚學沙門古梅撰，参法子法訓書丹。

觀音寺在縣治之東，相去兩舍許。粵察古碑，乃崇慶元年□□□之所創也。其寺之封，南枕石臺，而北襟河汝，西望雲濛，而東抵鳳凰，通衢遠達，往來憩官之所。其寺歷經年久，傾以兵火之殘，獨有靈井雙雙，喬木凜凜，爲寺之故址。□□之至我朝正統間，妥有飛錫僧曰號字鐵舡，而潛心于此，鼎新其境，□□也，於是相傳五代，累不乏人。至於道圓上人住持此寺，其功行之勝，尤加於昔者也。公俗姓王氏，美之嫡子，其萱劉氏，乃伊陽喬木之望族也。於成化間，禮本寺聰公□□爲授業，而隨師潛跡抱守巖穴，精窮經典，澡潔身心，一旦焕名顯著，檀越景仰其風，衆推一舉，薦爲寺之住持者。公自任是來，衝寒負暑，搆募衆緣，□□萬紙，而營造殿□□宇，脩緝廊廡，果不有墮於衆舉也。惜哉！藴其德者，如鳥之高巢也，猶驪龍躍淵也，其光輝勝大，而人自羨矣。今年秋八月望，區寓跡于峴嶠，適當畏炎之際，與日間忽□□松風颯颯，薹蘇徐徐，來過草菴，俄爾視之，乃太虚長老之高弟也，致禮曰：吾師之行，其功甚矣，望乞片言，列諸于石，請其可焉。余曰：夫爲僧者，乃象外之高士也，猶能洞□□□宗，豁達今古，使世仰慕，以導□化物之稱者，而況於住持者乎。夫住持者而有三焉，有以道德而爲之住持者，有以仁義而爲之住持者，有以勢要而爲之住持者，其□□同，其義則異。以道德而爲之住持者，其宗必振，而祖道鼎新，如日月之懸輝，靡一方而不照。以仁義而爲之住持者，其名必彰，而湖海歸市，散九州之香風，爲一代之□□。以勢要而爲之住持者，其風必污，而宗門有玷，遺萬代之惡瀆，夫當時之眼目。此三者，則住持之道。至公之論也，可不慎乎？則將此以告之，爾子欲折師之行德，不可□謹其實也。由是密察其行，果如負才之能，實法門之柱礎，叢林之標榜者也，區何泯哉。古云：掩人之惡，揚人之善，乃君子之急務也。可不述乎？故垂俚言，以貽諸後，而爲來□□者之龜鑑耶矣。

伊陽縣知縣休寧張旭，縣丞壽光劉墉，主簿岱州沈友輔，儒學教諭遷安李友，訓導滄州王亨，銅陵□希和，僧會司僧會明浩，生員李貫，太學生盛國信，生員李文，生員范讓，生員陳善，聽選官王傑、陳舉、胡諒，峴山乾明寺退隱明德，法雲寺住持海渾、周舉，寧國寺住持廣德，報國寺住持浄瓚，當代住持明端、洪臣。

弟子：德果、德便立石。

長歌縣石匠：侯剛，男侯德景、侯德川。

大明弘治拾五年季秋重陽後不日也。

重建文殊寺記

[illegible]部儒學訓導銅陵陳希和撰文

北[illegible]部主事□郡人姚綸書丹

北[illegible]部立禹邑人吳琇篆額

[illegible]三里許有寺曰文殊，依山流[illegible]，領皆峯巒秀異，雖非名山，亦地之靈勝者，而招提於是乎建焉。其駐

[illegible]由[illegible]和其[illegible]于[illegible]時[illegible]其[illegible]則金之與元之間，郡人[illegible]之寧宗時有僧惟正已經持之矣。時爲文殊院，屬古嵩

州，[illegible]後[illegible]興[illegible]不一。逮至我

大明皇帝混一海宇，而是院[illegible]天順[illegible]而[illegible]隋理之。而[illegible]尚未設。成化丁酉歲始立縣，爲伊陽，而院亦隸之矣。因

改院爲寺，歷成化[illegible]殿[illegible]，[illegible]前殿一座。至弘治辛酉，一方善士睠寺之久廢，迺延請沙彌戒山□

寺[illegible]與[illegible]焉。已往迺叩檀越，廣募貲，貢送木材，運陶瓦甓，并匠經之營之，未嘗

休息。[illegible]年大殿[illegible]成，[illegible]師[illegible]，明年乃首立佛像，又明年造東西廊廡，東廡之南□以伽藍，又明年樹法堂五間，暨殿後山

其[illegible]十佛殿，[illegible]上[illegible]明[illegible]金碧輝煌，凡制[illegible]宜有者悉次第規模，[illegible]爰起于昔。自經始至落成，凡五

載，[illegible]可謂用心之勤矣。[illegible]院備[illegible]石在庭，欲有文以識歲月，乃因庠生任仲仁、張綸輩遣諸縣令楊公文公師

[illegible]其能寺，遂命謁文鎸之。余惟釋氏之教，於吾儒若甚遠，然觀其化人爲善，亦未爲無小補。稽之史傳，佛生於周

[illegible]王[illegible]十四年，成道於穆王之三年，其來中國也，肇自炎漢永平之間，下逮晉宋齊梁魏[illegible]之世，[illegible]謹南北肇創

招提一萬三千餘所，至隋唐盛，歷宋元以來，迄今去永平千四百年，其間儒先論辯而排斥之者屢矣。我

朝

[illegible]爲治，道率皆大中至正之道，於釋氏則[illegible]所閒然，而其教猶存，其徒愈盛，豈非以其能覺悟羣生，少裨世道

[illegible]使[illegible]於其世而不[illegible]其傳歟？是曉釋者也，[illegible]而出，克振宗風，以一子[illegible]之身，能使久廢之寺煥然爲之一

新，[illegible]皆出於[illegible]之樂施而無一吝者，亦足以見[illegible]域人[illegible]而人之尊崇敬奉，殆有不能自已故

[illegible]得[illegible]之功也。是宜勒石以示永遠。他如施財効力之士，具載碑陰，用同垂于不朽者。

[illegible]年歲次乙丑夏四月[illegible]日立石

[illegible]蓬萊梁[illegible] 主簿[illegible]文翰 典史涇陽劉昭

[illegible]之文 訓導[illegible]

【〇八五】 重建文殊寺記

年代：明弘治十八年

尺寸：高 165 釐米，單幅寬 95 釐米

立石地點：汝陽縣城關鎮寺灣村文殊寺

重建文殊寺記

四川□陽縣儒學訓導銅陵陳希和撰文，□士北京□部主事郡人姚綸書丹，北京兵部兵馬邑人奂銹篆額。

距縣□三里許，有寺曰文殊，依山□流，四顧皆峯巒秀異，雖非名山，亦地之靈勝者，而拓提於是乎建焉。其駐□之由未知，其年于何時爰考，其□則金之興定間，即宋之寧宗時，有僧惟正己繼持之矣。時爲文殊院，屬古嵩州，厥後興廢不一。逮至我大明皇帝混一海宇，而是院時在天順間，亦重脩理之，而縣治尚未設。成化丁酉歲，始立縣爲伊陽，而院亦隸之矣，因改院爲寺。歷歲久遠，殿像□□其所存者，僅前殿一座。至弘治辛酉，一方善士嘅寺之久廢，迺延請沙彌戒山入寺住持。其德定時，克承師志，慨然以興復爲己任，徧叩擅越，廣募貲費，遂庀材木，運陶瓦，僦工匠，經之營之，未嘗休息。是年大殿遂成，明年迺肖立佛像，又明年造東西廊廡，東廡之南，祠以伽藍。又明年，樹法堂五間，鑿殿後山，基□千佛殿于上，高明爽愷，金碧輝煌。凡制之所宜有者，悉次第舉之，規模深邃，更超于昔。自經始至落成，凡五載，亦可謂用心之勤矣。營繕既備，礱石在庭，欲有文以識歲月，乃因庠生焦仲仁、張綸輩達諸縣令，楊公、文公即嘉其能事，遂命謁文鐫之。余惟釋氏之教於吾儒，若甚遠絶，但其化人爲善，亦未爲無小補稽之史傳。佛生於周昭王之一十四年，成道於穆王之三年。其來中國也，肇自炎漢永平之間，下逮晉宋齊梁魏，事之尤謹，南北肇創拓提一萬三千餘所，至隋唐大盛。歷宋元以來，迄今去永平千四百年，其間儒先論辨，而排斥之者屢矣。我朝相承，其爲治也，率皆大中至正之道，於釋略無所闕，然而其教猶存，其徒愈盛，容非以其能覺悟羣生，少裨世道，不使久於其世，而不泯其傳歟。定曉學釋者也，幼而出家，克振宗風，以一孑然之身，能使久廢之寺煥然爲之一新，其所□□，皆出於兹□之樂施，而無一吝焉者，亦足以見佛教感人之深，而人之尊崇敬奉，殆有不能自已，故曉得□□□功也。是宜勒石，以示永遠。他如施財効力之士，具載碑陰，用同垂于不朽。

時大明弘治十八年歲次乙丑夏四月八日立石。

伊陽縣知縣□陶楊文，縣丞蓬萊梁昺，主簿代州沈友輔，典史涇陽劉昭，儒學教諭遷安李友，訓導懷寧段愢。

重修吉祥禪寺

重修吉祥禪寺碑記

少室傳法祖師曹洞宗派野衲無用□慧金撰書

鈞州徵府慶雲王門僧常貴篆額

釋聞教以人傳人必心信而后知所崇尚也知所崇尚而后有所尊行也佛之生在于周昭王甲寅歲感天俯震瑞氣千祥天之篤生聖人也如是奇哉至于教之行于中國也后漢永平七年明帝夜夢金身丈六飛至殿前因問群臣有對以西方有佛號曰金聖其教慈悲無為而化帝遣博士往西求教得騰蘭二僧以白馬馱經白氎圖像至則宛如夢見帝欣感靈瑞于清涼臺譯經洛東營寺而教始兆于斯也因脩流衍于晉宋而大明于梁唐由是人之習是教者衆而天下之明山廣谷建寺塔者不啻億萬也伊郡之西約有十餘里地名清泥溝水瀠而山幽堪為釋子養真之處先有師法斌覩斯地而樂之乃化竹元里信士王泰于正德庚辰歲創脩觀音殿一所名曰吉祥寺后至□□□鐵不能保之將此寺並周圍之地盡棄于本里民張氏者名尭臣號五峯與其長子名正次子言順幼子事成同興信心大營善業因其寺無人以居之乃約僧皈永集諸賓請德僧號嵎庵諱乘實住持此寺以為其脩之計嵎庵首居之后見殿宇漸隤禪堂水陸殿俱無乃曰禪堂者頤其養性無此則不能安其身水陸殿者塑像禮神無此則不能棲其靈于是咨謀于衆集聚貨財置備磚瓦木植等件命匠鳩工舊者脩之缺者建之煥然一新如 太宗再懸佛日重補梵天此嵎庵善繼其事者也欲為祝國寧家之處種善之基懺悔之處有能崇尚是教者庶可消福可致以為去危就安之□梯庶幾不泯代代功業之建亦不負源源訊法之心則張門之建是業者固自有莫大之福而嵎庵弘是業者其功德豈淺乎哉然則是業之建也其工何所始乎始于嘉靖癸亥之歲其工何所卒乎卒于隆慶庚午之年噫寺之建者教之行也教之行者人之作也有五峯嵎庵之人作而后斯地之教□然則嗣是教者將不有望于后人乎將来者其勖諸

圓通寺下院

大明隆慶四年歲次庚午秋八月上吉日立

【〇八六】　重脩吉祥禪寺碑記

年代：明隆慶四年

尺寸：高 170 釐米，寬 72 釐米

立石地點：汝陽縣城關鎮青氣村吉祥寺

〔碑首〕：重修吉祥禪寺

重脩吉祥禪寺碑記

少室傳法祖師曹洞宗派野衲無固少闕慧金撰書，鈞州徽府慶雲王門僧常貴篆額。

竊聞教以人傳，人必心信而後知所崇尚也，知所崇尚而後有所尊行也。佛之生在于周昭王甲寅歲，感天俯震，瑞氣千祥，天之篤生聖人也，如是奇哉！至于教之行于中國也，後漢永平七年，明帝夜夢金身丈六飛至殿前，因問羣臣，有對以西方有佛號曰金聖，其教慈悲，無爲而化。帝遂遣博士往西求教，遇藤、蘭二僧，以白馬馱經，日氈圖像，至則宛如夢見。帝欣感靈瑞，于清涼臺譯經，洛東營寺，而教始兆于斯也。因循流衍于晉宋，而大明于梁唐，由是人之習是教者衆，而天下之明山廣谷建寺塔者，不啻億萬也。伊郡之西約有十餘里，地名清泥溝，水瀠而山幽，堪爲釋子養真之處。先有師法斌覩斯地而樂之，乃化竹元里信士王泰，于正德庚辰歲創脩觀音殿一所，名曰吉祥寺。後至□孫□鉞，不能保之，將此寺並周圍之地盡棄。于本里民張氏者，名堯臣，號五峯，與其長子名正、次子言順、幼子事成，同興信心，大營善業，因其寺無人以居之，乃約僧皈永集諸賓，請德侶號嵎庵諱乘寶，住持此寺，以爲焚脩之計。嵎庵自居之後，見殿宇漸隤，禪堂、水陸殿俱無，乃曰：禪堂者，頤真養性，無此則不能安其身；水陸殿者，懸像禮神，無此則不能棲其靈。于是咨謀于衆，集聚貨財，置備磚瓦、木植等件，命匠鳩工，舊者脩之，缺者建之，煥然一新。如太宗再懸佛日，重補梵天，此嵎庵善繼其事者也。欲爲祝國寧家之慮，種善之基，懺悔之處，有能崇尚是教者，殃可消，福可致，以爲去危就安之航梯，庶幾不迷代代功業之建，亦不負源源說法之心，則張門之建是業者，固自有莫大之福。而嵎庵弘是業者，其功德豈淺淺乎哉！然則是業之建也，其工何所始乎？始于嘉靖癸亥之歲。其工何所卒乎？卒于隆慶庚午之年。噫！寺之建者，教之行也；教之行者，人之作也。有五峯、嵎庵之人作，而後斯地之教徒然，則嗣是教者，將不有望于後人乎，將來者，其勖諸圓通寺下院。

鐵筆：牛久鐫。

大明隆慶四年歲次庚午秋八月上吉日立。

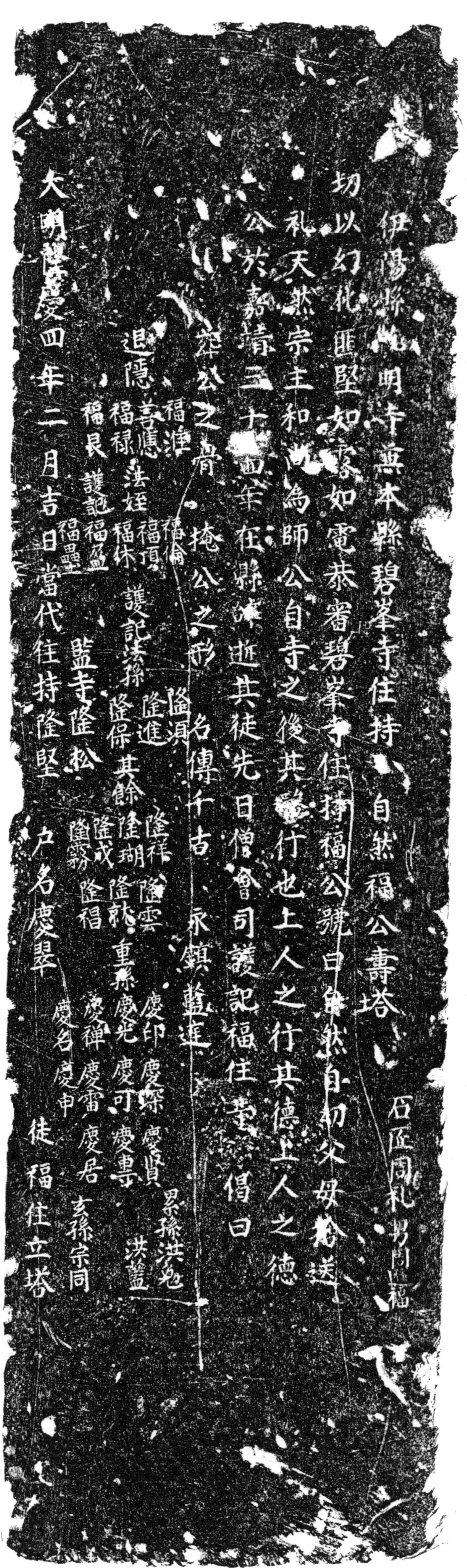

【〇八七】 自然和尚塔銘

年代：明隆慶四年

尺寸：高 115 釐米，寬 32 釐米

立石地點：汝陽縣劉店鎮油坊村楊樹嶺村

伊陽縣乾明寺兼本縣碧峯寺住持自然福公壽塔

切以幻化匪堅，如露如電。恭審碧峯寺住持福公，號曰自然。自幼父母捨送禮天然宗主和尚爲師。公自寺之後，其路行也，上人之行，其德上人之德。公於嘉靖三十四年，在縣辭逝，其徒先日、僧會司護記福住等，偈曰：

葬公之骨，掩公之形，名傳千古，永鎮藍庭。

退隱：福淮、善應、福禄、福艮，法姪：福倫、福頂、福休，護記：福盈、福壘，護記法孫：隆須、隆進、隆保，其餘：隆祥、隆瑚、隆成、隆霧、隆雲、隆就、隆倡，重孫：慶印、慶光、慶禪、慶名、慶深、慶可、慶雷、慶申、慶賢、慶專、慶居，累孫：洪勉、洪藍，玄孫：宗同。

當代住持：隆堅。監寺：隆松。户名：慶翠。徒：福住立塔。

石匠：周禮。男：周進福。

大明隆慶四年二月吉日。

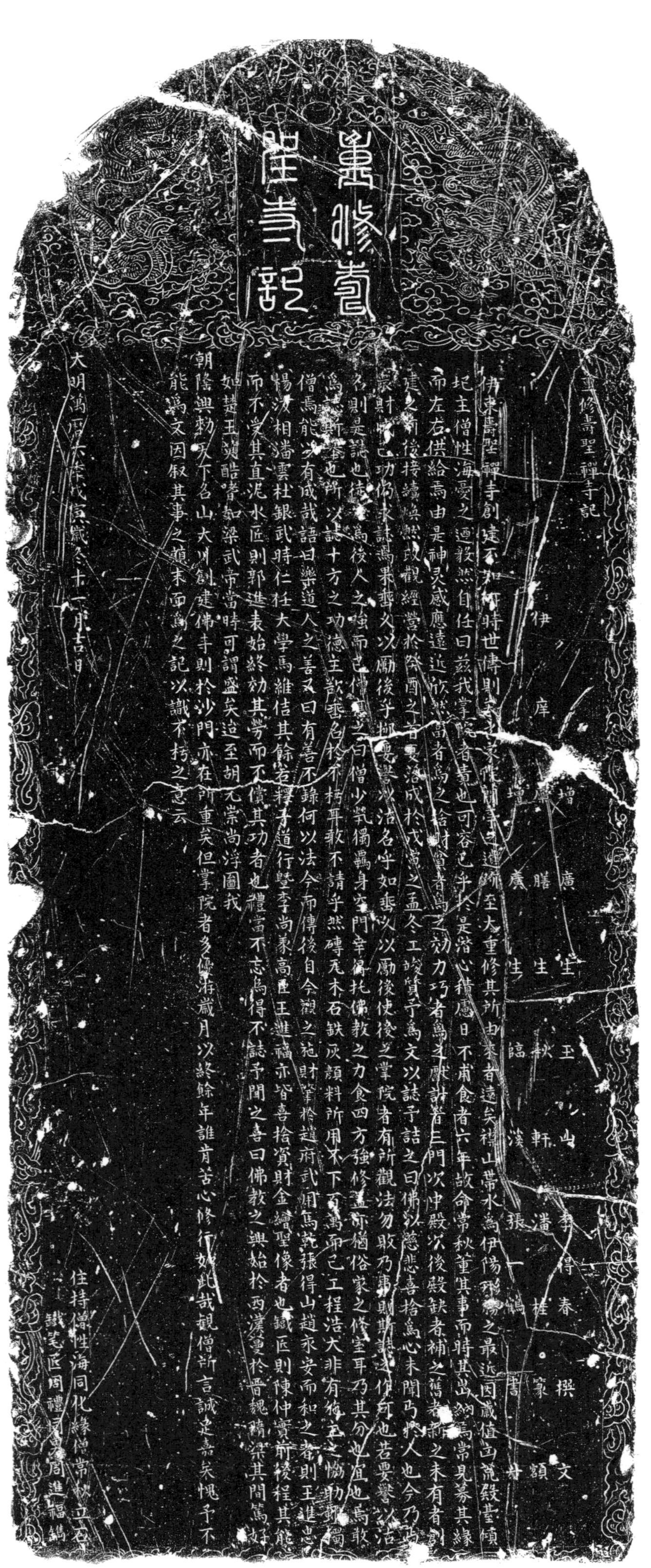

【〇八八】　重修壽聖禪寺記

年代：明萬曆六年

尺寸：高 198 釐米，寬 77 釐米

立石地點：汝陽縣城關鎮武灣村寺溝練溪寺

重修壽聖禪寺記

〔碑首〕：重修壽聖寺記

伊庠增廣生玉山李得春撰文，伊庠廩膳生秋軒潘桂篆額，伊庠增廣生臨溪張一鶴書丹。

伊東壽聖禪寺，創建不知何時，世傳則天之家院，蘭亭之遺跡，至大重修，其所由來者遠矣。襟山帶水，爲伊陽形勝之最。近因歲值凶荒，殿臺傾圮，主僧性海憂之，迺毅然自任，曰：茲我掌院者責也，可容己乎？於是潛心積慮，日不甫食者六年，故命常秋董其事，而時其出納焉。常見募其緣，而左右供給焉。由是神靈感應，遠近欣然，富者爲之捨財，貧者爲之効力，巧者爲之獻計，首三門、次中殿、次後殿，缺者補之，舊者新之，未有者創建之，前後接續，焕然改觀。經營於癸酉之首夏，落成於戊寅之孟冬。工竣，質予爲文以誌，予詰之曰：佛以慈悲喜捨爲心，未聞丐於人也。今乃丐衆財成己功，仍求誌焉，果垂久以勵後乎？抑要譽以沽名乎？如垂久以勵後，使後之掌院者有所觀法，勿敗乃事，則斯誌之作可也。若要譽以沽名，則是誌也徒足爲後人之嗤而已。僧應之曰：僧少煢獨，羈身空門，幸得托佛教之力，食四方，强修葺，亦猶俗家之修室耳，乃其分也，宜也，焉敢爲誌？斯舉也，所以誌十方之功德主，欲垂名於不朽耳，敢不請乎？然磚瓦、木石、鐵灰、顔料，所用不下百萬而已，工程浩大，非有施主之協助，雖獨僧焉能以有成哉！《語》曰：樂道人之善。又曰：有善不録，何以法今而傳後？自今觀之，施財肇於趙府、武用、馬乾、張得山、趙永安，而和之者則王進忠、楊汝相、潘雲、杜銀、武時仁、任大學、馬維佶。其餘若釋子道行暨李尚義、高臣、王進福，亦皆喜捨資財，金繪聖像者也。鐵匠則陳仲實，前後程其能，而不受其直。泥水匠則郭進表，始終効其勞，而不償其功者也。禮當不忘，烏得不誌？予聞之，喜曰：佛教之興，始於西漢，蔓於晉魏隋梁，其間篤好如楚王英，酷嗜如梁武帝，當時可謂盛矣。迨至胡元，崇尚浮圖。我朝隆興，敕天下名山大川創建佛寺，則於沙門亦在所重矣。但掌院者多優遊歲月以終餘年，誰肯苦心脩行如此哉？觀僧所言，誠足嘉矣，愧予不能爲文，因叙其事之顛末而爲之記，以識不朽之意云。

住持僧性海同化緣僧常秋立石。

鐵筆匠周禮同男周進福鐫。

大明萬曆六年戊寅歲冬十一月吉日。

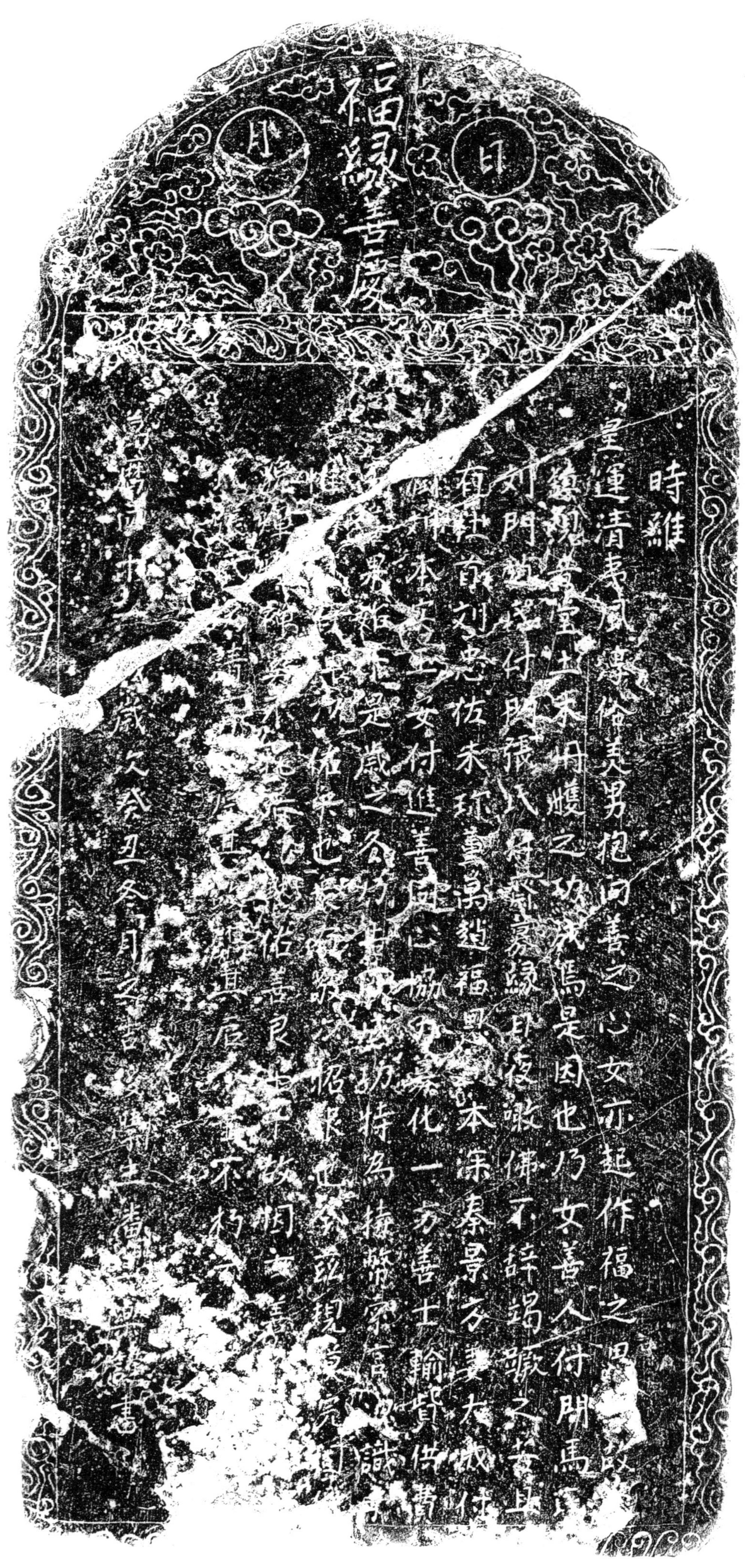

【〇八九】　重修觀音堂碑記

年代：明萬曆四十一年

尺寸：高115釐米，單幅寬53釐米

立石地點：汝陽縣小店鎮車坊村泰山廟

〔碑首〕：福緣善慶　日月

時維皇運清夷，風淳俗美，男抱向善之心，女亦起作福之思。故茲鎮觀音堂，土木丹艧之功成焉。是因也，乃女善人付門馬氏、劉門趙氏、付門張氏，付齋募緣，日夜嗽佛，不辭竭蹶之苦。且有社首劉忠佐、朱珎、董萬、趙福恩、□本深、秦景方、姜大成、付國、劉本實、王安、付進善同心協力，募化一方，善士輸貲供費，不□果始，于是歲之冬，乃告厥成功。特爲持幣索宫，□識□惟□□□是以佑□也，衆有敬以昭□也。今茲規模完固，廟貌煌輝，□禪□不就居□□□佑善良也，予故因女善□□□□氏、張氏之請，□□□其□，鐫其石，以垂不朽云。

萬曆四十一年歲次癸丑冬月之吉，後學生潘三樂謹書。

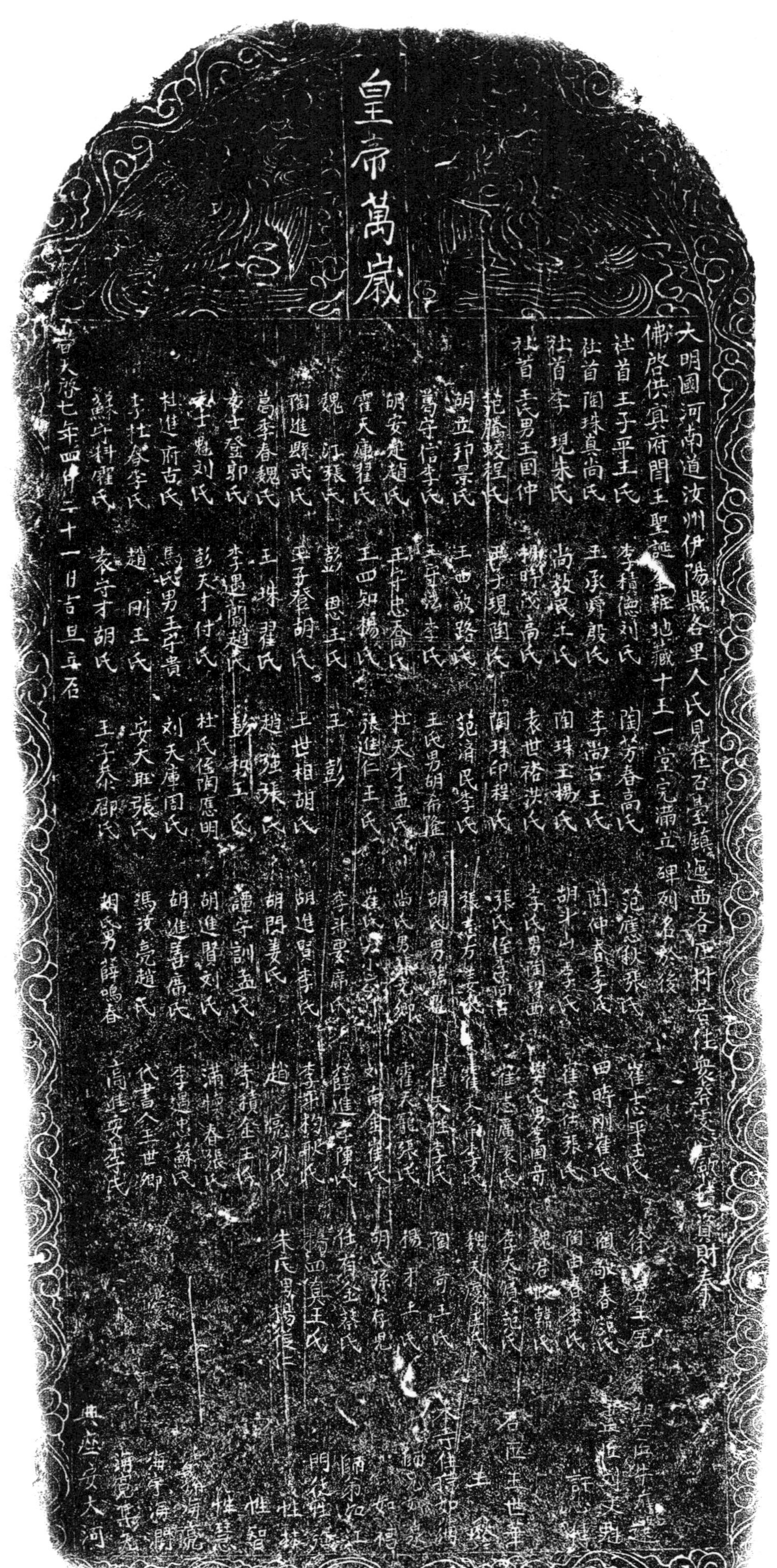

【〇九〇】　金粧地藏十王一堂碑記

年代：明天啓七年

尺寸：高 114 釐米，單幅寬 52 釐米

立石地點：汝陽縣小店鎮聖王臺村觀音寺

〔碑首〕：皇帝萬歲

大明國河南道汝州伊陽縣各里人氏，見在石臺鎮迤西洛莊村居住，衆發虔心，歛積資財，奉佛啓供冥府閻王聖誕，金粧地藏十王一堂完滿，立碑列名於後。

社首王子平王氏、社首陶珠真尚氏、社首李現朱氏、社首王氏男王國仲、范騰蛟程氏、胡立邦景氏、葛守信李氏、胡安定趙氏、霍天庫翟氏、魏江張氏、陶進縣武氏、葛季春魏氏、袁士登郭氏、袁士魁劉氏、杜進府古氏、李杜春里氏、蘇守科霍氏、李積德劉氏、王承舜殷氏、尚教民王氏、楊時茂高氏、王子現陶氏、王四敬路氏、王守法李氏、王守忠喬氏、王四知楊氏、彭恩王氏、王子登胡氏、王珠翟氏、李遇蘭趙氏、彭天才付氏、馬氏男王守貴、趙剛王氏、袁守才胡氏、陶芳春高氏、李尚古王氏、陶珠玉楊氏、袁世裕洪氏、陶珠印程氏、范濟民李氏、王氏男胡希隆、杜天才孟氏、張進仁王氏、王彭、王世相胡氏、趙强張氏、彭和王氏、杜氏侄陶應明、劉天庫周氏、安大旺張氏、王子恭邵氏、范應秋張氏、陶仲春李氏、胡斗山李氏、李氏男陶珠西、張氏侄李尚古、張志萬姜氏、胡氏男韓魁、尚氏男張堯卿、崔氏男小二爺、李斗要席氏、胡進賢李氏、胡門姜氏、譚守訓孟氏、胡進賢劉氏、胡進善席氏、馮汝亮趙氏、胡氏男薛鳴春、崔志平王氏、田時剛崔氏、崔志仕張氏、樊氏男李國奇、崔志廣袁氏、霍天角李氏、霍天性李氏、霍天寵張氏、劉南金崔氏、薛進孝陳氏、李斗杓耿氏、趙亮劉氏、李積金王氏、滿懷春張氏、李遇忠蘇氏、代書人王世卿、高進安李氏、徐氏男王憲、陶敬春范氏、陶由春李氏、魏君政韓氏、李大賓范氏、魏天慶王氏、陶奇王氏、胡氏孫小存兒、任有金蔡氏、楊四真王氏、朱氏男楊從仁。

塑匠：牛應選。畫匠：劉文魁、許心傳。石匠：王世華、王秋。本寺住持：如海，師兄如泉、如福，師弟如江，門徒：性强、性林、性智、性慧，法孫：海亮、海宇、海潤、海寬、集無，典座：安大河。

時天啓七年四月二十一日吉旦立石。

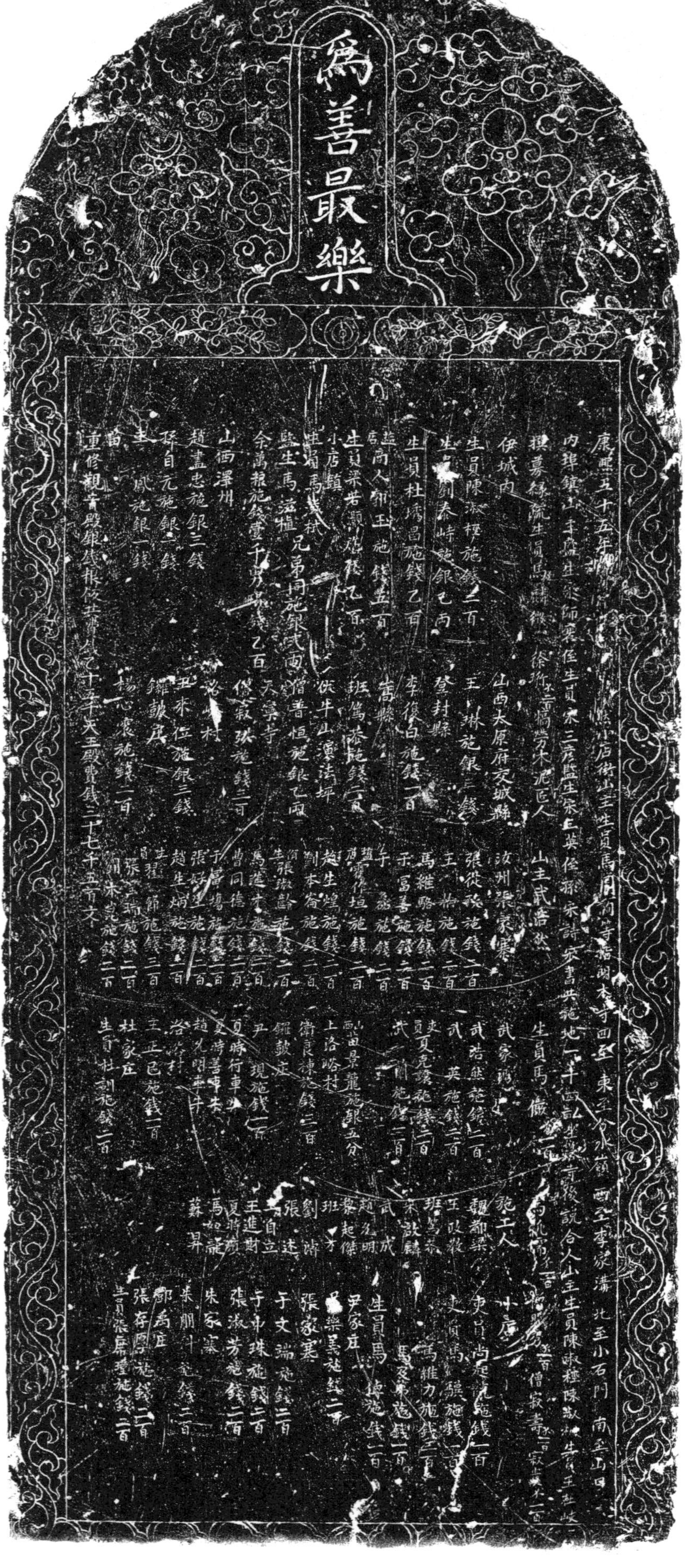

【〇九一】 重修觀音殿天王殿功德碑記

年代：清康熙五十五年

尺寸：高153釐米，寬60釐米

立石地點：汝陽縣城關鎮武灣村寺溝練溪寺

〔碑首〕：爲善最樂

康熙五十五年……然小店街山主生員馬周恂等，指明本寺四至：東至分水嶺，西至李家溝，北至小石門，南至山口。内埠鎮山主、監生宋師襄，侄、生員宋三彦，監生宋三英、侄孫宋詩、宋書共施地一十四畝，坐落寺後。説合人山主生員陳淑樫、陳淑楓，生員王在岐撰募緣疏。生員馬麟徵、徐珩錢二百，犒勞木泥匠人。山主武浩然。生员马儼钱一佰，馬純儒：錢一百。僧照秀：錢一百。僧寂壽：錢一百。寂貴：錢一百。

伊城内：生員陳淑樫：施錢二百。生員劉泰峙：施銀乙兩。生員杜琇昌：施錢乙百。鹽店商人郭玉：施錢五百。生員梁若灝：施錢乙百。小店鎮：生員馬滋栻、監生馬滋植兄弟同施銀貳兩。餘萬糧：施錢壹千，男琨：錢乙百。山西澤州：趙盡忠：施銀三錢。孫自元：施銀一錢。王鳳：施銀一錢。山西太原府交城縣：王琳：施銀三錢。登封縣：李復白：施錢一百。嵩縣：班篤恭：施錢二百。伏牛山演法坪：僧普恒：施銀乙兩。天寧寺：僧寂弘：施錢三百。洛峪村：王來位：施銀三錢。鑼鼓莊：楊心震：施錢二百。汝州張家寨：張從曉：施錢二百。王倫：施錢二百。馬維駱：施錢二百。于富善：施錢二百。于磊：施錢二百。鹽店霍作垣：施錢二百。趙生煌：施錢二百。劉本崙：施錢二百。佾生張淑齡：施錢二百。馬進才：施錢二百。曹同德：施錢二百。于富場：施錢二百。張好生：施錢二百。趙生炳：施錢二百。生員翟節：施錢三百。張呈瑞：施錢二百。劉本崑：施錢二百。武家灣：武浩然：施錢二百。武英：施錢二百。吏員夏克讓：施錢二百。武蘭：施錢二百。山西苗景龍：施銀五分。上洛峪村：衛良棟：施錢三百。鑼鼓莊：尹現：施錢一百。夏時行車牛。夏時善車牛。趙允明車牛。洛峪村：王正己：施錢一百。杜家莊：生員杜訓：施錢二百。施工人：魏都梁、王政教、班篤恭、宋啓麟、武成、趙允明、黎起傑、班才、劉濬、張述、王自立、王進財、夏時順、馬如龍、蘇昇。小店：吏員尚起龍：施錢一百。吏員馬驥：施錢一百。馬維力：施錢三百。馬及第：施錢一百。生員馬倬：施錢一百。尹家莊：尹樂義：施錢二百。張家寨：于文端：施錢二百。于中珠：施錢二百。張淑芳：施錢二百。朱家寨：朱朋科：施錢二百。鄧禹莊：張存厚：施錢二百。生員張席瑾：施錢二百。

重脩觀音殿銀錢糧飯共費錢乙十五千，天王殿費錢三十七千五百文。

皇圖鞏固

重修練溪寺記

伊之練溪寺群山拱抱，曲水環遶，其中修竹茂林，鬱鬱蒼蒼，峣嵓絕壁，聳峙特立，野草奇花，幽香異常，真名勝地也。但歷年久遠，殿宇圮毀，墻垣傾覆，凡騷人傑士來遊於此，往往致嘆於修葺之無人焉。汝有僧諱道成號文雅者，幼而業儒，其為人誠朴果毅，有古君子風，雖生居我汝，實係練溪開山之宗派也。昔康熙丙申歲，武家灣、小店街、洛峪村三處山主懇請，而文雅方居斯寺，即慨然以修葺為己任。念年歲屢凶，恐難於募化，乃窺寺之前後左右，雖山岡地瘠，其平坦可墾者亦自不少，因而苦力開熟，約有四十餘畝，合前寺之熟地共有八十畝，蓄積數載，先將周圍墻垣修補已完。於雍正乙巳歲重修觀音大士殿，煥然改觀，並不募化一錢，而功已告成。於今歲丙午春又重修天王殿，仍不募化，而四方善信之士則有聞而樂捐已貲以相助。小店街高、徐二山主先為倡率，而布施者踵相接焉。又幸得內埠鎮宗鄉官寺後有地十餘畝，因縣內陳、王二山主說合，情願施於寺中，以為香火之資。是其功德皆宜相垂於不朽也。今當事竣之日，文雅求予文以為記，予不辭固陋，謹述其巔末以為之記云。

汝州儒學增廣生員羅節撰并書

本寺曹洞正宗派

清淨覺海圓洪廣　悟本真常慧性寬　祖道興隆傳法眼　普周沙界定心安

佛圖永固續燈等　洞宗遐昌繼萬年　提銜禪學大明理　總統五派輝朗天

住持僧道成　徒興詩　興運　徒孫隆喜　興敏　仝立石

石匠甯自盛　李全

皇清雍正四年十月十五日吉旦

【〇九二】　重修練溪寺記

年代：清雍正四年

尺寸：高 153 釐米，寬 60 釐米

立石地點：汝陽縣城關鎮武灣村寺溝練溪寺

〔碑首〕：皇圖鞏固

重修練溪寺記

伊之練溪寺，羣山拱抱，曲水環遶，其中脩竹茂林，鬱鬱蒼蒼，巉岩絶壁，聳峙特立，野草奇花，幽香異常，真名勝地也。但歷年久遠，殿宇圮毁，墻垣傾覆，凡騷人傑士來遊於此，往往致嘆於修葺之無人焉。汝有僧諱道成，號文雅者，幼而業儒，其爲人誠樸果毅，有古君子風。雖生居我汝，實係練溪開山之宗派也。自康熙丙申歲，武家灣、小店街、洛峪村三處山主懇請，而文雅方居斯寺，即慨然以修葺爲己任。念年歲屢凶，恐難於募化，乃窺寺之前後左右，雖山岡地瘠，其平坦可墾者亦自不少，因而苦力開熟約有四十餘畝，合前寺中之熟地，共有八十畝。蓄積數載，先將周圍墻垣脩補已完，於雍正乙巳歲，重修觀音大士殿，焕然改觀，並不募化一錢，而功已告成。於今歲丙午春，又重脩天王殿，仍不募化，而四方善信之士則有聞而樂捐己貲以相助。小店街馬、徐二山主先爲倡率，而布施者踵相接焉。又幸得内埠鎮宗鄉宦寺後有地十餘畝，因縣内陳、王二山主説合，情願施於寺中，以爲香火之資，是其功德皆宜相垂於不朽也。今當事竣之日，文雅求予文以爲記，予不辭固陋，謹述其巔末，以爲之記云。

汝州儒學增廣生員羅節撰並書。

本寺曹洞正宗派：清净覺海圓洪廣，悟本真常慧性寬，祖道興隆傳法眼，普周沙界定心安。佛圖永固續燈等，洞宗遐昌繼萬年，提衍禪學大明理，總統五派輝朗天。

住持僧：道成，徒：興書、興詩、興壽，徒侄：興運，徒孫：隆欣、隆年、隆喜仝立石。石匠：寧自盛、李全禄、寧日魁。

皇清雍正四年十月十五日吉旦。

【〇九三】　重脩聖水寺碑記

年代：清雍正五年

尺寸：高 186 釐米，寬 61 釐米

立石地點：汝陽縣蔡店鄉郭村聖水寺

〔碑首〕：流芳百世

重脩河南汝州伊陽縣平安里一甲上蔡鎮聖水寺碑記。

竊聞莫爲之前，雖美不彰；莫爲之後，雖盛不傳。是知重脩之難耳。□□觀創始之難，其人不少減也。邑北四十里山谷中有寺曰聖水，蓋古刹也。後列峯□葺，雖□□溪澗，疊流幽深，隱奧誠脩真之□也，□□□争都也。粤稽世代變遷，凡宫觀寺宇遭拆毁，而被燹火者，不知□□。而□寺獨不與其灾，意者地靈而魏□有□翻□□乎？不然何竟與白馬香火並峙，而永□也。獨□□□□湮，補葺者固不一人。至此而殿宇則摧折矣，而墻垣則傾頽矣，而佛像則風雨漂摇而闇淡剥落矣。賴有□□□君諱治者，（目覩）心傷，鬱鬱不自安，遂捐貲募化，鳩衆工庀良材，不數月，向之摧拆者，忽而鳥革翚飛矣；向之傾頽者，忽而崇墉黝堊矣；向之□□剥落者，忽而金碧耀彩，朱緑壯觀矣。有此重脩，誰謂不與創始者後先而輝映乎？功既告竣，囑余爲文以勒石焉，余僅序巔末以記之。至若嗣而脩理，接王君之跡者，又將厚望於永兹云。

洛庠生董良史撰，嵩庠生張軺□（書）

功德主王治於乾隆八年□□□。募化主：周澤恒、生員郭天爵、馬明振、生員張文良、馬貴禮、郭天秩、周維新、吴沛然、陳心白、楚好仁、張芳聲、狄天福、陳廣、楊三秀。

石匠：郭崑珠。木匠：王濟文、王順。鐵匠：王明興。

時大清雍正歲次丁未季夏丁未朔丙戌吉旦。

【〇九四】 金塑大殿衆佛羅漢記

年代：清乾隆二年

尺寸：碑身高262釐米，寬80釐米

立石地點：汝陽縣小店鎮聖王臺村觀音寺

金塑大殿衆佛羅漢記

竊聞祥光萬道，三乘法駕降西天；瑞氣千尋，一葦慈航渡東土。清净超于三界，固有感而必通；靈慧□于□□，自無遠而弗屆。慈恩廣被，尊崇者自古皆然；惠澤弘施，奉敬者於今爲烈。誠以佛脩與儒脩並重，維彼羣生，非憑慧覺指引，孰得超越迷津；釋教與道教兼隆，凡茲大衆，不仗法力提攜，誰能出離苦海。是以人人頂禮，代代欽崇，幾見謗而非之，詆而毀之者也。地臨汝水，寺號觀音。茂竹坡前，夕日來西山之翠；清流溪畔，朝霞迎東井之輝。般若幽居於斯稱盛，波羅妙境□是奚從。開來者創建於當年，繼往者重修於此日。故棟宇極恢弘之勢，已看宫殿月輪高；特毘盧少金碧之觀，未覩幢幡雲蓋結。李氏、傅氏衆化主，爰廑其心；劉公、李公二長者，兼營其念。但事難獨任，因偕謀于功德主人，而責有攸歸。遂共商于王君廷瑞，倡予和汝，積德成功。同言鳥革翬飛，原不空脩夫寶刹；共説雲蒸霞蔚，要必當顯設乎。金身乃命裝潢，用脩法像。或塗附而或點染，妙諦皆伯與之能；或寫影而或傳神，化工盡摩詰之技。不必曠時而遲久，自可計日以觀成。彌陀數十尊，爛爛金光，直射祇園之樹；羅漢十八衆，紛紛藻繢，横飛蕭寺之雲。後仰救苦觀世音，浮竹林而炫彩；前瞻護法舍利子，近蓮臺以增輝。兩壁丹青焕乎莫掩，一堂朱緑燦矣常新。功既成于崇朝，事宜傳于奕禩，隨緣衆等芳名偕梵宇常留，首事諸人大德與貞珉並壽。恭疏短引，昭示來茲。

古晉陽城縣庠生劉文錦薰沐撰文，汝庠生張德齡薰沐書丹。

功德山主劉琦、子楷，汝州古二里十甲籍，現居聖王西寨；督工功德主王廷瑞、妻朱氏、子文、孫長生，汝州古二里十甲籍，現居聖王東寨；功德山主李三奇、子修，伊陽縣上店里二甲籍，現居聖王東寨。

金塑匠人：吕希哲，子：紹孔、紹孟，徒：程書、陶應魁、程非凡，徒孫：連永福、黄有道。本寺住持僧人：池祥，徒：隆年、隆魁，法孫：喜宣。鐵筆匠人：韓俊、李春望。

時大清乾隆貳年歲次丁巳菊月上浣吉旦仝立。

【〇九五】　重修觀音寺

年代：清乾隆二年

尺寸：高 262 釐米，寬 80 釐米

立石地點：汝陽縣小店鎮聖王臺村觀音寺

重修觀音寺

大佛殿觀音閣暨衆廟功竣，迺鐫石焉，索文餘。夫茫茫之海，淺深莫測也；蒼蒼之天，遠近難量也。況若存若亡，出於視聽之外；不生不滅，超乎心行之表者哉。余何言，余何言？雖然幽谷無私，有至斯響，洪鍾虛受，無來不應。觀音寺者，薙州開林，創自崇慶，引刹相望，纂於大明。遠而北臨崆峒，雲霞之所沃蕩。南負峴山，日月之所迴薄；東望汝城，百雉紆餘；西眺伊闕，雙峙超忽。近則汝水環繞于其前，鳳凰流輝于其後。左拱雲夢，烏迎鳴鍾天上；右揖碧壑，風送水響澗底。飛殿神行，横朝陽而抗址；虛檐雲構，跨靈炤而浮榮。花紅階砌，密室冬暖，水緑簷楹，疏廊夏寒。以故選勝遊子吟咏之詞播之誌記；尋幽逸士墨翰之迹溢於碑版。既而日逾月邁，殿宇圮而莫補；年移歲遷，榱椽毀而莫構。鼪鼯梁棟，狐狸庭除，朔望非乏謁也，俎豆之儀難伸，春秋豈無祀乎？椒醑之獻莫展。于是觀音寺功茂幾建，零落增病，業熚數立，蕭條堪傷。有住持池祥，立意起造，誓愿重興。相約山主趙崑等，願淡泊自甘，清素自守，除地分糧，積粟責息，以爲再造之費，重修之資。衆山主引爲己任，經營者匪伊朝夕，視爲己責，積信者歷有年所，特以廣海洪瀾，勺水不湊，巨陵大阜，抔土難攢。因請募化人陳思義等，募助涓流，化分寸壤，衆人分任其責。又舉功德主王廷瑞細流爲大，土壤成高，一人總督。其成于雍正三年，乃庀資鳩工，揆景測晷，相與因心種果，扶灰燼之餘材，以福爲田，起泥土之仆石。雖謀滋生、勤募化，衆人之力難掩；而像規模、施調度，廷瑞之功居多。迄今大佛殿彰規模於重新，開朗弘廠。觀音閣拔岌□于創建，臺榭崇隆，肯堂肯構。關聖帝之坐正，美輪美奐。天王殿之肅潔，兩廡就理。山門改觀，節山與崖谷共清，棁藻並風水相涣。庶幾金姿，妥寶像閑，雖丹堊尚缺，金飾有待，已可謂欞禪林之崇觀，盡神人之壯麗，功彌大而業彌廣，福愈遠而名愈劭者矣。爰刊石鐫文以誌。

汝庠增廣生員懷五氏張德齡薰沐撰文並書丹。

修理那羅殿、伽藍韋馱殿功德山主李三奇、子修，貢生葉字、子桐璽，劉琦、子楷。修理大佛殿功德山主貢生葉字、子桐璽，係化主；武生譚思敬，代□錢糧；李三奇、子修，化主劉琦、子楷，經管錢糧；趙崑，係買辦；李佶。修理合寺廟宇督工功德主王廷瑞、妻朱氏、子文、孫長生。修理天王殿功德山主劉琦、子楷，李三奇、子修，王紀，李倫，貢生葉字、子桐璽，武生譚思敬、李佶、趙崑。修理觀音閣地藏殿金剛殿功德山主劉琦、子楷，李三奇、子修。

住持：池祥，徒：隆召、隆年、隆魁，徒孫：喜宣、喜明。鐵筆匠：韓俊、李春望。仝立。

大清乾隆貳年歲次丁巳桂月下浣吉旦。

【〇九六】 觀音寺施地山主碑記

年代：清乾隆三年

尺寸：高 207 釐米，寬 65 釐米

立石地點：汝陽縣小店鎮聖王臺村觀音寺

觀音寺施地山主碑記

大清雍正陸年，奉旨敕贈重義廩膳生員葉巍然入忠義祠，配享文廟。

男歲貢生原任廣東廣州府番禺縣戎糧廳署新寧縣事葉之馥，孫伊庠增廣生員葉上林，曾孫葉眉□、曾孫歲貢生候授儒學訓導葉字，玄孫儒童葉桐封、桐分、桐璽、桐戩、桐珪，來孫葉壽、葉襄、葉坦、葉憲、葉宣、葉超、葉芸、葉芝。

順治拾捌年施地壹段，坐落聖王寨西坡山神廟下，東西貳至胡全義，南至半坡石圪壋，北至大路。計地陸畝伍分，其糧施主完納，與主持無干，前後永無反悔。

住持僧人：池祥，徒：隆年、隆魁，法孫：喜宣、喜旺。

大清乾隆叁年捌月拾伍日立。

古觀音禪寺建修山門粧塑金剛成功記

詩有之靡不有初鮮克有終，昔曰為山九仞功虧一簣，益深慮成始成終之難也。雖然得人而運之以誠，奚其難。如茲古觀音禪寺，自宋明正統間鍊船和尚感甘泉而錫駐，覓寺址於荒煙遇王本於闇左，結盦孤之善緣，延請數椽樹蔭輞川淨土，重開歷有歲年，汝南峴北遂為第一名藍。迨滄桑變後，於今甲子五週，百廢一皆，蕪幾於前佛莫辨，迺盡逝矣。寺僧池祥脩懷為念，一時功德善信，如王如李如葉劉諸君者，同心備財協力鳩工，始於雍正乙巳，累歲經營，若大佛殿若觀音閣若東西地藏那羅及伽藍天王諸殿，莫不次第輝煌，寶相莊嚴。惟山門之金剛殿工甫竣，則人天勝地克稱巍煥美完。諸君正以經費遲回，九級浮屠合頂興懷，迺有信士朱君士玟父子慨往捐募，金粧神像，厥工乃成。諸君礱石善果是旌，囑余記之，謂迹而復徵也。余因之有感矣。時節因緣，像教所傳，斯寺重興，事豈偶然。昔也鍊船天涯瓶鉢，石臺問津，遇佈地王本而祇園鐘鼓一新；今也池祥剎極思復，即得劉李二君初終其間，協力鼓舞，而條理經畫念茲弗懈，成鹿苑鷲嶺之盛者，則又王君廷瑞也。噫嘻異矣，苟非再來人具夙因，安能成始成終，咸歷久弗渝，不介而孚若此哉。迺為之記而繫以銘曰：觀音應化，般若難名，廢興墜舉，躅接纓纏，緇素合志，奚濟群英，孰剛維是，回惟一誠，寅甫縫掖，發言盈廷，演忿欲速，道築室營，胡弗取斯，是鑑是程。

大清乾隆陸年歲舍辛酉捌月吉旦　望嵩敦默菴居啟賢記　汝州聖王基王文書丹

督工功德主王廷瑞　功德主李三奇子脩　功德山主劉楷　住持池祥法

【〇九七】 古觀音禪寺建修山門粧塑金剛成功記

年代：清乾隆六年

尺寸：高 225 釐米，寬 62 釐米

立石地點：汝陽縣小店鎮聖王臺村觀音寺

古觀音禪寺建修山門粧塑金剛成功記

詩有之：靡不有初，鮮克有終。《書》曰：爲山九仞，功虧一簣。益深慮成始成終之難也。雖然得人，而運之以誠，奚其難如兹。古觀音禪寺，自朱明正統間，銕船和尚感臺泉而錫駐，覓寺址於荒煙，遇王本於閭左，結給孤之善緣。迺謀數椽樾蔭輞川，净土重開，歷有歲年，汝南峴北，遂爲第一名藍。迨滄桑變後，於今甲子，五周百身，一苔莓幾於前，佛莫辨，鼪鼯晝遊矣。寺僧池祥脩復動念，一時功德善信，如王如李、如葉劉、如譚趙諸君者，同心儲財，協力鳩工。始於雍正乙巳，累歲經營，若大佛殿，若觀音閣，若東西地藏那羅及伽藍天王諸殿，莫不次第輝煌，寶相莊嚴。惟山門之金剛殿工一竣，則人天勝地，克稱巍焕美完。諸君正以經費遲回，九級浮屠合頂興懷，迺有信士朱君士玟父子，慨任捐募，金粧神像，厥工乃成。諸君礱石善果是旌，囑余記之，謂近而有徵也，余因之有感矣。時節因緣像教，所傳斯寺重興事豈偶然。昔也銕船，天涯瓶缽，石臺問津，遇佈地王本，而祇園鐘鼓一新。今也池祥，剥極思復，即得劉、李二君，初終其間，協力鼓舞，而條理經畫，念兹弗懈，成鹿苑鷲嶺之盛者，則又王君廷瑞也。噫嘻異矣！苟非再來，人具夙因，安能成始成終，咸歷久弗渝，不介而孚，若此哉，迺爲之記，而繫以銘曰：

觀音應化，般若難名。廢興墜舉，躅接槐庭。緇素合志，美濟羣英。孰剛維是，曰惟一誠。章甫縫掖，發言盈廷。涣怠欲速，道築謍謍。胡弗取斯，是鑑是程。

大清乾隆陸年歲舍辛酉捌月既望。臨汝默菴屈啓賢記，汝州聖王臺王文書丹。

督工功德主王廷瑞：施錢叁百。功德山主李三奇、子脩：施錢叁百。功德山主劉楷：施錢叁百。

住持池祥、法孫喜宣立。

萬善同歸

【〇九八】　重修觀音殿並金塑神像碑記

年代：清乾隆十年

尺寸：高 88 釐米，寬 47 米

立石地點：汝陽縣三屯鄉秦嶺村鐵頂山祖師廟

〔碑首〕：萬善同歸

重修觀音殿並金塑神像碑記

峴山舊有觀音大殿，年久月深，風雨傾圮。今有張君諱福、楊君諱彥明慨興善念，捐貲於己，募化於衆，重脩廟宇，焕彩金神，□如始，治之精力，而神有所依，亦可作四方之倩泰焉。勒石以誌不朽云。

山主：武生武□勛、監生張金章。

創脩功德主監生段霖、子貢生秉元施銀二兩。重脩功德主張福、楊彥明。

鐵匠王文順：施錢五百文。張進財：施錢五百文。木匠：沈向。塑匠：劉□信。石匠：張□泰：施錢九百。

大清乾隆一十年十一月二十五日立。

流芳百世

【〇九九】　重修觀音大士堂及拜殿碑記

年代：清乾隆十一年

尺寸：高 153 釐米，寬 57 釐米

立石地點：汝陽縣大安工業區曹劉莊村

〔碑首〕：流芳百世

重脩觀音大士堂及拜殿碑記

伊治北二十里許劉家莊，舊有觀音大士堂，不知創自何時，日久漸就傾頹。功德主張廷臣、張守德等十餘人，昔修二郎廟餘銀四兩，滋息數年，約得銀二十餘兩，又各捐己銀一兩有奇，兼募衆貲，因而鳩工庀材，輪奂一新。中塑觀音大士像，傍列十八羅漢、十□□□、二十四天將。後塑觀音救八難，太子遊四國，唐生四象，照□□□之，金粧□滿，焕然改觀。□□□□之春，□□卯仲冬而告竣，謀立貞珉，未舉□之十年。至乙丑年，復建脩拜殿，則神既棲之有所，人亦跪拜有地。善寧容没？茲于開光之日，勒石以垂不朽，精等寫之□□□巔末，而爲之記。

功德主：（略）

恐後無憑，立契存照。

同人：張廷臣、張守法。

大清國乾隆十一年歲次丙寅仲冬吉旦。

【一〇〇】 重脩觀音堂並金粧聖像碑記

年代：清乾隆十四年

尺寸：高 146 釐米，寬 60 釐米

立石地點：汝陽縣蔡店鄉蔡店村關帝廟

〔碑首〕：重脩碑記

重脩觀音堂並金粧聖像碑記

粵稽古昔，此神之有功德於民者，□□脩祠，四時享祭，所以酧聖恩也。況利澤廣被，六合蒙福，而有□脩葺，殿宇設像以祀□□。玆者伊治北四十里許，其地曰上蔡鎮，東通汝郡，西伯之雅化□遠；西臨嵩邑，阿□之遺訓猶存。南瞻九皋之峯，巍巍乎羣山朝拱；北望龍門之險，浩浩乎□□旋繞。詩□傳家，俗樸風淳，甚勝區也。莊之中坐震向兑，舊有觀音大士堂，威靈顯赫，□□恤患，□一方之福庇，士女之保障也。無如自創建以來，雖重脩屢更，然歷年久遠，風雨□□，堂□剥削而將傾，塵埃飛蕩，神像黯淡而無色，其何以棲靈爽而致如在乎？本莊之中□□功德化主數人，目擊心傷，慨然以重脩爲己任，募化莊中善士，各出囊金，蓄積數載，□□利息共銀四十餘兩，不足於用，且饑饉頻仍，緣簿已失，未獲成功。繼有功德主七人，□□喻途之美，歡見作善之路，接管前四十餘金，又各捐己財，重化衆善，命彼工人，脩造□飾，輪流供饌，第見廟堂巍峩，鳥革而翚飛，五采燦爛，金碧而輝煌。及究其由來，非好善□士不至此，故取他山之石，述其始末，鐫之以垂奕禩云。

邑庠生郭□□□纁。菴氏薰沐拜手撰書。

龍飛大清乾隆十四年歲次己巳律應林鐘之月上澣吉旦。

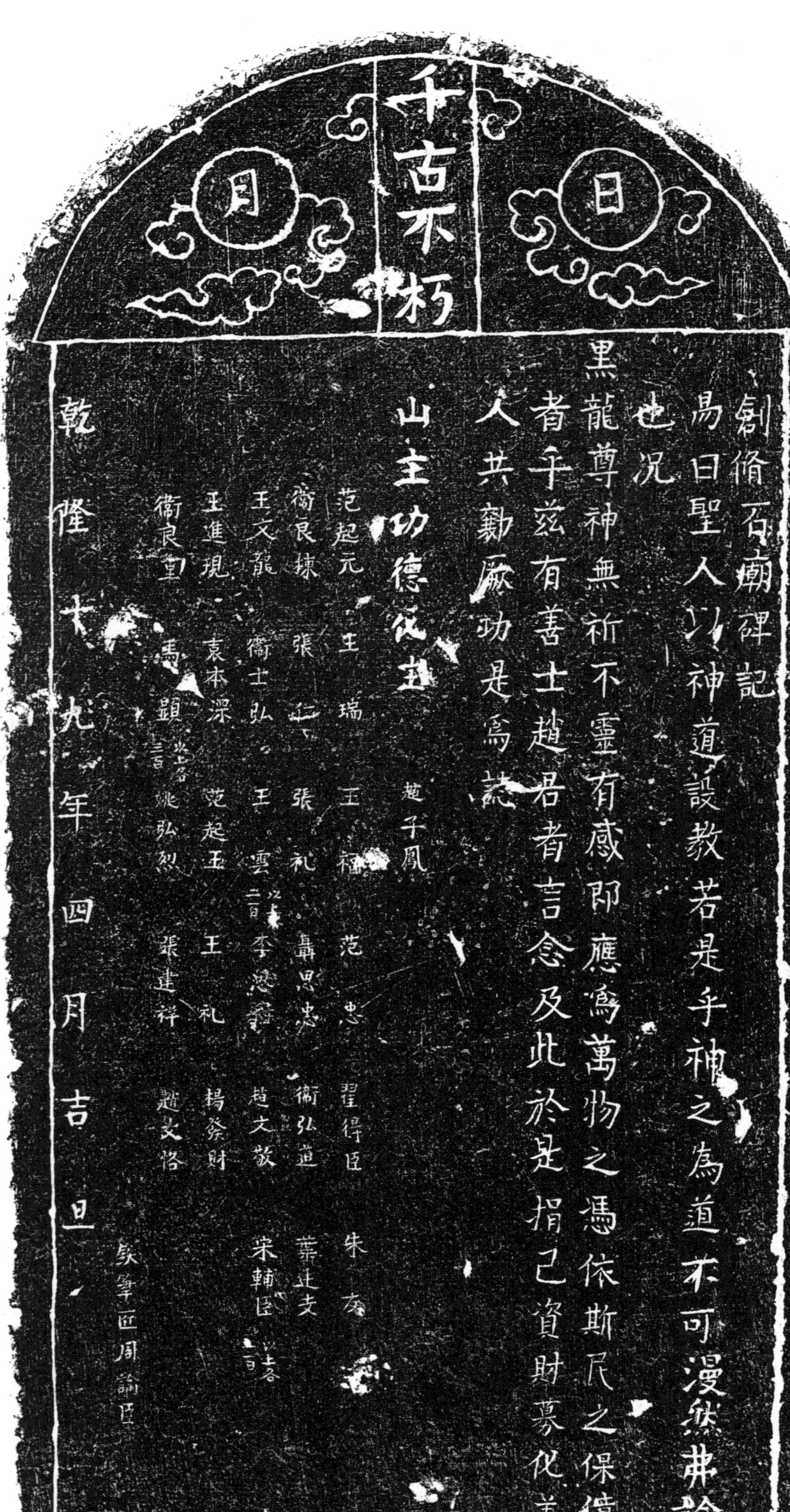

千古不朽

日　月

創脩石廟碑記

易曰聖人以神道設教若是乎神之為道不可漫然弗論

也況

黑龍尊神無祈不靈有感即應為萬物之憑依斯民之保障

者乎茲有善士趙君者言念及此於是捐己資財募化善

人共勷厥功是為誌

山主功德施主　趙子鳳

范起元　王瑞　王福　范忠　翟得臣　朱友

衛良棟　張仁　張礼　聶思忠　衛弘道　葉廷支

王文龍　衛士弘　王雲以上各二百　李懋鑑　趙文敬　宋輔臣以上各一百

王進現　袁本深　范起玉　王礼　楊發財

衛良臣　馬顕以上各三百　姚弘烈　張建祥　趙文洛

鐵筆匠周論臣

乾隆十九年四月吉旦

【一〇一】 創脩石廟碑記

年代：清乾隆十九年

尺寸：高 76 釐米，寬 40 釐米

立石地點：汝陽縣城關鎮河西村黑龍石廟

〔碑首〕：千古不朽　日月

創脩石廟碑記

易曰：聖人以神道設教。若是乎？神之爲道，不可漫然弗論也。況黑龍尊神無祈不靈，有感即應，爲萬物之憑依，斯民之保障者乎。茲有善士趙君者，言念及此，於是捐己資財，募化善人，共勷厥功。是爲記。

山主功德化主：趙子鳳。

范起元、衛良楝、王文龍、王進現、衛良重、王瑞、張仁、衛士弘、袁本深、馬顯、以上各三百。王福、張禮、王雲、范起玉、姚弘烈、以上各二百。范忠、聶思忠、李思柱、王禮、張建祥、翟得臣、衛弘道、趙文敬、楊發財、趙文恪、朱友、葉廷支、宋輔臣，以上各一百。

鐵筆匠：周論臣。

乾隆十九年四月吉旦。

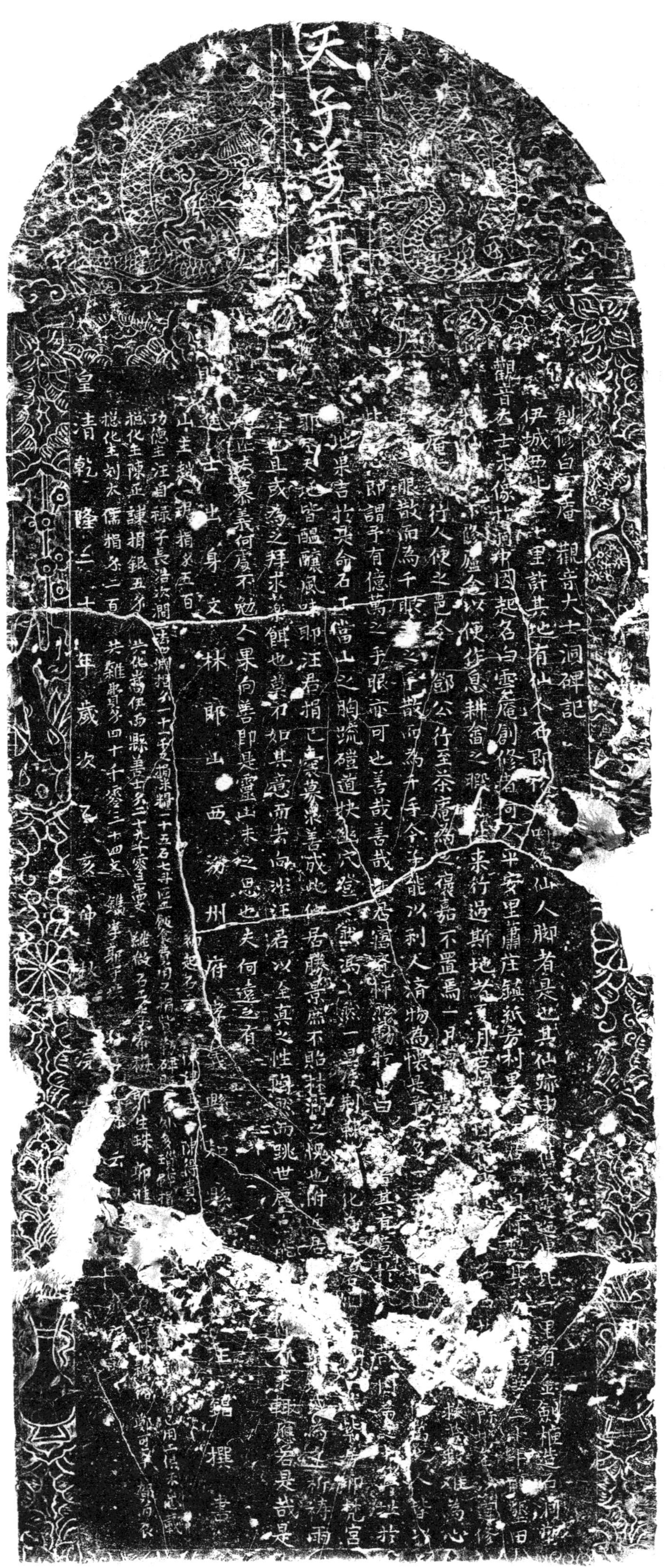

【一〇二】　創修白雲庵觀音大士洞碑記

年代：清乾隆二十年

尺寸：高 152 釐米，寬 58 釐米

立石地點：汝陽縣蔡店鄉山上村老母洞

〔碑首〕：天子萬年

創修白雲庵觀音大士洞碑記

伊城西北七十里許，其地有仙人石，即俗□叫爲仙人脚者是也，其仙跡由來舊矣。逶迤東北一里有金劍榧，造石洞，塑觀音大士本像於洞中，因起名白雲庵。創修者何人？平安里肅莊鎮紙房村里氏汪君諱自禄與其子長浩等，二十年間墾田於仙人石下，修廬舍以便作息，耕畲之暇，見往來行過斯地者夏月苦煩，因□貲於仙人石西北□□餘，地名□道脩茶庵，□□行人便之。邑令鄧公行至茶庵，爲之褒嘉不置焉。一日，夢觀音大士……救苦救難，爲心喜之，眼散而爲千眼□之，手散而爲千手令子，能以利人濟物爲懷，是予之多一手爲□用也。□□□萬之人，皆以此□心，即謂予有億萬之手眼亦可也，善哉，善哉！汪君寤覺，怦然動於中曰：觀音其有意於□□哉！因爲之□□址於此地果吉。於是命石工當山之胸，疏磴道抉幽穴，登登然馮馮然，一旦使荆棘□□，化爲□碧煙，□砌之以紫房耶、梵宫耶，盡天地皆醖釀風味耶。汪君捐己囊，募衆善，成此仙居勝景，庶不貽林澗之愧也。附近居□□□□斯地，或爲之祈禱雨澤也，且或爲之拜求藥餌也，莫不如其意而去。向非汪君以全真之性，陶然而跳世塵，烏能□□神有求輒應若是哉？是知匹夫慕義何處不勉，人果向善即是靈山未之思也，夫何遠之有？

賜進士出身文林郎山西汾州府孝義縣知縣□□汪錩撰書。

山主趙琚：捐錢五百。初起石：二錢，陳得玉、陳得貴。

功德主：汪自禄，子長浩、次澗、三法、四淵，捐錢一十一千，又捐米糧一十五石七斗，匠工飯食費用；又捐貲勒碑題名外，多瑣碎捐……連自己用工，俱未悉載。總化主陳正諫捐銀五錢，共化嵩伊兩縣善士錢二十九千零三錢四文，繼作石工李希梅、郭生珠、郭進□、□□石、何林、蘇循、鄭可舉、賀丙辰。總化主劉太儒捐錢二百，共雜費錢四十千零三十四文。鐫字郭守拱、□□□、孫云、□□□、張福□。

皇清乾隆二十年歲次乙亥仲秋上浣吉（旦）。

柒柿村創建觀音堂碑序

大凡事之無関於民生者君子弗貴焉觀音菩薩之神不知始於何代然世傳其救苦救難庇佑羣黎設堂以祀不亦宜乎第貲財無出創立為難余感之因捐谷乙石着佃户李來平協力經營不数年得錢十餘千余曰功可成矣遂鳩工庀村建斯堂為行見有苦者救之有難者救之而柒柿一鎮無不蒙其庇佑矣豈徒曰鎮風水壯觀瞻並以啟婦女之淫祀乎哉是為序

座主生員劉播　胞弟劉栻　劉楫　劉桐

命姪孫武生劉含心書丹

督工佃户李來平

吏員趙思恭[illegible]

木泥匠　杜開[illegible]　范文魁

鉄筆匠康世顯

大清乾隆三十五年歲次庚寅閏五月吉日立石

【一〇三】　柴柿村創建觀音堂碑序

年代：清乾隆三十五年

尺寸：高 57 釐米，寬 90 釐米

立石地點：汝陽縣柏樹鄉黄路村東倉房奶奶廟

柴柿村創建觀音堂碑序

大凡事之無關於民生者，君子弗貴焉。觀音菩薩之神，不知始於何代，然世傳其救苦救難，庇佑羣黎，設堂以祀，不亦宜乎。第貲財無出，創立爲難，余感之，因捐谷乙石，着佃户李永平協力經營。不數年，得錢十餘千，余曰：功可成矣。遂鳩工庀材，建斯堂焉，行見有苦者救之，有難者救之，而柴柿一鎮，無不蒙其庇佑矣。豈徒曰鎮風水、壯觀瞻，並以啓婦女之淫祀乎哉！是爲序。

莊地主生員劉楷，胞弟劉栻、劉桱、劉桐，命次子武生劉全心書丹。

吏員趙思恭捐獸三對。督工佃户：李永平。木泥匠：杜聞義、范文魁。鐵筆匠：康世顯。

大清乾隆三十五年歲次庚寅閏五月吉日立石。

【一〇四】　重脩伽藍殿碑記

年代：清乾隆四十年

尺寸：高 162 釐米，寬 60 釐米

立石地點：汝陽縣蔡店鄉寶應寺

〔碑首〕：寶應禪寺

重脩伽藍殿碑記

竊聞伽藍者，佛之護法也。護法而推關帝者，爲其忠勇能伏諸魔，以爲佛門之羽儀，禪林之干城也。故凡名山古刹皆有伽藍殿。而寶應寺於康熙丙子歲亦立之，數十年來，風雨頹敝，神幾露處。有趙君瑞、閆君琨、閆君珩、王君元章議重脩之。寺僧因地基逼窄，議擇地於東隅，坐東面西，重構堂而祀焉，以舍衛太子、給孤長者配饗，而議者遂紛紛矣，曰：伽藍不可以偏居也，太子、長者不可以並列也。愚意以伽藍之位望崇隆，誠不可以偏居，而以佛門弟子而論，或不妨以偏居。蓋當辭曹時，沂水遇普静，諄諄序關西之舊，若平日甚慕乎佛教之清净，故與僧人綢繆如斯也。至其歸天後，顯聖玉泉，恩怨猶未釋然，得普静師一言點化而頓悟，又若真皈依佛教者。吾故曰：在祇園中，或不妨於偏居也。至於太子、長者之配饗，亦可以皆爲佛門弟子論矣，又何疑焉。議既定，於是趙君等募化各村，鳩工庇材，不數月而其功告成，刻桷丹楹，金碧輝煌，焕如也。此皆趙君等之力也，亦各村善士之力也，又寺僧經營之力也。爰勒石以誌不朽。

邑國子監太學生彭大本沐手敬書。

化主：洪燦、吴來、王宣、吴鐐、白崇正、郭士英、趙連璧、白水慶、白煌、白永太、白作正、董大武、董作卜、周繼武、董大智、吴桐、王萬年、顧謨、董大本共施錢一千零八十文。

功德主：趙瑞：三千。處士閆琨：三千。閆珩：一千。王元章：三千。衆村化主：閆耀然：二百。張弘勛：三百。寧璠：三百。王思堯：五錢。監生王思定：一兩。何自榮：六百。孟盡倫：五錢。賀自祥：二錢。衆村化主：龐懷德：二錢。孫行己：三錢。李國俊：三錢。胡文奎：一錢。彭大寶：二錢。陳思孟：一錢。汪宏：二錢。何進公：二兩。李進才：一千。趙璲：一千。閆會合：一千。李天祥：一千。彭大乾：一兩。閆惠：八百。閆公升：一兩。張明仁：八百。生員王良士：六百。平永振：六百。王平：五百。張明禮：五百。閆琰：五百。王容源：五百。王平：五百。靳秉乾：五百。孟憲孔：五錢。孟則孔：五錢。孟學禮：五錢。陳綸：五錢。張子明：四百。趙維城：四百。孟維世：四錢。何自鳴：三百。張世榮：三錢。仝爾玉：三錢。孫養智：三錢。孫持己：三錢。彭尚志：五錢。彭立志：三錢。馬士平：三錢。貢生張苞：三百。張合：三百。張安邦：三百。張斗：三百。監生閆芝芳：一千五百。張奎：三百。寧文燦：三百。劉輔周：三百。劉良：三百。閆仁：三百。張子鳳：三百。王元愷：三百。蘇盡禮、閆儒、趙有年、閆飭、閆有忠、張允公、張允珍、寧瑄、張性生、張立朝、張德生、張文、張晟，以上各二百、張有德、何印文袁瑄、袁大典、仝爾秀、賀得禄、王定民、王思順、王保山、邢九亮、何永年、王鋭祥、何永瑞、王瑞、賈興，以上各二錢。蘇盡忠：一百廿。谷成：一百五。王文相：一百廿。文子周：一百廿。餘有仁：一百廿。閆芝秀：一百一。張文舉、袁世偉、吴虎、徐乾、閆程、餘其林、武正林、陳弘治、閆模芳、陳弘獻　張子松、顏全、顏廣、郭表章、張立中、閆春成、姬要、閆振邦、張温、閆瑗、餘其才、馬玉、張儉、蘇宏義、寧懷信、湯悦、賀天成、賈學義、王洞源、王繼孟、劉印章、王逢源、王宣、仝爾太、渠天保、杜可舉、蔣世林、張會、徐酉、顔良、吴亮、張立位、張福生、王梅芳、侯進朝、徐學亮、仝爾利、王昆、張守合以上各一百。賀天才、仝九朝、生員仝逢寅、任子敬、仝桂楫、仝三畏、文楚氏、文有智、陳經、孫養兼、袁珆、袁紹、袁廷楷、袁世德、蘇盡誠、袁世春、袁大受、袁世寬、袁世福、王大元、段貴、袁世勳、袁大經、張顯、陳思順、申進忠、汪順、張金福、汪開太、趙五順　杜天高、王思孔、王廷獻、郭福珠、王思湯、王萬孔、王金魁、王來民、武正明、王思禹、邢文宣、武正魁、邢文社、邢文會、陳孝、胡有公、邢世全、黄璞、以上各一錢。文太、文月、仝而法、渠天爵、高福得、賀天福以上各五分。

住持：覺秀、覺瑞、覺祥。徒：圓脩、圓來、圓印，崇興寺師叔明順，華嚴寺師弟覺福、徒圓敬。

木泥匠：蘇宏義。金塑匠：劉焕。鐵筆：徐龍。

乾隆四十一年小春月穀旦吉日。

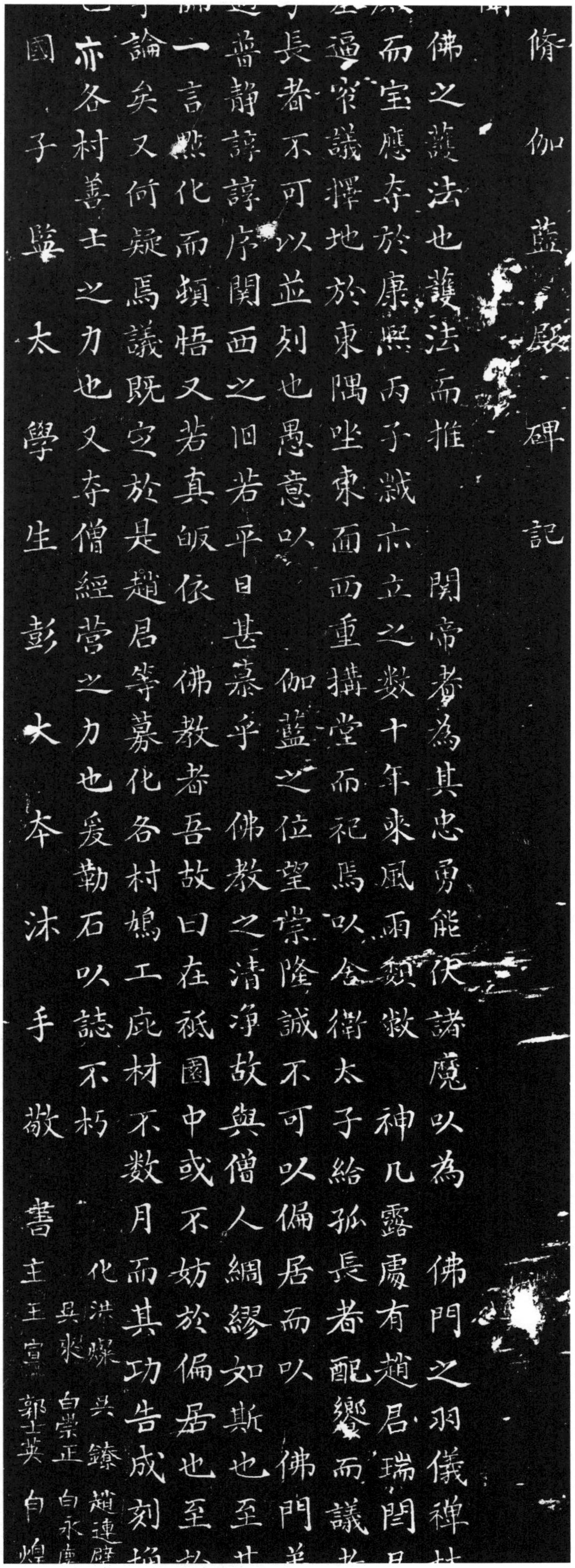
脩伽藍殿碑記
佛之護法也護法而推　關帝者為其忠勇能伏諸魔以為　佛門之羽儀禪林
而宝應寺於康熙丙子歲亦立之數十年來風雨頹敝　神几露處有趙居瑞閆君
遷寄議擇地於東隅坐東面西重搆堂而祀焉以合衛太子給孤長者配饗而議者
長者不可以並列也愚意以　伽藍之位望崇隆誠不可以偏居而以　佛門並其
普靜諄諄序閱西之旧若平日甚慕乎　佛教之清淨故與僧人綢繆如斯也至其
一言然化而頓悟又若真皈依　佛教者吾故曰在祇園中或不妨於偏居也至於
論矣又何疑焉議既定於是趙居等募化各村鳩工庀材不數月而其功告成刻
亦各村善士之力也又寺僧經營之力也爰勒石以誌不朽
化　洪燦　吳鐐　趙連璧
吳來　白崇正　白永慶
國子監太學生彭大本沐手敬書
主　王富　郭士英　白煌

原大局部

移修伽藍殿碑

余幼閱邑乘讀　先河澗公重修練溪寺記知其地為陸渾山水之一每一遊焉輙盤桓竟日低徊留之不能去與寺僧無言上人交最久後設帳於外不至其地者數年於茲矣丙申夏端陽之辰角巾野服扶酒殽與二三執友為重遊之約沿溪口而上不數武遙見正室三楹棟宇輝煌榱桷燦爛遠挹山水之秀近擷花木之鮮堊堊色新與修篁茂樹相映鐵馬聲遠偕松風鶴韵齊鳴巍然煥然盤根曲澗迴湍之間起出層巒怪石之上者何殿也進上人而問之則曰伽藍殿也伽藍何神曰　關聖帝也伽藍之為　關帝何所考曰不知也　關帝之為伽藍何所昉曰不知也噫吾因之有感矣今夫鄉黨州閭有德行道藝文章功業名於一時而流傳後世者凡婦人孺子及智愚賢不肖之輩皆艷而稱之傳為盛事而慕奇名附清流者遂於世遠年湮荒唐莫可究詰之後託為骨肉聯為親舊冀援以自重而借以為榮不知涇渭淄澠之不容強合也即如我　孔子儒教之宗主也自有問禮老聃之說而老者曰　孔子吾師之弟子也佛者亦曰　孔子吾師之弟子也由是而道家者流列　關帝於馬趙溫後以為四帥由是而浮屠子弟誤　關帝以伽藍護法之說夫　關帝誠非我　孔子比也第即史冊所載歸漢去曹秉燭達旦諸大節磊磊落落類非武臣勇將所堪比倫我

朝定鼎以來

勅封忠義神武靈佑伏魔大帝春秋之祭隆以太牢通都大邑以及窮鄉僻壤咸建廟祀之其威靈顯應赫赫耳目間者為何如然惟功愈高名愈峻而親近攀依之者亦愈多伽藍之說所由來與愈知　關帝之德光明俊偉聞風者化匪類者從雖曲學異說莫不推墨附儒援儒入墨比而托之以自誇耀亦猶我　孔子不因老佛之言而有損且因老佛之言而彌彰也試觀無言上人手胼足胝既勞且貴以成斯殿者伽藍之靈與　關帝之靈與諸君子好善樂施不少吝惜以共成斯殿者伽藍之靈與　關帝之靈與善男信女焚香拜禱熙熙而往攘攘而來者伽藍之靈與　關帝之靈與寺中山明水秀氣象萬千　先河澗公記之詳矣亦不具錄第即伽藍之說辨之以釋厥疑或者以伽藍為須達給孤獨長者或又以為祇陀太子云云

伊陽縣儒學教諭王煒

紫邏書院山長殷學脩

邑乙酉拜舉人揀選知縣馬希融撰

邑廩膳生員陳嶼書丹並篆額

大清乾隆四十一年歲次丙申十月十五日立石

【一〇五】　移修伽藍殿碑

年代：清乾隆四十一年

尺寸：高 218 釐米，寬 76 釐米

立石地點：汝陽縣城關鎮武灣村寺溝練溪寺

移修伽藍殿碑

余幼閱邑乘，讀先河澗公《重脩練溪寺記》，知其地爲陸渾□山水之一，每一遊焉，輒盤桓竟日，低回留之不能去。與寺僧無言上人交最久，後設帳於外，不至其地者數年於兹矣。丙申夏端陽之辰，角巾野服，挾酒殽與二三執友爲重遊之約，沿溪口而上，不數武遥見正室三楹，棟宇輝煌，榱桷燦爛，遠挹山水之秀，近掇花木之鮮。黝堊色新，與修篁茂樹相映；鐵馬聲遠，偕松風鶴韻齊鳴。巍然焕然，盤根曲澗，迴湍之間，超出層巒怪石之上者，何殿也？進上人而問之，則曰伽藍殿也。伽藍何神？曰關聖帝也。伽藍之爲關帝何所考？曰不知也。關帝之爲伽藍何所昉？曰不知也。噫！吾因之有感矣。今夫鄉黨、州閭間，有德行、道藝、文章、功業，名於一時而流傳後世者，凡婦人孺子及智愚賢不肖之輩，皆艷而稱之，傳爲盛事。而慕奇名附清流者，遂於世遠年湮，荒唐莫可究詰之後，托爲骨肉，聯爲親舊，冀援以自重，而借以爲榮，不知涇渭，淄澠之不容强合也。即如我孔子，儒教之宗主也，自有問禮老聃之説，而老者曰：孔子吾師之弟子也。佛者亦曰：孔子吾師之弟子也。由是而道家者，流列關帝於馬趙温後，以爲四帥。由是而浮屠子弟，誤關帝以伽藍護法之説。夫關帝誠非我孔子比也，第即史冊所載，歸漢去曹、秉燭達旦诸大節，磊磊落落，類非武臣勇將所堪比倫。我朝定鼎以來，敕封忠義神武靈佑伏魔大帝，春秋之祭，隆以太牢，通都大邑以及窮鄉僻壤，咸建廟祀之，其威靈顯應，赫赫耳目間者，爲何如？然惟功愈高，名愈峻，而親近攀依之者亦愈多。伽藍之説所由來，與愈知關帝之德，光明俊偉，聞風者化，匪類者從，雖曲學異説，莫不推墨附儒，援儒入墨。比而托之，以自誇耀，亦猶我孔子，不因老佛之言而有損，且因老佛之言而彌彰也。試觀無言上人手胼足胝，既勞且費，以成斯殿者，伽藍之靈與關帝之靈，與諸君子好善樂施，不少吝惜，以共成斯殿者。伽藍之靈與關帝之靈，與善男信女焚香拜禱，熙熙而往，攘攘而來者。伽藍之靈與關帝之靈，與寺中山明水秀，氣象萬千。先河澗公記之詳矣，兹不具録。第即伽藍之説辨之，以釋厥疑，或者以伽藍爲須達給孤獨長者，或又以爲祇陀太子云。

伊陽縣儒學教諭王煜，紫邏書院山長殷學脩。

邑乙酉科舉人揀選知縣馬希融撰，邑廩膳生員陳焕書丹並篆額。

大清乾隆四十一年歲次丙申十月十五日立石。

重修練溪寺鐘楼碑記

考之周禮鳧氏為鐘梓人為筍虡鐘必有虡匕必兩卿是故擊其所懸而由其虡鳴詩所謂設業設虡崇牙樹羽是也故廟堂之制懸鼓在西懸鐘在東鐘楼之設此其所由昉歟邑東北十餘里曰練溪寺蓋古刹也其東南隅舊有鐘楼一楹不詳其所自始亦無碑記可考姑闕之以俟參稽焉昔余戚友申公張公諸邑宿先後肄業於此每春秋之交輒擔酒携盒徐徐過訪至則列爵劇飲高談闊論不知樂之何極與酣即登楼凭眺一豁醉眸但見青山四壁脩竹千竿幽情勝概挹之不盡遂徘徊而不能去至於月明人静清風徐來憂然一擊聲如虎吼魑魅為之潛蹤魍魎為之匿跡餘音鏗然不覺萬慮俱清鐘之不可無楼也如是夫然歷年既久風雨剝蝕雖無追蠡之傷爰有巖墻之恐寺僧隆順及其徒姪傳東傳合傳海傳香等皆醇謹有施為乃延請邑紳諸善士募化得金既創修中殿伽藍殿又重修山門丹漆黝堊金碧輝煌盡成巨觀獨鐘楼蕪陋如故余深以為憾歲甲寅隆順等又復節省其餘蓄金數十獨力重修鳩工庀材易朽而堅易舊而新砌以磚石崇以臺基雖因其舊址而規模宏壯過之幾費經營而工始告竣問序於余余念其成功之勞而其善之不可沒也因為敘其巔末參諸舊聞而擇其近理者以贅於後業鐘之為言動也物以動成鐘蓋音之大者也律呂之生起於黄鐘之宫其行屬土其象為君其數八十一為萬物之所自始是以古之君子聞鐘則知君鐘所以為樂之綱也乾金之精生於西北其聲始隆而終殺聖人鏗之以為鐘所以譬道之用也鐘之為用大矣哉斯楼既成將見午夜搏擊聲聞遠邇喚千家之迷蒙警斯人之昏夢於以發聾振聵其有裨於世教者正復不淺至於快學士之遊覽資幽人之登眺又其末已若夫宣佛號誦經文金鐃法鼓間以洪鐘謂斯楼之設足以佐釋氏之焚修壯梵院之靈感此惟老於佛者知之余不能道一字也

邑庠生陳文壇撰文并書

邑庠生張景芝篆額

監生馬玿同姪廩生馬金錫監生馬金蘭捐錢拾伍千

江西新建縣商人隆錢號捐銀叁拾兩

龍飛大清乾隆六十年仲夏穀旦

【一〇六】　重修練溪寺鐘樓碑記

年代：清乾隆六十年

尺寸：高 217 釐米，寬 72 釐米

立石地點：汝陽縣城關鎮武灣村寺溝練溪寺

重修練溪寺鐘樓碑記

考之周禮，鳧氏爲鐘梓人爲筍虡。鐘必有虡，虡必有飾。是故擊其所懸，而由其虡鳴。詩所謂設業設虡，崇牙樹羽是也。故廟堂之制，懸鼓在西，懸鐘在東。鐘樓之設，此其所由昉歟。邑東北十餘里曰練溪寺，蓋古刹也。其東南隅舊有鐘樓一楹，不詳其所自始，亦無碑記可考，姑闕之，以俟参稽焉。昔餘戚友申公、張公諸邑宿，先後肄業於此，每春秋之交，輒擔酒攜盒，徐行過訪。至則列爵劇飲，高談闊論，不知樂之何極。興酣，即登樓憑眺，一豁醉眸。但見青山四壁，脩竹千竿，幽情勝概，挹之不盡，遂徘徊而不能去。至於月明人静，清風徐來，戛然一擊，聲如虎吼，魑魅爲之潛蹤，魍魎爲之匿跡，餘音鏗然，不覺萬慮俱清。鐘之不可無，樓也如是。夫然歷年既久，風雨剥蝕，雖無追蠡之傷，幾有嚴墻之恐。寺僧隆順及其徒侄傳東、傳合、傳海、傳香等，皆醇謹有施爲，乃延請邑紳諸善士，募化得金，既創修中殿伽藍殿，又重修山門，丹漆黝堊，金碧輝煌，盡成巨觀。獨鐘樓蕪陋如故，余深以爲憾。歲甲寅，隆順等又復節省，其餘蓄金數十，獨力重脩，鳩工庀材，易朽而堅，易舊而新，砌以磚石，崇以臺基，雖因其舊址，而規模宏壯過之。幾費經營，而工始告竣。問序於餘，余念其成功之勞，而其善之不可没也，因爲叙其巔末，參諸舊聞，而擇其近理者，以贅於後。夫鐘之爲言動也，物以動成鐘，蓋音之大者也。律吕之生，起於黄鐘之宫，其行屬土，其象爲君，其數八十一，爲萬物之所自始，是以古之君子聞鐘則知君，鐘所以爲樂之綱也。乾金之精，生於西北，其聲始隆而終殺，聖人鏗之，以爲鐘所以譬道之用也，鐘之爲用大矣哉。斯樓既成，將見午夜搏擊，聲聞遠邇，唤千家之迷蒙，警斯人之昏夢，於以發聾振聵，其有裨於世教者，正復不淺。至於快學士之遊覽，資幽人之登眺，又其末已。若夫宣佛號、誦經文，金鐃法鼓，間以洪鐘，謂斯樓之設，足以佐釋氏之焚修，壯梵院之靈感，此惟老於佛者知之，余不能道一字也。

邑廩生陳文壇撰文並書，邑庠生張景芝篆額。

監生馬玿同姪廩生馬金錫、監生馬金蘭捐錢拾伍千，江西新建縣商人隆錢號捐銀叁拾兩。

龍飛大清乾隆六十年仲夏穀旦。

修石佛祠碑記

釋與儒不同道儒者多詆釋爲異端不知浮圖之學非無要言其經籍及語録亦有與吾道相發明者昔昌黎韓公力排邪説而髙閑文暢之流嘗有文相贈答明道先生設坐不背佛像他若永叔之於秘演東坡之於佛印不可勝道固亦未可厚非也村迤西旧有禅院一所規模寛廣輝映密□僧衆不下數十人附近赴武當進香者皆於此設齋醮焉迨兵燹後刼火焚燒勝地鞠沈僅遺石佛像三尊委棄榛莽間荒凉之状不堪寓目村人□戚然傷之倡議捐脩祠宇一楹移像其中藉以妥神耳非敢云功德也工既竣索文於余余惟釋迦牟尼文佛生西方中天竺國宗其教者以本性爲法身並真身而爲三其實一人耳今兹之舉亦有所感而興起謂禅自禅儒自儒可謂禅借儒儒借禅亦可謂禅以悟儒儒以悟禅亦無不可豈得謂彼挾其空虚沉晦之學不克自悟而遂漠然無所動於其中哉故因衆請而爲之記

賓授懐慶府儒學副堂張鵠珂□先選文　姪國子監太學生千一峻菴書丹

大清嘉慶二年歲次丁巳四月□吉日立

【一〇七】 脩石佛祠碑記

年代：清嘉慶二年

尺寸：高121釐米，寬60釐米

立石地點：汝陽縣大安工業區曹劉莊村佛爺廟

脩石佛祠碑記

釋與儒不同道，儒者多詆釋爲異端，不知浮圖之學，非無要有，其經籍及語録亦有與吾道相發明者。昔昌黎韓公力排邪説，而高閑文暢之流，嘗有文詞相贈，答明道先生，設坐不背佛像，他若永叔之於秘演，東坡之於佛印，不可勝道，固亦未可厚非也。村迤西舊有禪院一所，規模寬廣，輝映宏稱，僧衆不下數十人。附近赴武當進香者，皆於此設齋醮焉。迨兵燹後，劫火焚燒，勝地銷沈，僅遺石佛像三尊，委棄榛莽間，荒涼之狀不堪寓目。村人等慨然傷之，倡議捐脩祠宇一楹，移像其中，藉以妥神耳，非敢云功德也。工既竣，索文於余，余惟釋迦牟尼文佛生西方中天竺國，宗其教者，以本性爲法身，並真身而爲三，其實一人耳。今兹之舉，亦有所感而興起，謂禪自禪，儒自儒，可謂禪借儒，儒借禪；亦可謂禪以悟儒，儒以悟禪，亦無不可，豈得謂彼挾其空虚沉晦之學，不克自悟，而遂漠然無所動於其中哉！故因衆請，而爲之記。

實授懷慶府儒學副堂張鳴珂景先撰文，姪國子監太學生千一峻菴書丹。

功德化主：侯中棟：千五。張璽：千六。武生侯應彪：錢三千。劉克法：千八。張元美：千四。張元明：一千。張明道：千六。侯應魁：千五。曹禮千三。 張珩千三。侯中琨一千。張現：八佰。□□：千四。□□德：千三。張元德：千三。張□道：千三。李學虎：九百。李榮：七百。張文舉：八百。張元升：八百。張連：八百。張合道：七百。張元祚：六百。張□：五百。張禮：五百。侯中全：五百。侯中孝：五百。侯中桂：四百。梁銓：四百。劉福：四百。張柄：四百。張滿：四百。張有：四百。張琰：三百。張宗：三百。曹鳳章：三百。張富：三百。李琚：三百。侯峻書：三百。張伸：三百。張廉：三百。李富：二百。李思敬：一百。張書：二百。張詩：二百。侯中成：二百。曹璟：三百。張序：二百。張寬：一百。張呈：一百。張本道：一百。曹建學：一百。趙端：一百。

金塑匠：張□。

大清嘉慶二年歲次丁巳四月吉日立。

【一〇八】　河南汝州伊陽縣觀音寺重脩大雄寶殿碑記（碑陽）

年代：清嘉慶三年

尺寸：高238釐米，寬80釐米

立石地點：汝陽縣小店鎮聖王臺村觀音寺

河南汝州伊陽縣觀音寺重脩大雄寶殿碑記

敕賜崧山大少林祖庭脱學沙門古梅散釋撰並丹書，京都僧録司右講經兼住永壽禪林玉堂篆額。

佛乃西方大聖人也。其道以寂滅爲宗，其化以仁慈爲本，於其□□□□昭王時甲寅二十四日，四虎八□夜覩瑞光，霞輝萬道，王問太史蘇由，曰：西方有大□，其名曰佛，今已望也，故所現此靈瑞爾。王曰：於國何如？由曰：即今□□□□而□之後，其教被及此土，道列諸石，埋於南郊，此吾佛所生之始也。迨於後漢明帝之朝，□□於洛陽，夜夢金人，其相巍巍，丈而有六。帝覺寐曰：何其夢也？博□□□□□周史有曰：佛教千載之下，使傳於中區者，方今驗矣。朕所夢者，乃大禎之兆也。□□□□事蔡□王遵向西邀請佛法，而衍入中國者，自□聲教漸近，九□□□□□滿天下，此吾佛設教之始也。然後累朝欽沐，哲王仰化，□□□王於我朝以善而治，天下莫不以佛爲之尚也。而高崇其道，景慕其□□□營造佛區，莊潢聖典，□悟於昔者也，苟非大聖之嘉猷，胡能遠其化哉！且夫佛者□□也，苟非□□而覺數覺之謂也。蓋此覺者，先天之太也，□□地之宗由也。□□於之父母也，□才之模□□，諸佛因斯覺而記斯道，□靈脩斯覺而達聖賢，君秉斯□□而善天下，□臣民假斯覺而爲忠良也。故吾佛以覺而言者，如斯之謂矣。嗚□，生於佛也，均同造化而共受□□覺者也，無一絲之相隔、毫髮之間阻，而實同於一氣□□□德民未悟，皆真覺以合，塵有不能明於此者，則佛哀而出現，興慈運悲，闡揚其化，而引導於未證耶已。開人之□□，□人之迷惑，絶人之嗜欲，指人之達道，意在於趨□□，地出□□之疣，如斯而已矣。苟非小善，而輕利於世也。其功之大，罔莫測焉。且今之觀音勝刹，住持道圓猶能□□□□祖道□佩佛氣構办中緣，而啓創□，且□□雄也。挹舞□斗绣□闥穿雲，金碧交輝，綵飾密布，其嚴脩之麗，難再勝矣。日以將完，來告落成，乞曰：□□□片言，銘□□□。余惟自陰陽分判以來，三才定位之後，□□於中國者，未嘗有不善於世也。蓋善者仁義之本也，大道之正也，苟非以善而治於世者，則彝倫之内，而恢恢粉之矣。故釋氏之教，專善於天下者，斯爲尚矣，豈可□□焉。是以採邈佛跡，粗陳一二，用紀歲月云。

時大明弘治拾伍年季秋九月重陽後六日也。

伊陽縣知縣休寧張旭，縣丞壽光劉墉，主簿岱州沈友輔，儒學教諭遷安李友，訓導滄州王亨，銅陵陳希和，典史劉昭。

廩膳生員馬紹，增廣生員楊佐、曹明浩，讀記陰陽生王浩，聽選官王傑、胡文。峴山乾明寺退隱明德，長老墁翠峯庵嗣祖，當代住持明端，沙門明古鑑。

長歌縣石匠：侯剛，男侯德景、侯德川。

本山當代住持道圓，同本寺都□普學立石。

重修觀音堂碑

【一〇九】 重修觀音堂碑記

年代：清嘉慶三年

尺寸：高 145 釐米，寬 57 釐米

立石地點：汝陽縣城關鎮雲夢村桃源宮

〔碑首〕：重修觀音堂碑

凡村莊建廟，所以培地脉壯觀瞻，時遊歷昭勸戒也。邑東南七里許，有村名馬欄者，雲高東峙，汝水西流，園竹參天，渠柳夾岸，形勢之逶迤，風景之幽秀，志所稱桃源勝跡者也。村南渠側舊有觀音堂一座，創建之始不可考，而因時修補，代有其人。茲者墻垣傾圮，神像塵封，斯又舍舊圖新之一機也。村中善女舊有積麥數斗，羽士趙君管理數載，又多捐己貲，募善以濟之。於是鳩工庀材，施章設采，數月勞瘁，一朝落成。第見翚飛鳥革，映緑竹以齊輝；金像玉容，含碧浪而生色。遊覽者莫不皎耳目、悦心志□，於是勒諸碑碣，以垂不朽云。

邑恩貢生就從七品州判職姬雲錦撰，邑庠生員姬雲瑞書。

□□馬欄觀：李合廣、趙從、□同，徒：康教芳、范教法。

化主四人：吉王氏：捐麥一斗，錢五百，管飯一頓。毛潘氏：捐麥一斗，錢五百，管飯一頓。牛楊氏：捐麥一斗，錢二百，管飯二頓。焦秦氏：捐錢一百。李安德：捐麥一斗，錢二百石木。趙組、趙良、趙明各捐錢七百。趙敬昌、武生棟碩，上各五百。□敬：麥五升，錢二百。王成福：麥一斗，錢五百。王有福：麥五升，錢三百。庠生杜林、王珍、李張氏，上各三百。張張氏：捐麥二升。楊黄氏、楊趙氏、毛温氏、毛楊氏、趙高氏、趙王氏、吕張氏、姬雲□、姬雲程、庠生姬雲從、張林、潘林、張玉□、高隆、寧建極、寧建成、寧□林、吏員潘繼高、王朋、谷進才、吴于、吴孫氏、楊崔氏、楊□氏、李成章、曹棁、曹富、陳合、梁陳氏，上各二百。庠生姬雲瑞、李丙、張朝爵、張楊氏、張雷氏、杜□氏、郭天佑、劉辰山、朱朝松、程義、劉生、郭天順、毛生木、楊黄氏、毛劉氏、羅永合、黄秉義、肖迎、焦□□、趙丹川、李□□、李有才、李盡經、付世芳、尚朋、趙文丙、段崇會、潘有、陳張氏、張翟氏、張金氏、王希武、劉松□、劉曹氏、師武氏、師劉氏、師武氏、師白氏、師趙氏、黎順、温建美、劉萬福、□智全、馬常□、孔□氏、吴□、吴有信、吴士純、王福、張李氏、耿黄氏、耿李氏、耿王氏、楊吉氏、楊張氏、楊曹氏、曹陳氏、曹武、黄君朝、曹漢甫、曹趙氏、曹保平、楊王氏、宋李氏、王智、王仁、王官、王信、王楊氏、王張氏、高君奇、王兆興、閆聰、齊王氏，以上各一百文。

鉄筆匠張富儒捐錢二百。

賣樹一株，錢一千，堂内用。募化衆貲一十九千，共費錢二十八千文。

大清嘉慶三年二月吉日立。

觀音寺敕脩水陸殿記

石埜鎮之南有寺曰觀音，其敕始奚攷，後以因循頹廢，萎莽彌目，遺址無存。有鐵船和尚駐錫於此，見泉水曲流，愛其地，劃刈荒穢，訪諸野老，則曰是故觀音寺也。遂誓志修復，徧募檀樾，而此寺於以中興。然規制粗定，地勢淺狹，僅建山門、佛殿，而水陸殿不能備。寺後枕聖王台，疊石嶙峋，高踰數丈，其下積水漫潤汙下，不可治。自鐵船以來，屢廢屢興，限於地無所施工，人咸以為憾云。越凡上人嗣法臨濟，為是寺名僧久矣，妙入三摩，常越四大，每念及此，憂心如擣，約段君（諱雨蒼，字秉東）協力相勢，度形劃石，剷土積，以歲月闢而敞之，擴而大之，始得地若干。水之漫者潴以池，地之窪者覆以土，砌石數尺，周遭完堅，然後恢宏舊制，建水陸殿五楹，方丈禪室以次就理，創設鐘鼓，接引來學，燃法炬，發祥輪，證辟支之果，參最上之乘。四方飛錫者接踵而至，蔚然為叢林一宗，可謂盛矣。余于是嘆天下之至難者，無不可為也。昔延沼七祖開山白雲，當其時，叢林翳薈，荊棘滿山，豺狼是窟，虎豹為群，獨能闢除荊榛，建立殿閣，游戲三昧，大轉法輪，倡明臨濟正宗，一時證道高足，傳其法以衣鉢天下，所在梵寺皆為風穴下院，迄今五十有餘世，猶為空門之冠。如越師、段君之所為，其不與之後先媲美哉！今越師現主白雲法席，余時至其室，聆山水之音，頓生道心，相與往復不厭，偶談其故寺始事之勤，屬余為記，並邀遊焉。余登寺之臺上，觀女水遶於前，[illegible]，[illegible]可接，茂林脩竹，相與掩映，溪流紆餘，鏘鳴金石，遂不禁心曠神怡，與青蓮香山共有方外之思也。欣然援筆而為之記。是寺也，重修觀音閣功德主則有王君廷[illegible]、前事則有劉君奇[illegible]，敕脩水陸殿功德主則有段君雨蒼，例得並書，永垂不朽云。

信士王明德錢十千，[illegible]文炳錢五千，張家寨水陸堂師叔通庵徒心現（心喜）銀四十兩，報國庵曾孫續[illegible]、玄孫本禮（合）銀三十兩。

戊申科解元鄭人雲莊氏孟藻江撰文　泥水匠張緒　子嘉吉　木匠張榮　馬純　鉄匠孫坤

邑雲山太學生安脩己書丹

功德主生員段霖　子[illegible]　施銀一百二十兩　本寺開山當代住持心悟　嗣法門人達[illegible]　徒源[illegible]　孫廣[illegible]　曾孫續[illegible]　玄孫本祥

武庠生士超（一千）　劉[illegible]（一千）　蘇起貳千　姚[illegible]　王夢臣　王位（一千）　師弟心煌　帶髮[illegible]源清

化主李倣（一千）　李松齡（一千）　劉秉義（一千）　王在田（一千）　王[illegible]　佐（一千）　陶王[illegible]　興（二百）　源風錢十千

[illegible]王在浦（一千）　馮鍾文（一千）　[illegible]大[illegible]（一千）　劉昭（一千）　[illegible]五　禮（一千）　陳[illegible]　貴（三百）

[illegible]　李東[illegible]　[illegible]　張[illegible]　[illegible]朱世[illegible]　[illegible]生　張續（一兩）

龍飛嘉慶三年歲次戊午菊月穀旦　金粧匠劉宗信　鉄筆匠李鳳　徒白貳

【一一〇】　觀音寺創脩水陸殿記

年代：清嘉慶三年

尺寸：高 229 釐米，寬 83 釐米

立石地點：汝陽縣小店鎮聖王臺村觀音寺

觀音寺創脩水陸殿記

石臺鎮之南有寺曰觀音，其創始莫考。後以因循頹廢，蓁莽彌目，遺址無存。有鐵船和尚駐錫於此，見泉水曲流，愛其地，剗刈荒穢，訪諸野老，則曰：是故觀音寺也。遂誓志修復，徧募檀樾，而此寺於以中興。然規制粗成，地勢淺狹，僅建山門、佛殿，而水陸殿不能備。寺後枕聖王臺，疊石嶙峋，高踰數丈，其下積水漫瀾，污不可治。自鐵船以來，屢廢屢興，限於地無所施工，人咸以爲憾云。超凡上人嗣法臨濟，爲是寺名僧久矣，妙入三摩，常超四大，每念及此，憂心如擣。約段君雨蒼、宇東協力，相勢度形，劖石劚土，積以歲月，闢而敞之，擴而大之，始得地若干。水之漫者豬以池，地之窪者覆以土，砌石數尺，周遭完堅。然後恢宏舊制，建水陸殿五楹，方丈禪室以次就理。創設鐘鼓，接引來學，燃法炬發祥輪，證辟支之果，參最上之乘，四方飛錫者接踵而至，蔚然爲叢林一宗，可謂盛矣。余于是嘆天下之至難者，無不可爲也。昔延沼七祖開山白雲，當其時繁林蘙薈，荆棘滿山，豺狼是窟，虎豹爲羣，獨能闢除荆榛，建立殿閣，遊戲三昧，大轉法論，倡明臨濟正宗，一時證道高足傳其法，以衣缽天下，所在梵寺，皆爲風穴下院。迄今三十有餘世，猶爲空門之冠。如段君超師之所爲，豈不與之後先媲美哉！今超師現主白雲法席，余時至其室，聆山水之音，頓生道心，相與往復，不厭偶談。其故寺始事之勤，屬余爲記並邀遊焉，余登寺之臺上，觀汝水遠抱，紫邏峴峯，翠光可接，茂林脩竹，相與掩映，溪流紆餘，鏘鳴金石，遂不禁心曠神怡，與青蓮香山共有方外之思也。欣然援筆而爲之記。是寺也，重修觀音閣，功德主則有王君廷瑞，首事則有劉君奇、李君三奇。創脩水陸殿功德主則有段君焉，例得並書，永示不朽云。

信士王明德：錢十千。袁文炳：錢五千。張家寨水陸堂師叔通睿，徒心喜、心現：銀四十兩。報國庵曾孫續瑞、續根、續成、續顯，玄孫本合、本禮：銀三十兩。

戊申科解元郡人雲莊氏孟藻江撰文，邑雲山太學生安脩己書丹。

功德主監生段霖、段震，子教諭士元、生員體元、貢生榮元、武生殿元、貢生條元：施銀一百二十兩。化主：武生黄士超：錢十千。李徹：錢三千。監生王在浦：錢五百。劉君：錢一千。李松齡：錢一千。馬鍾文：錢一千。蘇起武：錢一千。督工劉秉義：錢一千。譚大夏：錢一千。姚文：錢五百。王在田：錢五百。劉昭：錢一千五百。王夢臣：錢五百。王佐：錢一千。譚五禮：錢一千。王位：錢一千。陶惠、王興：錢二百。陳貴：錢三百。解元孟藻江、舉人楊菖銀三兩。監生屈芳草、監生李東銘、舉人趙書曰、吏目李西銘各銀二兩。監生張嵩峯：銀二兩。監生李丙南：銀三兩。監生安脩己、鄉耆朱世禄銀三兩。監生張績：銀二兩。

本寺開山當代住持：心悟，師弟：心惺，嗣門法人：達禄、達敬、達興、達馥，徒：源倫、源興、源澄、源磬，孫：廣吉、廣鍾、廣書、廣易、廣智、廣潤，曾孫：續林、續聲、續法、續統、續燈、續建、續緣，玄孫：本祥，帶髮徒：源清、源鳳，錢十千。

泥水匠：張縉、子孟吉。木匠：馬純、張榮。鐵匠：孫坤。金粧匠：劉宗信。鐵筆匠：李鳳，徒白武。

龍飛嘉慶三年歲次戊午菊月榖旦。

以因循頽廢蓁莽彌目遺址無存有鐵船和尚駐錫於此見泉水曲流愛
中興然規制粗成地勢淺狹僅建山門佛殿而水陸殿不能脩寺後枕聖
無所施工人咸以為憾云 超凡上人嗣法臨濟為是寺名僧久矣妙入
月闊而敞之擴而大之始得地若干丈之漫者瀦以池地之窪者覆以土
接引來學燃法炬發祥輪證辟支之果參最上之乘四方飛錫者接踵而
開山白雲當其時叢林翳薈荊棘滿山豺狼是窟虎豹為群獨能闢除荊
下所在梵寺皆為風穴下院迄今三十有餘世猶為空門之冠如段君超師之
道心相與往復不厭偶談其故寺始事之勤屬余為記並邀遊焉余登寺
遂不禁心曠神怡與青蓮香山共有方外之思也欣然援筆而為之記是
功德主則有段君焉例得並書
文炳錢五千 張家寨水陸堂師叔通曆徒心喜現銀四十兩 報國

原大局部

粵自漢明帝遣使之天竺得佛經四十二章此佛法入中國之所由始也有佛則必有所以佐佛護法者以故捍災悍患出自佛心之旋轉而驅暴禁亂厥惟天王之威多是佐佛護法之所由顯也觀音寺山門山腰有殿宇神像歷年久遠殿破像毀嗣後重經修理開殿宇之雜煌突而像循殘缺此閻浮提工功德事生者與枯者共籌化未之思大厦柱石為推甘心功德主督率與眾山主勸勉而住持心慘徒源典等全立金塑匠昌希振......鐫匠韓俊

【一一一】 金粧觀音寺神像碑記

年代：清嘉慶二十三年

尺寸：高 164 釐米，寬 69 釐米

立石地點：汝陽縣小店鎮聖王臺村觀音寺

粤自漢明帝遣使之天竺，得佛經四十二章，此佛法入中國之所由始也。有佛則必有所，以佐佛護法者，以故拯災恤患，雖出自佛心之旋轉，而驅暴禁亂，厥惟關天王力居多，是佐佛護法之所由賴也。觀音寺山門内舊有殿宇神像，歷年久遠，殿破像毁。嗣後重經脩理，雖殿宇已輝煌矣，而像猶殘缺闇淡也。督工功德主王君興本、寺住持字超凡者，經營金粧，同心戮力，勤儉積貯。又恐大厦非一木之力所能支，全裘非一狐之腋所能成，復懇衆山主，共爲募化。未幾而神光耀彩，與殿宇共相輝映焉。雖由功德主督率，與衆山主贊勷，而住持超凡之功爲最。功竣因勒石，以誌不朽。

大清歲次戊寅應鐘月，汝郡貢生夢暘氏劉烒敬撰並書。

督工功德主王廷瑞，住持心悟，法弟心惺，徒源興等仝立。

金塑匠：吕希哲。

（以下漫漶不清，不易辨識，略而不録）

重修聖水寺山門碑記

伊北四十五里許有寺曰聖水創自宋開禧年間其山門之建未知始於何時爰考其迹至乾隆四十六年重修僧人護持可歷久卜常新焉詎意嘉慶癸酉歲大饑僧人逃散因有急民衆間毀折一切傾圮之象幾不堪目睹迨甲戌以後院墻廚房已有善士起而整理之獨山門未修邊有王公諱若曾者慨然以興復為己任因與諸同志相商共成此舉諸公亦欣然樂從廣募貲遂庀材木運甸庀鳩匠工經之營之未嘗休息由是高明爽塏棟宇輝煌凡前時之所有者悉一一修補之規模宏遠無異舊時自經始至落成凡月餘亦可謂用心之勤矣營繕既備碧石在廷索余束記予欲為之奈其文而謬其理欲不為之恐湮其功而民其德不獲已敢述之云耳

邑後學庠生常森蔚起氏沐手撰書

功德主　耆老王若曾[illegible]施錢二十六千六[illegible]

經理人　[illegible]王景僑施錢[illegible]

化主　劉超儒施錢伍佰　常應選施錢一佰　熊萬洋施錢伍佰　李振宗施錢壹千

王九智施錢[illegible]　劉文炤施錢伍佰　王世松施錢伍佰　陳[illegible]施錢伍佰

王君易施錢[illegible]佰　王永福施錢五佰　王繩祖施錢[illegible]佰　[illegible]元[illegible]佰　王守身施錢[illegible]佰

[illegible]

住持張復禮

王工陳周施錢二佰

大清道光三年歲次癸未蕤賓之月穀旦立

【一一二】 重修聖水寺山門碑記

年代：清道光三年

尺寸：高 174 釐米，寬 61 釐米

立石地點：汝陽縣蔡店鄉辛店村舜王廟

重修聖水寺山門碑記

伊北四十五里許，有寺曰聖水，創自宋開禧年間。其山門之建未知始於何時。爰考其跡，至乾隆四十六年重修，僧人護持，可歷久卜常新焉。詎意嘉慶癸酉歲大饑，僧人逃散，因有急民乘間毀拆一切，傾圮之象幾不堪目覩。迨甲戌以後，院墻、廚房已有善士起而整理之，獨山門未修。適有王公諱若曾者，慨然以興復爲己任，因與諸同志相商，共成此舉。諸公亦欣然樂從，廣募貲費，遂庀材木、運陶瓦、僦匠工，經之營之，未嘗休息，由是高明爽塏，棟宇輝煌。凡前時之所有者，悉一一修補之，規模深邃，無異曩昔。自經始至落成，凡月餘，亦可謂用心之勤矣。營繕既脩，礱石在庭，索余求記，予欲爲之，奈寡其文而謬其理；欲不爲之，恐湮其功而泯其德，不獲已，故述之云耳。

邑後學庠生常森蔚起氏薰沐撰書。

功德主：耆老王若曾、子喜隆、孫金成、□成施錢二十六千六百。經理人：李景儒：施錢一千。化主：監生劉超儒：施錢伍百。武生常應選：施錢二百。耆老熊萬祥：施錢伍百。監生李振宗：施錢一千。李卓：施錢二百。王九智：施錢五百。州同劉文昭：施錢五百。約正望世松：施錢五百。約正陳璽：施錢五百。耆老王居易：施錢三百。梁永福：施錢五百。常繩祖：施錢二百。李占元：施錢三百。耆老王守身：施錢三百。王征鶴：施錢三百。常逢年：施錢五百。王元戎：施錢二百。王繼舜：施錢三百。熊松芳：施錢三百。

住持：張復禮。玉工：陳周：施錢二百。

大清道光三年歲次癸未蕤賓之月穀旦立。

創建觀音堂拜殿碑記

昔先王以神道設教而獨取象於觀以知觀之時義為至大也易曰大觀在上中正以觀天下下
觀而化觀天之神道而四時不忒此城市村里所由共有觀音堂之設也歟歲甲申予撥徒大安
見有
觀音堂一座規模整飭煥然一新詢之知為宗先輩例貢生　莪林公所創建　公之居近堂側嘗
讀舊碑知有明時香火最盛兵燹之後蕩然無存
國朝雖屢加重修僅有室一楹而拜殿闕如　公乃矢願欲獨力創建拜殿甫興工村衆信士咸有
獨為君子之恥於是各抒己囊以助成功夫　公之願善願也衆信士無不踴躍爭先共成義舉
是可見風行地上先王以省方觀民設教之至意迄今猶未艾也　公之嗣庠生□寀不忍沒其
先公之志並衆信士之意欲立碑以示將來而問序於予誼不容辭遂沐手而為之序
洛邑丁外科舉人李文蔚撰文並書

功緣姓氏

武生趙紹清三千　趙先甲千五　監生李慶元千五　李惠元千五　李允元一千　李化龍一千
監生翟□□一千　翟成憲三千　李挺一千　武舉李逢元二千　李位元千五　李見龍五千
庠生趙學曾二千　監生趙其魁三千　武生李玉山二千　李宗元一千　李少元千五　武生李金城千五
張朝先二千　趙其正一千　武生李名元二千　李文元千五　李定元二千　李金錫二千
翟成章一千　趙天一一千　監生翟鳴皋三千　李贊元千五　李雲龍千五　李金堂一千

皇清道光六年五月吉日立

【一一三】 創建觀音堂拜殿碑記

年代：清道光六年

尺寸：高 162 釐米，寬 64 釐米

立石地點：汝陽縣大安工業區大安村觀音堂遺址

創建觀音堂拜殿碑記

昔先王以神道設教，而獨取象於觀，以知觀之時，義爲至大也。《易》曰：大觀在上，中正以觀天下。下觀而化，觀天之神道，而四時不忒，此城市村里所由共有觀音堂之設也歟！歲甲申，予授徒大安，見有觀音堂一座，規模整飭，焕然一新。詢之，知爲宗先輩例貢生茂林公所創建。公之居近堂側，嘗讀舊碑，知有明時香火最盛，兵燹之後蕩然無存。國朝雖屢加重脩，僅有室一楹，而拜殿闕如，公乃矢願欲獨力創建拜殿。甫興工，村衆信士咸有獨爲君子之恥，於是各抒己囊，以助成功。夫公之願善願也，衆信士無不踴躍争先，共成義舉，亦可見風行地上，先王以省方觀民設教之至意，迄今猶未艾也。公之嗣庠生㦸宰不忍没其先人之志並衆信士之意，欲立碑以示將來，而問序於予，誼不容辭，遂沐手而爲之序。

洛邑丁卯科舉人李文蔚撰文並書。

助緣姓氏：武生趙維清：三千。監生翟發慶：一千。千總趙學普：二千。張朝先：二千。翟成章：一千。趙先甲：千五。翟成憲：三千。監生趙其魁：三千。趙其正：一千。趙天一：一千。監生李慶元：千五。李挺：一千。武生李玉山：一千。武生李名元：二千。監生翟鳴皋：三千。李惠元：千五。武舉李逢元：二千。李宗元：一千。李文元：千五。李贊元：千五。李允元：一千。李位元：千五。李少元：千五。李定元：二千　李雲龍：錢五。李化龍：一千。李見龍：五千。　武生李金城：千五。李金錫：二千。李金臺：一千。

皇清道光六年五月吉日立。

【一一四】　重建觀音堂並金粧衆神像碑

年代：清道光二十八年

尺寸：高 210 釐米，寬 73 釐米

立石地點：汝陽縣小店鎮趙村觀音寺

〔碑首〕：永固

重建觀音堂並金粧衆神像碑

伊東二十五里聖王西北鎮趙家村觀音堂，依山作宇，山名清泉，古天心寺也。東連汝墳，西接雲夢，南枕峴峯，北面汝水，一古刹也。此地幽雅甲於普陀，古人相傳非虚語也。或云昉自元魏，或云鼎建自唐記，開闢於延沼。千峯誌載：溯中興於鐵船，靈塔宛在。萬曆中，劉公遊千峯詩云“宿莽殘碑有漢文”，則漢代遺跡知有崆峒皇帝問道之所，西有雲夢王大仙脩煉之地。明末中原板蕩，寺僧逃亡，觀音堂宇僅存數椽。國朝康熙年間，有本村首事朱、趙、李諸君重經脩理，凡遠近善士爲病祈愈、求子即應，大勢規模，殿堂僅容數人。嘉慶十二年，無人照理，合村具啓恭請静一禪師入寺焚脩。道光乙巳年，風穴方丈退隱茲山，念一上人公退之暇，目都（覩）殿宇窄狹，意欲脩葺。奈工程浩大，獨力難成，因會同合村首事監生朱君焕、監生趙君萬選、監生朱君坤，耆英李君均、監生李君琮、生員曹君宗海、武生趙君青山，醫學李君卿雲、運中，趙君唐、馬君貫、朱君燦、趙君坦、馬君智、趙君崇，耆英朱君懷玉、懷聚，張君克讓、朱君純，李君復太、錦蘭，各捐己貲，募化四方，善信共勷厥功，鳩工庀材，撤舊更新，殿閣、廊廡各次第營建，凡五月越而落成焉。上人請詞於餘，因記其實而述之。秋七月工程告竣，姓名列於貞珉，功德永垂不朽矣。

伊陽縣儒學正堂花堈甫王圻撰文，汝郡後學紹儒甫張正學書丹。

伊陽縣儒學正堂王師爺施神路壹條，陸尺寬，長至大路。

（功德主漫漶不清，略而不録）

□□風穴真脩嗣法門人慧林、典座正果、堂主景峯、總理天然、書記明鏡、副寺萬珠共捐錢五十千。

□□正宗第三十九世住持僧：緒來、緒生、緒法、緒林、緒臣，徒：本年、本脩、本壽、本建、本香、本脩、本偉、本讓、本茂、本盛，孫：覺春、覺深、覺勤、覺墀、覺通、覺同、覺相、覺成、覺焕，曾孫：昌果、昌彦、昌簡、昌遠、昌永、昌和、昌雲、昌喜、昌科、昌安、昌太，元孫：隆順、隆峯、隆惠仝立。

金塑匠：王令元、劉振芳。泥木匠：李大昌、王令爵。鐵筆匠：閆清林、尚居寬。

道光二十八年歲次戊申孟秋上浣穀旦。

重修觀音堂拜殿并金粧神像碑記

嘗聞朱文公有云前人作而後人述斯言也非第云於古即今亦有師其意而行者伊北大安鎮中街舊有
觀音堂一座拜殿三楹迄今歷年久遠風雨日損殿則頹廢神像則暗淡殊不足以壯觀瞻趙君振峰等目睹心傷慨
然起重修志第念狐裘非一腋所能成大廈非一木所能支因而募化本鎮衆善士無不踴躍樂輸於是鳩工庀
材數越月而工告竣焉行見頹廢者興復之暗淡者光明之雖曰重修豈不功同創始哉蓋是役也苟非有前人
作之於始雖美亦弗能彰苟非有後人述之於終雖盛亦烏能傳是以序其大略勒諸貞珉以垂不朽云
邑儒學生員張仲甫撰文並書

大清道光二十九年歲次己酉律中黃鐘月　穀旦

【一一五】 重修觀音堂拜殿並金粧神像碑記

年代：清道光二十九年

尺寸：高 162 釐米，寬 65 釐米

立石地點：汝陽縣大安工業區大安村觀音堂遺址

重修觀音堂拜殿並金粧神像碑記

嘗聞朱文公有云：前人作而後人述。斯言也，非第云於古，即今亦有師其意而行者。伊北大安鎮中街舊有觀音堂一座、拜殿三楹，迄今歷年久遠，風雨日損，殿則頹廢，神則暗淡，殊不足以壯觀瞻。趙君振鐸等，目覩心傷，慨然起重修志。第念狐裘非一腋所能成，大廈非一木所能支，因而募化本鎮衆善士，無不踴躍樂輸。於是鳩工庀材，數越月而工告竣焉。行見頹廢者興復之，暗淡者光明之。雖曰重修，豈不功同創始哉！蓋是役也，苟非有前人作之於始，雖美亦弗能彰；苟非後人述之於繼，雖盛亦烏能傳。是以序其大略，勒諸貞珉，以永垂不朽云。

邑儒學生員張仲甫撰文並書。

生員李調元：三千。千總趙學普：三千。武生趙名揚：一千五百。武生翟萬山：三千。翟應書：三千。李金盤：三千。監生趙鳴盛：三千。翟貫三：二千。監生竇嵩山：二千。李金鍔：一千。監生張九歌：一千。谷進德：一千。李化龍：一千。監生翟云龍：一千。武生楊景川：一千。王丙午：一千。王心一：一千。尚繼堯：一千。監生李金璽：一千。李萬忠：一千。薛中舉：八百。尚平川：一千。黄金萬：七百。武生翟鳴崗：五百。谷桐、武生李金城、李金榜、李金臺、李九純、李憲章、李天成、竇嵩岳、李金寶、李之屏、趙魁彪、趙文彪、生員李光裕各五百。侯得柯、張孟林、竇嵩嵐、趙振鐸、翟瑞、竇書奈、王西山、翟應聚、盛鑑、竇淑羣、翟成云、武生陳振清、王興魁各五百。吴天法、薛振清、監生張廷臣、胡萬壽、薛堅錫、翟成憲、張大艮、竇□昌、武生趙靖邊、翟從甲、武生翟榮光、鄭文祥各五百。武生翟云山：四百，武生王世□、趙□、張金榜、王月、武生趙廷彪各四百。王書鑑、趙有慶、李朝選、張九成、陳天文、翟振倫、符克儉、黄俊元各三百。王三聘、衛君相、王振西、張官太、韓宗本、竇書山、趙振卷、宅濯、盛德明、竇永賢各三百。翟應運：二百、李永福：二百。翟振有、李金堂、陳天保、盛正安、陳天元、張保全、汪玉鳴、汪玉積、陳太、張玉山、翟云從、生員汪夢鶴、王金山、趙三盛各二百。竇振和、梁朝太、張金相、李之綱、李根盈、李之璉、盛廣彦、李之瑚、李秀章、李金相、李金燧、竇書士、范□友、竇平南、趙進朝各二百。□書善、張弁、張彪、竇光分、竇嵩月、翟學濬、翟學曾、翟振拔各二百。韓宗舉、史丙文、劉國正、王興合、汪彦云、翟五丁各一百。翟應聘：二百。周祥：一百。竇書舉：一百五。李元和：一百五。王書堂：一百五。谷金里：一百。李金發：一百。翟其順：一百。翟振友：一百。竇書羅：一百。竇嵩華：一百。

鐵碑□人：王貴月。化匠：汪玉嵩。

大清道光二十九年歲次己酉律中黄鐘月穀旦。

重修觀音堂並金粧神像創建台基陪房山門碑記
古者建廟設神所以使人觸目警心善者仰之而善愈遷惡者觸之而惡自改然則神道設教豈不大有關
於風化哉茲汝伊□東車□舊有觀音堂一座創建於萬歷年間固付刘等姓之功也至乾隆丁卯我
曾祖諱登□字名□□□許化賢捐資募化而重新之迄今屈指八十餘年矣歷年多則風雨漂摇鳥鼠穿壞
于是神像闇淡行道之人為之心惻況躬處宇下乎以故合村善士及本鎮住持目覩心傷各捐已資鳩工庀
材於□□地者而補葺之闇淡者而新粧之非直此也台基山門陪房亦自此而建自此而成矣功成之日囑文
于予予學疎才淺未能暢闡其義聊叙其事列諸貞珉庶幾不掩人善云爾
芳園瑞庵氏潘祥撰文并書　施錢兩仟
興
全　暨徒昌魁
孟冬月吉日立石
鐵筆匠高文泰
木泥匠張　明
金塑土匠刘振芳

【一一六】 重修觀音堂並金粧神像創建臺基陪房山門碑記

年代：清道光年間

尺寸：高 135 釐米，寬 60 釐米

立石地點：汝陽縣小店鎮車坊村泰山廟

重修觀音堂並金粧神像創建臺基陪房山門碑記

古者建廟設神，所以使人觸目警心，善者仰之而善愈遷，惡者觸之而惡自改。然則神道設教，豈不大□有關於風化哉！茲汝伊交界車坊村舊有觀音堂一座，創建於萬曆年間，固付、劉等姓之功也。至乾隆丁卯，我曾祖諱登□字名揚、張君諱化賢捐貲募化而重新之，迄今屈指八十餘年矣，歷年多則風雨漂摇，鳥鼠穿壞，于是神像闇淡，行道之人爲之心惻，況躬處宇下乎？以故合村善士及本鎮住持目覩心傷，各捐己資，鳩工庀材，於傾圮者而補葺之，闇淡者而新粧之。非直此也，臺基、山門、陪房亦自此而建、自此而成矣。功成之日，囑文於予，予學疏才淺，未能暢明其義，聊叙其事，列諸貞珉，庶幾不掩人善云爾。

芳園瑞菴氏潘祥撰文並書，施錢兩仟。

耆老英胡士爵：施錢二千。吏員潘竹：施錢二千。太和堂：施錢三千。付坤：施錢二千。永盛號：施錢五千。人和號：施錢四千。商協友：施錢四千。永和號、史杲、楊潤各錢二千。向文焕、□大有、張善璧、董蘭、潘脩、潘松、潘心太各錢二千。穆克脩、李全各錢一千五百。潘文：施錢一千二百。杜敏中：施錢一千。董照、東興號、薛維新、同心號、董應明、潘明、潘濤、雙昇號、向文潤各錢一千。楊恭順：錢八百。董敬：施錢七百。□學□：施錢□百。高文太、明遠堂、貞利號、張景太、□□廣、董九祥、趙孟美、白文海、潘克讓、陳永理、商清文、張善步、崔庭賓、潘居太、陳天魁，以上各施錢五百。付□、李思忠、董會元、常東元各錢四百。陳天瑞、陳天和、胡□□、潘俊、潘流、潘清太、潘震、胡□珠、胡維清、胡繼德各錢四百。胡士忠：施錢三百七十。全盛號、杜春□、白兆瑞、陳忠元、梁永茂、梁永和、梁卯、高振蘭、張善海、張志、席玉珍、盧灰匠、陳璋各錢二百。

（住持）：□興、□全暨徒：昌魁。

鐵筆匠：高文泰。木泥匠：張明。金塑匠：劉振芳。

……孟冬月吉日。

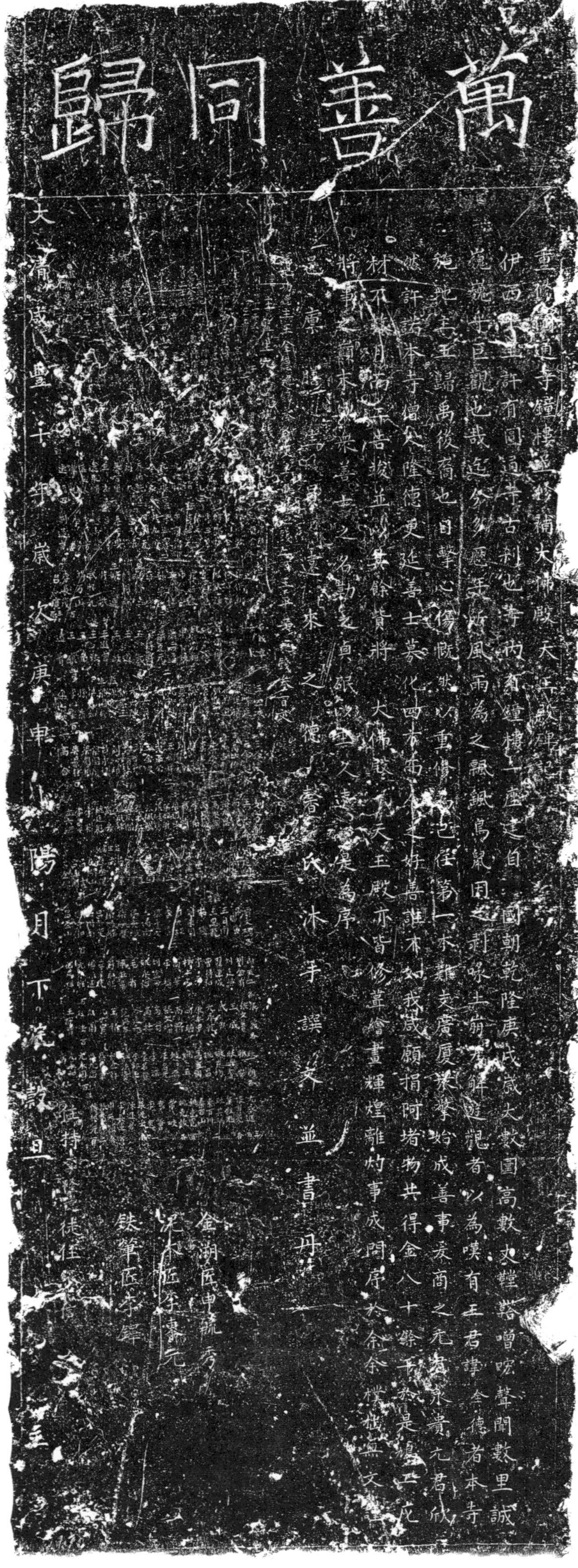

【一一七】　重修圓通寺鐘樓并修補大佛殿天王殿碑記

年代：清咸豐十年

尺寸：高 189 釐米，寬 67 釐米

立石地點：汝陽縣柏樹鄉漫流村圓通寺

〔碑首〕：萬善同歸

重修圓通寺鐘樓並脩補大佛殿天王殿碑記

伊西十里許有圓通寺，古刹也。寺内有鐘樓一座，建自國朝乾隆庚戌歲，大數圍、高數丈，鞺鞈噌吰，聲聞數里，誠巍巍乎巨觀也哉。迄今多歷年所，風雨爲之飄颻，鳥鼠因之剥啄，土崩瓦解，遊觀者以爲嘆。有王君諱全德者，本寺施地主王歸禹後裔也，目擊心傷，慨然以重修爲己任。第一木難支廣廈，衆擎始成善事，爰商之元君永貴，元君欣然許諾。本寺僧人隆德更延善士募化四方，而人之好善，誰不如我，咸願捐阿堵物，共得金八十餘千。於是鳩工庀材，不數月而工告竣，並以其餘貲將大佛殿、天王殿亦皆脩葺繪畫，輝煌離灼。事成問序於余，余樸拙無文，謹將事之巔末與衆善士之名，勒之貞珉，以垂久遠。是爲序。

邑廩膳生員遠來之德馨氏沐手譔文並書丹。

（以下略）

金溯（塑）匠：申毓秀。泥木匠：李東元。鐵筆匠：李鐸。

大清咸豐十年歲次庚申小陽月下浣穀旦立。

重修峴山乾明寺大佛殿碑記

伊邑聖王東南鎮距縣三十里許有寺焉創建於宋知起自何年爲寺古碣在大齊天保時勅名曰頭陀寺唐天成間勅名曰天寺寺至宋開寶年間則又更名曰乾明寺始知由來已久而爲古剎也昭然居其地者將守先志永保前業使古今如出一轍也豈不偉哉何歷年久遠經費無度竟令本寺香火地畝悉屬人有不惟奉神無資且四壁蕭然餬口亦幾有不給儻已甚矣僧人了元不忍祖業廢墜遂寄居於斯而主持寺事焉黎明即起有亡則黽勉以求致用因時朝夕則勤儉有度日積月累苦不堪言閱年餘而地近籍寺者數十畝焉時至癸亥春初大佛殿忽傾覆然閒意欲獨任經營之勞奈積金若干適多鬻財故思募化以助厥功不意運遭衰年志未竟遂而中道輟止可慨也夫其徒梧魁繼緒師志慨然以爲己任爰與段君衛一仝簡相商焉經理經直述志確然樂施者有數家綜計錢數叁拾叁仟伍百整尚有不足更增其師所許之資而修理之爾由是旭于庞村經之營之不數日而功告竣廟宇巍煥無復曩日土崩瓦解之毒矣是不可不誌之以爲後世者勸

伊邑庠膳生高席珍撰文並書丹

首事人
段月三千　段定三千五　段武五千二　段坤千二
段中乾各一千　段光鼎各四千　段双林各一千　段康樂千三
段光鑄千一　段光曾千四　段是林一千　段云錦五
段光朝各[illegible]　段光卿各[illegible]　段東林[illegible]
段光生五　段士林千一　段鳳五千二　段常樂千二

住持了順徒侄僧會司悟魁徒孫真惠奇

鐵筆匠陳銅

大清同治三年歲次甲子九月穀旦

【一一八】 重修峴山乾明寺大佛殿碑記

年代：清同治三年

尺寸：高 110 釐米，寬 50 釐米

立石地點：汝陽縣劉店鎮油坊村楊樹嶺乾明寺

重修峴山乾明寺大佛殿碑記

伊邑聖王東南鎮，距縣三十里許有寺焉，創建不知起自何年，考寺古碣，在大齊天保時，敕名曰頭陀寺。唐天成間，敕名曰天壽寺。至宋開寶年間，則又更名曰乾明寺，始知由來已久，而爲古刹也。昭然居其地者，恪守先志，永保前業，使古今如出一轍也，豈不休哉。何歷年久遠，經費無度，竟令本寺香火地畝悉屬人有，不惟奉神無資，且四壁蕭然，糊口亦幾有不給憊已甚矣。僧人了元不忍祖業廢墜，遂寄居於斯，而主持寺事焉。黎明即起，有亡則黽勉以求致用，因時朝夕則勤儉有度，日積月累，苦不堪言，閱年餘，而地返諸寺者數十畝焉。時至癸亥春初，大佛殿忽傾覆數間，意欲獨任經營之勞，奈積金若干，適多掣肘，故思募化，以助厥功。不意運屬衰年，志未竟遂，而中道輒止，可慨也。夫其徒悟魁繼緒師志，慨然以爲己任，爰與段君衡一令嗣相約整理，繼事述志，羣然樂施者有數家，綜計錢數叁拾叁仟伍百整。尚有不足，更增其師所餘之資，備茲修理之用。由是鳩工庀材，經之營之，不數日而功告竣，廟宇巍煥，無復曩日土崩瓦解之勢矣。是不可不誌之，以爲後世者勸。

伊邑廩膳生高席珍撰文並書丹。

首事人：職員段月三：千五。武生段中魁、監生段光鑄各一千。職員段光朝、職員段光生各千五。段定三：千五。段光鼎、職員段光曾各四千。職員段光卿、監生段士林各一千。職員段云五：二千。段雙林。段芝林各一千。段東林、千五。職員段鳳五：二千。職員段坤：三千。千總段康樂：三千。段云錦：五百。監生段常樂：二千。

住持：了順，徒侄：僧會司悟魁，徒孫：真惠、真奇。鐵筆匠：陳銅。

大清同治三年歲次甲子九月穀旦。

【一一九】 重修天寧寺大殿山門記

年代：清光緒十年

尺寸：高 182 釐米，寬 69 釐米

立石地點：汝陽縣小店鎮小店村天寧寺

重修天寧寺大殿山門記

紫麓寨首事建。

飛瀑急流，汝水繞門而涵緑；層巒疊嶂，峴山當口而聳青。擇爽塏以建叢林，紫邏之峯環抱；移招提而□福地，赤華之舍清幽。劫遇紅羊，現慈航以渡世；經馱白馬，借勝境以安禪。我佛既宏，庇佑衆生，亦樂輪□。寶刹琳宫，焚心香而默禱；紺園碧殿，誓頂禮而□□。蓋有志興脩，十餘年矣。村北有天寧寺一區，明正德年間，自東嶺移建，有善士杜銀獨力創脩，並施良田四十畝，以供香煙，以資饘粥，仁心爲質，義舉斯彰。清修梵行，千金立給孤之園；默契元符，三昧悟宏通之旨。拜莊嚴之相，合掌聽經；闡定慧之根，點頭説法。迨聖朝鏡清砥平，物阜民安。自康熙及嘉慶，雖經三修，而鹿苑荒涼，又見丹青剥落，鶴林寂寞，幾經風雨摧殘，蜃窗蝕於蝸涎，鴛瓦壞於雀角，半頽圮矣。同治元年，修寨限於地基，寺隔寨外。僉謂踞雁塔而下瞰，室廬□若列眉，窺雉堞而無遮，姦宄定然託足，咸將毁寺，以便守陴。有父老曉之曰：修寨將以救人也，毁寺是先滅佛也。禍福之機，捷於影響，善惡之報，何分□幽？豈有黄童白叟，方仰望夫慈雲，銅仙鐵漢，竟先遭乎□露？衆謀遂寢，此寺常存。其後，皖捻鴟張，粤匪豕□。每當蜂屯徧野，鶴唳皆兵，魚鑰難開，燕巢無所，□黄避難，棲止其中。□借香林，便霞初於星晚，□庇浄域，免露宿而風餐。十□寬宏，庶慰仳离□□；法門廣大，羣結歡喜之緣。人人□避難之□，□夜之中，嘗聞甲馬之聲，恍覩旌旗之影。慧□者照，如乘大願之船；法□流甘，克拯衆生之□。慈悲顯著，遐邇同□，咸願鳩工庀材，各思雞肋効□。□因兵戈甫息，饑饉薦臻，志願雖存，功修未立。今日者年書大有，人獲安居，精舍增輝，集衆腋而裘成綴白，化城争麗，借同心而彩始塗丹。北望崆峒，緬廣成之遺跡；西連雲夢，結鬼谷之芳麗。況入薝蔔林，像新迦葉，依菩提樹，果證蘭因。花雨當空，功德灑楊枝之水；曇雲蔭物，皈依參蒲褐之禪。

欽加同知銜候選知縣、辛酉科拔貢、丁卯科舉人馬嵩臨拜撰，賜進士出身四品銜翰林院庶吉士李振鵬敬書，增生馬志瀛謄丹，張進寶鐫。

大清光緒十年九月吉日立。

重修觀音堂碑

蓋聞莫為之前雖美弗彰莫為之後雖盛弗傳天下事大抵然也如金庄鎮何村西頭有

觀音堂一座其創建始自明之天啟至本朝乾隆八年則重修焉又創修拜殿三楹門樓一間功德主孫

何自榮等有碑碣可考迄今百餘歲矣經風雨之漂摇牆垣將覆受塵垢之蒙蔽廟貌無光非有人

起而重修不幾無以妥神靈而壯觀瞻乎幸有善士何文德蓮台等目覩心傷不忍前人之功廢墜弗舉

因不憚煩勞謀及衆士各捐己貲募化本村得錢二百餘千庀材鳩工而土木興焉將見向之闇然

無色者未幾而煥然聿新矣向之傾焉將覆者未幾而巍然在望矣功程告竣囑文於予予不辭譾

陋敘其巔末勒諸貞珉以為後之樂善好施者勸

邑庠生王樹韓廷琪拜撰文並書丹

功德主　何振德　何福熙　何崇德　監生何文德　何蓮台　監生何斐然　何仁興　監生何有祥

驗功人何廣興　何聚成

鐵筆匠史朝陽

泥木匠張學成　張俊德

大清光緒丁亥年清和月穀旦立

【一二〇】　重修觀音堂碑

年代：清光緒十三年

尺寸：高 170 釐米，寬 60 釐米

立石地點：汝陽縣蔡店鄉何村村委會

重修觀音堂碑

蓋聞莫爲之前，雖美弗彰；莫爲之後，雖盛弗傳。天下事，大抵然也。如金莊鎮何村西頭有觀音堂一座，其創建始自明之天啓，至本朝乾隆八年則重修焉，又創修拜殿三楹、門樓一間，功德主係何自榮等，有碑碣可考，迄今百餘歲矣。經風雨之漂摇，墻垣將覆；受塵垢之蒙蔽，廟貌無光。非有人起而重修，不幾無以妥神靈而壯觀瞻乎！幸有善士何文德、蓮臺等目覩心傷，不忍前人之功廢墜弗舉，因不憚煩勞，謀及衆士，各捐己貲，募化本村，得錢二百餘千，庀材鳩工，而土木興焉。將見向之闇然無色者，未幾而焕然聿新矣；向之傾焉將覆者，未幾而巍然在望矣。功程告竣，囑文於予，予不辭譾陋，叙其巔末，勒諸貞珉，以爲後之樂善好施者勸。

邑庠生玉樹韓廷琪拜撰文並書丹。

功德主：何振德、何福然、何崇德、監生何文德、何蓮台、監生何斐然、監生何仁興、何有祥。

驗工人：何廣興、何聚成。鐵筆匠：史朝陽。泥木匠：張學成、張俊德。

大清光緒丁亥年清和月穀旦立。

觀音寺八景詩題

昇聖橋

陟彼橋兮瞻望聖兮卓彼先覺誰與之者行之自
道登高自低從塵可步勉哉耄黎

功德水　劉鴻三

水名功德信非常清且漣漪潤四方極樂國上稱
盛事觀音寺中亦吉祥

東湯玉池

盤銘湔叢六百春禱雨池傳萬年真震位源泉普
向艮共生側面最宜人

西湯玉池　張[illegible]

盥水懷商王禱雨表於此民情樣雲霓聖敬嚴禋
諟汝清思不忘銘池憶鑄祉泉源恰在左得名自
西始

洗心井

身外紅塵千丈深人生一涉便相侵須知井深不
窮養洗我清清白白心

滌慮泉　姚金榜

澄鮮徹底本源清滌盡塵囂一世情凡念來時應
可化禪心到處信堪盟

迎旭閣

傑閣最清幽結搆幾千燦開扉迎旭異鳳樓珠欄
燦金華浮鷁似是瀛洲

横霞閣

高閣横霞滿門多陽返照無言當面邈會佳趣長
天秋水芳園

讚曰　崔[illegible]

昇聖橋兮功德齊湯王禱雨留考稽人能洗
心兼滌慮東西兩閣把名題

大清光緒拾四年圍余月　穀旦

【一二一】 汝陽小店鎮聖王臺觀音寺八景詩題

年代：清光緒十四年

尺寸：高 61 釐米，寬 129 釐米

立石地點：汝陽縣小店鎮聖王臺村觀音寺

觀音寺八景詩題

昇聖橋　張應□

陟彼橋兮，瞻望聖兮，卓彼先覺，誰與之齊？行遠自邇，登高自低，後塵可步，勉哉羣黎。

功德水　劉漢三

水名功德信非常，清且漣漪潤四方。極樂國上稱盛事，觀音寺中亦吉祥。

東湯王池

盤銘開業六百春，禱雨池傳萬年真。震位源泉兼向艮，爽生側面最宜人。

西湯王池　張昊

盈水懷商王，禱雨來祈此。民情懷雲霓，聖敬嚴顧湜。汝濆思不忘，銘池憶錫祉。泉源恰在左，得名自西始。

洗心井　黄尚□

身外紅塵十丈深，人生一涉便相侵。須知井渫不窮養，洗我清清白白心。

滌慮泉　姚金榜

澄鮮徹底本源清，滌盡塵囂一世情。凡念來時應可化，禪心到處信堪盟。

迎旭閣　黄□□

傑閣最清幽，結構幾千秋。開扉迎旭巽，鳳樓珠檻燦，金華浮，疑似是瀛洲。

横霞閣　段奇峯

高閣横霞滿門，夕陽返照無言。當面遥望佳趣，長天秋水芳園。

贊曰　崔脩戟

昇聖橋兮功德齊，湯王禱雨留考稽。人能洗心兼滌慮，東西兩閣把名題。

大清光緒拾四年圍餘月穀旦。

普修觀音寺諸神殿堂兩廂禪房並金粧神像碑記

汝西伊東觀音寺不知建自何年考之遺碑上有湯王行宮下有湯王聖水由來久矣迄今廟宇彫敝神像落彩住持僧本信等徧請首事募化衆貲不敷月工程告竣予在寺教讀日久每逢新霽不勝嘉賞就寺中形勢結搆整齊請撰於窗友馬毓甫曰寺臨聖王幾千秋雲自高飛泉自流一道汝水環玉帶半輪明月橫銀鈎友欣然直書曰峴山之麓汝水之濱有古刹焉千峯秀峙萬壑交流歛翠晴嵐仙屏環抱拖藍漾碧衆派潆洄遊寶地者仰梵宇之崔巍對珠林者瞻琳宮之璀璨屢經重修有舊碣可考爲時既久風雨飄摇玉宇半傾圯矣丹青剥落金容多黯淡矣前欲鳩工因軍興中止同治四年粵匪過境蜂屯遍野欲逞鯨吞之謀豕突臨郊大肆蠶食之志雖堞無庇雖登陴而誰守雁堂遠厰望固囿之實難賴佛力之顯靈方免蟲沙刼借陰兵之呵護克登福禄林肅清以後近村諸善士焚心香而咸悦誓首肯以鼎新衆集衆腋檀越宏布施之金園新給孤迦葉現尊嚴之像於光緒拾二年閏四月經始七月落成曇雲現瑞沛法雨而流甘寶月澄輝照慈航之普渡輝煌淨域輪奐聿新馥郁香林梵唄留響從此經傳白馬齋證皈依之誠禪制毒龍同叨慈悲之蔭是爲記

欽加同知銜即選知縣辛酉科拔貢丁卯科舉人馬藹臨毓甫沐手撰文

汝郡增生弗溪黃安邦靖之甫採輯

汝郡庠生松亭黃丙南應午甫書丹

首事人

監生黃雲和　耆英李忠君　監生王福臨　李孝堂　李孝恭　監生劉首三　監生楊萬年　從九段光朝

李孝義　李性德　袁定邦　武生崔修戩　監生姚金榜　增生黃安邦　段奇峯　監生黃爵梅　朱明德　李孝曾

耆英李忠義　王福祥　監生曹松林　劉謙益　庠生黃丙南　袁春　王令貴　王濟

監生李孝三　劉慎超　陳乾元　蘇明泰　劉慎冬　李性廷　夏士俊　陳喜元　戚光山

趙
水陸堂昌月　星　錢六串
東車坊祖師廟昌泰　陸花　錢捌拾串
道一

當代住持本信
壽覺相　信覺春　讓瑞
昌隆
崇説祥蘭明義祿乾慶運
朝合順海旺行道忠
昌能
榮貴亮富寶運

馬坊坪報國寺覺昌　端崑
風穴方丈昌祥

木泥匠　郭西元　朱浦　各錢伍百　戴文魁　張信　錢兩串
金粧繪工　王振元　王玉文
鉄筆匠　張臣蘭　滕爵信

大清光緒歲次著雍困敦年園余月穀旦立

【一二二】 普修觀音寺諸神殿堂兩廂禪房並金粧神像碑記

年代：清光緒十四年

尺寸：高 209 釐米，寬 72 釐米

立石地點：汝陽縣小店鎮聖王臺村觀音寺

普修觀音寺諸神殿堂兩廂禪房並金粧神像碑記

汝西伊東觀音寺，不知建自何年，考之遺碑，上有湯王行宫，下有湯王聖水，由來久矣。迄今廟宇彫敝，神像落彩，住持僧本信等徧請首事，募化衆貲，不數月工程告竣。予在寺教讀日久，每逢新霽，不勝嘉賞。就寺中形勢，結構整齊，請撰於窗友馬毓甫曰：寺臨聖王幾千秋，雲自高飛泉自流。一道汝水環玉帶，半輪明月横銀鈎。友欣然直書曰：峴山之麓，汝水之濱，有古刹焉。千峯秀峙，萬壑交流，軟翠晴嵐，仙屏環抱，拖藍漾碧，衆派瀠洄。遊寶地者，仰梵宇之崔巍；對珠林者，瞻琳宫之璀璨。屢經重修，有舊碣可考。爲時既久，風雨飄摇，玉阤半傾圮矣；丹青剥落，金容多黯淡矣。前欲鳩工，因軍興中止。同治四年，粤匪過境，蜂屯徧野，欲逞鯨吞之謀；豕突臨郊，大肆蠶食之志。雉堞無庇，雖登陴而誰守；雁堂遠廠，望固圉之實難。賴佛力之顯靈，方免蟲沙劫；借陰兵之呵護，克登福禄林。肅清以後，近村諸善士焚心香而咸悦，誓首肯以鼎新。裒集衆腋，檀越宏布施之金；園新給孤，迦葉現尊嚴之像。於光緒拾二年間四月經始，七月落成。曇雲現瑞，沛法雨而流甘；寶月澄輝，照慈航之普渡。輝煌浄域，輪奂聿新，馥郁香林，梵唄留響。從此經傳白馬，齊證皈依之誠；禪制毒龍，同叨慈悲之蔭。是爲記。

欽加同知銜即選知縣辛酉科拔貢丁卯科舉人馬嵩臨毓甫沐手撰文，汝郡增生柳溪黄安邦靖之甫採輯，汝郡庠生松亭黄丙南應午甫書丹。

首事人：監生黄雲和、耆英李忠君、監生王福臨、李孝堂、李孝恭、監生劉省三、監生楊萬年、從九段光朝、李孝義、李性德、監生袁定邦、武生崔修戟、監生姚金榜、增生黄安邦、段奇峯、監生黄樹梅、朱明德、李孝曾、耆英李忠義、王福祥、監生曹松林、劉謙益、庠生黄丙南、袁春、王令貴、王濟、監生李孝三、劉慎超、陳乾元、蘇明泰、劉慎冬、李性廷、夏士俊、陳喜元、戚光山。

當代住持：本壽、本信、本讓、覺道、覺相、覺春、覺瑞、昌榮、昌歲、昌科、昌蘭、昌明、昌義、昌禄、昌乾、隆月、隆孝、隆合、隆順、隆海、隆旺、隆行、隆道、隆忠、能參、能貴、能亮、能富、能賓、能運。

東車坊：水陸堂：昌月：錢六串，昌星：隆花。祖師廟：昌泰：錢捌拾串。馬垢坪報國寺：覺崑、覺端、昌慶、昌運、風穴方丈昌祥。

木泥匠：郭西元、朱浦、戴文魁各錢伍百。金粧繪工：張信、王振元錢兩串。鐵筆匠：王玉文、張臣蘭、滕樹信。

大清光緒歲次著雍困敦年圉餘月穀旦立。

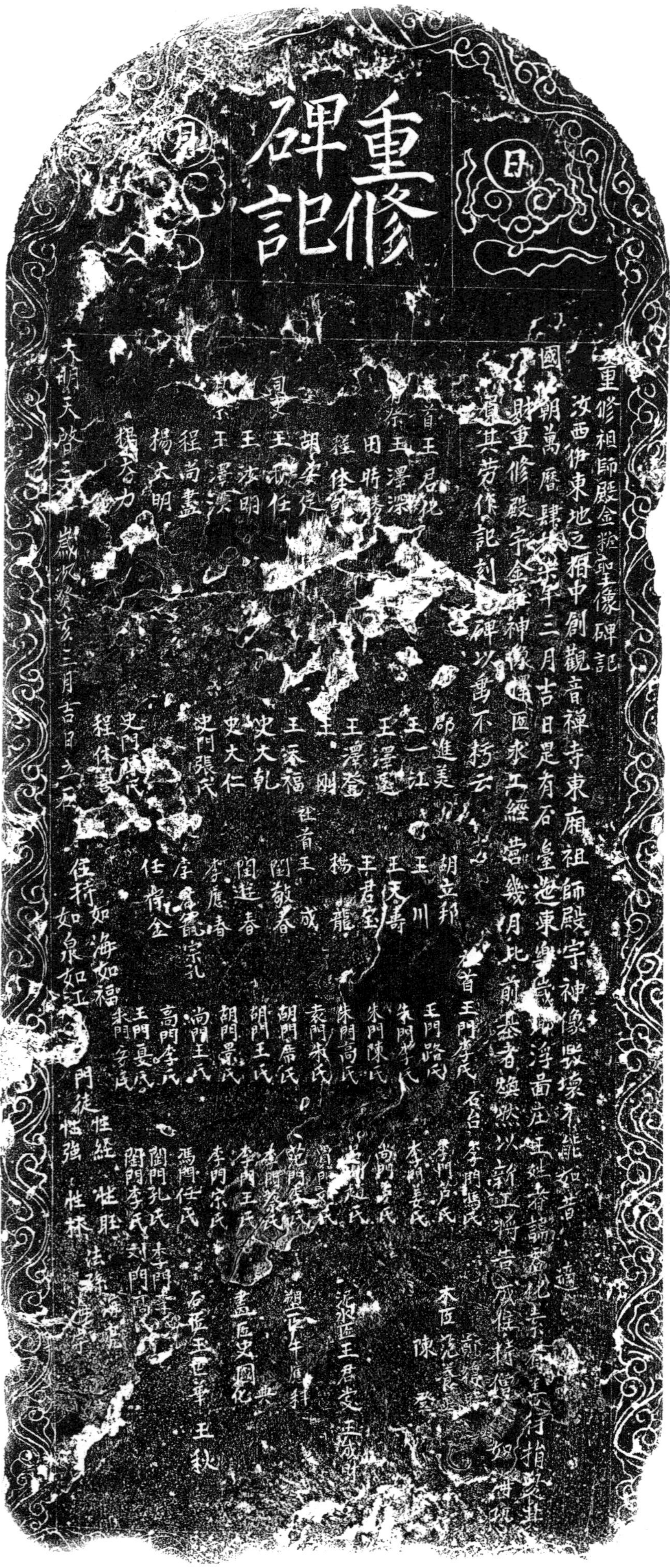

【一二三】 重修祖師殿金粧聖像碑記

年代：明天啓三年

尺寸：高 124 釐米，寬 50 釐米

立石地點：汝陽縣小店鎮聖王臺村觀音寺

〔碑首〕：重修碑記　日月

重修祖師殿金粧聖像碑記

汝西伊東，地之相中，創觀音禪寺。東廂祖師殿宇，神像毀壞，不能如昔。適國朝萬歷肆拾柒年三月吉日，是有石臺迤東欒歲鄉浮圖莊王姓者諱略化，素有善行，捐衆其財，重修殿宇，金粧神像，擇匠求工，經營幾月，比前基者煥然以新。工將告成，住持僧人如海恐負其勞作，記刻□碑，以垂不朽云。

社首王君化、省祭王澤深、田時勝、程體乾、胡安定、司吏王我任、王汝明、省祭王澤澳、程尚盡、楊大明、楊大力、邵進美、王一江、王澤遠、王澤登、王剛、王天福、史大乾、史大仁、史門張氏、史門陳氏、程體善、胡立邦、王川、王天壽、王君寶、楊龍、社首王成、閆敬春、閆遊春、李應春、李君崇、李宗孔、任保金、社首王門李氏、王門路氏、朱門李氏、朱門陳氏、朱門高氏、袁門朱氏、胡門席氏、胡門王氏、胡門景氏、尚門王氏、高門李氏、王門夏氏、朱門安氏、石臺里門馮氏、李門蘆氏、李門姜氏、尚門姜氏、吕門趙氏、賈門劉氏、范門李氏、李門蔡氏、李門王氏、李門宋氏、馮門任氏、閻門孔氏、閻門李氏、李門李氏、劉門高氏。

住持：如海、如泉、如福、如江，門徒：性經、性强、性能、性林，法孫：海亮、海宇。

木匠：鄭□□、范養□、陳登。泥水匠：王君受、王成財。塑匠：牛應科。畫匠：史國典、史國化。石匠：王世華、王秋。

大明天啓三年歲次癸亥三月吉日立石。

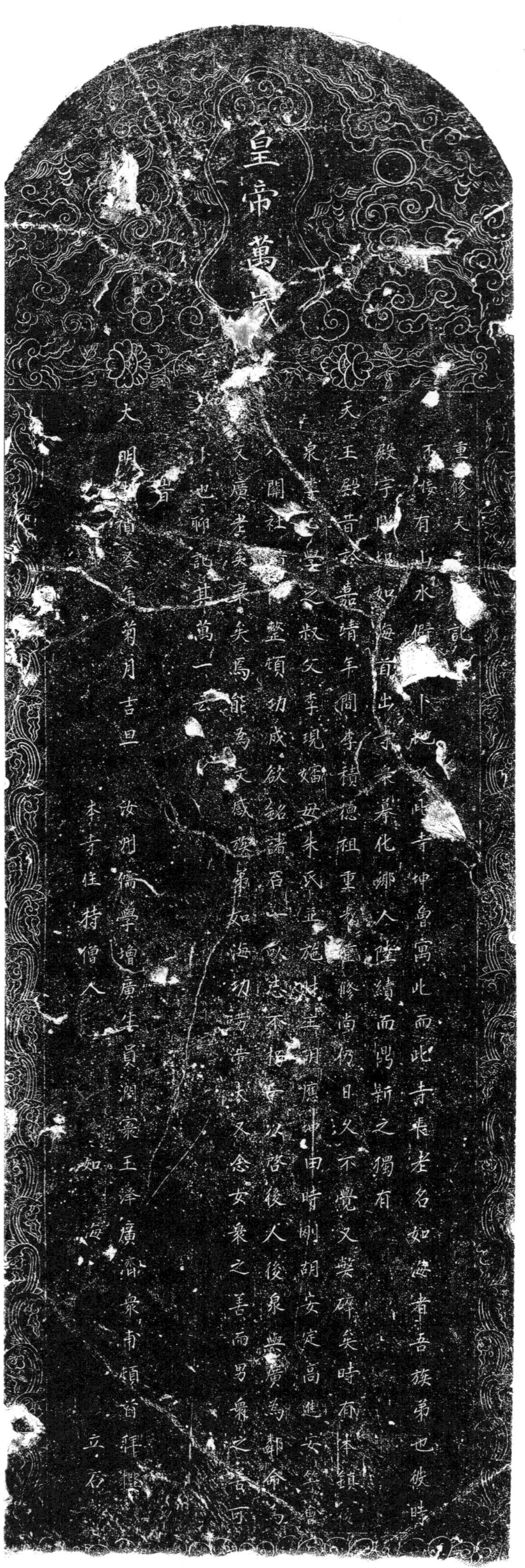

【一二四】　重修天王殿記

年代：明崇禎三年

尺寸：高 220 釐米，寬 71 釐米

立石地點：汝陽縣小店鎮聖王臺村觀音寺

〔碑首〕：皇帝萬歲

重修天王殿記

不佞有山水僻□，卜地於此，寺坤曾寓此，而此寺長老名如海者，吾族弟也。彼時殿宇彫圮，如海首出寺衆摹（募）化鄉人，陸續而鼎新之。獨有天王殿，昔於嘉靖年間，李積德祖重光重修，尚仍日久，不覺又弊碎矣。時有本鎮後泉李心學之叔父李現、嬸母朱氏，並施財主胡應坤、田時剛、胡安定、高進安等，會八關社積□整頓，功成欲銘諸石，一以志不朽，一以啓後人。後泉與廣爲鄰，命爲文，廣老矣、衰矣，焉能爲文？感族弟如海功勞浩大，又念女衆之善，而男衆之善可卜也，聊記其萬一云。

汝州儒學增廣生員潤寰王澤廣濟衆甫頓首拜撰。

本寺住持僧人如海立石。

大明崇禎叁年菊月吉旦。

天下事有所資而爲者易為力無所藉而爲者難爲
功若我邑北五十里有伏牛嶽觀者瀍水在左伊水在右
旹康熙五十年穀旦 木匠張助美 泥水匠趙宗禹 鉄筆馬成

【一二五】 創建玉皇閣與靈官殿碑記

年代：清康熙五十年

尺寸：高 87 釐米，寬 54 釐米

立石地點：汝陽蔡店鄉下蔡店村泰山廟

思天下事有所資而爲者易，爲力無所籍而爲者難焉。功若我邑北五十里，有岱嶽觀者，渠水在左，伶水在右，而且龍門峙其後，九皋望於前，山靈地秀，詢可有衆神棲止之所。無惜乎玉皇閣與靈官玄壇之殿，則從前未之有焉，此亦前人之所未及爲者耳。有住持張陽慶字紫霞者，發其善念，感於四方之善士或捐宝資，或爲棟梁，經營締造，不數月之間，而玉皇閣與靈官玄壇之殿，無不輝乎其壯觀，煌乎其維新也。此雖衆人輔助之力，而實師徒真誠德也。爲誌。

仝諫成：五錢。文毓秀、仝全儀、仝全禄、仝全德、牛世興、文朝秀、仝登科、賀守金、楊新如、仝全書、仝朝臣，以上三錢。賀守玉：二錢二分。文際泰、仝全禎，以上二錢。賀門張氏、武生□進孝，以上一錢。陳謨：五錢、張芳顯、田振喜、張篤名、張問仁、安國仕、張仁，以上二錢。寧名吉、□艮、陳壽謀、陳光謨、陳玉謨、張篤舉、王存智、候現、王獻政：一錢，架木二根。寧天庫，以上一錢。常應魁、張洪禮：一錢。常家渠金粧聖像認尊信女：張門趙氏男、生員張洪烈，趙氏弟，張芳顯，王氏侄，張洪緒，郭氏，張來福，壽兒，孫小喜，□朝，住兒。施磚鋪地信女：□門張氏。

儒學生員袁世傑書撰篆。塑匠：王珇施銀二兩。住持：張陽慶，徒：賀來儀、董來桂。木匠：張助美。泥水匠：趙宗舜、趙宗禹。鐵筆：馬成善、馬成德。

時康熙五十年穀旦。

大清雍正歲次丙午仲夏
吉日立

【一二六】　創修關聖大帝廟碑記

年代：清雍正四年

尺寸：高187釐米，寬69四釐米

立石地點：汝陽縣内埠鎮内埠村關帝廟

〔碑首〕：皇帝萬歲

創修關聖大帝廟碑記

嘗聞古傳有云：山西夫子出自河東解邑也。堂堂正氣，□六□□，秉燭達旦，日月□亮，忠孝兩全，古今稱揚，□敬其尊，靈應不爽。今房起龍等遂發善念，欲建修殿宇，誠□□□□□善士焚禱，得□所瞻，□有其地矣。特惜殿宇功廣，而微力難就，於是會衆共議，咸有同心，因以募化衆姓，隨心布施。雖貧富不等，多寡不□，積小而成大，頗聚錢糧，共勸厥成。然建脩雖云望報之心，而神明之感應，自有昭昭不爽者。因爲□，今將捐資布施銀兩姓名刻石。

文林郎知伊陽縣正堂加五級紀録八次又軍功加二級紀録二次張邦憲施銀伍兩，儒學教諭逯英，儒學訓導賈□苓，典史馮曰俊。

永興號、郭景安：銀十三兩。李云：銀十二兩。楊哲直：銀十一兩五錢。柴從初：十一兩。姜發海：九兩。郭鳳雲：七兩五錢。王正福：六兩。姚可才：六兩。吴堂：六兩。□興永：五兩。張朝鳳：奉祀供器一□，香爐一件，燭臺一對，土地送香桶一件。翟洪耀：三兩五錢。李盛生：三兩五錢。高起俊：三兩五錢。郭兆祥：五兩五錢。韓在興：三兩。王廷顯：三兩。張悦：三兩。史方祥：三兩二錢。張會元：一兩五錢。胡興元：二兩三錢。花世元：二兩。李福禄：二兩。李蘭：二兩五錢。馬從仁：二兩。李永福：三兩。胡國成：二兩。楊建智：二兩。陳俊：二兩。劉國喜：二兩。蘇燕青：二兩。劉資善：一兩八錢。范還：一兩七錢。□□永：二兩。李呈孝：一兩六錢。劉漢興：一兩五錢。樊文治：一兩五錢。楊廷才：一兩五錢。孫可奇：一兩五錢。郎起祥：一兩二錢。李慶高：二兩。白昌：一兩五錢。張廉：一兩三錢。郭可先：一兩五錢。李昭陽：一兩三錢。武進朝：一兩五錢。牛萬選：一兩三錢。胡惟義：一兩六錢。吴秀：一兩。吴明儒：一兩。姚暹：一兩。張廷桂：一兩。王伏唬：一兩。薛富貴、王東盈：一兩。張周玉、郭履□、楊有□、張明□、范□□、梁□□、靳□□……□進：九錢。周廷弼氏：六錢。張朝佐：一兩。楊繼美：一兩　何聚富：八錢。杜春：一兩。□起祥：五錢。□□璋：五錢。李世權：五錢。何虎：五錢。韓進：五錢。劉立、李□：五錢。薛萬慶：五錢。趙生貴：五錢。楊起雲：五錢。姚旻：五錢。馬宫玉：四錢。關現財：四錢。劉志□、鄭永君：五錢。吴生子：四錢。秦起榮：五錢。王相樞：五錢。崔子卯：五錢。

王作賓沐手拜書。

本廟創修功成道人李煉重，門徒：郭丹養、蔡丹智、楊丹中，徒孫：李久信、杜久祥、梁九柱、焚修……

石匠：張如文。李道恒施銀乙兩。

大清雍正歲次丙午仲夏吉日立。

皇帝萬歲

【一二七】 創修關聖大帝廟碑記

年代：清雍正四年

尺寸：高 187 釐米，寬 69 釐米

立石地點：汝陽縣内埠鎮内埠村關帝廟

〔碑首〕：皇帝萬歲

創脩關聖大帝廟碑記

嘗稽古柬，凡功臣名將，有功在社稷，澤在蒼生者，莫不爲之建其祠、表其像，禴祀蒸嘗，酧功酧德者也。況敕封三界伏魔大帝，鍾天地之正氣，植古今之綱常，忠昭日月，蒹並乾坤，秉正除邪，福善禍淫，誠爲萬世之所托命，萬代所永賴也。今張英合社人等遂發善念，各捐貲財，置地基一所，欲建修宫室，隆其廟號，以便遠近信男善士胥得盡瞻拜誠也。但惜乎功力浩大，微力難就，因而募化山西善人，隨心布施，共勷厥成。是故刻石，以垂不朽云。

文林郎知伊陽縣正堂加五級紀録八次軍功加二級紀録二次張邦憲施銀伍兩。

郝茂册：一兩。房照瀛：一兩。武斌：一兩。薛倉：一兩。薛永朝：一兩。☐廷祥：一兩。員啓：一兩。賈永茂：一兩。劉海：一兩。秦國龍：一兩。薛仁德：一兩。崔毓蛟：一兩。李萬常：一兩。李文英：一兩。李士標：一兩。薛鳳禮：一兩。薛起雲：六錢。趙琦：六錢。李疆：五錢。李枝暢：五錢。李明：三錢。景榮：三錢。韓文忠：三錢。賈琮：三錢。趙奕貴：八錢。任光照：三錢。李雲龍：三錢。鄧學智：三錢。宋經章：三錢。衛綸：三錢。崔毓景：三錢。張月：三錢。閆三位：三錢。任繼文：三錢。胡天才：二錢。武孝：二錢。武國成：二錢。趙選：二錢。郭雲璜：二錢。卜起安：二錢。董有訓：二錢。崔文正：二錢。張湖：二錢。毛大茂：二錢。徐羽：二錢。張梅：二錢。黄中耀：二錢。王中正：二錢。邢有禄：二錢。陳明江：二錢。潘萬：二錢。趙明弘：一錢五分。馬申云：一錢。盧一信：一錢。温☐發：一錢。王興九：一錢。張清霞：一錢。☐積玉：一錢。毛大駱：一錢。朱廷選：一錢。張如斌：一錢。

泥水匠：楊大士。木匠：董明。鐵匠：郭照祥。

大清雍正歲在丙午月在甲午吉日立。

【一二八】　重脩五龍廟記

年代：清雍正八年

尺寸：高157釐米，寬65釐米

立石地點：汝陽縣柏樹鄉五龍村五龍廟

〔碑首〕：伊陽五龍廟　日月

重脩五龍廟記

伊陽之西出郊十數里許，□崖環翠，萬壑争流，正所謂龍脉蜿蜒，而爲邑之勝地焉。昔從先大人遊，指餘命之曰：此五龍廟也，而村亦以是名。迄於今，猶復記憶，然在當時初不知其爲何説也。及訪於二三野老，咸謂此中感震電伏，日月薄光，景水下土，想亦五龍之盤結於斯，而爲靈之昭昭與。因恍然曰：是誠龍之茫洋窮乎元間，村之人占陰較晴，祈穀報賽，良由是耳。奈風雨爲患，鳥鼠不去，廢瓦頽垣，象教塵封。攬其上者，能無梁空燕雀，古壁丹青之思乎？土人因其湫隘，移而闢之，今已規模弘廠矣。至於神所憑依，復何在乎！而顧聽其寶日草昧，璇宫蕩然，亦非所以肅廟貌而凜觀瞻也。凡我同心，務必終襄此舉。是役也，正當千耜舉趾之時，適與旱魃相值，人以虔禱，神以靈應，澤蘇羣生，捷若影響。余不佞一以彰神龍之示威降祥，一以誌鄉人之脩廢舉墜，余言雖謬，所弗恤矣。是爲記。

邑人廩膳生員杜琺昌撰文，邑人太學生劉需揖書丹，邑人醫官王鳳儀篆額。

陳起祥：二錢。史書魁：二錢。生員王在岐：一錢。杜濟美：五錢。生員杜□昌：四錢。王永祥。常懷珍。荆有倉。趙士魁、張士學、李士英上各二錢。功德主□書興、王自仁、化主毛貴、何國相、魏士美：一錢。吕應舉：一錢。布雲：一錢。王計曰：一錢。劉珍：一錢。王三亮：一錢。仝如良：一錢。王自亮：一錢二分。吕應科：一錢。趙篤成：一錢。張發才：一錢。李運登：一錢。仝登科：一錢。陳文舉：一錢。王朋：一錢。亢從義：一錢。王天才：一錢。黨可法：一錢。張明德：一錢。王崇德：一錢。王佑：一錢。亢從知：一錢。孫爾公：一錢。孫既顯：一錢。史文花：一錢。趙士龍：一錢。楊在洧：一錢。劉廷玉：一錢。常永吉：一錢。趙文英：一錢。李弘春：一錢。張超物：一錢。史紀善：一錢。張祚肅：一錢。史進美：一錢。李廉興：一錢。王明：一錢。范瑾：五分。趙文秀：五分。史紀朝：五分。趙士奇：五分。任良臣：五分。李九通：五分。李九成：五分。李可才：五分。鄭今全：五分。趙士林：五分。高爾福：五分。李如棟：五分。李如杞：五分。李如相：五分。趙士奉：五分。李文：五分。孟折桂：五分。姚潤乾：五分。姚信：五分。史文明：五分。姚仁：五分。楊在爲：五分。吴女英：五分。朱相年：五分。史文貴：五分。姚美：五分。李如梅：五分。張起龍：五分。楊既發：五分。柴如桂：五分。崔乾：五分。木輝：三分。李福：五分。穆學孔：五分。王福：五分。張少：五分。張大義：五分。李用志：五分。李仲：五分。王賓：五分。胡心周：五分。楊既生：五分。王志保：五分。李弘孝：五分。姚平西：五分。李自俊：五分。李青：五分。楊坤：三分。梁門賈氏：五分。吕門張氏：五分。吕門李氏：五分。史門劉氏：五分。劉門楊氏：五分。李門史氏：五分。朱門劉氏：五分。吕門李氏：五分。張門范氏：五分。張門仝氏：五分。史門王氏：五分。王門劉氏：五分。李門曹氏：五分。李門周氏：五分。張門卜氏：五分。王門仝氏：五分。李門劉氏：五分。魏門高氏：五分。姚門李氏：五分。高門李氏：

五分。史門吴氏：五分。楊門張氏：五分。薛門常氏：五分。□門鄭氏：五分。趙門任氏：五分。史門李氏：五分。史門吴氏：五分。姚門張氏：五分。史門姚氏：五分。趙門郭氏：五分。張門張氏：一錢。

木匠：李司功。素匠：南聚平。鐵筆：高陵。

大清雍正八年四月中澣之吉。

伊陽之西出郊十數里□崖環翠萬壑爭流正所謂龍脉蜿
指余命之曰此五龍廟□而村亦以是名迄於今猶復記憶然
□三野老咸謂此中感震電伏日月薄光景水下土想亦
恍然曰是誠龍之茫洋窮乎元間村之人占陰較晴祈穀報賽
危頹壇象教塵封攬其上者能無梁空燕雀古壁丹青之思
弘敞矣至於神所憑依復何在乎而頓聽其寶月草昧璇宮於
幾同心務必終襄此舉是役也正當干耗舉趾之時適與
捷若影響余不佞一以彰神龍之宗威降祥一以慰鄉人之
邑人　廩膳生員

原大局部

【一二九】　創脩拜殿碑記

年代：清雍正十年

尺寸：高 161 釐米，寬 61 釐米

立石地點：汝陽縣内埠鎮内埠村

〔碑首〕：萬善同歸

創脩拜殿碑記

嘗謂人有男女，而事分内外。飲食中饋婦人事，□外此而出入□賄，則非婦人所敢□。獨是樂善好施，男子有情，婦人豈遂無志？況女堂之神所司情，亦子而女子之心，思愛爲倍篤。故癰疽疥癬，火姑主之，祈禱默祝，女子多有。以故清明會時，撫男攜女，徧四方而皆然。矧本街之中，上供掛袍，插花摇扇，争趨而恐後者乎。今以廟貌之小，添置捲棚，甚盛舉也，而不樂施以將此事乎？於是募化四方，隨心多少，□所出有拾餘貫焉。事未行而貲先出，富者同樂收之宫中而裕如，貧者亦竭蹶圖之而無不足，人衆自不□□舉□財足自無難於觀成。不數月而厥功立就，謂非神佑而人助，其能然乎？本欲合攢一處，以見從善之衆，但男女互雜，而非體統之正，故別勒一石，以見分金之□而大用也，後之樂善者，其尚有感於斯夫！

（功德主不清，略而不録）

大清國雍正拾年歲次壬子柒月朔伍日吉旦，本廟住持李煉重（立）。

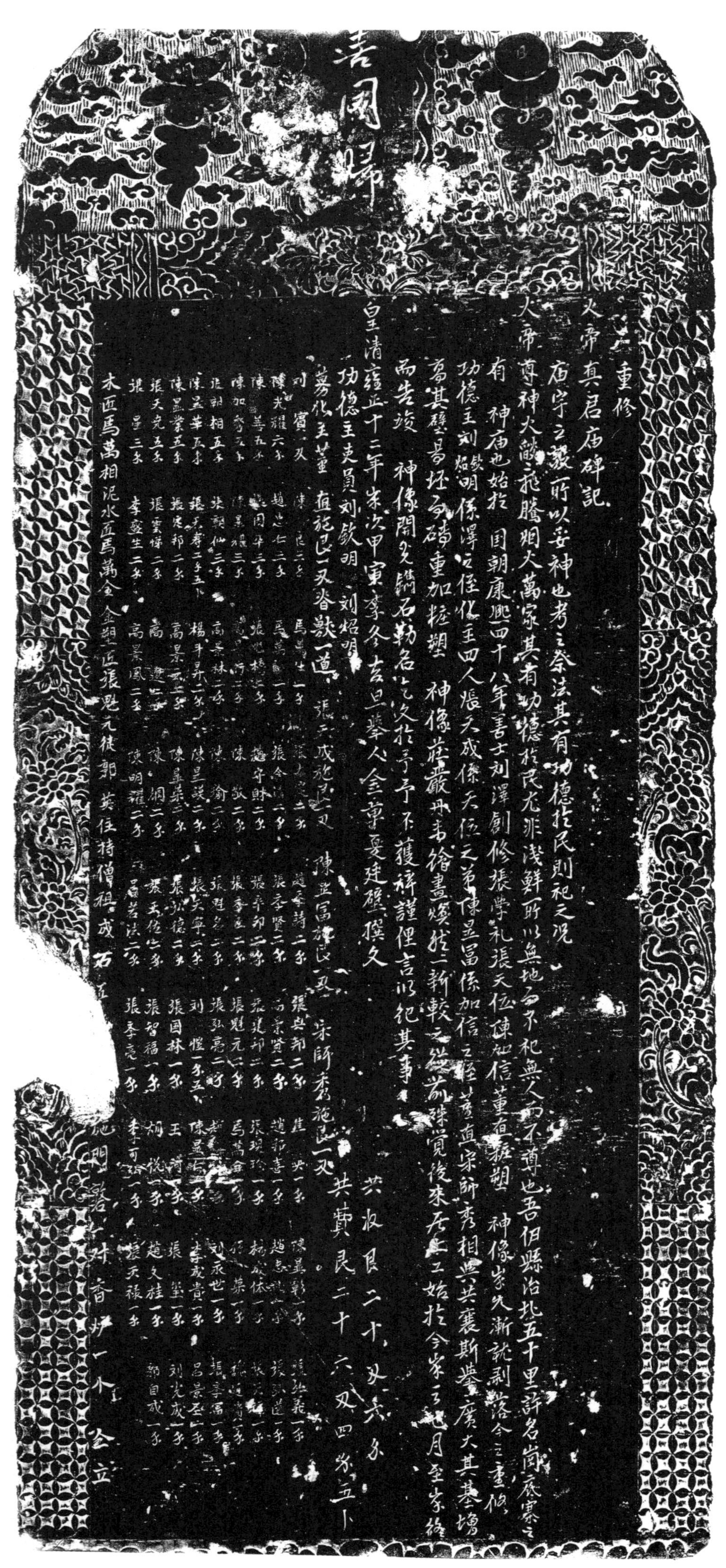

【一三〇】 重修火帝真君廟碑記

年代：清雍正十二年

尺寸：高 146 釐米，寬 67 釐米

立石地點：汝陽縣内埠鎮下崗底村關帝廟

〔碑首〕：萬善同歸

重修火帝真君廟碑記

廟宇之設，所以妥神也。考之祭法，其有功德於民則祀之。況火帝尊神火焰飛騰，煙火萬家，其有功德於民尤非淺鮮，所以無地而不祀，無人而不尊也。吾伊縣治北五十里許，名崗底寨之有神廟也，始於國朝康熙四十八年，善士劉澤創修，張學禮、張天位、陳加信、董直粧塑神像。歲久漸就剥落，今之重修，功德主劉欽明、劉炤明係澤之侄。化主四人，張天成係天位之弟，陳顯富係加信之侄，董直、宋師秀相與共襄斯舉，廣大其基，增高其壁，易坯而磚，重加粧塑，神像莊嚴，丹青繪畫，焕然一新。較之從前殊覺後來居上。工始於今歲之七月，至歲終而告竣。神像開光，鐫石勒名，乞文於予，予不獲辭，謹俚言以紀其事。

皇清雍正十二年歲次甲寅季冬吉旦，舉人金章夏廷璧撰文。

功德主吏員劉欽明、劉炤明，募化主董直施銀一兩，脊獸一道。共收銀二十兩六錢，共費銀二十六兩四錢五分。

劉賓：一兩。陳光耀：六錢。陳善：五錢。陳加秀：五錢。張朝相：五錢。陳顯華：五錢。陳顯業：五錢。張天堯：五錢。張星：三錢。陳良：三錢。趙忠仁：三錢。張國平：三錢。陳顯耀：三錢。張朝仙：三錢。張天壽：二錢五分。張定邦：二錢。張雲悌：二錢。李盛生：二錢。馬萬仕：二錢。馬萬福：二錢。張魁橋：二錢。高景行：二錢。高景林：二錢。楊斗昇：二錢。高景雲：二錢。高選：二錢。高景鳳：二錢。張大定：二錢。張含清：二錢。趙守財：二錢。陳敬：二錢。陳瑜：二錢。陳顯謨：二錢。陳顯榮：二錢。陳綱：二錢。陳明耀：二錢。趙學詩：二錢。張學賢：二錢。張辛卯：二錢。張學臣：二錢。張魁名：二錢。張天寧：二錢。張弘德：二錢。張天佐：二錢。吕若法：二錢。張興邦：二錢。高景賢：二錢。張建邦：二錢。張魁元：二錢。張弘亮：二錢。劉愷：一錢五分 張國林：一錢。張智福：一錢。張學亮：一錢。焦英：一錢。趙邦喜：一錢。張現珍：一錢。馬萬全：一錢。趙□：一錢。陳顯仁：一錢。王河：一錢。胡悦：一錢。李可弘：一錢。陳顯彰：一錢。趙忠禮：一錢。楊成體：一錢。孫榮：一錢。劉永世：一錢。李成貴：一錢。張璽：一錢。趙文桂：一錢。張天禄：一錢。張弘義：一錢。張弘道：一錢。張天福：一錢。魏廷貴：一錢。張學富：一錢。吕景聖：一錢。劉光成：一錢。郭自成：一錢。

木匠：馬萬相。泥水匠：馬萬全。金塑匠：張魁元，徒：郭英。住持僧：祖成。石匠：□□□：施門礅一對，香爐一個。仝立。

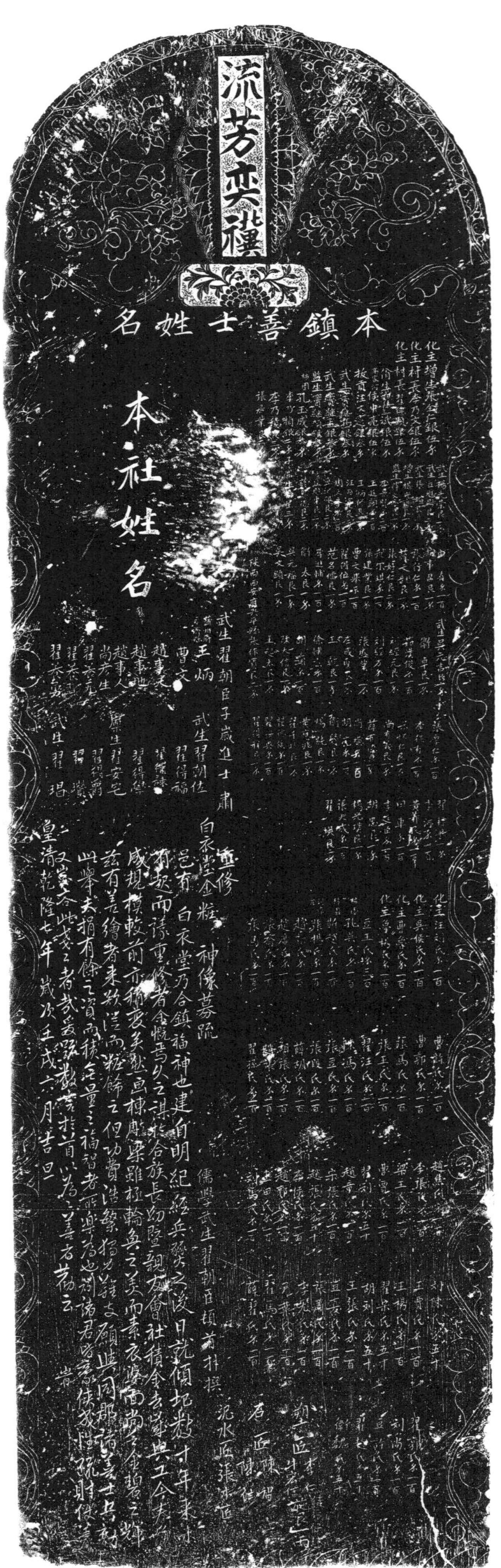
流芳奕禩
本鎮善士姓名
本社姓名

【一三一】 重修白衣堂金粧神像募疏碑記

年代：清乾隆七年

尺寸：高228釐米，寬74釐米

立石地點：汝陽縣大安工業區大安村白衣堂

〔碑首〕：流芳奕禩

重修白衣堂金粧神像募疏

邑有白衣堂，乃合鎮福神也。建自明紀，經兵燹之後，日就傾圮。數十年來未有起而議重修者，餘慨焉久之，謀於合族長幼暨親友，會社積金，去歲興工，今春落成，規模較前亦稍變矣，然畫棟雕梁雖極輪奐之美，而素衣婆面尚乏金碧之輝。兹有善繪者來嘆，從而粧飾之。但功費浩繁，獨力難支，願與同郡諸善士共勷此舉。夫捐有餘之資，而積無量之福，智者所樂爲也。矧諸君皆豪俠成性，疏財仗義，又豈吝此戔戔者哉。爰疏數言於首，以爲爲善者勸云。

儒學武生翟朝臣頓首拜撰。

塑匠：李仁，徒張保林、牛宏信施銀一兩。石匠：陳智、陳信。泥水匠：張木匠。

皇清乾隆七年歲次壬戌六月吉旦。

本社姓名：武生翟朝臣、子歲進士肅，蒲州府永濟縣王炳，曹文，趙事天，趙事地，趙事人，尚彦生，翟養元，翟養習，翟養勇，武生翟朝佐，翟得福，翟得禄，翟得學，廩生翟安宅，翟得爵，翟瓚，武生翟琩。

本鎮善士姓名：化主增生張全仁：銀五錢。化主村長李乃文：銀五錢。化主村長翟德顯：銀五錢。佾生翟賓：銀五錢。高家河侯中亮：銀五錢。拔貢汪文選：銀叁錢。武生竇繼孔：銀叁錢。武生竇繼孟：銀叁錢。監生竇繼顔：銀叁錢。柿園孔玉成：銀叁錢。李乃楨：銀二錢。李乃積：銀三錢。張居業：銀二錢。武生楊光榮：銀一錢。武生豆魁鼎：銀二錢。武生張瑄：銀二錢。增生楊光珙：銀一錢。監生薛文舉：銀一錢。李景賢：錢二百。王廷顯：錢二百。王炳修：銀二錢。汪乃寔：銀二錢。周文學：錢二百。豆紀邵：銀二錢。豆魁東：銀二錢。薛賢德：銀二錢。廩生□星：三錢。田有：錢一百。趙事君：銀一錢。張行仁：錢一百。薛文龍：銀一錢。張好仁：銀二錢。趙爾琪：錢一百。張建業：銀一錢。曹文舉：錢一百。翟得位：錢一百。范名儒：銀一錢。李進輔：錢一百。衛太：銀一錢。吴元福：銀一錢。吴文顯：銀一錢。陝西西安府興平縣張作賓：銀二錢。武生吴元吉：銀一錢。衛卓：銀一錢。茹漢俊：錢一百。劉經元：銀一錢。劉經萬：錢一百。張盛業：銀一錢。李成聖：銀一錢。王乾：銀一錢。徐懷志：錢一百。胡顯：錢一百。陳大信：錢一百。王起太：銀一錢。張厚仁：錢一百。李從有：錢一百。宋懷仁：銀一錢。尚有義：銀一錢。薛有德：銀一錢。尚璜：錢一百。胡亮：錢一百。衛賢：銀一錢。楊純：銀一錢。黄應兆：銀一錢。翟千珍：銀一錢。翟德任：錢一百。翟得興：錢一百。翟得祥：銀一錢。翟標：銀一錢。李河：錢一百。黄養民：錢一百。田車：錢一百。李廷臣：錢一百。胡忠：銀一錢。楊光璞：銀一錢。張天成：錢一百。翟瑛：銀二錢。化主汪劉氏：錢一百。化主吴侯氏：錢一百。化主曹魯氏：錢一百。化主魯楊氏：錢一百。豆王氏：錢三百。柿園孔吴氏：錢一百。柿園靳趙氏：錢一百。劉家莊張楊氏：錢一百。趙張氏：錢一百。趙席氏：錢一百。張喬氏：錢一百。張馬氏：錢一百。

曹許氏：錢一百。曹郭氏：錢一百。張馬氏：錢一百。翟汪氏：錢一百。陳馬氏：錢一百。張豆氏：錢一百。張段氏：錢一百。薛胡氏：錢一百。胡張氏：錢一百。趙張氏：錢一百。翟孫氏：錢一百。趙焦氏：錢一百。李張氏：錢一百。梁王氏：錢一百。曹賈氏：錢一百。翟劉氏：錢五十。趙童氏：錢一百。宋張氏：錢一百。趙張氏：錢五十。李侯氏：錢一百。趙郭氏：錢一百。王田氏：錢一百。劉馬氏：錢一百。劉陳氏：錢五十。王賈氏：錢一百。王楊氏：錢一百。翟宋氏：錢五十。胡劉氏：錢五十。王張氏：錢一百。豆夏氏：錢一百。張蕭氏：錢一百。李尤氏：錢一百。尹葉氏：錢一百。翟馬氏：錢一百。薛翟氏：錢一百。翟郭氏：錢一百。劉尚氏：錢一百。豆許氏：錢一百。翟趙氏：錢五十。衛魏氏：錢五十。

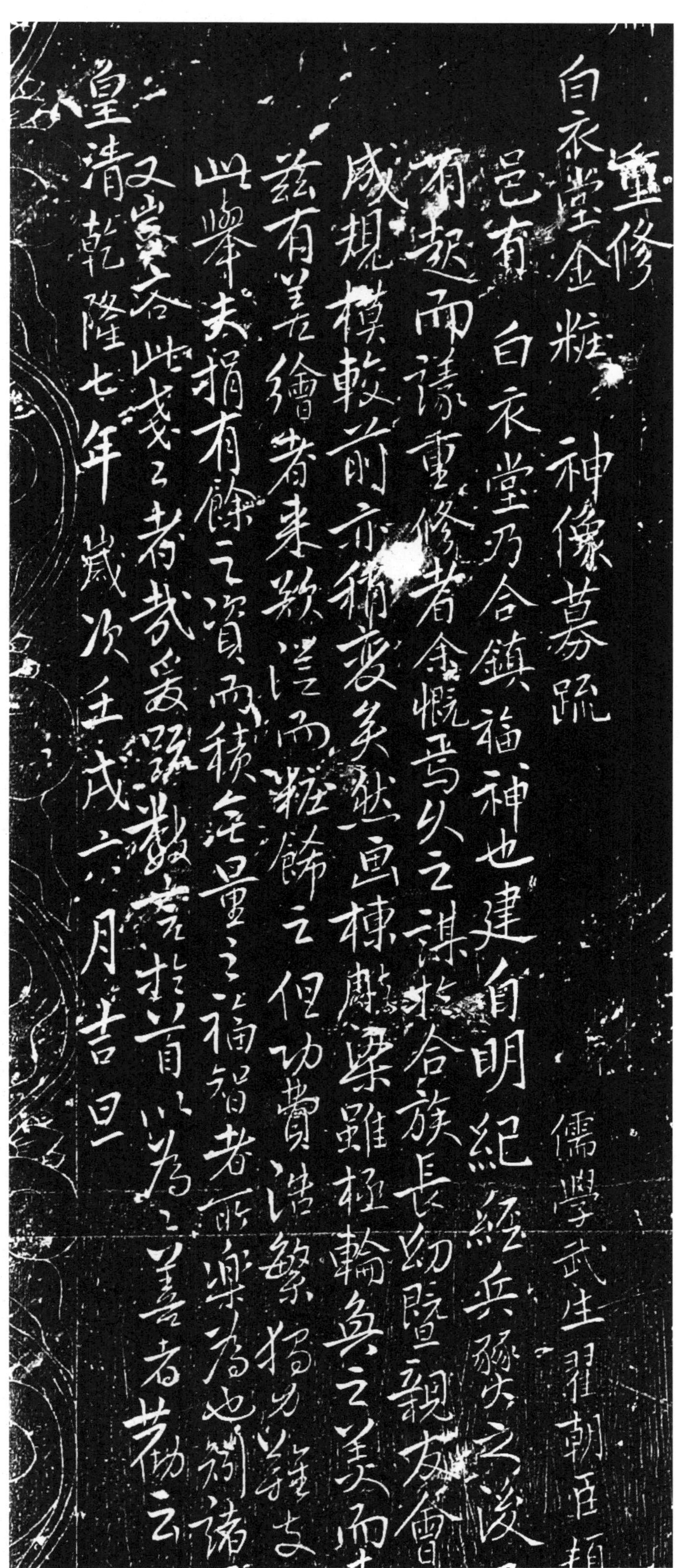
重修
白衣堂金粧神像募疏　　儒學武生翟朝臣頓
邑有白衣堂乃合鎮福神也建自明紀經兵燹之後
有起而議重修者余慨焉以之謀於合族長幼暨親友會
成規模較前亦稍變矣然畫棟雕梁雖極輪奐之美而
茲有善繪者来欵〻而粧飾之但功費浩繁獨力難支
四舉夫捐有餘之資而積無量之福智者所樂為也爰請諸
又嘗吝此戔〻者哉爰鐫數言於首以為之善者勸云
皇清乾隆七年歲次壬戌六月吉旦

原大局部

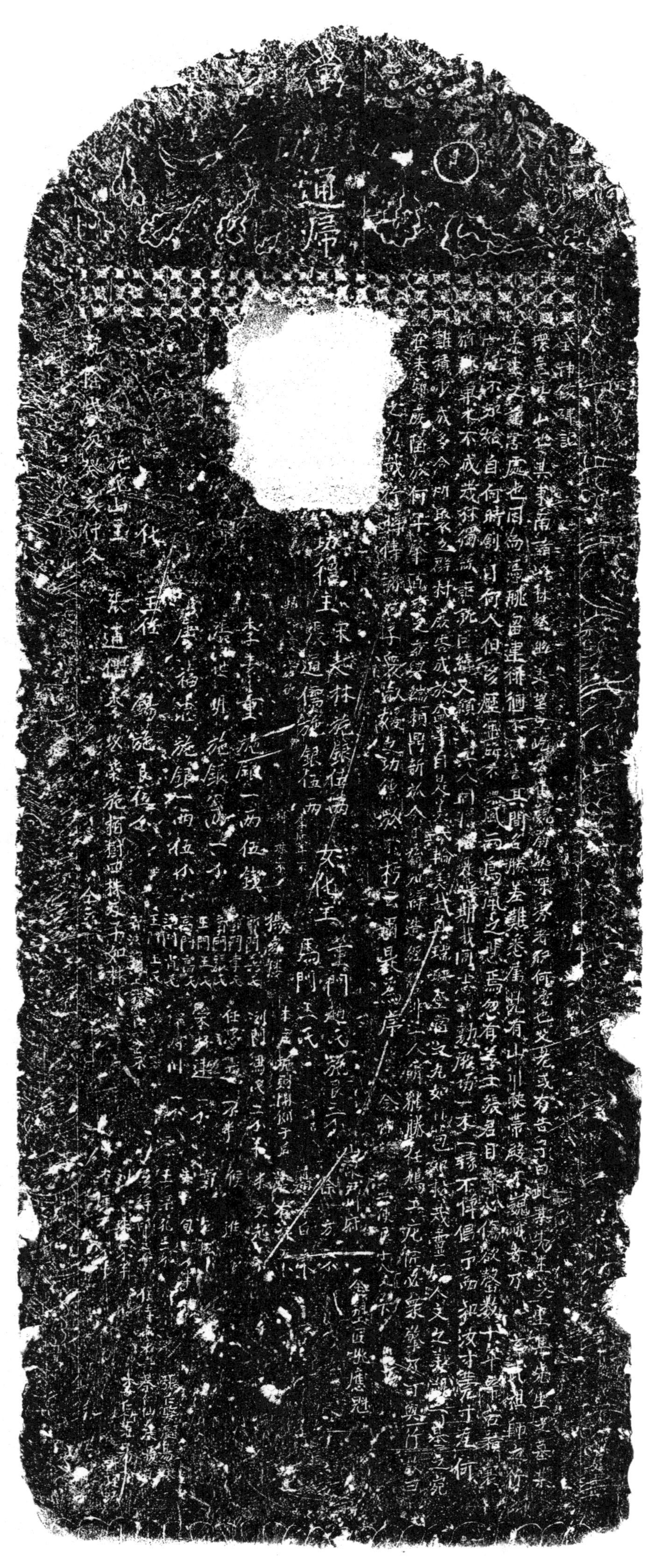

【一三二】 金神像碑記

年代：清乾隆八年

尺寸：高138釐米，寬53釐米

立石地點：汝陽縣劉店鎮邢坪村祖師廟

〔碑首〕：萬善通歸

金神像碑記

環邑皆山也，其東南諸峯，林壑幽美，望之屹然崔巍，蔚然深秀者，伊何竟也。父老或有告予曰：某先生之里，某先生之墓，某先生之誦書處也。因而憑眺留連，徘徊不忍去，其間名勝差難悉屬。見有山川映帶，殿宇巍莪者，乃玄武祖師之行宫也，不知始自何時，創自何人，但多歷年所，不無風雨鳥鼠之悲焉。忽有善士張君目擊心傷，欲罄數十年辛苦積囊，猶恐單木不成茂林，獨絲詎就因縡。又願□與人同將□，是將期我同志，共勷厥功。一木一椽，不憚倡予，而和汝寸甍寸瓦，何難積少成多，合所聚之羣材，庶告成於盛事，自是美哉輪、美哉奂。瑞□金宿之丸，如竹苞、如松茂，靈鍾人文之美，朔二墓之宛在。未知廢墜於何年，肇百□之方輿，端賴鼎新，於今日始知緣造經營，非一人所能勝任，鳩工庀匠，必衆擎，乃可與行。敢曰□□□之力哉！行將傳諸君子、衆淑媛之功德於不朽云爾。是爲序。

功德主：宋起林：施銀伍兩。張通儒：施銀伍兩。李素重：施銀一兩伍錢。張世明：施銀一兩一錢。唐福志：施銀一兩伍錢。化主任錫：施銀五錢。李應斗：一錢。劉珠：二錢。女化主：董門趙氏：施銀三錢。馬門王氏、楊家樓郭門吴氏、郭門李氏、郭門張氏、王門王氏、高門高氏、梁門肖氏、王門王氏、郭法瑞上共施銀一兩二錢。本□施財開例于後：劉門馮氏：二錢半。任忠義：一錢半。宋□連：一錢。陳守川：一錢。山東尹州府：徐方：二錢。趙辛白：二錢。楚有祥：五分。米文起：五分。候進：五分。郭□：五分。□旬：二錢半。王梁孔：二錢。黄得印：二錢。劉珠：一錢半。李應才：錢半。

金神共使銀十八兩八分。

施地山主：張通儒、李玖榮施柏樹四株，及子如林。

住持：李本興、張仁麥、張易林、蔡仁仙、張晉道、李仁竹、范易□、許理法。

金塑匠：姚應魁。

乾隆歲次癸亥仲冬仝立。

【一三三】　重修白衣大士堂碑記

年代：清乾隆十一年

尺寸：高 228 釐米，寬 74 釐米

立石地點：汝陽縣大安工業區大安村白衣堂

重修白衣大士堂碑記

〔碑首〕：萬善仝歸

大安鎮街南有白衣堂一所，其中神位非一而所司者，乃子嗣痘疹瘡病之事，雖理涉幻渺，未離乎陰騭果報之説。然習俗相沿已久，大衆頂禮崇奉者，比比而是，風尚所在，亦未可厚然也。但茲堂之建，不知創於何時，始自何人，而口碑所傳，僉以爲自明迄清幾二百年，雖間有小補，而重修之舉竟寂寂無人焉。至今墻傾壁壞，神光闇淡。宗弟柱石等目擊心惻，慨然有重修之舉。但恐獨力難支，因約善士共十八人，聯成一會，各捐己貲，積錢六十八千。擇吉動工，以舊規窄狹，因擴一間爲三楹，更移後數堂。勠力同心，柱石倡於前，闔社衆善繼於後，至期年有餘，而堂構已焕然維新矣。廟成，又以錢糧不給，更募化本鎮善男信女，捐銀拾六兩一錢五分，因請善繪者粧塑神像，舊所有者更飾之，昔所缺者補足之。乃金粧工甫將半，而柱石已經物故，其子子敬纘承父志，克終其事。由是上下左右燦然改觀。昔之規模褊狹者，今忽耳擴宏敞矣；前在神光闇淡者，今乃光輝燦爛矣。事竣，閤社推柱石父子爲功德主，子敬曰：功德之名，先君在日嘗固辭，即今除本社及募化外，所需雖繁，而上之不吝，不過勉力以成先志而已，何功德之有？子敬因囑余作記，余總其事之始終計之，而竊嘆是堂之成也，功程浩大，費用繁多，名雖由舊，實同創始。雖積腋成裘，固閤社與衆善勷贊之力，而數年經營，苦志勞神，實柱石父子箕裘丕振、作述相繼之力居多焉。因詳述巔末，以昭示來茲云。柱石諱朝臣，邑庠生。子敬諱肅，歲進士。

儒學廩膳生員翟安宅薰沐拜撰，受業戊午科舉人張施仁敬書。

皇清乾隆拾壹年歲次丙寅拾月己亥望五日丁丑吉旦立石。

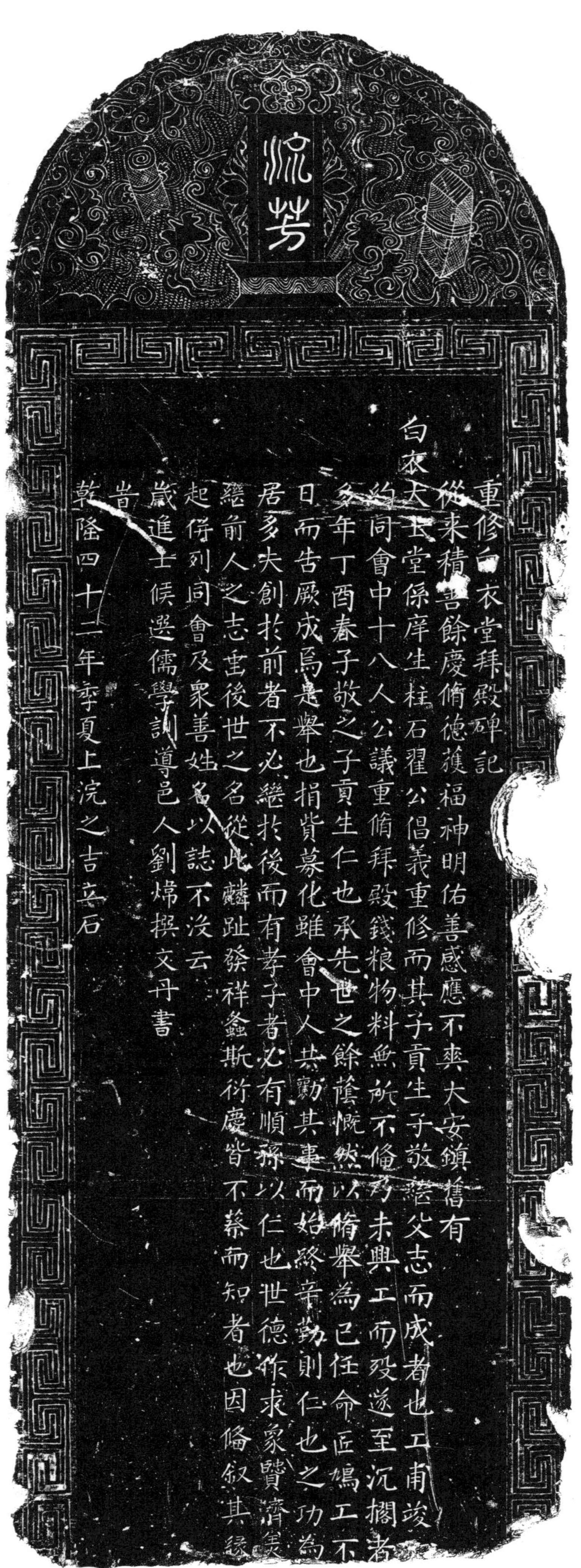

流芳

重修白衣堂拜殿碑記

從來積善餘慶，脩德獲福，神明佑善，感應不爽。大安鎮舊有白衣大士堂，係庠生柱石翟公倡義重修，而其子貢生子敬繼父志而成者也。工甫竣，約同會中十八人公議重脩拜殿，錢粮物料無所不備，乃未興工而歿，遂至沉擱者多年。丁酉春，子敬之子貢生仁也承先世之餘蔭，慨然以脩舉為已任，命匠鳩工，不日而告厥成焉。是舉也，捐貲募化，雖會中人共勷其事，而始終辛勤則仁也之功為居多。夫創於前者不必繼於後，而有孝子者必有順孫，以仁也世德作求，象賢濟美，繼前人之志，啓後世之名，從此麟趾發祥，螽斯衍慶，皆不蓍而知者也。因備叙其緣起，併列同會及衆善姓名，以誌不沒云。

歲進士候選儒學訓導邑人劉焯撰文丹書

皆

乾隆四十二年季夏上浣之吉立石

【一三四】 重修白衣堂拜殿碑記

年代：清乾隆四十二年

尺寸：高 182 釐米，寬 65 釐米

立石地點：汝陽縣大安工業區大安村白衣堂

〔碑首〕：流芳

重修白衣堂拜殿碑記

從來積善餘慶，脩德獲福，神明佑善，感應不爽。大安鎮舊有白衣大士堂，係庠生柱石翟公倡議重脩，而其子貢生子敬繼父志而成者也。工甫竣，□約同會中十八人，公議重脩拜殿，錢糧物料無所不備。乃未興工而歿，遂至沉擱者多年。丁酉春，子敬之子貢生仁也，承先世之餘蔭，慨然以脩舉爲己任，命匠鳩工，不日而告厥成焉。是舉也，捐貲募化雖會中人共勷其事，而始終辛勤則仁也之功爲居多。夫創於前者，不必繼於後，而有孝子者，必有順孫。以仁也世德，作求象賢濟美，繼前人之志，垂後世之名，從此麟趾發祥，螽斯衍慶，皆不蔡而知者也。因備叙其緣起，並列同會及衆善姓名，以誌不没云。

歲進士候選儒學訓導邑人劉焯撰文丹書。

時乾隆四十二年季夏上浣之吉立石。

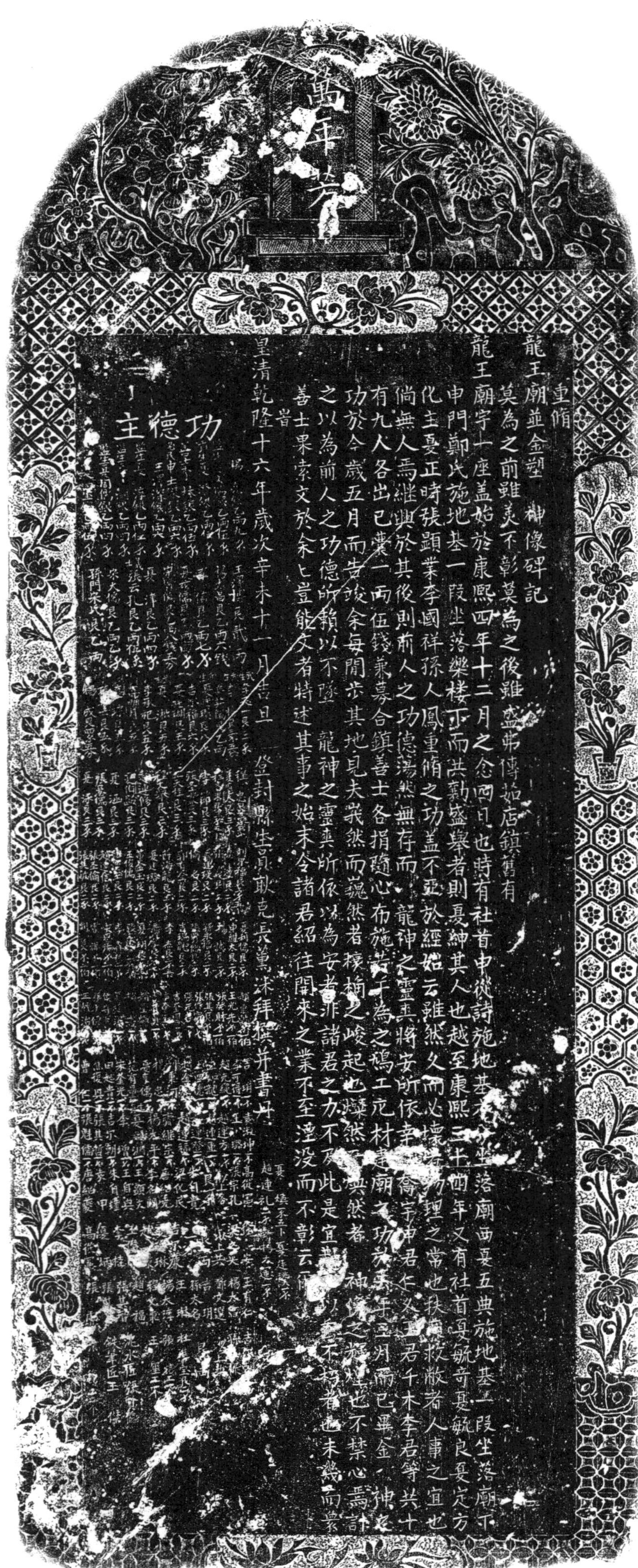

【一三五】　重脩龍王廟並金塑神像碑記

年代：清乾隆十六年

尺寸：高169釐米，寬65釐米

立石地點：汝陽縣大安工業區茹店村龍王廟

〔碑首〕：萬年芳

重脩龍王廟並金塑神像碑記

莫爲之前，雖美不彰；莫爲之後，雖盛弗傳。茹店鎮舊有龍王廟宇一座，蓋始於康熙四年十二月之念四日也。時有社首申從詩施地基六分，坐落廟西。夏五典施地基一段，坐落廟下。申門鄭氏施地基一段，坐落樂樓下。而共勷盛舉者，則夏紳其人也。越至康熙三十四年，又有社首夏毓奇、夏毓良、夏定方、化主夏正時、張顯業、李國祥、孫人鳳重脩之功，蓋不亞於經始云。雖然久而必壞，有物理之常也。扶衰救敝者，人事之宜也。倘無人焉繼興於其後，則前人之功德蕩然無存，而龍神之靈爽將安所依？幸□喬宇申君、仁久王君、千木李君等共十有九人，各出己囊一兩伍錢，兼募合鎮善士各捐隨心布施若干，爲之鳩工庀材，建廟之功於壬午三月而已畢，金神之功於今歲五月而告竣。余每間步其地，見夫莪然而巍然者，榱桷之峻起也，燦然而焕然者，神像之輝煌也，不禁心焉計之，以爲前人之功德所賴以不墜，龍神之靈爽所依以爲安者，非諸君之力不及此，是宜勒石，以垂不朽者也。未幾，而衆善士果索文於餘，余豈能文者，特述其事之始末，令諸君紹往開來之業，不至湮没而不彰云爾。

功德主：楊亮：銀乙兩九錢。監生夏文儒：銀乙兩伍錢。貢生夏澄：銀乙兩伍錢。善士李林：銀乙兩伍錢。耆民申士傑：銀乙兩六錢。監生夏淳：銀乙兩伍錢。監生夏澍：銀乙兩四錢。監生夏周儒：銀乙兩四錢。夏璽：銀乙兩伍錢。王澤博：銀貳兩。楊太昌：銀乙兩六錢。昌信：銀乙兩七錢。夏茲儒：銀乙兩四錢。宋賢儒：銀乙兩八錢五分。夏津：銀乙兩四分。義士張云孔：銀乙兩伍錢。宋太儒：銀乙兩乙錢。孫門宋氏：銀乙兩。武生李天一：銀三錢。武生李楊：銀三錢五分。夏英儒：銀乙兩。武生夏廷瓚：銀八錢。吉爾福：銀六錢。夏廷瑚：銀五錢。武生夏淞：銀五錢。李承祀：銀五錢。高明月：銀五錢。高琮：銀五錢。張□六：銀五錢。楊成：銀四錢五分。程忠：銀二錢五分。夏應太：銀三錢。程文秉：銀三錢五分。李節：銀三錢。張圣業：銀三錢。丘天桂：銀三錢。程大舉：銀三錢。趙連脩：銀三錢。夏伯齡：銀三錢。夏涵：銀三錢。張景儒：銀三錢。夏泳：銀三錢。劉爾福：銀二錢五分。夏凌：銀二錢。胡義：銀二錢。夏建瑛：銀二錢。倫名：銀二錢。郭有金：銀二錢。薛海龍：銀二錢。夏建璐：銀二錢。董金玉：銀二錢。王俊儒：銀二錢　□□玉：銀二錢。趙連信：銀二錢。張圣倫：銀二錢。張其敏：銀二錢。夏利儒：銀二錢。申維太：銀二錢。楊誠：銀二錢。孫永福：銀二錢。張賈儒：銀二錢。吉瑞龍：銀二錢。李傑：銀二錢五分。王澤厚：銀二錢七分。夏玥：銀一錢五分。張□：銀一錢六分。李森：銀二錢。申思彦：錢一百。雷祥：錢一百。劉英：錢一百。趙東乾：錢一百。王光先：錢一百。張發財：錢一百。張其見：錢一百。張作賓：銀一錢。張元吉：一錢。吉奎鳳：一錢。吉奎玉：一錢。王□貞：一錢。趙星鄰：一錢。趙書：一錢。夏廷鎖：一錢。侯守書：一錢。張文儒：一錢。王統治：一錢。吉玥：一錢。李可得：一錢。趙克繩：一錢。王如龍：一錢。王四德：一錢。趙金齊：一錢。劉秉河：一錢。楊忠：一錢。夏亨儒：一錢。范有量：一錢。宋奎光：一錢。田起貴：一錢。焦復興：一錢。曹仁：一錢。袁淑坤：一錢。王璐：一錢。趙連方：一錢。趙連重：一錢。趙連登：一錢。趙連福：一錢。齊繼宗：一錢。楊太平：一錢。夏淵：一錢。李增：一錢。吉爾朝：一錢。張其哲：一錢。張魁儒：一錢。夏焕：一錢五分。趙連禮：一錢。高從憲。張宗孔以上各銀一錢。朱自貴、梁化民、唐紹堯、李名關、王顯文、王自興、朱自瑾、袁甲、唐紹夔、徐安、梁九央以上共銀一兩、吉爾廉、夏琳、趙□、王偉、李桂、夏炳、高從憲、王有仁、楊太□、鄧文選、吉玥、孫太名、王琳、楊太淳、程文秉、趙福、張其智、張其□、張睿、吉爾朝、孫禄以上共銀一兩。杜進寶：二錢。張信：工二個。王璽：工二個。夏廷璞：銀一錢。楊太運：一錢。

皇清乾隆十六年歲次辛未十一月吉旦，登封縣生員耿克長薰沐拜撰並書丹。

泥水匠：張賢儉。鐵筆匠：王傑。

於康熙四年十二月之念四日也時有社首申從詩施地
基一段坐落樂楼下而共勸盛舉者則夏紳其人也越至
顯業李國祥孫人鳳重脩之功蓋不亞於經始云雖然久
於其後則前人之功德蕩然無存而 龍神之靈爽將安
業一兩伍錢兼募合鎮善士各捐隨心布施若干為之鳩
而告竣余每閒步其地見夫峩然而巍然者榱桷之峻起
之功德所賴以不墜 龍神之靈爽所依以為安者非諸君
余乜豈能文者特述其事之始末令諸君紹往開來之業

原大局部

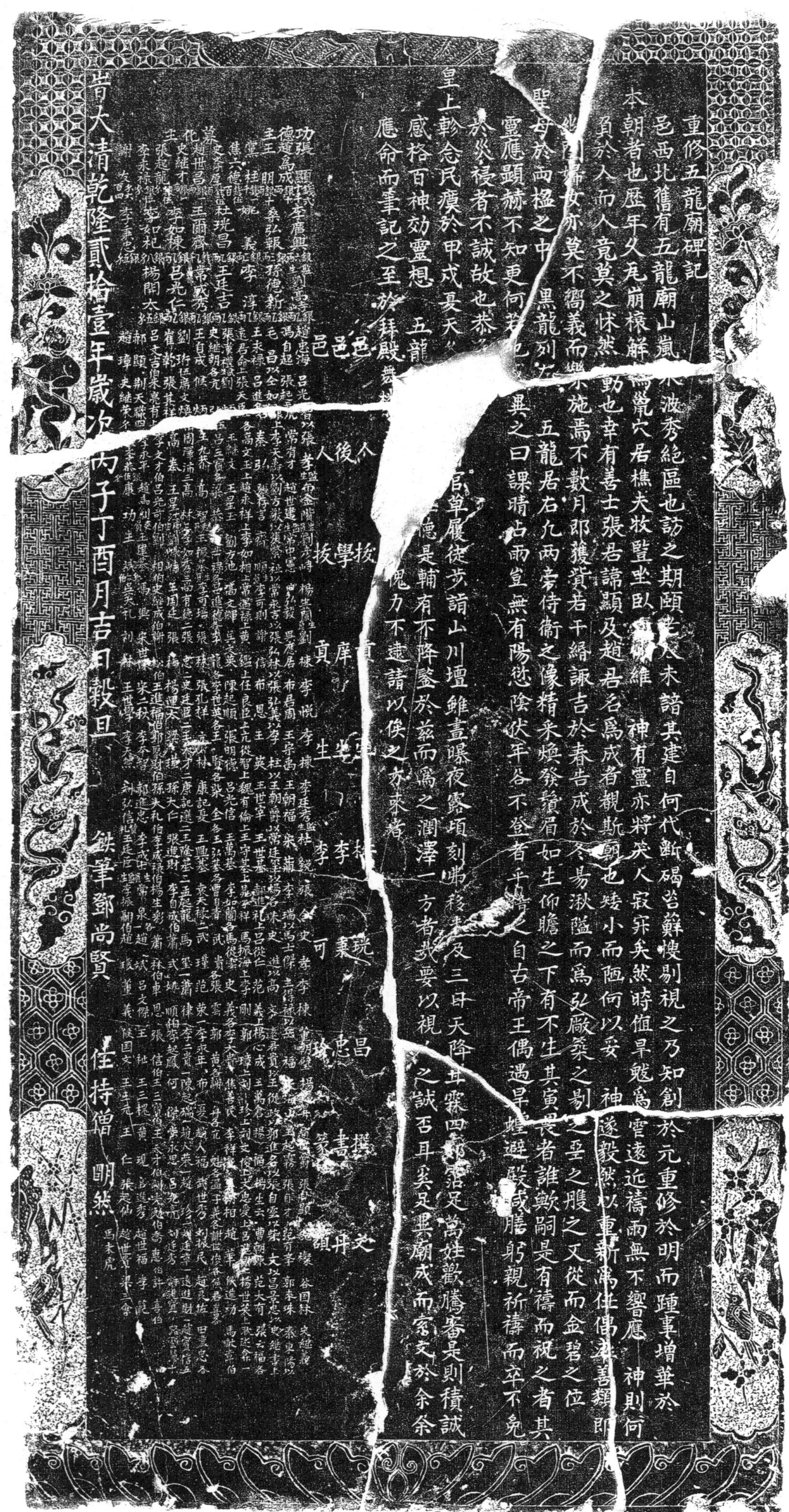

【一三六】 重修五龍廟碑記

年代：清乾隆二十一年

尺寸：高 178 釐米，寬 75 釐米

立石地點：汝陽縣柏樹鄉五龍村五龍廟

重修五龍廟碑記

邑西北舊有五龍廟，山嵐水波，秀絶區也。訪之期頤老人，未諳其建自何代，斷碑苔蘚，搜剔視之，乃知創於元，重修於明，而踵事增華於本朝者也。歷年久，瓦崩榱解，鳥鼠穴居，樵夫牧豎坐臥，□□維神有靈，亦將笑人寂寂矣。然時值旱魃爲虐，遠近禱雨，無不響應。神則何負於人，而人竟莫之怵然動也。幸有善士張君諱顯及趙君名爲成者，覩斯廟也，矮小而陋，何以妥神？遂毅然以重修爲任，倡率善類，即幽閨婦女亦莫不響義而樂施焉。不數月即獲貲若干緡。諏吉於春，告成於冬，易湫隘而爲弘廠，築之剔之，堊之雘之，又從而金碧之位，聖母於兩楹之中，黑龍列左，五龍居右，凡兩旁侍衛之像精采焕發，鬚眉如生，仰瞻之下，有不生其寅畏者誰歟！嗣是有禱而祝之者，其靈應顯赫，不知更何若也。或異之曰：課晴占雨，豈無有陽愆陰伏，年谷不登者乎？稽之自古帝王偶遇旱蝗，避殿減膳，躬親祈禱，而卒不免於災祲者，不誠故也。恭逢皇上軫念民瘼，於甲戌夏天久□□□□官草履，徒步詣山川壇，雖晝曝夜露，頃刻弗移。未及三日，天降甘霖，四郊霑足，萬姓歡騰。審是則積誠感格，百神効靈。想五龍□□□□□□德是輔有不降鑒於茲，而爲之潤澤一方者哉！要以視人之誠否耳。奚足異廟成，而索文於餘，餘應命而筆記之。至於拜殿、舞樓□□□□□□愧，力不逮請，以俟之方來者。

邑人拔貢生杜珖昌撰文，邑後學庠生李秉忠書丹，邑人拔貢生李可珍篆額。

功德主：張顯：錢十千。趙爲成：銀十兩。王明：銀十兩。黨柱：錢一千。焦六德：錢五百。募化主：史學厚：錢五百。趙世昌：銀一兩。史繼才：銀一兩。張起龍：銀五錢。李永禄：銀三錢。謝友：錢六百四。李廣興：銀六兩。桑弘報：銀三兩。姚義：銀二兩。杜珖昌：銀乙兩。王爾齊：錢乙千。李如棟：銀乙兩。李如杞：銀八錢。李秉忠：銀五錢。監生劉嵩：銀乙兩。孫德新：銀乙兩。李淳：銀乙兩。王廷吉：銀乙兩。常成芳：銀乙兩。吕光仁：銀乙兩。楊開太：銀五錢。趙忠海、馮自起、毛昌、王永禄、遠君命、張漢禮、史繼明、王自成、劉珩、崔乾、吕文吉、郝顯、趙璋，以上各五百。吕光智、張起虎、仝如銀、吕進名、張天臣、劉炳、亢弘、侯炳、席文焕、張其祥、朱亮有、荆天職、史繼榮，以上各五百。張孝、常有才、李天壽、秦弘、高文玉、王繼文、吕三寶、王九恭、周澤沛、高奉、李文才、李永平，以上各三百。□學恭：銀五錢、監生布金階、趙世建、劉方敬、張存言、趙永祥、王星玉、梁恭、高智、高林、王星江、吕光奇、趙爲創、康功，以上各三百。生員劉彦峙、監生常中憲、張繁祉、齊順、李如相、劉方池、□士禄、王振棋、李如秀、劉峨峙、劉相、王建基、王斌以上各三百。楊生蘭、曲弘毅、常永吉、李可則、常遇禄、高文輝、吕進德、李可培、尚有德、王國廷、史繼成、馬興、吴大禮，以上各二百。劉棟、吴應居、張弘林、謝信、黄鑑、吴文英、李龍、張林、張忠、張梅、謝松、宋世保、劉林，以上各二百。李悦、布居周、張弘義、布恩、任良臣、陳起順、李世英、張孔祥、史廷臣、楊運太、王進福、宋二秋、王世學，以上各二百。李棟、王宗禹、李柱、王英、亢從智、 張明德、王賢、亢林、王天才、梁瑾、郭聚財、李本智、李大然，以上各二百。李廷秀、王朝福、王朝爵、王世宰、魏有倫、吕光信、柴全、康記夏、康記選、孫大仁、孫大禮、郝進忠、劉弘信，以上各二百。監生杜鋭、宋蒲、常廷璽、王世基、王守基、王萬基、王弘基、王興基、王隆基、張進財、李成禄、李成士、贊禮王廷臣，以上各二百。張全、李瑞、楊名珠、郝進禮、晁子祥、李如蘭、曹自青、袁天禄、孟起龍、李自成、楊生彩，以上各二百。生員常泉、監生李振翮、各一百、史孝、馬士傑、史進、吕從仁、馬振海、馬從云、武貴、　武瑾、馬璽、蕭式、蕭林、趙斌、趙瑗，以上各一百。李楝、王德禄、高文、范義、李剛、史義、張雲、范榮、蕭律、姚順、車恩、吕而傑、董義，以上各一百。董朝壁、岳福、遠君貴、楊心成、郭璋、李大貴、郭黄、李永年、李二貴、李起鳳、張信、王祉、侯國文，以上各一百。楊昇、朱海山、王從政、王萬倉、劉珍、焦善民、謝舟、布夏、陳起瑞、何傑、王三寶、王三槐、王三元，以上各一百。趙世爵、王起霧、郭進名、楊福、劉文俊、李祥雲、亢魁、趙人福、趙人榮、常永思、王天才、黄現、王仁，以上各一百。張自顯、張自才、張自雲、楊生雲、文忠愛、王朝相、温子義、武世秀、趙珍、吕元亮、劉光勉、吕進秀、張起仙，以上各一百。范燦、范有學、柴文、曹朝楝、吕進財、趙華、謝世俊、劉振民、劉廷章、劉廷秀、喬惠、趙世福、馬未虎，以上各一百。谷國林、郭來珠、昌景忠、范大有、楊世英、侯進功、侯君喜、趙良佐、遠進財、許進寶、許喜、李範、梁三會，以上各一百。史繼義、秦東陽、史繼書、張云福、耿述弇、馬獻章，以上各一百。田盡忠、趙賓信、路雲慧各五十。

鐵筆：鄧尚賢。住持僧：明然。

時大清乾隆貳拾壹年歲次丙子丁酉月吉日穀旦。

波秀絶區也訪之期頤老人未諳其建自何代斷碣皆蘚𤔡剔視之乃知創於
亂穴居樵夫牧豎坐臥[illegible]維　神有靈亦將哭人寂寞矣然時值旱魃爲雩
也幸有善士張君諱顯及趙君名爲成者覩斯頹也矮小而陋何以妥　神遂
施焉不數月即獲貲若干緡諏吉於春告成於冬易湫隘而爲弘敞築之剔之
五龍居右九兩旁侍衛之像精采煥發鬚眉如生仰瞻之下有不生其寅畏
異之曰課晴占雨豈無有陽愆陰伏年谷不登者乎昔之自古帝王偶遇旱蝗
官皁履徒步請山川壇雖晝曝夜露頃刻弗移未及三日天降甘霖四
德是輔有不降鑒於茲而爲之潤澤一方者哉要以視人之誠否

原大局部

【一三七】　高祖廟院墻功成記

年代：清乾隆二十三年

尺寸：高 163 釐米，寬 60 釐米

立石地點：汝陽縣陶營鎮大北西村高祖廟

高祖廟院墻功成記

儒學廩膳生員蔡汝霈巨波甫沐手書。

白元里大北西舊有漢高皇帝行宮一座，南面屺山，北倚奇嶺，東連興渠，西接潦湖，誠伊邑一勝地也。其周圍垣墉屢次脩葺，皆因陋就簡，安於狹隘，甚非所以藏神靈而肅將享也。歲在丁丑，鄉耆計君慨然以重修爲己任，爰約同志募化貲財，命匠鳩工。度其地勢，正其方面，厚其基址，高其門閎。晨夜展力，越明年成，由其外以望廟貌之巍莪，環以垣墉之峻麗，則山之高嶺之秀，渠與湖之波流，無不增色，視向之規模狹隘，爲何如哉。是宜勒之貞珉，以垂善事於不朽。

功德主吏員計憲程率長子廷傑、次子廷試，孫文興、文元、文選、文會捐錢六千。

（以下略）

石匠：賀琳、鄭可舉。住持：張復會、張復祥，徒：江西南昌府新建縣熊本福，孫：樊何興捐錢二千。

皇清乾隆二十三年歲次戊寅五月十七日立。

流芳百世

重建飛源宮東祖師殿並金粧東西殿神像補修神路碑

竊維功無創因，爲善一也。邑東南有丹陽觀，古飛園也。年深月久，不無風雨損壞，而東

玄武祖師殿尤甚。住持徐復朝憮然不安，即欲整葺重建之。顧人之好善，誰不如我？在城善士有趙君諱寬道，聞其意而喜之，且樂與同力協辦。事竣，共費錢二十四千，囑予爲文以記之。予想夫善善相因，莫爲之前，雖盛弗彰；莫爲之後，雖美不傳。如趙君者，屢行善事，洵屬可嘉；而徐羽士極經營，畧無難色，亦豈高言清淨、懶於興功者比。後有好善樂施，增其式廓者，未始非二君之先啟後之力也。予是以不辭鄙陋，畧叙嶺末，以識不朽云。

邑廩生常吉薰沐拜撰

邑庠生陳清瑞薰沐敬書

功德主趙寬道　男國良　國弼　孫登純　寅　曾孫子印

臨汝監生趙倫　管飯一頓　吉爾昌　管飯四頓

邑監生楊從先　管飯一頓　毛可舉　管飯一頓

楊景恭　捐錢二百　毛承業　管飯一頓

住持徐復朝　徐復良　徒全本　賞基　杜兆　武賢　趙亮

李復正　文復祥　康　全本旺　毛本相　張　得　王松

王　孫　李合　志　王合梅

奎　李廣

泥木匠胡祥

金粧匠王登明

鉄筆費大有

大清乾隆三十八年歲次癸巳季冬吉旦

【一三八】 重建桃源宫東祖師殿並金粧東西殿神像補修神路碑

年代：清乾隆二十八年

尺寸：高 133 釐米，寬 59 釐米

立石地點：汝陽縣城關鎮雲夢村桃源宫

〔碑首〕：流芳百世

重建桃源宫東祖師殿並金粧東西殿神像補脩神路碑

竊維功無創因爲善一也。邑東南有丹陽觀，古桃園也。年深日久，不無風雨損壞，而東玄武祖師殿尤甚。住持徐復朝憮然不安，即欲罄囊重建之，顧人之好善，誰不如我？在城善士有趙君諱賓道，聞其意而喜之，且樂與同力協辦。事竣，共費錢二十四千。囑予爲文，以記之。予想夫善善相因，莫爲之前，雖盛弗彰，莫爲之後，雖美不傳。如趙君者，屢行善事，洵屬可嘉。而徐羽士極力經營，畧無難色，亦豈高言清净，懶於興功者，此後有好善樂施、增其式廓者，未始非二君承先啓後之力也。予是以不辭鄙陋，畧叙巔末，以識不朽云。

邑廪生常吉薰沐拜撰，邑庠生陳清瑞薰沐拜書。

功德主：趙賓道，男良、園，孫登寅、登純，曾孫子印。

臨汝監生趙倫：管飯一頓。邑監生楊從先：管飯一頓。楊善恭：捐錢二百。吉爾昌：管飯四頓。毛可舉：管飯一頓。毛承業：管飯一頓。

住持：徐復朝、李復正、徐復良、文復祥，徒：賓基、仝本旺、張口、杜兆、毛本相、王立，孫：武合賢、張合得、李合志、蔣合奎、趙合亮、王合松、王合梅、李合廣。

泥水匠：胡祥。金粧匠：王登明。鐵筆：賈大有。

大清乾隆二十八年歲次癸未季冬吉旦。

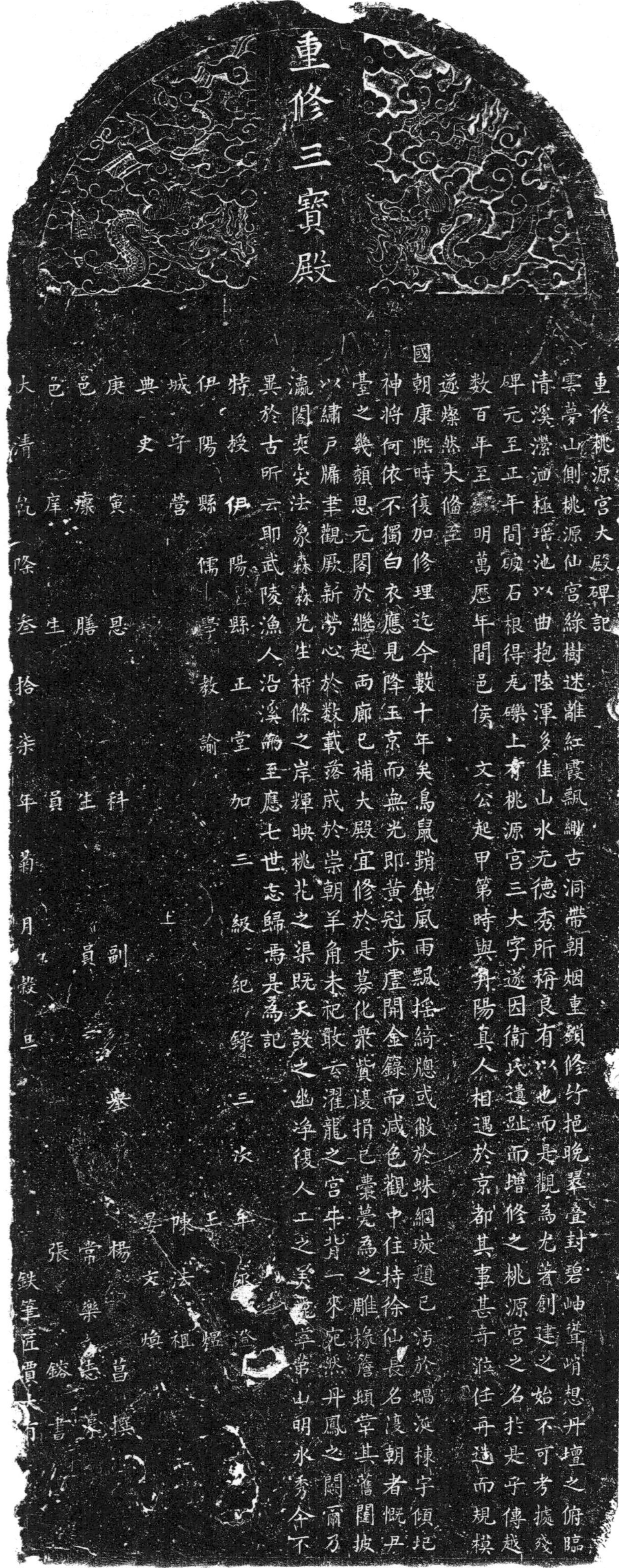
重修三寶殿

重修桃源宮大殿碑記

雲夢山側桃源仙宮綠樹迷離紅霞飄緲古洞帶朝烟重鎖修竹挹晚翠疊封碧岫聳峭想丹壇之俯臨
清溪瀠洄極瑤池以曲抱陸渾多佳山水元德秀所稱良有以也而是觀為尤著創建之始不可考據殘
碑元至正年間破石根得尾礫上有桃源宮三大字遂因衛氏遺址而增修之桃源宮之名於是乎傳越
數百年至▢明萬歷年間邑侯▢文公起甲第時與丹陽真人相遇於京都其事甚奇洊任再遣而規模
遂燦然大備▢
國
朝康熙時復加修理迄今數十年矣鳥鼠蹢蝕風雨飄搖綺牕或敝於蛛網璇題已污於蝸涎棟宇傾圮
神將何依不獨白衣應見降玉京而無光即黃冠步虛開金籙而減色觀中住持徐仙長名復朝者慨丹
臺之幾頹思元閣於繼起兩廊已補大殿宜修於是募化衆貲復捐己橐莬為之雕椽簷頗堂其舊閭披
以繡戶牖聿觀厥新勞心於數載落成於崇朝羊角未祀敢云濯龍之宮牛背一來宛然丹鳳之闕爾乃
瀛閣奕矣法象森森光生梧條之岸輝映桃花之渠既天設之幽淨復人工之美麗寧第山明水秀令不
異於古所云耶武陵漁人沿溪而至應七世忘歸焉是為記
特授伊陽縣正堂加三級紀錄三次　年▢洛
伊陽縣儒學教諭上▢　王▢煜
伊城守營　陳法祖
典史　晏文煥
庚寅恩科副▢　楊菖撰
邑癢膳生員　常樂志纂
邑庠生員　張鎔書
大清乾隆叁拾柒年菊月穀旦　鐵筆匠賈大有

【一三九】　重修桃源宫大殿碑記

年代：清乾隆三十七年

尺寸：高 198 釐米，寬 74 釐米

立石地點：汝陽縣城關鎮雲夢村桃源宫

〔碑首〕：重修三寶殿

重修桃源宫大殿碑記

雲夢山側桃源仙宫，緑樹迷離，紅霞飄緲，古洞帶朝煙重鎖，修竹挹晚翠疊封。碧岫聳峭，想丹壇之俯臨；清溪瀠洄，極瑶池以曲抱。陸渾多佳山水，元德秀所稱良有以也，而是觀爲尤著。創建之始不可考，據殘碑元至正年間破石根，得瓦礫上有"桃源宫"三大字，遂因衛氏遺址而增修之，"桃源宫"之名於是乎傳越數百年。至明萬曆年間，邑侯文公起甲第時，與丹陽真人相遇於京都，其事甚奇，沧任再造，而規模遂燦然大備。至國朝康熙時，復加修理，迄今數十年矣，鳥鼠銷蝕，風雨飄摇，綺窗或敝於蛛網，璇題已污於蝸涎，棟宇傾圮，神將何依？不獨白衣應見降玉京而無光，即黄冠步虚開金籙而減色。觀中住持徐仙長名復朝者，慨尹臺之幾頽，思元閣於繼起，兩廊已補，大殿宜修。於是募化衆貲，復捐己囊，甍爲之雕，椽簷頓改其舊；闥披以繡，户牖聿觀厥新。勞心於數載，落成於崇朝。羊角未祀，敢云濯龍之宫；牛背一來，宛然丹鳳之闕。爾乃瀛閣奕奕，法像森森，光生柳條之岸，輝映桃花之渠，既天設之幽浄，復人工之美麗。寧第山明水秀，今不異於古所云耶。武陵漁人沿溪而至，應七世忘歸焉。是爲記。

特授伊陽縣正堂加三級紀録三次牟永澄，伊陽縣儒學教諭王煜，城守營陳法祖，典史晏文焕。

庚寅恩科副舉楊菖撰文，邑廪膳生員常樂志篆，邑庠生員張鎔書。

鐵筆匠：賈大有。

大清乾隆叁拾柒年菊月穀旦。

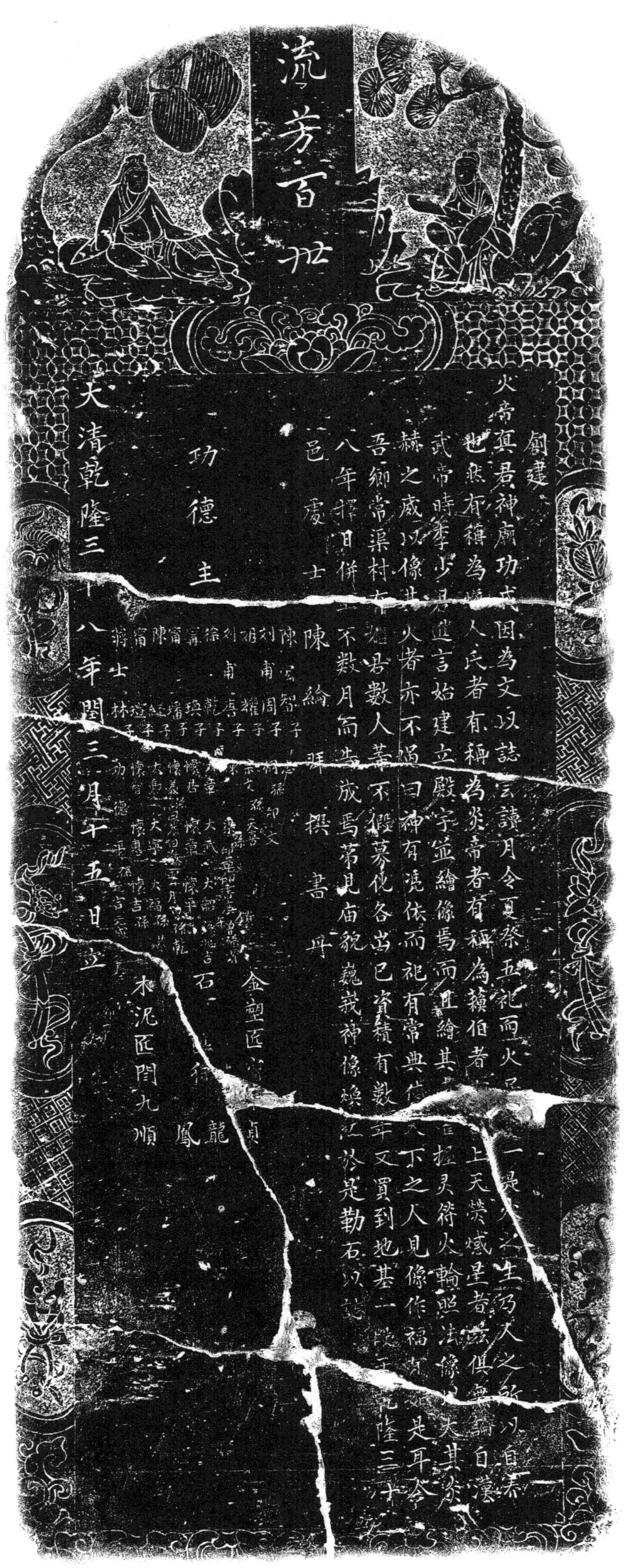

【一四〇】　創建火帝真君廟碑記

年代：清乾隆三十八年

尺寸：高 154 釐米，寬 58 釐米

立石地點：汝陽縣蔡店鄉常渠村火神社

〔碑首〕：流芳百世

創建火帝真君神廟功成，因爲文以誌。嘗讀月令夏祭五祀，而火居□，一是火之生，乃人之所以自養也。然有稱爲燧人氏者，有稱爲炎帝者，有稱爲蘇伯者，有稱爲上天熒惑星者，玆俱無論。自漢武帝時，李少君進言，始建立殿宇並繪像焉。而且繪其□難握靈符火輪照法像，以大其炎赫之威，以像其火者，亦不過曰神有憑依，而祀有常典。□天下之人，見像作福，不如是耳。今吾鄉常渠村有姬君數人等，不假募化，各出己資，積有數年，又買到地基一段，于乾隆三十八年擇日併工，不數月而告成焉。第見廟貌巍莪，神像煥然，於是勒石以誌。

邑處士陳綸拜撰書丹。

功德主：陳宏智，子忠；劉甫周，子桐，孫印文；姬耀，子宗文，孫天喜；劉甫堂，子棟、梁，孫印章、印書、庚鎖、庚午，曾孫省；徐乾，子大章、大武、大韶，孫兆吉；寧琠，子懷君、懷章、懷平；寧璠，子懷義，孫曰恭、曰敬、雲月，曾孫乾；陳經，子大勳、大寧、大福，孫恭；寧瑄，子懷智、懷惠、懷吉，孫讓、□；蔣士林，子功、德、平，孫元吉、元成。

金塑匠：寧元貞。石匠：徐龍、徐鳳。木泥匠：閆九順。

大清乾隆三十八年閏三月十五日立。

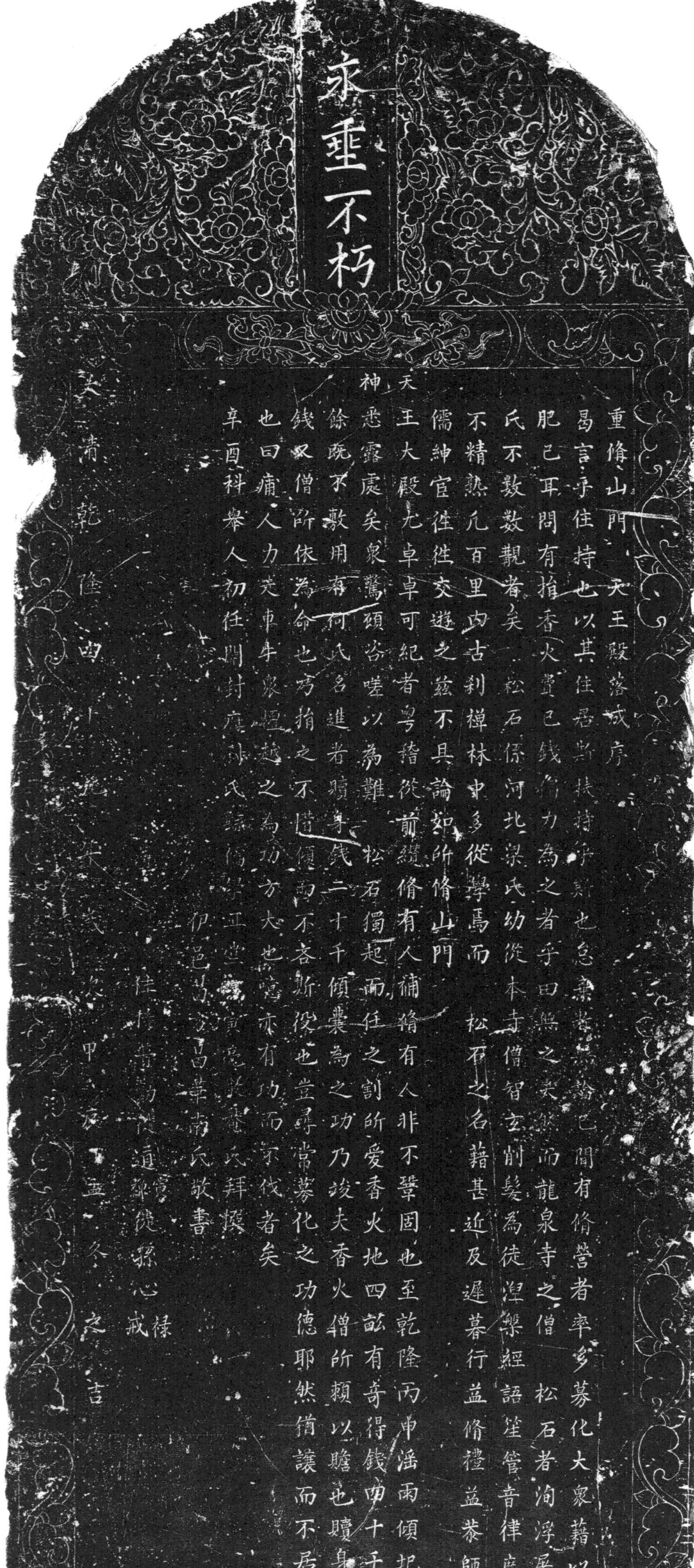

永垂不朽

重修山門　天王殿落成序
昌言寺住持也以其住居此扶持[illegible]財也急衆善無餘已間有修營者率多募化大衆藉以
肥己耳問有捐香火貲己錢竭力為之者乎田無之矣然而龍泉寺之僧　松石者洵浮屠
氏不數數覯者矣　松石係河北梁氏幼從本寺僧智玄削髮為徒涅槃經語笙管音律靡
不精熟凡百里内古刹禪林中多從學焉而　松石之名藉甚近及遐暮行益修禮益恭師
儒紳官往往交遊之茲不具論如所修山門
天王大殿尤卓卓可紀者粵稽從前纘修有人補繕有人非不鞏固也至乾隆丙申淫雨傾圮
神悉露處矣衆驚顧咨嗟以為難　松石獨起而任之割所愛香火地四畝有奇得錢四十千
餘既不敷用有何氏名進者贖身錢二十千傾囊為之功乃竣夫香火僧所賴以贍也贖身
錢又僧所依為命也乃捐之不惜傾而不吝斯役也豈尋常募化之功德耶然猶讓而不居
也曰痛人力[illegible]車牛衆[illegible]越之為功方大也噫亦有功而不伐者矣
辛酉科舉人初任開封府[illegible]氏[illegible]工堂[illegible]寅[illegible]氏拜撰
伊邑[illegible]昌華南氏敬書
住持僧[illegible]通[illegible]徒[illegible]心[illegible]戒祿
大清乾隆[illegible]甲[illegible]五[illegible]冬[illegible]之吉

【一四一】 重脩山門天王殿落成序

年代：清乾隆四十九年

尺寸：高 162 釐米，寬 64 釐米

立石地點：汝陽縣蔡店鄉妙西村龍泉寺

〔碑首〕：永垂不朽

重脩山門天王殿落成序

曷言乎住持也，以其住居斯扶持乎斯也。怠棄者無論已，間有脩營者，率多募化大衆，藉以肥己耳。問有捐香火費，己錢獨力爲之者乎？曰無之。夫然而龍泉寺之僧松石者，洵浮屠氏不數數覯者矣。松石係河北梁氏，幼從本寺僧智玄削髮爲徒，涅槃經語、笙管音律靡不精熟，凡百里內古刹禪林中，多從學焉。而松石之名藉甚，近及遲暮，行益脩，禮益恭，師儒紳宦往往交遊之，茲不具論。如所脩山門、天王大殿，尤卓卓可紀者。粵稽從前纘脩有人，補脩有人，非不鞏固也。至乾隆丙申，淫雨傾圮，神悉露處矣。衆驚顧咨嗟以爲難，松石獨起而任之，割所愛香火地四畝有奇，得錢四十千餘，既不敷用，有何氏名進者，贖身錢二十千傾囊爲之，功乃竣。夫香火僧所賴以贍也，贖身錢又僧所依爲命也，乃捐之不惜、傾而不吝。斯役也，豈尋常募化之功德耶，然猶讓而不居也。曰：庸人力、走車牛，衆檀越之爲功方大大也。噫！亦有功而不伐者矣。

辛酉科舉人初任開封府尉氏縣儒學正堂何寅亮敦菴氏拜撰，伊邑昌方昌華南氏敬書。

住持：普勸，徒：通寅、通禪，徒孫：心禄、心戒。

大清乾隆四十九年歲次甲辰孟冬之吉。

【一四二】　重修泰山廟碑

年代：清乾隆四十九年

尺寸：高 140 釐米，寬 58 釐米

立石地點：汝陽縣上店鎮任村泰山廟

〔碑首〕：重修泰山廟碑

神如泰山，位將三公。望右羣神出□□□鍾英毓瑞，誠尊二庇乎人者也。隆業□民，孰不直然。伊邑西舊有泰山廟，固俟套之勝地，亦一邑之巨觀也。第□□所或俱云重修，可見樂施好善，前人□有先爲者焉。但歷年久，而□神像□□，來年有道人智修來焚修於此，意欲重整，而獨力難成。及癸卯□□□化□數□募衆善，合力經營，閲一載，而神像、廟貌俱□□□固，並山門亦焕然一新。後於□多多矣，智修□大有心人□是豈非有爲之前，厥美乃彰□□之後，其盛□不惟後人之功，不没□前人之功。□□□。

大清乾隆四十九年十一月吉旦。

【一四三】 重修玉皇衆神殿三楹創建二郎殿一楹並金粧神像碑記

年代：清乾隆五十七年

尺寸：高 135 釐米，寬 61 釐米

立石地點：汝陽縣小店鎮車坊村泰山廟

〔碑首〕：流芳百世

重修玉皇衆神殿三楹創建二郎殿一楹並金粧神像碑記

邑東車坊街古有玉皇衆神殿三楹，其地東界汝陽，西臨紫邏，南帶汝水，北環葩山，誠四方之名區，一鎮之巨觀也。原其創建之始，肇自霍君諱賓者，未曾勒石，不知起於何年。迨今年月久遠，風雨傾圮，廟貌頹焉而難覩，神像淡然而鮮光。當斯時也，歷斯境也，善男信女莫不觸目而傷心。第功程浩大，微力難成，是故住持董禮泰請總理數位，經營始終，懇募化，諸公捐輸，遐邇斯時一舉，善念人皆悦之，因而重修玉皇衆神殿三楹，創建二郎殿一楹。若者庇材，若者鳩工，不數月而功成告竣，以視前之廟貌頹焉而難覩者，不焕然而改觀乎，神像淡然而鮮光者（莫）不燦然而生色乎！斯誠衆善咸齊，萬福攸同，爰勒貞珉，以誌不没人善之意云爾。

山西生員張電撰文，後學郭秀書丹。

功德主：耆老李文貴：施錢二千八百文。耆老穆岐鳳：施錢四千五百文。永盛號：施錢一十二千。郭相朝：施錢一十四千三百文。耆賓賀玉瑾：施錢一十二千。潘紫林：施錢三千二百文。胡守立：施錢二千七百文。

木泥匠：張林施錢一千。鐵筆匠：徐林施錢三百。金塑匠：連永吉。住持：董禮泰、雲夢山馬智鶴施錢貳千。

乾隆五十七年歲次壬子□夏中浣吉旦立石。

【一四四】 重脩二郎神祠碑

年代：清嘉慶二年

尺寸：高 151 釐米，寬 59 釐米

立石地點：汝陽縣大安工業區曹劉莊村

〔碑首〕：萬古流傳

重脩二郎神祠碑

去大安東北三里許，當霸陵川之上遊，五峯疊起，累若珠連□□，數十家環聚其下，爲曹劉家莊□外，舊建有二郎神祠。其來也，吾誠莫測，其由其著，響應於一方也，吾亦不得詳其巔末。自雍正己酉歲重脩後，距今垂六七十年，墻頺棟橈，將就圮矣。里人恐焉，即舊址而葺飾之。工既竣，索余文爲記。余惟昔人之制□祀典也，凡有功德及於人者，則羣然秩而祀之。考蜀中三神記及灌縣誌，神爲蜀守李冰次子，自秦時已廟祀於灌口，宋藝祖興始，徧及四方。其所述役神兵入水龍蛟事，衣黄袍，乘白馬，往來雲中，歷歷如繪，禦大災而捍大患，其功德及於人者如此。是以歷代褒封，或稱清源妙道真君，或稱英烈聖德靈顯仁佑。王名號雖不同，要之其神固正神也，於以祀之，亦崇德報功之意應爾。豈與夫金刹瑶宫，建勝□面□□門，信邪説而興淫祠者同日語哉！嗚呼！祀典之不明也久矣，以神之靈，顯異常功德，昭著若此，顧□惑於稽神録，與封神演義而□拾孟昶楊戩之説，以亂人聽聞，抑獨何歟，抑獨何歟！夫人敬神而獲福，神□依人而廟享。人以誠感神，神即以靈佑人，此幽明自然之理也。今以乃神前後靈感顯□之跡，直書刻石，□□□堂，庶使後之觀者亦如所崇敬云。是爲記。

實授懷慶府儒學副堂景先張鳴珂撰文，姪國子監太學生俊菴千一書丹。

功德化主：曹化：千三。張珩：千三。張檀：千五。劉魁：千八。□□道：千八。監生侯應彪：三千。劉克法：二千。張進：一千。張新：千三。張現：八百。張懷：千三。張楷：八百。李榮：七百。侯璋：五百。張榮：五百。張元喜：五百。張天才：六百。張行道：六百。曹小魁：六百。張天爵：五百。曹小扣：五百。張蒲：五百。張天啓：四百。張文明：四百。張川：四百。曹明：四百。張有：三百。張□：四百。曹□：三百。侯中全：三百。張純：三百。張詩：三百。張桂：三百。張書：三百。張林：三百。張宗道：三百。張益：三百。張宗：三百。侯□□、張宗召：二百。李□：一百。李□□：二百。張魁道：三百。張□道：三百。侯□福：三百。張永明：二百。張天學：二百。張□、曹□、張□、張宣、張本金、張天儒。

大清嘉慶二年歲次丁……

【一四五】 重脩關帝廟碑記

年代：清嘉慶二年

尺寸：高 152 釐米，寬 58 釐米

立石地點：汝陽縣大安工業區曹劉莊村關帝廟

〔碑首〕：萬古流傳

重脩關帝廟碑記

天地有正氣，人心有正理，得其正者，自不得以邪妄誣之。帝之明威遠矣，跡其翊漢大節，浩然常伸，蓋得天地之正氣，而爲人心之至正者。靈光所攝，遐僻幽隱之區無不畢照。兹地之有祠，亦所以報帝功，昭敬謹也。獨奈何惑於浮圖家言，以爲祠在寺左側，而倡爲入寺，迦藍之説以誣之，不亦褻瀆之甚乎！兹因歲久傾圮，復理而新之，正南向之位，肅端冕之容。自兹後歲時簫鼓朔望進謁，其於崇德報功、乞靈展敬之意，或庶幾兩無憾云。余因脩祠事，適有感於中，聊贅數言而筆之書，以爲記。

實授懷慶府儒學副堂景先張鳴珂選文，姪國子監太學生俊菴千一書丹。

功德化主：張現：八百。曹禮：千三。張懷：千三。張新：千三。侯應明：千七。張凝道：二千。武生侯應彪：三千。劉克法：三千。張檀：千六。張珩：千三。侯玉璋：一千。張超：千二。李法：九百。李榮：七百。張進：錢一千。張志道：五百。張楷：一千。張常：八百。張□：七百。張天才：六百。張行道：六百。曹爾和：六百。張天爵：五百。曹爾魁：五百。張滿：五百。張天均：錢四百。劉進財：四百。張釗：四百。曹明：四百。張有：三百。侯中全：三百。張詩：三百。張桂：三百。張林：三百。張成名：三百。張宗道：三百。張松：三百。張益：三百。張琮：三百。翟中一：三百。張珍：三百。張魁道：三百。張聚道：三百。侯聚福：三百。曹璟：三百。侯峻朝：三百。張天學：二百。張純：二百。侯應選：二百。張自明：二百　張書：二百。李華：二百。李有美：二百。張寬：一百。張恭：一百。侯中成：一百。夏聚泰：一百。張成：一百。曹建學：一百。張本全：一百。張天寧：一百。李智：一百。李富：一百。

金塑匠：張名儒。

大清嘉慶二年歲次丁巳四月吉日立。

【一四六】 重修火帝廟並金粧神像碑記

年代：清嘉慶十四年

尺寸：高 165 釐米，寬 64 釐米

立石地點：汝陽縣小店鎮小寺村火神廟

〔碑首〕：流芳百代

重修火帝廟並金粧神像碑記

蓋聞書載：五行火居其二。易傳：八卦離列于六，德秉陽剛，位應午極。此其紀在祀典，不容或廢者，匪伊朝夕之故也，所由來者漸矣。邑中舊有火帝神廟三楹、拜殿三楹，創建者何年，重修者誰氏，書缺有間焉，顧第弗深考。但世遠年湮，風雨之漂摇，鳥鼠之銷蝕，棟宇傾圮，神將何依？時有監生王公諱景泰者，慨然以重修爲己任，奈功程浩大，獨力難成。迺復延請數人，合村募化，衆善士亦皆踴躍樂施，共勷盛事。于是，集羣腋以爲裘，合衆製以成錦，同心勠力，鳩工庀材，不多日而工告竣。棟桷峻起，廟貌巍峩，金色閃爍，法象聿新。光生汝水之岸，輝映沮洳之樂。既□設之景物，復人工之美麗，不惟實實枚枚，慶落成于今茲，抑且濟濟蹌蹌，幸告虔于他日矣。然則斯舉也，非王公之好善，無以董其事，而非諸君之慕義，亦何以觀厥成哉！故勒石以誌。

邑庠生張清泰吉安氏譔文，邑增生王陶璋孟甄氏書丹。

化主：張焕：捐錢十千。張道：捐錢兩千。張毓林：捐錢乙千。生員張清泰：捐錢六千。程福安：捐錢三千。千總張鳳儀：捐錢十千。張璞：捐錢九千。馬登名：捐錢八千。監生王景灼：捐錢七千。張毓桐：捐錢七千。監生王相：捐錢六千。武生張心泰：捐錢五千。張士俊：捐錢五千。杜興印：捐錢四千五百。閆□華：捐錢四千。貢生張毓榮：捐錢三千。李□：捐錢三千。楊朝貴：捐錢三千。馬登榜：捐錢三千。生員張夢元：捐錢二千。張毓櫟：捐錢二千。楊武：捐錢二千。張毓柄：捐錢二千。張景文：捐錢一千。程福義：捐錢五千五百。陳鳳：捐錢乙千五百。張永：捐錢乙千五百。王景默：捐錢乙千五百。胡中□：捐錢乙千五百。王鋸：捐錢乙千五百。胡有金：捐錢乙千五百。張法有：捐錢乙千五百。袁貴：捐錢乙千五百。王景燦：捐錢乙千五百。胡天福：捐錢乙千五百。張符生：捐錢乙千。魏子章：捐錢乙千。張炳：捐錢乙千。賈進財：捐錢乙千。張照：捐錢乙千。張士法：捐錢乙千。張進福：捐錢乙千。王書：捐錢乙千。李斌：捐錢乙千。袁興龍：捐錢乙千。張毓藻：捐錢乙千。郭其林：捐錢乙千。張汝聰：捐錢乙千。張毓璠：捐錢八百。姜振楚：捐錢八百。袁朋、張汝明、劉景、李宗洛、趙有松、張洙、胡建錫、胡有智、張祥、趙禄、袁士興、張瑞、黄得心、李榮、張士德、王景坤、閆學官、翟卓各錢五百。孫孔文、靳士華、張太、靳蘭生、趙買各錢四百。李進福、張文錦、李懷亮、李芳春、李智、尚德、張均、王子成、陳寧安、喬偉、胡有兆、張符信、連玉、張汝智、賈玉林、張仙、張見、趙秀、張鄉貴、高宣、靳秀、張龍臣、胡有順、李敬、胡金成各錢三百。張法、趙壽、李偉、楊天保、程百倉、袁禮、吴進朝、周官、趙王氏、陳玉平、韓章、温成、吴進禮、李伸、李成、郭四□、張四君、張毓楨、張鄉名、李福、劉義、趙偉、梁清增各錢二百。

泥木匠：程福安、張士法、胡有義。金塑匠：張儒明。鐵筆匠：黃士安、高文太。

大清嘉慶拾肆年□□□桑□月穀旦。

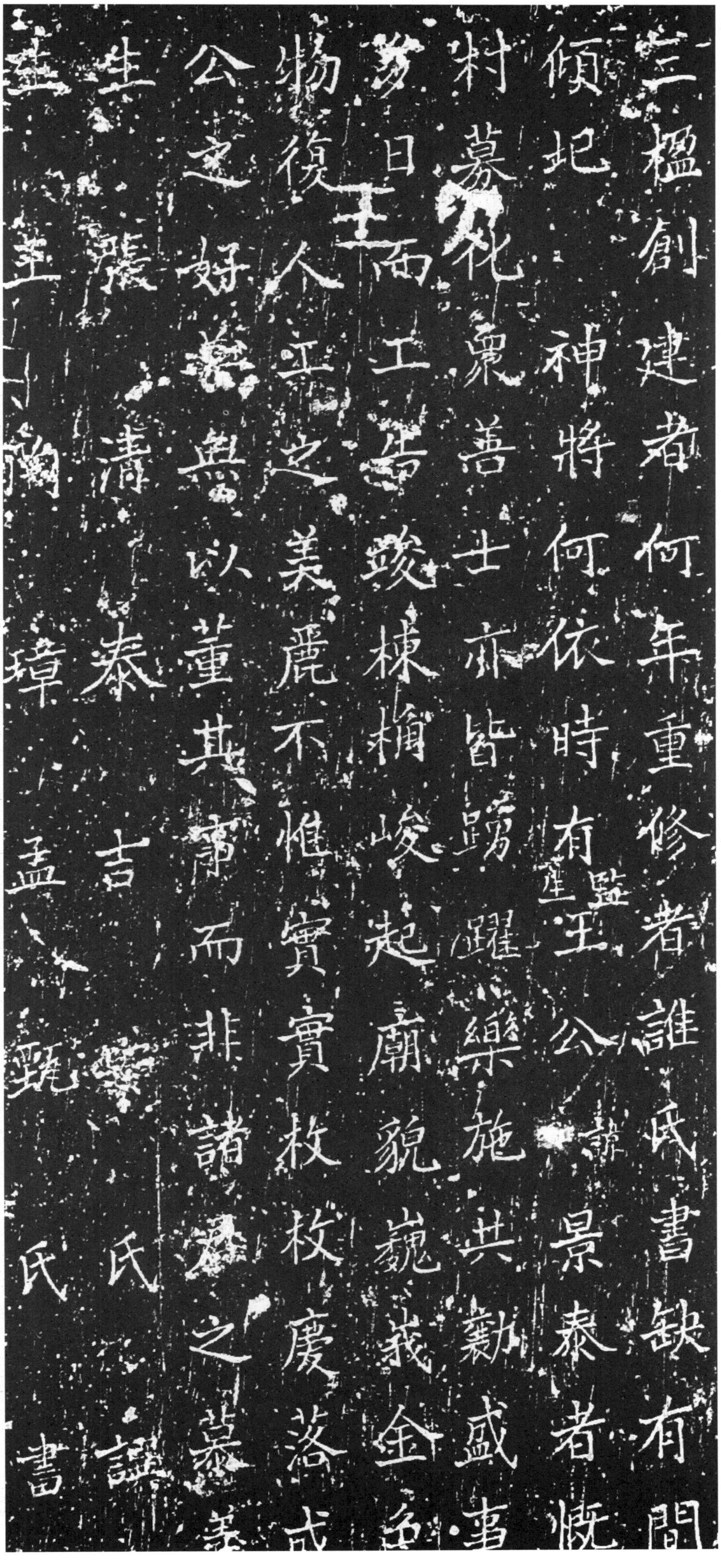
三楹創建者何年重修者誰氏書缺有間
傾圮神將何依時有監生王公諱景泰者慨
村募化衆善士亦皆踴躍樂施共勷盛事
□日而工告竣棟桷峻起廟貌巍峩金色
物復人工之美麗不惟實實枚枚度落成
公之好善無以董其事而非諸公之慕義
生張清泰吉氏謹
監生□璋孟甄氏書
原大局部

丙埠鎮東舊有

火姑堂堂爲撡謁殿殿爲樂舞臺昔遠年湮風雨剥蝕 神像闇淡墻垣傾頹罷衛垂壽約鎮士民募化

衆善傀金輸辟鳩工庀材从新脩理月餘而功告竣囑予爲文以誌之予以廟宇所以安 神靈撡

殿所以歆對越舞臺所以酬 聖德爲有明文茲不復贅但願後之覽者亦有感於斯文廢者脩之

墜者舉之則後之視今亦猶今之視昔庶幾千載一日後先媲美將憑式有望而福庇永無替云

邑庠生階三氏劉東堂撰文 儒童張鳳池沐手丹書

化

誥授武德佐騎尉戊子科武舉張修道施銀伍兩

武生張修琳銀伍兩

武生張修和銀伍兩

生員張克定銀伍兩

武生張克讓銀四兩

職員張修德銀三兩

貢生張克廣銀三兩

監生侯俊章銀三兩

高宗成銀三兩

主

張持清銀三兩

化

張珍銀二兩

監生段上元銀二兩

党榮祚銀二兩

尹進有銀二兩

生員姚殿池銀二兩

張岱銀二兩

馮思敬銀二兩

張珩銀一兩

主

張瑞銀一兩

化

監生常鍔銀二兩

監生張興祖銀二兩

黃保合一兩五

吳信一兩五

耆老張萬一銀一兩

段銘銀一兩

宋君祥銀一兩

徐好義銀一兩

主

吏員劉東堂銀一兩

化

王永修銀一兩

常學試銀一兩

主

張鵬雲銀五

孟合興銀三兩

張鳳翔銀三兩

徐士林銀二兩

張琮銀二兩

職員張修己銀二兩

張修文銀二兩

張琅銀二兩

張修家銀二兩

宋三合銀二兩

于永興銀二兩

魁元號銀二兩

魁興成銀二兩

順興號銀二兩

鐵筆匠史登傑施銀壹兩伍錢

窰匠侯根卿施銀壹兩伍錢

画匠郭南江施銀壹兩

泥水匠劉遇春施銀伍錢

住持 龐壽 徒 常福

劉重吉 胡天德

樊天錫

大清嘉慶貳拾壹年歲次丙子孟夏穀旦立

【一四七】 重脩火姑堂碑記

年代：清嘉慶二十一年

尺寸：高 195 釐米，寬 70 釐米

立石地點：汝陽縣内埠鎮内埠村火姑堂

内埠鎮東舊有火姑堂，堂前摻謁殿，殿前樂舞臺。時遠年湮，風雨剥蝕，神像闇淡，墻垣傾頹。龐道重壽約鎮士民，募化衆善，醵金輪璧，鳩工庇材，從新脩理，月餘而功告竣。囑予爲文以誌之，予以廟宇所以妥神靈，摻殿所以款對越，舞臺所以醻聖德，前有明文，兹不復贅。但願後之覽者亦有感於斯文，廢者修之，墜者舉之，則後之視今，亦猶今之視昔。庶幾千載一日，後先媲美，將憑式有地，而福庇永無替云。

邑庠生階三氏劉東堂撰文，儒童張鳳池沐手丹書。

誥授武德佐騎尉戊子科武舉張修道施銀伍兩。

化主：武生張修琳：銀伍兩。武生張修和：銀伍兩一錢。生員張克定：銀伍兩。武生張克讓：銀四兩。職員張修德：銀三兩。貢生張克廣：銀三兩。監生侯俊章：銀三兩。高宗成：銀三兩。張持清：銀三兩。張珍：銀二兩。監生段上元：銀二兩。黨榮祚：銀二兩。尹進有：銀二兩。生員姚殿池：銀二兩。張岱：銀二兩。馮思敬：銀二兩。張珩：銀二兩。張瑞：銀二兩。監生常鍔：銀二兩。監生張興祖：銀二兩。黄保合：一兩五錢。吴信：五兩一錢。耆老張萬一：銀一兩。段銘：銀一兩。宋君祥：銀一兩。徐好義：銀一兩。生員劉東堂：銀一兩。化主：丁永修：銀一兩。常學武：銀一兩。張鵬江：銀五錢。益和興：銀三兩。張鳳栩：銀三兩。貢生徐士林：銀二兩。張琮：銀二兩。職員張修己：銀二兩。張修文：銀二兩。張琅：銀二兩。張修家：銀二兩。宋三合：銀二兩。丁永興：銀二兩。魁元號：銀二兩。魁興號：銀二兩。順興號：銀二兩。

鐵筆匠：史登傑：施銀壹兩伍錢。窑匠：侯振卿：施銀壹兩伍錢。畫匠：郭南江：施銀壹兩。泥水匠：劉遇春：施銀伍錢。住持：龐重壽、劉重吉，徒：常天福、胡天德、樊天錫。

大清嘉慶貳拾壹年歲次丙子孟夏穀旦立。

【一四八】　重修祖師殿東西靈官殿觀音祠及道房碑記

年代：清嘉慶二十四年

尺寸：高 116 釐米，寬 48 釐米

立石地點：汝陽縣三屯鄉秦嶺村鐵頂山祖師廟

〔碑首〕：流芳百代　日月

重修祖師殿東西靈官殿觀音祠及道房碑記

伊東南有峴峯，峴峯之山腰舊有崇天宫，崇天宫有祖師殿三楹，有東西靈官殿六楹。而祖師殿之右，更有觀音祠一所，不知創自何代。於乾隆甲戌年，段君諱霖，覩殿宇之頹敗，勵志重修，崇天宫之諸宫殿無不焕然聿新。自是之後，多方□而□□，刊諸貞珉，實人人之所共識也。至今五十餘年，經風雨之剥蝕，而祖師殿與東西靈官殿及觀音祠，墻壁傾覆，神光闇淡，蓋又莫甚矣。有段君霖之孫諱温，號玉峯者，時遊覽於其上，慕祖功而動念，隱然起重修志焉。住持蕭永太、朱來順復以重修之事往段之商，段君温即慨然應允，因公出歸，廣募善男信女，以成斯舉。起事於丁丑之秋，告竣於戊寅之春，而祖師殿、東西靈官殿、觀音祠，無不巍焕可觀。又於祖師殿前創修道房三楹，則崇天宫之氣象誠又一新也。功成囑余爲文，余想夫觀峯之勝，因祖師而益著，而祖師之靈，因段君之祖孫而始妥。古人云：莫爲之前，雖美弗彰，莫爲之後，雖盛弗傳。其段君祖孫之謂與，則安得不刻碑勒石，以顯衆善，以嘉段君温之善繼善述，以爲天下後世勸。是爲序。

汝州廩生曹宗海撰文並書丹。

山主：貢生張治安、武曾，功德主：布政經歷司段温、子光啓、光朝，總化主：袁克勤捐銀拾伍兩。袁克仁捐銀貳兩伍。張秉義。住持：蕭永太、朱來順，徒：張克相、魏復興。木泥匠：李大昌、李英。金塑匠：趙瑁。

嘉慶二十四年貳月吉日立。

創建　關聖帝君廟碑記

關聖帝君何以顯著於天下後世哉？蓋當曹操陰謀漢祚也，其心鬼蜮，其行世之不爲所愚弄者寡矣。　帝君與之周旋，惟義是從，利不能動，威不能懾，此由見明察定，知至行盡，所謂聖之武者也。然則世之不爲利動、不爲威惕者，皆　帝君之徒也；而世之殫竭其心、鬼蜮其行者，亦皆曹操之徒也。爲　帝君之徒，信　帝君，敬　帝君；固已爲曹操之徒，亦何怪其不信不敬也哉。然而自漢及今，自　天子以至於庶人，無不信且敬者，亦可見人性皆善，直道於今常存也。故自　皇帝勅建　聖廟，春秋　御祭而外，通都大邑、巨鎮僻鄉，以及零星村落，莫不建廟以祀。吾上蔡店舊有　聖廟在黑龍廟東偏，制度頗隘。今西北隅創建　聖廟三楹，規模宏大，金碧輝煌，瀕其後則係嘉慶年間　觀音閣官地數丈，者經理其祖謀建　帝君廟事與姓名詳載舊碣，亦不復贅。工未竟，其人登鬼録，厥子等恐後程[illegible]勁，或替前功，又敦請善信募化勸衆，衆亦樂襄厥事，逐竣鴻功，豈非不可湮没之善舉也歟。[illegible]欲傳其事於後而苦於不文，然自思夙切景仰，所學何事？窮欲攀附　帝君之徒而不爲曹操之徒所愚弄，則亦役也，亦義所不敢辭哉，故勉力而爲之記。

邑庠　增廣生員王庭實公亭氏董沐撰文

國子監　太學生周公策在方氏董沐書丹

經理事人

化主

[illegible]

繪畫匠吳占有

泥水匠陳得平施錢三十

石匠李士信

大清道光肆年歲次甲申十一月吉日穀旦

【一四九】 創建關聖帝君廟碑記

年代：清道光四年

尺寸：高 150 釐米，寬 61 釐米

立石地點：汝陽縣蔡店鄉蔡店村關帝廟

創建關聖帝君廟碑記

關聖帝君何以顯著於天下後世哉？蓋當曹操陰謀漢祚，虺蜴其心，鬼蜮其行，世之不爲所愚弄者寡矣。帝君與之周旋，惟義是從，利不能動，威不能惕，此由見明守定，知至行盡，所謂聖之武者也。然則世之不爲利動、不爲威惕者，皆帝君之徒也。而世之虺蜴其心、鬼蜮其行者，亦皆曹操之徒也。爲帝君之徒，信帝君、敬帝君，固已爲曹操之徒，亦何怪其不信不敬也哉。然而自漢及今，自天子以至於庶人，無不信且敬者，亦可見人性皆善，直道於今常存也。故自皇帝敕建聖廟，春秋御祭，而外通都大邑、巨鎮僻鄉以及零星村落，莫不建廟以祀。吾上蔡店舊有聖廟，在黑龍廟東偏，制度頗隘。今西北隅創建聖廟三楹，規模宏大，金碧輝煌，溯其由來，則係嘉慶年間，觀音閣官地數人者，經理其租，謀建帝君廟，事與姓名詳載舊碣，兹不復贅。工未竟，其人並登鬼録，厥子等恐後程不勁，或替前功，又敦請善信募化鄉衆，衆亦樂襄厥事，遂竣鴻功，豈非不可湮没之善端也歟！□欲傳其事於後，而苦於不文，然自思夙切景仰，所學何事，竊欲攀附帝君之徒，而不爲曹操之徒所愚弄。則兹役也，亦義所不敢辭哉，故勉力而爲之記。

邑庠增廣生員王庭實公享氏薰沐撰文，國子監太學生周公策在方氏薰沐書丹。

首事人：耆英李榮花：施錢八千。趙行：施錢八千。吴貴：施錢二千。趙元貴：施錢三千五百。監生周繼祖：施錢九千九百。監生周維祖：施錢九千九百。武生周耀祖：施錢五千。化主：生員周建功：施錢五千。吴有錦：施錢二千。吴三樂：施錢一千五百。趙瑞生：施錢一千。劉孝：施錢五百。陳進忠：施錢三千三百。耆英李榮廷：施錢二千一百。周勉：施錢三千。李榮忠：施錢二千。周振虎：施錢二千八百。李得中：施錢二千。王興號：施錢二千。永興號：施錢二千。胡硯田：施錢二千。趙進成：施錢二千。陳進得：施錢一千六百。張不倚：施錢一千四百。趙進才：施錢二千五百。趙進寶：施錢一千六百。狄英：施錢一千一百。趙興邦：施錢一千二百。陳進才：施錢一千。吴有欽：施錢一千。吴有鑑：施錢一千。吴有銘：施錢一千。吴有鋭：施錢一千。吴治：施錢一千。劉順：施錢八百。趙順：施錢八百。趙中興：施錢六百。陳進公：施錢六百。狄花：施錢六百。郭天佑、郭天章、大成號、翟守成、廣聚店、李季興、萬安堂、江西永興樓、張存仁、周侃祖、李仲盤、吴天明各五百。吴毓秀、生員王庭實、周起斌、崔順、崔大學、崔大录、崔鐸、崔富、吴鐸明、李瑞、生員劉得元、仝百壽、耿含欲、耆老狄春各錢五百。張友：施錢五百。趙倫：施錢三百五十。張典：施錢五百。王銑：施錢五百。李平：施錢五百。耿懷裕：施錢五百。張魁元：施錢四百。王有成：施錢四百。周紹：施錢四百。痛百録：施錢三百。司殿邦：施錢三百。周良瑞：施錢三百。吴三益：施錢三百。翟學武：施錢四百。王鍹、吴廷璋、趙金同、吴文瑞、吴順、蒲州福興號、江西增興樓、劉中學、周文西、馬進朝、司定邦、吴永祥各三百。狄寬、武永林、武世興、狄廷秀、周建業、董萬昌、崔福　蘇法、路珍、趙許、王加恩、李克周、胡振江各三百。李永臣、劉寬、周振海、餘可法、周振興、李士魁、董世友、李天順、賀有文、李義、周榮、馮成、尚德各二百。李用中、耿文裕各施錢二百。

繪畫匠：吴萬有。泥水匠：陳得辛：施錢三千。石匠：李士信。

大清道光肆年歲次甲申十月吉日穀旦。

者亦皆曹操之徒也焉 帝君之徒信 帝君敬 帝君
自[illegible]天子以至於庶人無不信且敬者亦可見人性皆善直道
而外通都大邑巨鎮僻鄉以及零星村落莫不建廟以祀吾上蔡
創建 聖廟三楹規模宏大金碧輝煌[illegible]其[illegible][illegible]則係嘉慶年
與姓名詳載舊碣亦不復贅工未竟其人[illegible]登鬼錄厥子等恐後
廢鴻功豈非不可湮沒之善端也歟[illegible]欲傳其事於後而苦於不
不爲曹操之徒所愚弄則亦役也亦義[illegible]不敢辭哉故勉力而爲
王 庭 實 公 享 氏 董 沐 撰 文
周 公 策 在 方 氏 董 沐 書 丹

原大局部

重修大殿金粧神像創建永路殿閣碑記

從來莫爲之前雖美弗彰莫爲之後雖盛弗傳伊邑東南三十里許邢家坪舊有

祖師廟迎門宫一座不知創自何時始示何人當其初廟貌巍峩神像輝煌入其宫者肅望表峴山勝狀林壑尤美層峦上重宵巨嶺下無限所謂宝藏

其中雲霧吐其岫此則迎門宫之大观也不意歷至於今世遠年湮風雨飄摇鳥鼠剥啄尚之赫耀可见無不傾圮矣使不有以繼其美則前人之功

將掩没弗彰哉幸有住持刘福寿目擊心傷善念恐興欲爲修飾然非一人之力所能畢其事也因是設席懇謁諸君合怀善念各捐貲財募化四

命發工人共勤厥事不遺餘力行見殿宇焕然神光耀然不寧惟是且有創建殿閣一座永路一條捐繼修墊不月餘而落成一山焉聖王東南鎮文

學士有志盡忠报国者登其廟閱其盡忠升其廟聆其报国蔵激奮發莫不振興而起勵風俗而正人心神功賴以永傳錯在于吳歌曰鳳山蒼蒼森

洋洋殿閣永路繕完增光神功昭著山高水長若若揭揭千載流光

嵩北鎮儒童陳九思沐手譔文並書廿揭不西千二佰文

刘福寿畢地一段坐落邢坪南坡

功德主 寿官李思恭 寿官景長貴 李祥 [illegible]

首事人 王聘 楊景文 [illegible]

[illegible]

住持刘福寿

石匠周祥

金畫匠王澄旺施錢二千

泥匠王[illegible]施錢八千

大清道光歲次甲申年夾鍾月吉日立

【一五〇】 重修大殿金粧神像創建永路暖閣碑記

年代：清道光四年

尺寸：高188釐米，寬63釐米

立石地點：汝陽縣劉店鎮邢坪村祖師廟

重修大殿金粧神像創建永路暖閣碑記

從來莫爲之前，雖美弗彰，莫爲之後，雖盛弗傳。伊邑東南三十里許邢家坪，舊有祖師迎門宮一座，不知創自何時，始于何人。當其初，廟貌巍峊，神像輝煌，入其宮者，南望夫峴山勝狀，林壑尤美，層巒上出重霄，巨嶺下綿無際，所謂寶藏其中，雲露吐其岫，此則迎門宮之大觀也。不意歷至於今，世遠年湮，風雨飄揺，鳥鼠剥啄，向之赫耀可觀無不傾圮矣。使不有以繼其美，則前人之功將掩没弗彰哉。幸有住持劉福壽目擊心傷，善念忽興，欲爲修飾。然非一人之力所能畢其事也。因肆筵設席，懇謁諸君仝懷善念，各捐貲財，募化四（方），命彼工人共勷厥事，不遺餘力，行見殿宇聳然，神光耀然，不寧惟是，且有創建暖閣一座，永路一條，相繼修整，不月餘亦焕然一屾焉。聖王東南鎮，文學士有志盡忠報國者，登其廊，閲其盡忠，昇其廟，聆其報國，感激奮發，莫不振興，而起勵風俗，而正人心。神功賴以永傳，端在于是歌曰：鳳山蒼蒼，永□洋洋。殿閣永路，繕完增光。神功昭著，山高水長。諸石拮据，千載流光。

崗北鎮儒童陳九思沐手譔文並書丹，捐錢四千二百文。

劉福壽買地一段，坐落邢坪南坡。

功德主：夏孟令、壽官李思恭、壽官景長貴、李祥各捐錢三十八千。

首事人：王聘、景長文、楊太。

化主：閆寅興：銀一兩。閆聰：錢一千。王鋭：錢九千四。張自瑞、張秉業、張栻芳、張汝林、許萬生、葉興、張東亮、張積福、趙含英、張福，以上各錢五百。趙百福：錢三百。王法旺：錢一千。李法、郭正心、趙富、趙有德、陳蒲、李全倫、趙升、楊見、朱長年、張儉、王秉純、高兆林、高大重、劉成器、劉懷明、張作棟，以上各錢二百。李秉元、黄自順、于士文、秦有亮、李倫、張永明、張登雲、李大德、黄聚、郭泰才、楊艾智、張芳曉、郭□全、陳林、王天保、師明、景書、張太業、李成云：錢五千。楊文：錢三千。李孝：錢四千。秦文焕：錢五千。梁成：錢三千。趙繼祥：二千。趙法：錢千四。劉呈：錢千二。趙文：錢千二。葛俊、王應舞、劉□、武有才、任廣聚各錢一千。楊永昌：六百五。霍文朗：四百五。乾盛號：銀五錢。孫傑、閆能顯、閆賢、趙殿元、趙榔各銀一兩。王魁、全盛號、張蘭、張萬全、閆寬、閆順興、趙楹、趙榜、趙魁五、趙位定、鄭常、趙岐佩各銀五錢。史崧、史宲、王周、趙正元、李孝、楊自得、王丙義、趙□現、趙思望、趙□揚、趙廷彰、趙廷俊、趙桂林、趙觀光、張廷義、王得林、張大中、吴敬業、陳萬年、張永盤、谷萬蒼、魯邵、王章、楊萬福、代禮纘、閆九閣、閆九韶、徐平安、谷廣太、韓振殿、代禮全、代禮記，以上各錢五百。趙永昌、李果、趙含輝、趙德、趙道、趙相如、葉正芳、薛逵、薛慶、薛天元、薛景一、胡清文、李庭、翟星南、馬元、郭太、夏昌太、夏永生、景長富、辛子占、杜朝福、范廣、高士福、曹學立、張周南、侯成、李裕德、代禮明、李成章、冀楷、黄緒、孟學詩、趙得明、李傑、趙竜旗、趙法美、趙丕興、程九貢、張月桂、張明德、趙加祥、陳天福、陳天秀、陳天崇、于化、李興、于常、劉大珩、劉大林、劉大德、劉成、劉重仁、劉大廷、張明善、張明九、夏新太、張復合、趙其名、程九煜、程占魁、程永年、王科、程中元、程建陞、李有顯、程九乾、大盛號、程九岱、程九韶、王輔、葉九皋、吴名升、葉法瑞、張鳳鳴、張鳳岐、葉文順、張桂芳，以上各錢二百。

木匠王鋭：施錢八千。金塑匠王法旺：施錢一千。石匠：馬祥。住持：劉福壽。

大清道光歲次甲申年夾鍾月吉日立。

伊邑東南三十里許邢家坪舊有

廟貌巍巍神像輝煌入其宮者肅望表峴山

歷至於今世遠年湮風雨飄搖鳥鼠剝啄尚

念恩興發為修飾然非一人之力所能畢其

神光耀然不寧惟是且有創建暖閣一座永

廟貌其根固藏激奮發莫不振興而起廟風

諸君拮据千載流光

千二伯文　刘福寿買地一段坐落

原大局部

嘗聞莫為之前雖美弗彰莫為之後雖盛弗傳其大較也茲范家灘三官廟前

舊有一所帝聖廟有乞即應無禱不靈都人士沐恩澤者莫可枚舉奈歷年久遠

神像雖云如故廟貌却非聿新風雨飄蕩後簷損壞者十有八九僧觸目傷心因

請衆姓各出己貲共勸厥事於是鳩工庀材不數日而告功成竣更於白衣堂前創

修草舍二間以為住持棲身地庶神靈之香烟有所憑藉耳爾時求文於余余感

僧及諸公之善舉覩廟貌之輝煌不揣鄙陋因為敘其顛末謹刻諸於石以垂不朽

云

汝州邑後學郝泰然自得氏撰文

書丹

化

主

龍飛大清道光歲次甲申季秋月吉日立

住持僧

石匠

【一五一】 重修舜帝廟碑記

年代：清道光四年

尺寸：高 130 釐米，寬 55 釐米

立石地點：汝陽縣陶營鎮范灘村舜王廟

嘗聞莫爲之前，雖美弗彰，莫爲之後，雖盛弗傳，其大較也。茲范家灘三官廟前舊有舜帝聖廟，有乞即應，無禱不靈，都人士沐恩澤者莫可枚舉。奈歷年久遠，神像雖云如故，廟貌卻非聿新，風雨飄蕩，後簷損壞者十有八九。僧觸目傷心，因請衆姓各出己貲，共勷厥事。於是鳩工庀材，不數日而告功成竣。更於白衣堂前創修草舍一間，以爲住持棲身地，庶神聖之香煙有所憑藉耳。爾時求文於余，余感僧及諸公之善舉，覩廟貌之輝煌，不揣鄙陋，因爲叙其巔末，謹刻著於石，以垂不朽云

汝州邑後學郝泰然自得氏撰文書丹。

化主：張三元：二千。段炳：二千。張睿：二千。武成義：一千五。張長庚：一千五。段哲：一千。張梅：一千。段成法：一千。楊明月：五百。黄文智：五百。張長法：一千。劉燦：一千。劉王氏：一千。黄守信：八百。黄明、張長印、劉世奇、劉蔣氏、黄文成、黄守先各五百。張法：四百。黄斗：四百。張天一、常林、郝祥、趙鳳臣、黄錦、張長太各三百。黄松、張官、董惠二百、張云、王太、董重、張天眷、張顯文、張堯、曲斌、曲營、曲文、黄振甲各二百。李大成、劉美、黄印、曹大倫、張安、曲武、黄梅、李歲、連宗道、連榮各二百。連永成、路有、張長山、張文樂、尹之和、尚登王各二百。鄭有福：一百、王法、黄奇、王三樂、趙明、賈清元、秦富玉各一百。

石匠：王振宗。住持僧：浄池。

龍飛大清道光歲次甲申孟秋月吉日立。

重修祖師正殿及拜殿碑記　首事汝州學生員曹宗海沭手撰書捐錢六仟

伊東南三十里樗樹村舊有青雲宫面對覌峰背臨汝水左則鳳凰抱右則雲夢環拱誠六鎮之勝地宇内一鉅觀也時歷年久遠而是

宫之中央

祖師正殿三楹並拜殿三間　聖像雖云猶新廟貌幾就傾頹住持蘇教法以先師王合理有志未逮每於朝夕焚香課誦之餘適閱宫中之遺

碑記文其爲功德不一大抵商李兩姓居多於道光乙酉春敬請商李兩姓諸君語以重修　祖師正殿及拜殿之事商李諸君皆云此重

大事也木村實不能辦近聞段圪墙布經歷段君諱温玉峰者素好善于覌山崇天宫慨承先志屢事修補且附近寺觀凡廼祖廼父有

爲之先者無不承志重修况是宫　祖師之西陪□黑虎殿固廼祖諱[illegible]之功德也若語以重修　祖師正殿及拜殿之事應無不樂從遂

同擇吉日親詣段君之門懇以重修之事段君慨然應允竊思功程浩大豈一人一時所能成因請首事□同爲

出疏募化四方一時之善男信女莫不傾囊相助曾鳩庀之未幾而巍焕之已著功成囑余以記余亦忝居首事之末安事鋪張之文且才

淺學疎縱極力潤色恐詞不雅馴爲縉紳先生所譏言爰郎其殿宇之華固斗栱之聳峙墻壁之輝煌以想乎　聖像之莊嚴當亦有光焉

則革故鼎新信非前人之創建不至是非首事之經營莫及此而段君及住持兩人之善繼善述更自彪炳千秋矣是爲記

功德主布經歷段　温　子光[illegible]捐錢壹伯捌拾仟

首　事　人

林職　李武捐錢[illegible]仟

武生　崔樂[illegible]捐錢[illegible]仟

監生　黄報甲捐錢[illegible]仟

[illegible]　揭[illegible]捐錢[illegible]仟

耆民　商金儒　監生大[illegible]捐錢[illegible]仟

商大吉捐錢[illegible]仟

鉄筆　孫鳳翔

木匠　李英

鉄匠　温自[illegible]

畫[illegible]　趙[illegible]

住持蘇教法　徒曹應永　徒孫王元[illegible]

龍飛道光六年十一月吉日立

【一五二】 重修祖師正殿及拜殿碑記

年代：清道光六年

尺寸：高 196 釐米，寬 66 釐米

立石地點：汝陽縣小店鎮板棚村青雲宮祖師廟

重修祖師正殿及拜殿碑記

首事汝州學生員曹宗海沐手撰書，捐錢貳仟。

伊東南三十里榜棚村，舊有青雲宮，面對峴峯，背臨汝水，左則鳳凰迴抱，右則雲夢環拱，誠六鎮之勝地、宇内一鉅觀也。特歷年久遠，而是宫之中央祖師正殿三楹並拜殿三間，聖像雖云猶新，廟貌幾就傾頽。住持蘇教法以先師王合理有志未逮，每於朝夕焚香課誦之餘，徧閲宫中之遺碑舊文，其爲功德不一，大抵商、李兩姓居多。於道光乙酉春，敬請商、李兩姓諸君，語以重修祖師正殿及拜殿之事，商、李諸君皆云：此重大事也，本村實不能辨，近聞段圪壋布經歷段君諱温號玉峯者，素好善，于峴山崇天宫慨承先志，屢事修補，且附近寺觀凡迺祖迺父有爲之先者，無不承志重修。況是宫祖師之西陪口黑虎殿固迺祖諱霖、震之功德也。若語以重修祖師正殿及拜殿之事，應無不樂從。遂同擇吉日，親登段君之門，懇以重修之事。段君果云：其祖嘗興功於此，即慨然應允。竊思功程浩大，豈一人一時所能成？因請首事等同爲出疏，募化四方，一時之善男信女莫不傾囊相助。曾鳩庀之未煩，而巍焕之已著。功成囑余以記，余亦忝居首事之末，安事鋪張之文？且才淺學疏，縱極爲潤色，恐詞不雅馴，爲縉紳先生所難言。爰即其殿宇之鞏固，斗柱之聳峙，墻壁之輝煌，以想乎聖像之莊嚴，當亦有光焉。則革故鼎新，信非前人之創建，不至是非首事之經營，莫及此。而段君及住持兩人之善繼善述，更自彪炳千秋矣。是爲記。

功德主布經歷段温，子光朝、光照、光鄉捐錢壹佰捌拾仟。

首事人：李武：捐錢壹仟。林職崔舉：捐錢叁仟。武生黄振甲：捐錢叁仟。監生楊躬範：捐錢壹仟。耆民商全儒、子監生大榮：捐錢拾仟。商大重：捐錢貳仟。

鐵筆：孫鳳輝。木匠：李英。鐵匠：温自智。畫匠：趙瑄。

住持：蘇教法、陶教廣，徒：扈永安。曹永祥，徒孫：王元亮、王元鏡。

龍飛道光六年十一月吉日立。

創修火帝廟並金粧神像碑
嘗思火帝秉乾卦以教化位離宮而布令五行借其相濟萬物賴以生成俾斯世無炳煌之災貽黎庶
獲安康之福火帝之靈應於天下也大矣夫靈應也既大而庶靈[illegible]自誠時苟家庄合村信士量力輸
貲於事募化鳩工庀材樂於重治創建廟宇一極光明其塑並金粧神像輝煌燦爛遊歷其間者莫
不艷而稱之曰神廟煥然一新矣然是役也固以至誠感神而為保佑斯民計夫豈徒壯世人之觀
瞻也哉工告竣囑予作文以記之予雖不材而思其廟宇修整既使神有安靈之地神像彪炳又
使神有顯聖之光則諸信士之功誠為可載而不可沒也且廬陵有記事不患其難作而患其易廢後
之君子其苟不廢而皆如始作之心焉則此際之土地人民庶可永享太平而不遭焚烈之苦矣毋不避
僉陋爰為之詞勒諸貞珉誌其功以示永垂云
儒童彭澤麗剛中氏董沐撰文
監生張不騎中立氏沐書丹
[illegible]
大清道光六年七月上澣之吉 合立

【一五三】 創修火帝廟並金粧神像碑

年代：清道光六年

尺寸：高 146 釐米，寬 61 釐米

立石地點：汝陽縣蔡店鄉崔家村火帝廟

創修火帝廟並金粧神像碑

嘗思火帝秉乾卦以敷化，位離宮而布令五行，借其相濟萬物賴乎生成。俾斯世無焰燬之災，貽衆庶得安康之福，火帝之靈應天下也大矣。夫靈應也既大，而庇靈自誠。時崔家莊合村信士量力輸貲，不事募化，鳩工庇材，樂於董治，創建廟宇一楹，光明爽塏，並金粧神像，輝煌燦爛。遊歷其間者，莫不艷而稱之曰：神廟焕然一新矣。然是役也，固以至誠感神，而爲保佑斯民計，夫豈徒壯世人之觀瞻已哉。工告竣，囑予作文以記之，予雖不材，而思其廟宇皎潔，既使神有妥靈之地，神像彪炳，又使神有顯聖之光，則諸信士之功誠爲可載而不可没也。且廬陵有言，事不患其難作，而患其易廢。後之君子其苟不廢，而皆如始作之心焉，則此際之土地、人民庶可永享太平，而不遭焚烈之苦矣。因不避淺陋荒爲之詞，勒諸貞珉，誌其功以示來茲云。

儒童彭澤麗剛中氏薰沐撰文，監生張不倚中立氏薰沐書丹。

首事：李克周：捐地六厘，有捐錢五百。李文學：施錢四千。崔盛：施錢一千五百。崔大河：施錢三千七百。崔大士：施錢四千七百。崔鋭：施錢五千四百。崔鐸：施錢三千三百。崔順：施錢四千八百。崔大禄：施錢四千七百。張九府：施錢二千五百。□□□：施錢二千一百。魏□俊：施錢一千六百。□天德：施錢一千六百。田萬書：施錢一千四百。魏丙法：施錢一千四百。馬干荷：施錢一千六百。趙崔氏：施錢一千一百。崔大用：施錢一千一百。崔正魁：施錢一千一百。張登甲：施錢一千。崔玉堂：施錢九百。張平：施錢七百。崔玉見：施錢五百。馮五福：施錢六百。崔全順：施錢五百。崔玉來：施錢四百。王萬糧：施錢四百。魏福：施錢四百。崔嵬：施錢四百。王萬成：施錢三百。張春槿：施錢三百。崔大□：施錢三百。王永孝：施錢三百。崔玉書：施錢二百。崔進朝：施錢二百。張□禄：施錢二百。李應中：施錢二百。崔樵：施錢二百。魏□：施錢二百。

費官錢一十四千一百文。

畫匠：王文奇。木匠：安平。石匠：□松茂。

大清道光六年七月上浣之吉仝立。

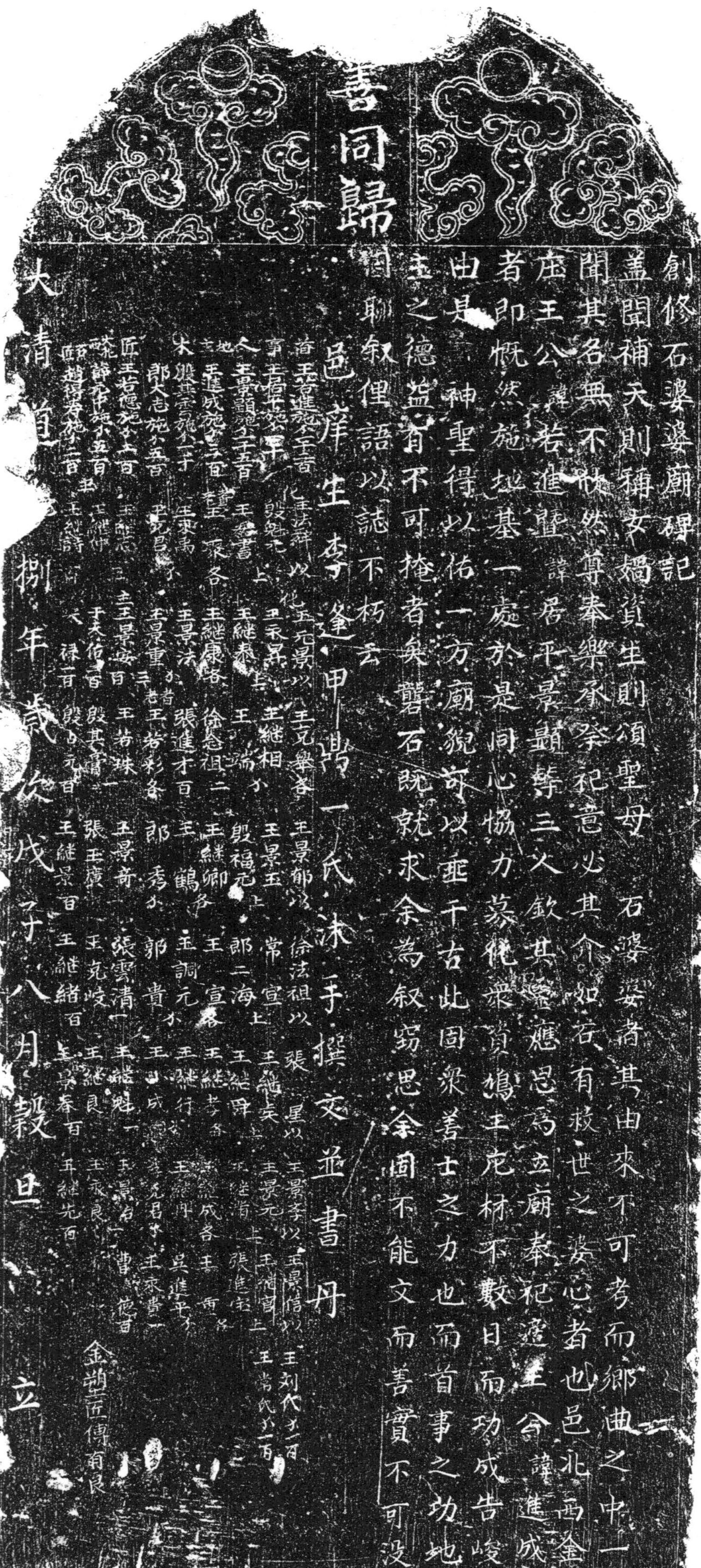

【一五四】　創修石婆婆廟碑記

年代：清道光八年

尺寸：高 97 釐米，寬 41 釐米

立石地點：汝陽縣内埠鎮西金莊村奶奶廟

〔碑首〕：萬善同歸

創修石婆婆廟碑記

蓋聞補天則稱女媧，資生則頌聖母。石婆婆者，其由來不可考，而鄉曲之中一聞其名，無不欣然尊奉，樂承祭祀，意必其介如若有救世之婆婆心者也。邑北西金莊王公諱若進暨諱居平、景顯等三人，欽其靈應，思爲立廟奉祀。適王公諱進成者，即慨然施地基一處，於是同心協力，募化衆資，鳩工庀材，不數日而功成告竣。由是神聖得以佑一方，廟貌可以垂千古。此固衆善士之力也，而首事之功、地主之德，益有不可掩者矣。礱石既就，求余爲叙，竊思余固不能文，而善實不可没，固聊叙俚語，以誌不朽云。

邑庠生李逢甲鼎一氏沐手撰文並書丹。

首事人：王若進：施錢一千二百。王居平：施錢一千。王景賢：施錢一千五百。地主王進成：施錢三百。木匠殷其雲：施錢一千。郎大志：施錢五百。王若德：施錢二百。大北西薛元中：施錢五百。石匠趙得壽：施錢二百。化主：王法舜、殷魁元、王居書、耆老王聚、王東禹、王克昌、王繼志、王繼忠、王繼詩，以上各錢三百。王元景、王永昇、王繼泰、王繼康、王景法、王景重、王景安，以上各錢三百。于天佑：二百。宋禄：一百。王克舉、王繼相、王端、徐念祖、張進才各錢二百。耆老王若彩、殷其膏、殷占元各一百。王景郁、王景玉、殷元福、王繼卿、王鶴、郎秀、王景奇、張玉廣、王繼景，以上各錢一百。徐法祖、常宣、郎二海、王宣、王調元、郭貴、張雲清、王克岐、王繼緒，以上各錢一百。張星、王繼美、王繼舜、王繼孝、王繼行、王小成、王繼魁、王繼良、王景春，以上各錢一百。王景學、王景元、王繼滿、王繼成、王繼冉、王克君、王景治、王永良、王繼先，以上各錢一百。王景信、王繼官、張進寶、王重、吴進平、王永貴、曹德，以上各錢一百。王劉氏：錢一百。王常氏：錢一百。

金塑匠：傅有良。

大清道光捌年歲次戊子八月穀旦立。

【一五五】 重修關帝廟碑記

年代：清道光二十四年

尺寸：高 135 釐米，寬 57 釐米

立石地點：汝陽縣小店鎮聖王臺村觀音寺

〔碑首〕：流芳百世

大清道光二十四年重修□□關帝廟碑記

關聖帝君者，漢之精忠臣也。夫雅精忠，可以爲臣，亦惟精忠，可以爲帝，故其威靈□赫，上護國家，下護羣□。宇内隨地建廟，歲時□祭，不亦宜乎。玆汝西伊東郊界之北，聖王臺村有廟三楹，創始於康熙十一年，重修於雍正五年，今又爲之重修焉。工竣求文於予，夫關聖帝君之德，昭昭在人耳目，固不待文而顯，亦不待文而傳者也，予何言哉。惟是天下事，凡有關於風化者，皆可以驗習俗之美惡與人心之臧否。予於道光八年設教於觀音寺，而客居此村之中，乃見男事耕讀，女勤織紡，安居樂業，比户皆然，絶無匪懈而遊惰者。因思仁里爲美，是村也，風俗人心，寔爲近古誠仁里也，誠可處之地也，遂家焉。及昨歲夏秋間，村中人議欲重修此廟，予方難之，蓋以村中編户僅數十家，且富者少而貧者多，恐力有不逮也。孰知一倡百和，無待勸勉，莫不欣欣然各捐貲財，絶無吝惜，故不事募化，而成功甚易。不益以見風俗之淳而人心之厚也哉！夫建廟立祠善□也，輕財好施善念也，而予爲之誌之，則亦慕善之意焉耳。至於鳩工庀材、易舊而新者，浮詞則概置不敢道。

郡庠生員曹逢源萬波氏拜撰，曹熙之子懋氏敬書。

施錢姓氏：□坤：二千五百。曹逢源：一千。朱富：五千。姚有道：五千。李大賓：三千。陳有志：三千。劉欽修：三千。劉欽生：三千。劉欽成：二千六百。崔敬：二千。朱進：一千六百五。李大士：一千。李大興：一千。李大維：一千三百。王應爵：一千。楊衷太：一千。李瑛：八百。李際福：八百。黄悦：八百。劉慎經：七百。李大良：六百。陳有安：六百。劉允文：五百。袁太和：五百。陳營：五百。李大昌：五百。李大行：五百。陶保成：五百。馬桂峯：四百。李大德：三百。王鳳：三百。王令爵：三百。王令元：三百。李緒：三百。劉敬：三百。邵天保：二百。馬良：二百。劉元勳：二百。李大經：二百。劉欽孟：二百。李潤：二百。李傑：二百。尚蘭：二百。朱孝：二百。段焕：二百。王令名：一百。劉允讓：一百。夏致和：一百。黄振清：一百。狄祥：一百。陳懷禮：一百。王令羣：一百。李文：一百。李素：一百。楊秉碩：一百。陳懷賞：一百。李大用：一百。李彦：八十。李雲：八十。王法：八十。

鐵筆：田振、田松。木泥：李大昌、劉慎經。金粧：王令元。

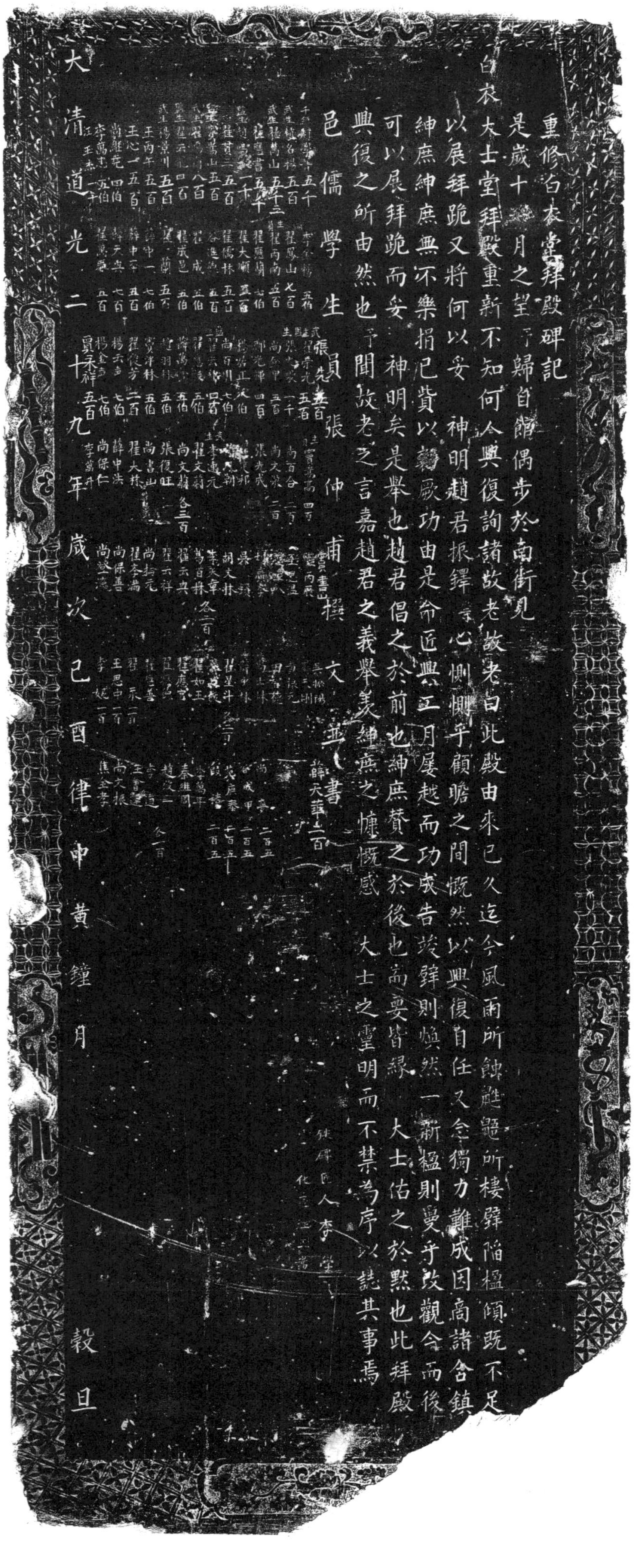
重修白衣堂拜殿碑記
是歲十 月之望予歸自館偶步於南街見
白衣大士堂拜殿重新不知何人興復詢諸故老故老曰此殿由來已久迄今風雨所蝕鼪鼯所棲蹾陷楹傾既不足
以展拜跪又將何以妥神明趙君振鐸寺心惻惻乎顧瞻之間慨然以興復自任又念獨力難成因商諸合鎮
紳庶紳庶無不樂捐己貲以襄厥功由是命匠興工月屢越而功成告竣肆則煥然一新楹則燦乎改觀今而後
可以展拜跪而妥神明矣是舉也趙君倡之於前也紳庶贊之於後也而要皆緣大士佑之於默也此拜殿
興復之所由然也予聞故老之言嘉趙君之義舉美紳庶之慷慨感大士之靈明而不禁為序以誌其事焉
邑儒學生員張仲甫撰文並書
鐫碑匠人李學
大清道光二十九年歲次己酉律中黃鐘月穀旦

【一五六】　重修白衣堂拜殿碑記

年代：清道光二十九年

尺寸：高 170 釐米，寬 65 釐米

立石地點：汝陽縣大安工業區大安村白衣堂

重修白衣堂拜殿碑記

是歲十一月之望，予歸自館，偶步於南街，見白衣大士堂拜殿重新，不知何人興復，詢諸故老，故老曰：此殿由來已久，迄今風雨所蝕，鼪鼯所棲，壁陷楹傾，既不足以展拜跪，又將何以妥神明？趙君振鐸等心惻惻乎，顧瞻之間，慨然以興復自任。又念獨力難成，因商諸合鎮紳庶，紳庶無不樂捐己貲，以勷厥功。由是命匠興工，月屢越而功成告竣，壁則煥然一新，楹則曼乎改觀，今而後可以展拜跪而妥神明矣。是舉也，趙君倡之於前也，紳庶贊之於後也。而要皆緣大士佑之於默也，此拜殿興復之所由然也。予聞故老之言，嘉趙君之義，舉羨紳庶之慷慨，感大士之靈明，而不禁爲序，以誌其事焉。

邑儒學生員張仲甫撰文並書。

鐵碑匠人：李學。化匠：汪玉嵩。

千總趙學菁：五千。武生趙名揚：五百。武生翟萬山：五千三。翟應書：五千。監生趙鳴□：一千。翟貫三：五百。監生竇嵩山：五百。武生翟鳴崗：八百。監生翟云龍：四百。武生楊景川：五百。王丙午：五百。王心一：五百。尚繼堯：四百。李萬忠：五百。汪玉潔：一千。李金榜：五百。翟鳳山：七百。生員翟丙南：五百。翟應蘭：七百。翟大順：五百。翟儒林：五百。谷進德：五百。翟成：五百。翟成邑：五百。翟蘭：五百。薛中一：七百。薛中舉：五百。薛天興：七百。翟萬卷：五百。張先：五百。武生翟榮光：五百。監生張九歌：一千。尚登甲：五百。鄭光輝：四百。楊居正：八百。尚百川：七百。翟應校：五百。薛萬倉：五百。趙羽林：五百。竇泮林：五百。翟俊芳：二百。楊云吉：七百。楊金聲：七百。賈永祥：五百。生員竇嵩高：四百。尚百合：二百。尚文聚：二百。張光成、翟定邦、翟風朝、武生李連元、翟文蔚、尚文蔚、張復旺、尚書山、翟大林、薛中法、尚保仁、李萬升各三百。竇書山、翟丙辰、王思温、翟啞叭、劉廣學、吴鎖、胡文林、李天章、葛百林、翟云興、翟云祥、尚掄元、翟學滿、尚保善、尚登瀛各二百。吴振陽、薛天剛、黄振元、田智德、尚士林、薛中林、翟星斗、翟□義、翟如玉、翟應官、翟應德、翟應善各二百。翟永：一百。王思中：一百。李妮：一百。薛天華：二百。尚夢：二百五。谷成甲：二百五。范庚泰：二百五。段積：二百五。李萬年、秦繼周、趙殿一、李道、王會運、尚文振、焦全孝各一百。

大清道光二十九年歲次己酉律中黄鐘月穀旦。

【一五七】 重修三官廟碑記

年代：清同治七年

尺寸：高 144 釐米，寬 56 釐米

立石地點：汝陽縣上店鎮吴莊村三官廟

〔碑首〕：三官大帝

重修三官廟碑記

昔先王以神道設教，凡有功德於民者，皆立廟以祀之。後之人恪遵祀典，有其舉之，皆莫敢廢。而三官神尤民所賴以生，不可一日忘者也。伊西南謝峪鎮吴家莊西，舊有三官廟一座，據碑碣所載，創修於前明萬曆三十九年，至我朝康熙四十四年，村人吴世松兄弟六人施地二十餘畝，以爲香花之資，重修兩次，俱有碑記。今已多□□□，廟貌如故，而拜殿、山門將就傾圮，里之人觸目傷心，因爲之募化村中，鳩工庀材，不□□□□□竣矣。語云：莫爲之前，雖美弗彰，莫爲之後，雖盛弗傳。則或創或因夫固，賴有人□□□□□□，以爲後之好善樂施者勸。

功德主：吴金全：捐錢五百文。趙徙丘、吴逢泰：捐錢乙千五百文。

上店寨太學生武和譔文，職員吴約錢乙千五百書丹。

化主常建國。監生吴方：捐錢四千。耆英吴廣：捐錢三千。監生吴嗣：捐錢二千五百。吴表：捐錢二千二百文。趙玉成：捐錢二千文。吴茂、吴邦各捐錢乙千五百文。吴治身：捐錢乙千二百文。李本榮、王平玉、孔繼成各捐錢乙千文。趙順：錢乙千二百文。吴合、張安、汪鳳鳴、李景一各錢八百。李平：八百。耆英吴彦泗、吴□奇、吴向各五百。程悦、吴安各錢五百。

木匠：寧邑李枝茂、牛進忠。住持道人：李本恭，徒：張合平。鐵筆：史景元。

大清同治七年四月吉日立。

流芳百代

廟重修並金粧神像碑記

今夫莫爲之前雖美弗彰莫爲之後雖美弗傳莫爲之助雖美弗備以是知前後未始不相須彼此未有不相資者也伊邑西南□
許圪塔鎮山麓舊有關聖帝君廟三楹山嶺又有孫太真人廟三楹創建有年即重修亦已久矣至今風雨飄蕩墻垣傾頹郎
廟貌亦黯然而無色殘沒之景象何以妥神靈壯觀瞻哉本鎮善士首出復爲重修之舉又念四方朝廟進香者夜無止宿之地因
嶺添修兩廂山門廁後各立茅廁一所議已決矣但鎮小力微難以告成於是延請四方君子捐貲募化以爲建修之助一爲舉□
善士傾囊相助不數日而法像廟貌院宇臺榭煥然聿新焉豈非甚盛歟兹當工程告竣謹將姓氏爰鐫諸石以誌不朽云

邑庠生潘昌撰文並書丹

曹槐　王成德　姬現祥　劉永　李林中　桑順　華海　常履蘭　常紹　張鳳洛　李漢　陳國泰　宋希科　李永貞　李永謙　范倬　孟思池　布九範

牛蘭　王金山　華林　李鑑　李敬　李永華　桑九林　陳國安　李重新　程俊　李范　呂德　范清中　范德修　樊生光　高攸　霍明　范全義　李永禧

郭義中　范錕　毛文秀　毛文炳　毛毯　毛毯　毛毯　范秉典　李永泰　李克棟　李克艷　智　桑成　華寬　孟思先　毛文燦　桑瑞　王廣太

李煥　張銀錫　李連　吳明南　常朝　黃培岳　李玉　桑秉來　范全禮　王壽齡　姚成　常履傑　馬永　申夢禮　李永誠　牛廣賢　李克仁　王春

董祥　姚子辰　陳國寶　范和中　姚鏞　史得貞　李永謹　李興修　華克亮　李永讓　張均　李永惠　陳國順　李鳴琴　高士榮　程榮　吳同　吳治

華朝　樊生業　楊春花　毛毯　毛毯　裴大九　張廷光　李廷林　桑玉林　程文安　李克平　李克定　常建中　郭永安　華欽　桑東太　高士法　李思祿

孟光斗　張廷振　高士德　王朋　李重庚　毛鳳鳴　桑成林　盧鳴岐　桑喜林　孟長庚　郭祥　陳國富　張玉書　馬恕　王正運　王珍　郭法　孔慶信

谷孚　姚殿一　范鎮　高敏　馮旺　盧穩　李重明　張光錫　毛均　田均　王進　郭振德　郭慶　桑夢元　范鏡　高士俊　高士乾　蕭宗

張廷勳　石廷秀　張銘錫　張義　張廷會　常德成　王治平　王蘭　秦光照　李永錫　傅順東　陳□治　張玉璞　張玉秀　傳顯　常春　桑有　王義

裴禎　常履義　常官　常同　郭岐　觀春　周聚祥　栗振元　王忠道　范巳中　范憲中　相至和　李璞　王吉

大清同治拾貳年歲次癸酉孟冬月上浣之吉

【一五八】　關聖帝君孫太真人廟重修並金粧神像碑記

年代：清同治十二年

尺寸：高 165 釐米，寬 67 釐米

立石地點：汝陽縣上店鎮圪塔村奶奶廟

〔碑首〕：流芳百代

關聖帝君孫太真人廟重修並金粧神像碑記

今夫莫爲之前，雖美弗彰，莫爲之後，雖美弗傳。莫爲之助，雖美弗備，以是知前後未始不相須，彼此未有不相資者也。伊邑西南二里許圪塔鎮山麓舊有關聖帝君廟三楹，山巔又有孫太真人廟三楹，創建有年，即重修亦已久矣。至今風雨飄蕩，墻垣傾頹，即□廟貌亦黯淡而無色，殘淡之景象何以妥神靈、壯觀瞻哉？本鎮善士首出，復爲重修之舉，又念四方朝廟進香者夜無止宿之地，因□□巔添修兩廂山門，廟後各立茅廁一所，議已決矣。但鎮小力微，難以告成，於是延請四方君子捐貲募化，以爲建修之助。一爲舉焉□善士傾囊相助，不數日而法像、廟貌、院宇、臺榭煥然聿新焉，豈非甚盛歟！兹當工程告竣，謹將姓氏爰鐫諸石，以誌不朽云。

邑庠生潘昌撰文並書丹。

曹槐、王成德、姬現祥、劉永各錢六千五百。李林中、桑順、華海各錢四千。常履蘭、常彩、張鳳洛、李漢各錢三千。陳國泰、宋希冉、李永貞各錢二千五百。李永謙、范峯、孟思忠、布九範各錢二千。牛蘭、王金山、華林、李鑑、李敬、李永益、桑九林、陳國安、李重新、程俊、李苞、吕德、范清中、范德修、樊生光各錢二千文。高欽、霍明一千九百。范全義：一千九百。李永福：一千六百。郭義中、范錕各錢一千五。毛文秀、毛文焕、毛毯、毛介、毛匏、范秉典各一千三百。李永泰、李克棟、李克光、董智、桑茂、華寬、孟思先各一千二百。毛文燦、桑瑞、王廣太各錢一千。李焕、張銀錫、李連、吴明南各錢一千。常朝、黄培岳、李玉各錢九百。桑秉來、范全禮、王夢齡各錢九百。姚成、常履傑、馬永、申夢禮、李永誠、牛廣賢、李克仁、王春各錢八百。董祥、姚子辰、陳國寶各錢八百。范和中、姚鏞、史得貞、李永謹、李身修各錢七百文。華克亮、李永讓、張均、李永惠、陳國順、李鳴琴、高士榮、翟榮、吴同、吴治各錢六百文。華朝：六百。樊生業：五百、楊春花：六百、毛乍、毛昆、裴大九、張廷光、李廷林、桑玉林、程文安、李克平、常建申、郭永安、華欽、桑秉太、高士法、李思禄各錢四百文。孟光斗、張廷拔、高士德各錢四百文。王朋、李重庚、毛鳳鳴各錢四百。桑成林：五百。盧鳴岐、桑喜林、孟長庚、郭祥、陳國富、張玉書、馬恕、王正通、王珍、郭法、孔廣信各錢四百文。谷羣、姚殿一、范鍍、高敏、馮旺、盧穩、李重明、張光錫、毛均、田均各錢三百。王進、鄒振德、郭慶、桑夢元、范鋭、高士俊、高士乾、蕭宗各錢二百。張廷勳、石廷秀、張銘錫、張義、張廷會、常德成、王治平、王闖、秦光照、李永錫、薄順東、陳周治、張玉璞、傅顯、常春、桑有、王義各錢二百。裴禎、常履義、常官、常同、郭岐、高觀春、周聚祥、栗振元、王志道、范己中、范憲中、相玉和、李蹊各錢二百。王古：一百。

大清同治拾貳年歲次癸酉孟冬月上浣之吉。

創修祖師廟碑記

伯南三十里許有孤山鎮焉素係樂土民皆樂業由來久矣奈同治三年捻匪臨境居人大恐忽有張君景祥王君克順為合鎮計望空乞禱祖師尊神以為鎮民無恙願立廟宇自禱之後賊匪漸遠士女聿安是真神靈之默佑也今擇其地以貯尊神廟緣移石勢與磐石以同安像為塑金靈借湧金而益顯猗歟休哉鎮之鳩鳩扈扈豈不得所庇蔭哉

庠生黃培辛撰文

儒童王聰書丹

大清同治拾肆年仲春月吉日立

【一五九】　創修祖師廟碑記

年代：清同治十四年

尺寸：高 110 釐米，寬 89 釐米

立石地點：汝陽縣三屯鄉東局村祖師廟

創修祖師廟碑記

伊南三十里許有孤山鎮焉，素係樂郊，民皆樂業，由來久矣。奈同治三年捻匪臨邇，居人大恐。忽有張君景祥、王君克順爲合鎮計，望空乞禱祖師尊神，以爲倘鎮民無恙，願立廟宇。自禱之後，賊匪漸遠，士女聿安，是真神靈之默佑也。今擇吉地以酧尊神，廟緣移石勢，與磐石以同，安像爲塑金靈，借渾金而益顯。倚歟休哉！鎮之鳩鳩扈扈，豈不得所庇庥哉！

山主：吉祥：施錢一萬五百。耆英張景祥：十千。耆英王克順：錢一千。監生張景岐：錢二千。耆英潘聚、任鶴禄、李成、劉護章各錢一千。黄培玉、范彪各錢三百。耆英張景瑞、耆英張景全、潘祥、李璜各錢一千。胡松、王成山、李太、郭云中各錢八百。李玉書、潘秀各錢五百。石匠田中元、王芳、高三樂各錢五百。喬槐、尹秀、胡萬朝、王修平、喬勝、李玉章、曹永福、安長春各錢三百。陳順、李安、姚銘、姚學、姚文、黄禄、竺亮、竺江、竺有、姚才各錢三百。司青辰：錢二百。李登章、胡建、胡萬鐸、胡萬重、胡萬善、田均、黄玉、吴方、竺進才、楊秀清各錢二百。張鳳、田松、范秋、吴金臺、安富、王法昇、張全、董聚各錢二百。化（畫）匠：孫禎祥。

廪生黄培辛撰文，儒童王聰書丹。

大清同治拾肆年仲春月吉日。

樂善好施
蓋聞久而必壞者物理之常也革故鼎新者人事之宜也善事勷諸貞珉方能永垂不朽
龍王廟舊有施舍地基碑立於乾隆拾柒年拾月念玖日也歷年多碑体崩裂字跡模糊難辨
恐久而無考閤鎮首事相聚公議更立新碑刻寫舊章庶後之覽者識官地之所由來與
其畝数界限均不至荒渺而無稽也謹將施主姓名地数開列於左
淳施舍地基一段四分坐落廟西南隅
申得勤施舍地基一段四分二厘坐落舞楼西
夏五典施舍廟下地基七分
申門鄭氏施舍樂楼下地基七分
申從詩施舍廟西地基六分
施地二畝八分一厘東至路西至張楊二姓南至路北至海心
路東又一段東至李姓西至官路南至宋姓北至東西路
大清光緒八年仲冬下浣之吉
合鎮首事仝立
鉄筆匠李東銘

【一六〇】　重刻龍王廟施地碑記

年代：清光緒八年

尺寸：高 163 釐米，寬 61 釐米

立石地點：汝陽縣大安工業區茹店村龍王廟

〔碑首〕：樂善好施

蓋聞久而必壞者，物理之常也；革故鼎新者，人事之宜也。善事勒諸貞珉，方能永垂不朽。龍王廟舊有施捨地基碑，立於乾隆拾柒年拾月念玖日也。歷年多，碑體崩裂，字跡模糊難辨，恐久而無考。閤鎮首事相聚，公議更立新碑，刻寫舊章，庶後之覽者識官地之所由來與其畝數、界限，均不至荒渺而無稽也。謹將施主姓名、地數開列於左：

監生夏淳施捨地基一段四分，坐落廟西南隅。申得勤施捨地基一段四分一厘，坐落舞樓西。夏五典施捨廟下地基七分。申門鄭氏施捨樂樓下地基七分。申從詩施捨廟西地基六分。共施地二畝八分一厘，東至路，西至張、楊二姓，南至路，北至溝心。路東又一段，東至李姓，西至官路，南至宋姓，北至東西路。東西中路一條。

合鎮首事仝立。

鐵筆匠李東銘。

大清光緒八年仲冬下浣之吉。

重修關帝廟舞樓記

武聖廟與舞樓之建於斯也，盖有年矣。歷考前明

碑記，創自至正年間。及至

盛朝康熙、乾隆時重修屢屢，以后百有餘年，神像

廟樓將幾傾覆。時有監生王君文一以與工

商于予，予係社首，不敢辞其責，因與社友經

營補修，二十餘日功成。告竣，勒諸片石，至于

金妝神像，以望來日之善士者焉。

社首監生成憲章撰文

儒童史殿魁書丹

首事人

王文一　永和店　伐聚太　三益号　天順成　新興隆　榮盛合　高新興　新興社　德協和　恆太社　祿順昌　双合太　萬和義　聚太恆　元盛太

永豐裕　萬盛生　蔚香齋　三盛社　太盛祥　双盛興　王式照　恭興太　任益合　常二山　張鳳翥　李三錫　張萬林　張太盛　史九河　夏貴和

李[illegible]和　夏[illegible]頭　福盛号　同生堂　長聚号　李芳永　范致中　高　江　武啟太　永興行　尚金春　楊王興　楊順興　史中社　雷　立　高東陽

乾太恆　新興恆　興盛館　長和号　祥太号　同信成　義和号　平国英　王[illegible]燦　喬復盛　許太号　吳振興　楊復盛　柴京山　長生堂　恆義成

以上共捐錢四十七千九百文　出磚瓦匠工雜費錢卌千零二百文

出[illegible]錢十七千七百文　共費錢四十七千九百文

木匠段富生

石匠張自新

大清光緒八年歲次壬午仲秋月　立

【一六一】　重修關帝廟舞樓記

年代：清光緒八年

尺寸：高 60 釐米，寬 89 釐米

立石地點：汝陽縣上店鎮東街村鐵佛寺

重修關帝廟舞樓記

武聖廟與舞樓之建於斯也，蓋有年矣。歷考前明碑記，創自至正年間，及至盛朝康熙、乾隆時重修屢屢。以後百有餘年，神像、廟、樓將幾傾覆。時有監生王君文一以興工商于予，予係社首，不敢辭其責，因與社友經營補修，二十餘日功成告竣，勒諸片石。至于金妝神像，以望來日之善士者焉。

社首監生成憲章撰文，儒童史殿魁書丹。

首事人：監生王文一：五百。永和店、復聚太、三益號、天順成、新興隆、榮盛合、高新興、新興魁、德協和、恒太魁各錢一千二百。豫順昌、雙合太各一千。萬和義：一千五。聚太恒、元盛太各一千。永豐裕、萬盛生、蘭香齋、三盛魁、太盛祥、雙盛興、王式照各錢一千。恭興太、任益合、常一山、監生張鳳翥、監生李三錫、張萬林、聚太盛、史九河、夏貴和各錢五百。李祁、夏玥、福盛號、回生堂、長聚號、李芳永、范致中、高江、武啓太、永興行、鞏邑尚金春、楊玉興、楊順興、史中魁、孟邑雷立、監生高東陽各錢五百。乾太恒、新興恒、興盛館、長和號、祥太號、同信成、義和號、王國英、王燦、喬復盛、新太號、吴振興各錢五百。楊復盛、柴京山、長生堂、恒義成各錢三百。

以上共捐錢四十七千九百文，出磚瓦匠工雜費錢卅千零二百文，出演戲錢十七千七百文，共費錢四十七千九百文。

木匠：段富貴、段富生。石匠：張自新。

大清光緒八年歲次壬午仲秋月立。

千古不朽

泰山廟重興碑記

從來否泰者天道盛衰者人事車坊鎮有泰山廟一座未詳建自何年其間或盛或衰不能勝紀所見者道光年間廟貌日隆香火日勤器具日增盛矣哉夫盛極者衰之漸自時厥後屢受捻匪之害頻遭饑饉之凶住持之奔逃已盡神聖之香火誰供噫亂極思盛此其時也故車坊鎮人等過此廟者莫不惻然傷徘徊而不忍去及光緒三年遂聚衆商議稟官　繆太老爺命另請住持以為重興之計首事人遵諭訪察聞白雲寺方丈和尚靈光素守清規克盡僧道乃請以為住持而住持即同首事人將當賣廟中地畝者請至廟中相商贖還廟中地畝而當買地畝之人皆忻然樂施一無所吝此雖人謀實神靈之福也事成後住持將樹碑記以旌善舉而請文於予予無才學豈敢妄作謹據其事而實錄之夫亦謂諸君子各輸其誠咸捐金而慕義敍事者樂道人善願勒石以題名

郡庠生郭鎧撰文　子儒童源塘書丹

施主

李功修 一百二十千　李進玉 一百零五千　馬鏡 八十二千五百　王敬業 七十七千　李純修 七十五千　王肖山 七十四千　吳文公 六十二千　榮五魁 五十七千五百　呂烽 三十六千

周爰鼎 二十六千　葛知先 二十五千　商振甫 二十五千　李滿 二十四千　劉儒金 二十四千　潘程氏 二十三千　李聚太 十八千　葛清賢 十六千　白兆榮 十五千

胡成文 廿四千　竇興歷 十二千　潘喜泰 十一千七百　胡小明 李鳳竹 十二千五百　張廣宗 十一千三百　王富奎 河魯 十千　火神社 八千五百　穆春和 八千　張光雲 八千

張見 五千五百　劉廣心 五千五百　商永樂 四千　薛進有 二千五百　韓學武 四千　李金魁 一千

住持 本寺 壽春 信徒覺同 孫相 讓端 次昌遠 曾孫隆順 忠 玄孫能淮 富 參

大清光緒九年十月吉日立

【一六二】　泰山廟重興碑記

年代：清光緒九年

尺寸：高 168 釐米，寬 62 釐米

立石地點：汝陽縣小店鎮車坊村泰山廟

〔碑首〕：千古不朽

泰山廟重興碑記

從來否泰者天道，盛衰者人事。車坊鎮有泰山廟一座，不詳建自何年，其間或盛或衰，不能勝紀。所見者道光年間，廟貌日隆，香火日勤，器具日增，盛矣哉。夫盛極者衰之漸，自時厥後，屢受捻匪之害，頻遭饑饉之凶，住持之奔逃已盡，神聖之香火誰供？噫！亂極思盛，此其時也，故車坊鎮人等過此廟者，莫不惻然心傷，徘徊而不忍去。及光緒三年，遂聚衆商議，稟官繆太老爺，命另請住持以爲重興之計。首事人遵諭訪察，聞白雲寺方丈和尚靈光，素守清規，克盡僧道，乃請以爲住持。而住持即同首事人將當買廟中地畝者請至廟中相商，歸還廟中地畝。而當買地畝之人皆忻然樂施，一無所吝，此雖人謀，實神靈之福也。事成後，住持將樹碑記，以旌善事，而謀文於予，予無才學，豈敢妄作？謹據其事而實録之，夫亦謂諸君子各輸其誠，咸捐金而慕義，叙事者樂道人善，願勒石以題名。

郡庠生郭鎧撰文，子儒童源塘書丹。

施主：李功脩：一百一十千。朱進玉：一百零五千。馬鏡：八十二千五百。王敬業：七十七千。李純脩：七十五千。王省三：七十四千。吴文公：六十二千。葉五魁：五十七千五百呂燦：三十六千。周文昇：二十六千。葛知先：二十五千。商振蘭：二十五千。李湍：二十四千。劉儒金：二十四千。潘程氏：二十二千。李聚太：十八千。葛清賢：十六千。白兆榮：十五千。胡成文：十四千。寶興廠：十二千。潘喜泰：十一千七百。李鳳竹、胡小印：十一千五百。張廣榮：十一千五百。王富春、潘碧：十千。火神社：八千五百。穆春和：八千。張光雲：八千。張見：五千五百。劉廣心：五千五百。商永樂：四千。薛進有：二千五百。薛學武：四千。李金魁：一千。

住持：本壽、本信、本讓，徒：覺春、覺相、覺同、覺瑞，孫：風穴昌遠，曾孫：隆孝、隆順、隆忠，元孫：能富、能湝、能參。

大清光緒九年十月吉日立。

萬善同歸

關聖帝君 [illegible]真君 [illegible]真人 廟金粧神像重修拜殿碑記

竊謂前事者後事之師，既往者將來之鑑。先後承美，可永觀厥成也。圪塔鎮舊有 關帝廟、藥王廟，考前碑記，俱係重修，未詳創自何時。但歷年久遠，神像亦闇然無色。鎮中首事數人各捐已資，兼募善於神之暗淡者金粧之，廟之傾頹者補修之，更於 火帝聖廟一同金粧。將見善念一舉，人人之從，都人士皆踴躍爭先，共勸其事。經五旬而工已告竣矣。予於塾事之暇，散步於兹，行見廟宇端嚴，神像華美，遂有欣欣愛慕之情，乃歎是舉也，人力所成與，抑亦神德所感，而乃如是之速也。於是援筆以書，以誌不朽云。

邑儒 張九峯 撰文

邑儒童 牛汝漢 書丹

首事人

曹槐 李克峻 [illegible]憲 陳國泰 牛蘭 程德安 郭義忠 范錦 范全礼 王齊太 常彬 范已中

吉現祥 王花 李苞 宋順 李敬 張欽 孟長安 陳國安 華林 王寅 樊生光 華海

張玉書 李永益 李克興 孟金山 范清中 李永貞 王品 李克榮 李春貴 李春會 范德修 李克定

高[illegible] 黃培岳 梁明元 宋[illegible] 李[illegible] 姚殿一 毛价 李永德 毛傑 李德林 李[illegible] 毛鳳儀

[illegible]

大清光緒甲申年仲夏月吉日 立

【一六三】 關聖帝君火帝真君孫太真人廟金粧神像重修拜殿碑記

年代：清光緒十年

尺寸：高 157 釐米，寬 62 釐米

立石地點：汝陽縣上店鎮圪塔村廟坡

〔碑首〕：萬善同歸

關聖帝君火帝真君孫太真人廟金粧神像重修拜殿碑記

竊謂前事者後事之師，既往者將來之鑑，先後承美，可永觀厥成也。圪塔鎮舊有關帝廟、藥王廟。考前碑記，俱係重脩，未詳創自何時。但歷年久遠，神像亦闇然無色。鎮中首事數人各捐己資，兼募衆善，於神之暗淡者金粧之，廟之傾頹者補修之，更於火帝聖廟一同金粧。將見善念一舉，人人之樂從，都人士皆踴躍争先，共勷其事，經五旬而工已告竣矣。予於塾事之暇，散步於茲，行見廟宇端嚴，神像華美，遂有欣欣愛慕之情。乃歎是舉也，人力所成與，抑亦神德所感，而乃如是之速也。於是援筆以書，以誌不朽云。

邑儒童張九峯撰文，邑儒童牛汝漢書丹。

首事人：約正曹槐：三千。李克峻：二千。范忠：二千。陳國泰：三千。耆英牛蘭：二千。程德安：三千。郭義忠：二千。范鈉：一千。范全禮：二千。王廣太：二千。常彩：二千。范己中：一千。吉現祥、王花、李苞、桑順、李敬、張欽、孟長安、陳國安、華林各錢三千。王寅、樊生光、華海各錢二千。張玉書、監生李永益、李克興、王金山、各錢二千、范清中、監生李永貞、王品、李克榮、李春會各一千五百。范德脩：一千。李克定：一千。高敬、黄培岳、桑明元、宋瑄、李身脩、姚殿一、毛价、李永德、毛傑、監生李德林、李焕、毛鳳儀各錢一千。毛乍、約副毛文焕、毛均、段富貴、桑振林、潘書秀、常恂、華寬、桑芳林、黄花、李克貴、李克讓各錢一千。李克芝、常建家、李璉、李春魁、李玉、李永誠、常泰、申清和、毛同和、劉環、劉燦、閆諫、李永惠：一千。吴同：八百。桑秉來：七百。張銀錫：六百。陳國順：六百。張聚興、范憲中、范德安、劉長安、劉長太、袁子綱、霍天德各錢五百。常官、常履義、武義、毛口、裴大九、李芬、吴廣心、李廷林、李永安、李平安、吴生業、孟思先各錢五百。李永謹、李萬秀、李永長、李永法、李永朝、李永福、桑張皂、李永智、王廣有、李克躍、李克廣、范秉敬、毛鳳翊各錢五百。曹鳴岐、曹鳴崗、馬保元、王進、郭秀林、楊春花、毛坤、王文明、路法、張廷惠、翟榮、吕得文各錢三百。范丑中、姚成、肖苞、李思朋、常同、武信、李作成、王學義、董鳳長、霍天保、張讓各錢三千。孟之平：二百。田九合、毛天佑、武三槐、張廷貝、相玉和、華克芝、吉守禮、高純、陳本忠、范錕、范鈺、高讓各錢二百。姚殿芝、常泰來、崔天隆、李獅子、牛根、肖東生、張文安各錢二百。

大清光緒甲申年仲夏月吉日立。

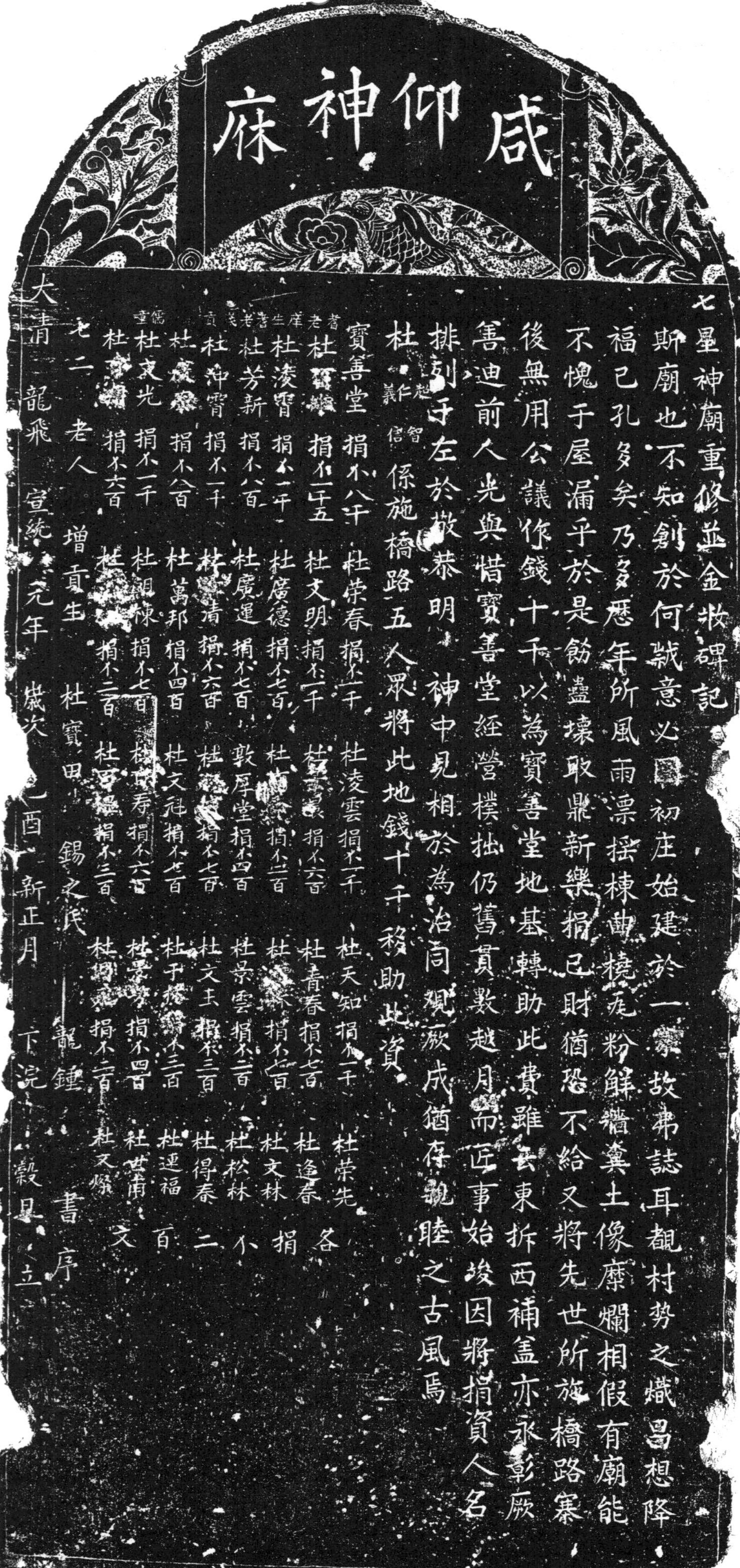

咸仰神庥

七星神廟重修并金妝碑記

斯廟也不知創於何號意必國初庄始建於一[illegible]故弗誌耳覩村勢之熾昌想降福已孔多矣乃多歷年所風雨漂搖棟曲橈危粉鮮牆糞土像蘼爛相假有廟能不愧于屋漏乎於是飭蠱壞敢鼎新樂捐己財猶恐不給又將先世所施橋路寨後無用公議作錢十千以為寶善堂地基轉助此費雖云東拆西補盖亦永彰厥善迪前人光與借寶善堂經營樸拙仍舊貫數越月而匠事始竣因將捐資人名排列于左於敬恭明神中見相於為治同覩厥成猶存親睦之古風焉

杜起智 義仁 信 係施橋路五人衆將此地錢十千移助此資

寶善堂 捐不八千　杜榮春 捐不一千　杜凌雲 捐不一千　杜天知 捐不一千　杜榮先 各

耆老 杜[illegible] 捐不一千五　杜文明 捐不一千　杜[illegible] 捐不六百　杜青春 捐不七百　杜逢春 捐

庠生 杜凌霄 捐不一千　杜廣德 捐不七百　杜[illegible] 捐不二百　杜[illegible] 捐不七百　杜文林 不

耆老 杜芳新 捐不八百　杜廣運 捐不七百　敦厚堂 捐不四百　杜景雲 捐不二百　杜松林 二

貢生 杜沖霄 捐不一千　杜[illegible]清 捐不六百　杜[illegible] 捐不七百　杜文玉 捐不三百　杜得春 百

杜[illegible] 捐不八百　杜萬邦 捐不四百　杜文科 捐不七百　杜于[illegible] 捐不三百　杜運福 文

儒童 杜文光 捐不一千　杜[illegible]棟 捐不七百　杜[illegible]寿 捐不六百　杜景[illegible] 捐不四百　杜世甫

杜[illegible] 捐不六百　杜[illegible] 捐不二百　杜[illegible] 捐不三百　杜[illegible] 捐不二百　杜又燦

七十二老人 增貢生 杜寶田 錫之氏 龍鍾 書序

大清 龍飛 宣統元年 歲次己酉 新正月 下浣 穀旦 立

【一六四】　七星神廟重修並金妝碑記

年代：清宣統元年

尺寸：高 113 釐米，寬 50 釐米

立石地點：汝陽縣大安工業區杜莊村牛王廟

〔碑首〕：咸仰神庥

七星神廟重修並金妝碑記

斯廟也，不知創於何歲，意必因初莊始建於一家，故弗誌耳。覩村勢之熾昌，想降福已孔多矣。乃多歷年所，風雨漂搖，棟曲橈瓦粉解，墻糞土像糜爛，相假有廟，能不愧于屋漏乎！於是，飭蠱壞取鼎新，樂捐己財，猶恐不給，又將先世所施橋路寨後無用，公議作錢十千，以爲寶善堂地基，轉助此費。雖云東拆西補，蓋亦永彰厥善，迪前人光。與惜寶善堂經營樸拙，仍舊貫數，越月而匠事始竣。因將捐資人名排列于左，於敬恭明神中見相於爲治，同觀厥成，猶存親睦之古風焉。

杜超智、杜仁智、杜義信，係施橋路五人，衆將此地錢十千移助此資。

寶善堂：捐錢八千。耆老杜百雄：捐錢一千五。庠生杜淩霄：捐錢一千。耆老杜芳新：捐錢八百。歲貢杜沖霄：捐錢一千。杜啓泰：捐錢八百。儒童杜文光：捐錢一千。杜有用：捐錢六百。杜榮春：捐錢一千。杜文明：捐錢一千。杜廣德：捐錢七百。杜廣運：捐錢七百。杜景清：捐錢六百。杜萬邦：捐錢四百。杜朝棟：捐錢七百。杜□□：捐錢二百。杜淩雲：捐錢一千。杜□晨：捐錢六百。杜朝經：捐錢二百。敦厚堂：捐錢四百。杜裕如：捐錢七百。杜文魁：捐錢七百。杜百壽：捐錢六百。杜百焜：捐錢三百。杜天知：捐錢一千。杜青春：捐錢七百。杜□林：捐錢七百。杜景雲：捐錢二百。杜文玉：捐錢三百。杜于林：捐錢三百。杜景芳：捐錢四百。杜□宛：捐錢二百。杜榮先、杜逢春、杜文林、杜松林、杜得春、杜連福、杜世甫、杜文燦各捐錢二百文。

七二老人增貢生杜寶田錫之氏龍鍾書序。

大清龍飛宣統元年歲次己酉新正月下浣穀旦立。

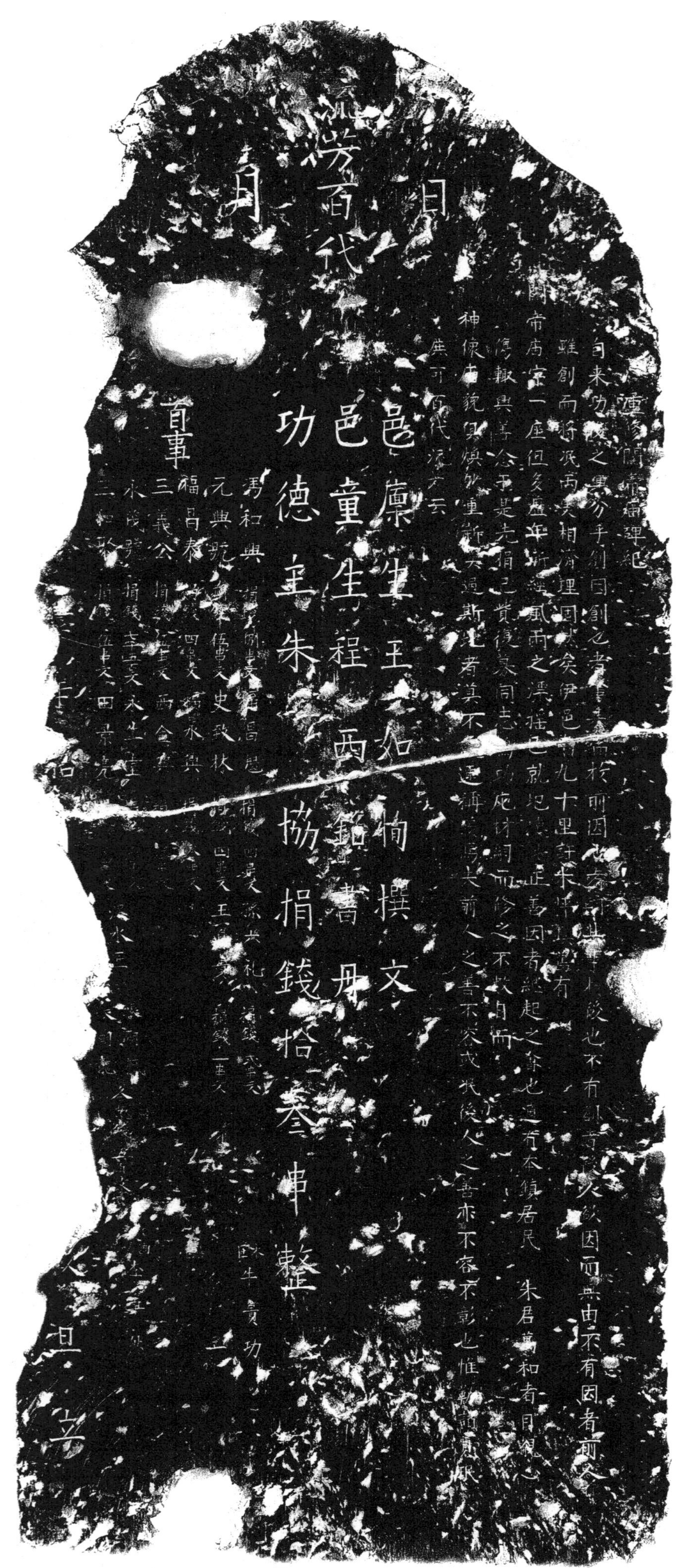

【一六五】　重修關帝廟碑記

年代：清代

尺寸：高 149 釐米，寬 57 釐米

立石地點：汝陽縣王坪鄉椒溝村關帝廟

〔碑首〕：流芳百代　日月

重修關帝廟碑記

自來功役之興分乎創，因創也者，事其端於前因也者，嗣其事於後也。不有創者，後火欲因而無由，不有因者，前人雖創而將泯，兩美相濟，理固然矣。伊邑南九十里許米坪鎮，舊有關帝廟宇一座，但多歷年所，經風雨之漂摇，已就圮壞，此正善因者繼起之會也。適有本鎮居民朱君萬和者，目覩心傷，輒興善念，于是先捐己貲，復募同志，鳩功庀材，嗣而修之，不數日而神像、廟貌俱焕然重新矣。過斯地者，莫不流連稱羨焉。夫前人之善，不容或泯；後人之善，亦不容不彰也。惟勒諸貞珉，庶可百代流芳云。

邑廩生王如恂撰文，邑童生程西銘書丹。

功德主朱協：捐錢拾叁串整。

首事：馮和興：捐錢捌串文。元興號：捐錢伍串文。福昌泰：捐錢四串文。三義公：捐錢伍串文。永茂號：捐錢七千五百文。三和聚：捐錢伍串文。福昌魁：捐錢四串文。史致林：捐錢四串文。福永興：捐錢叁串文。西全興：捐錢叁串文。永生堂：捐錢叁串文。田景亮：捐錢叁串文。孫六禮：捐錢貳串文。王夏貴：捐錢一串文。

木匠：牛貴功。泥水匠：張朝鳳、張朝龍各施錢五百文。畫功：李卓然。

□□□□拾壹年拾□□穀旦立。

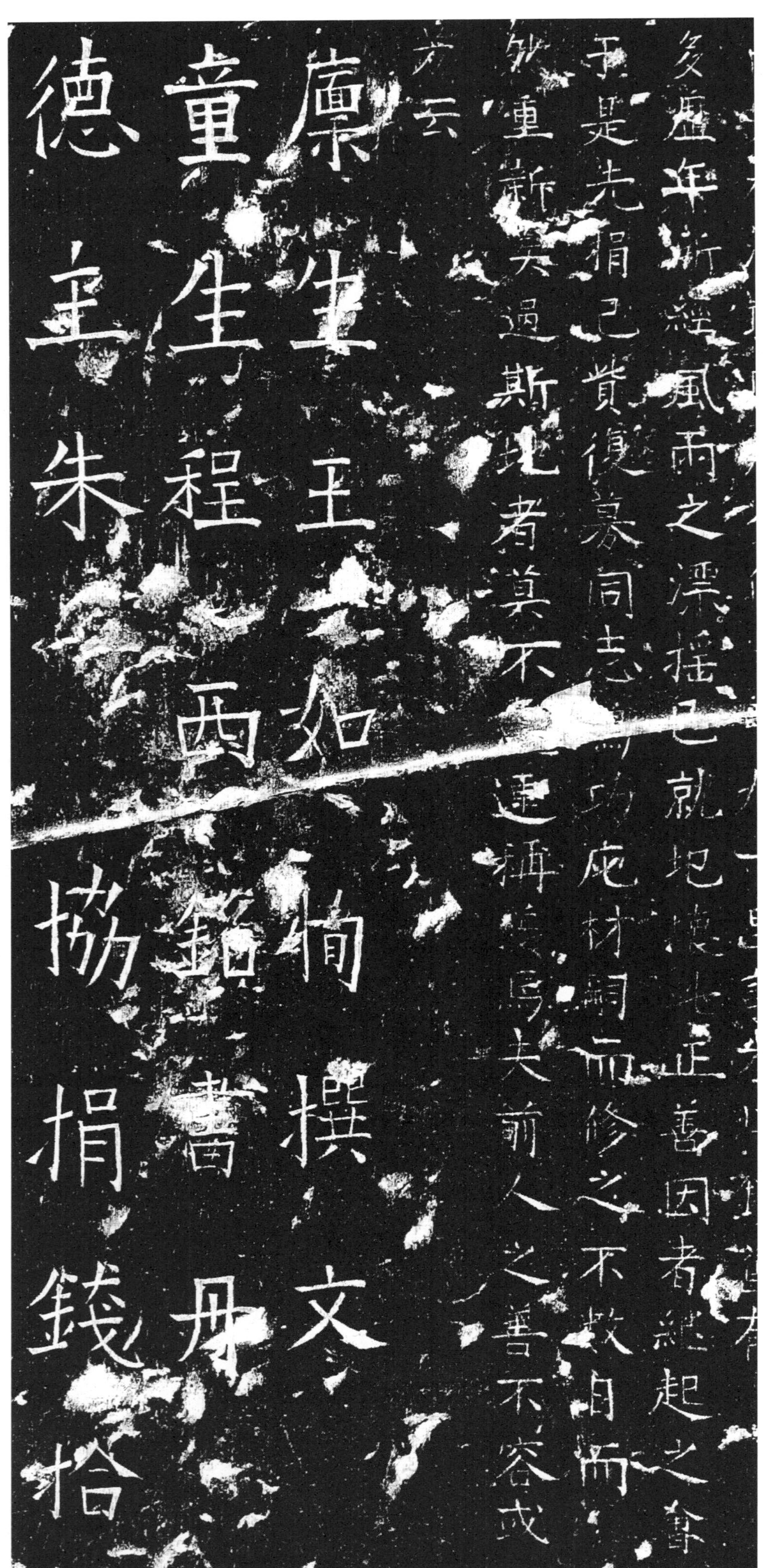
多歷年所經風雨之漂搖已就圯壞止善因者繼起之
于是先捐己貲復募同志庀材鳩工而修之不數日而
煥然重新矣過斯地者莫不稱頌焉夫前人之善不容或
芳云
廪生王如倘撰文
童生程西銘書丹
德主朱協捐錢拾

原大局部

宜陽縣

YIYANGXIAN

惠明□院

河南等處……使　宜陽縣寺頭保第壹里重修惠明庵記
夫三教者儒釋道也頃分三足□二不可未明人妄分三教了達得的同悞一心譬如花樹根性一理各
分枝葉子成花掬還當啟一大□世尊四十九年演教三百余會談經句□而說成釋言行行而談空
妙理譚空者蕩拔衆生說□者□憫有情鐇世蒙龜赦度拔濟圓融十方無不成就論蓋則四生普獲
論在則六道具般論明則光輝三界論朗則照耀乾坤論悲則撈攄苦海論憫則濟拔群生論禪則六
通自在論聖則三界獨尊我
佛如來掌教立世化度群生無不感應運轉十方周遍法界長養萬物無不成就應時而現智是如來真
寬法像也敬依者不墮三途供養者增福無量授持者成等正覺知恩而報暮禮金容非我豈智先君
聖主大唐高宗咸亨二年九月十五日修惠明庵恐後消屬故留年號咸亨大和立石攜名古跡碑記
一庵一寺遍覺惠明遍覓重修祝緣聖受惠明消所古跡基止民人占種祖庭重修便意風水不為自
貧賤之意念耳
水□之衆恩每次焚香祝緣受願得
承國帝道遐昌佛日增輝法輪常轉師僧父母過現咸安信士壇那增緣福受合庵僧行修行有序
往道無覺聞思修而漸漸增明戒定惠而重重光現四生九有等救三塗八難便貧廣及法界有情同
圓無上種智
記曰
妙像金容體自然　萬載不毀座寶蓮　教蓋山河無損壞　上下周圓一通天
大明成化八年六月二十九日重修
僧人祖庭　石匠李恭

【一六六】 重修惠明庵記

年代：明成化八年

尺寸：高 149 釐米，寬 61 釐米

立石地點：宜陽縣白楊鎮白楊村便覺寺

〔碑首〕：惠明庵院

河南等處□□□□使□□□□宜陽縣寺頭保第壹里重修惠明庵記

夫三教者，儒釋道也，頂分三足，缺一不可。未明人妄分三教，了達得的，同誤一心。譬如花樹，根性一理，各分枝葉，子成花卸（謝）。還當皎一，大統世尊，四十九年演教，三百餘會談經，句句而說成釋言，行行而談空妙理。譚空者薦拔衆生，說妙者憐憫有情。蝽世蒙篭，救度拔濟，圓融十方，無不成就。論蓋則四生普復，論在則六道具班，論明則光輝三界，論朗則照耀乾坤，論悲則撈攄苦海，論憫則濟拔羣生，論神則六通自在，論聖則三界獨尊。我佛如來掌教立世，化度羣生，無不感應，運轉十方，周徧法界，長養萬物，無不成就。應時而現智，是如來真覺法像也。皎依者不墮三途，供養者增福無量，授持者成等正覺，知恩而報，暮禮金容，非我豈智，先君聖主。大唐高宗咸亨二年九月十五日修惠明庵，恐後消屬，故留年號咸亨、大和，立石鐫名。古跡碑記，一庵一寺，徧覺惠明，徧覺重修，祝緣聖受，惠明消所。古跡基止，民人占種，祖庭重修，便意風水不爲，自來賢皈之意念，耳□□水土之衆恩，每次焚香祝緣受願，得□□永固，帝道遐昌，佛日增輝，法論常轉。師僧父母，過現咸安，信士壇那，增緣福受。合庵僧行，修行有序，進道無魔，聞思修而漸漸增明，戒定惠而重重光現。四生九有等報，三塗八難便資，廣及法界，有情同圓，無上種智。

記曰：妙像金容體自然，萬載不毀座寶蓮。敖盡山河無損壞，上下周圓一通天。

僧人祖庭。石匠李恭。

大明成化八年六月二十九日重修。

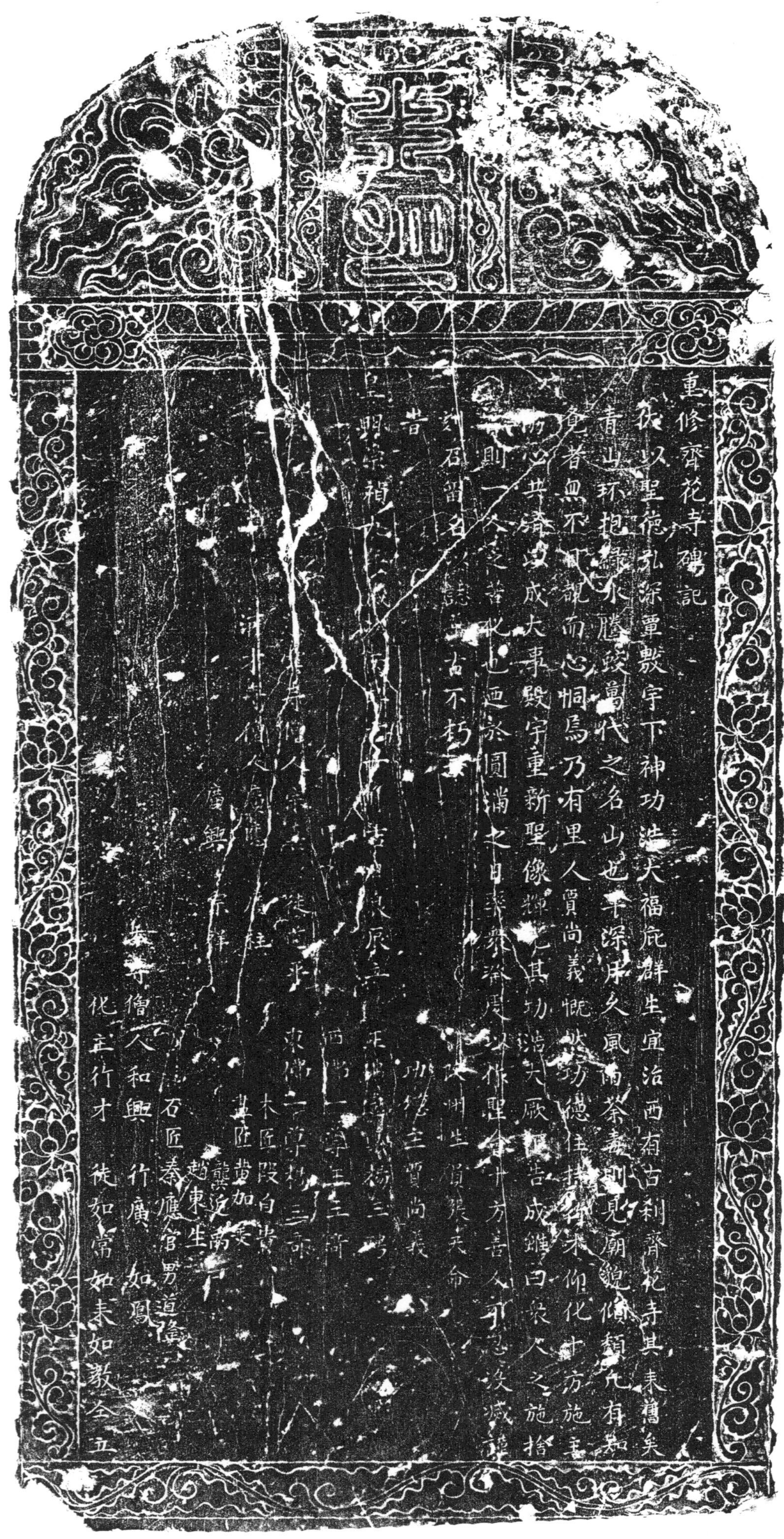
重修齊花寺碑記

【一六七】　重修齊花寺碑記

年代：明崇禎九年

尺寸：高 105 釐米，寬 50 釐米

立石地點：宜陽縣高村鄉上村齊華寺

〔碑首〕：皇明

重修齊花寺碑記

伏以聖德弘深，覃敷宇下，神功浩大，福庇羣生。宜治西有古刹齊花寺，其來舊矣，青山環抱，緑水騰蛟，萬代之名山也。年深月久，風雨荼毒，則見廟貌傾頹，凡有知覺者無不目覩而心恫焉。乃有里人賈尚義慨然功德，住持行才仰化十方施主，協心共濟，以成大事，殿宇重新，聖像輝光。其功浩大，厥爾告成，雖曰衆人之施捨，實則一人之苦化也。迺於圓滿之日，率衆發虔，以作聖會，十方善人，不可没滅，謹刻石留名，以誌萬古不朽云。

時皇明崇禎九年歲次丙子十月吉日良辰立。

陝州生員張天命、功德主賈尚義、正佛□□楊三聘、西佛一尊王三琦、東佛一尊楊三奇、□雲寺僧人宗喜、徒道平、河才寺僧人廣應、廣興、廣柱、宗祥。

本寺僧人：和興、行廣、如鳳。化主：行才、徒如常、如來、如泰、如教。仝立。

木匠：段自貴。畫匠：黄加美、龔近禹、趙東生。石匠：秦應官、男道隆。

【一六八】　重修聚樂寺碑記

年代：清順治十三年

尺寸：高 146 釐米，寬 63 釐米

立石地點：宜陽縣香鹿山鎮北後莊村聚樂寺

重修聚樂寺碑記

宜陽縣，古名邑也。屏山之東，洛水之北，離城十里許，有寺名曰聚樂。斯寺也，肇基於亦氏諱士能，拓基于僧人廣釗、性庸、圓果衆等。自宋至今，非朝夕故矣。爲創前，爲恢後，其間首功德于佛神者，不可悉數。彼時，僧衆數十，禪房數十，衆之聚乎，神之靈也，盛莫加焉。猶憶萬曆年間，高僧法寶道行令名，傳聞一方，覩殿宇頹壞，議脩舉，不及終事。而其徒海聚繼志述事，克畢厥功。餘襄寄禪室，爲肄業計，曾爲文以寄之。迨今日兵火之後，房焚毁，僧零落，唯佛神諸殿規模僅存。雖然焚脩無人，庵壞多端，時海聚僧師徒四人，仍欲如前脩葺，求余爲功德主。余思大亂後家資蕩然，瘡痍未平，且章句輩迂拙，不能更事，安敢當此責，以負神明乎？特與僧海聚議，□衆功德主共籌募化策，而一時善男信女、達官貴客、善人等，皆願施捨貲財，以襄大功。遂于殿後建水陸堂一座，又重脩六祖殿，又重脩天王殿，臺基墻垣焕然改觀。擇吉起醮壇香火，皆衆善人力也，亦衆功德主力也。是日，有衆咸在，余爲之説曰：殿舍巍莪兮，孰爲之起，大衆斯集兮，孰爲之招。自今日至于萬年兮，又孰爲之遞延而遞續。《中庸》云：使天下之人齊明盛服，以承祭祀，洋洋乎如在其上，如在其左右。是斯之謂與，因再爲文以記。

宜陽縣知縣金繼望，典史王宗周，洛陽縣縣丞署宜陽縣事霍光祥，宜陽縣儒學教諭唐實穎，訓導王廷瑞，河南府舉人楊士英，宜陽縣舉人張夏瑚，馬中駿，邑庠增廣生員張奇勳書，劉永吉，生員許期弘，鎖文開，孔聞政，貢生李養德，孔聞澄，楚煜，增廣生員楚應明施碑，生員劉焜，生員焦治曆，楚艮，王同吏，楚良璽，洛陽儒官郭登仕，亦加美，焦拱玄，功德主生員張懋勳，生員楚士俊，周孟良，生員王起蛟，生員張應清，宋士英，高汝望。

本寺化主僧海聚，門徒：顯□、顯默、顯定，勝因寺僧官正禮、徒嘉福，靈山寺僧真益、徒如義。

石匠：楊守林、楊萬錦。木匠：譚以善、譚以恩、譚大武、譚以慶、亦定國、譚加言。泥水匠：張進魁、谷三利、李希紹、布所用。

廪膳生員張懋勳謹沐手叩叙記。

順治十三年三月十三日。

【一六九】　重修圓光寺並創建牟尼佛殿及禪堂碑記

年代：清順治十七年

尺寸：高208釐米，寬82釐米

立石地點：宜陽縣杜渠村圓光寺

〔碑首〕：重修圓光禪院碑記

重修圓光寺並創建牟尼佛殿及禪堂碑記

夫距吾韓二十里許，迤西而北有所謂圓光寺者，吾不知創自何代，昉於何人。及凋敝之餘，間嘗遊覽其間，觀其形勝，見溪聲蕩於前，巒影峙於後，其山光水色撩人心目。余私心自憶曰：斯亦古名刹也，今何頽廢至此乎？竟爲孤兒藪矣。且時見鳥啼花塢，雲棲峯巔，枯藤凝露，老柏含煙，其景致依依，使人低徊不忍去。噫嘻！當此剥殘之際，怡人神情猶然如斯，在古昔盛時，光景又不知奚若也。嗣是而後，不識有能懋昭前人之德，而纘其業否也。居無何，忽有奇行行僧諱福林字義玄者，山西太原人也，攜其衆數人經過其地，遥望澗水之濱，有簷何見焉，曰此必梵宇也，盍往借棲焉。及至其處，見荆棘刺眼，蓬蒿埋徑，乃側身入其中，見僧舍零落，闃無人踪。數人在蔓草中相與促膝圍坐，憩息者良久，乃起身而周視前後，見殿宇傾頽，墻垣圮壞，佛像幾爲露處，將有付諸西巖之嘆。玄又顧其徒而言曰：吾輩既爲佛子，當盡佛修，吾欲盟心發願，舉若寺而更新之，汝等以爲何如？衆輒應聲曰：如是，如是。遂特□于此途里人而謀之，里人聞其説，皆爲首肯。乃選建功德主十三人，令各司其事，又爰命其孫澄海募緣四方。時仗佛祖之靈，四方達官貴人、善男信女，效孤園給孤老人□風，傾心布施，一時磚瓦木植、糧食資財雲屯霧集，襍遝而至，兩閲歲而寺功告竣矣。不惟更新其舊址，抑且大規模，更其式廓焉。又創建牟尼佛殿三間，禪堂六間。其往來行人、遠近諸檀越拜謁蓮座者，覩金碧輝煌、丹堊燦爛，靡不嘆其功程之浩繁，而落成易易也。雖施主輸心，化主助力，亦勞且瘁矣。用是鏤諸石，以誌其盛，且旌善人。

邑庠生上人趙可宗宗一甫撰。

常住地二段，寺北地東至賀李地，南至寺，西至路，河渠爲界，北至山根爲界。寺南地東至賀李爲界，南至河心爲界，北至寺。四至分明，本寺後人永遠爲業，碑記爲證。共地五十七畝。又地一段，寺南東至河心，南至賀地，西至本主，北至李爲界。

宜陽縣正堂金。

功德主：鄉宦郭登仕、馬追風、張敏功、趙仁方、生員王之柱、王銘、王鈺、王銓、王元、張大猷、張成大、張四德、孟光輝、莊一鵠、衛良貴、王鑣、孟晶、馬繩武、衛天命、趙昕、趙昉、彭雲翥、王元吉、李必泌、陳養聯、史旌善、王延、衛良知、孟緒、李春芳、吴天亮、孫永芳、王汝禄、賀聖明、亢蓰恩、趙尚文、賀武魁、李得山、張仲金、黄世功、亢希賢、趙邦清、李宗堯、賀邦聚、黄守己、張永利、李三成、洛陽縣捨財衆善人等、宜陽縣捨財衆善人等、永寧縣捨財衆善人等、新安縣捨財衆善人等、澠池縣捨財衆善人等、陝州捨財衆善人等、嵩縣捨財衆善人等、小宜陽縣捨財衆善人等。

住持：通誨，父王友、奚氏。福林，徒：壽玉、壽云，孫：澄海、澄永，曾孫：安平、安民，重孫：洪科、洪幸、洪滿、海衆悟孝、無憂。

石匠：薛起鵬、寧有進。

順治七年歲次庚子六月之吉。

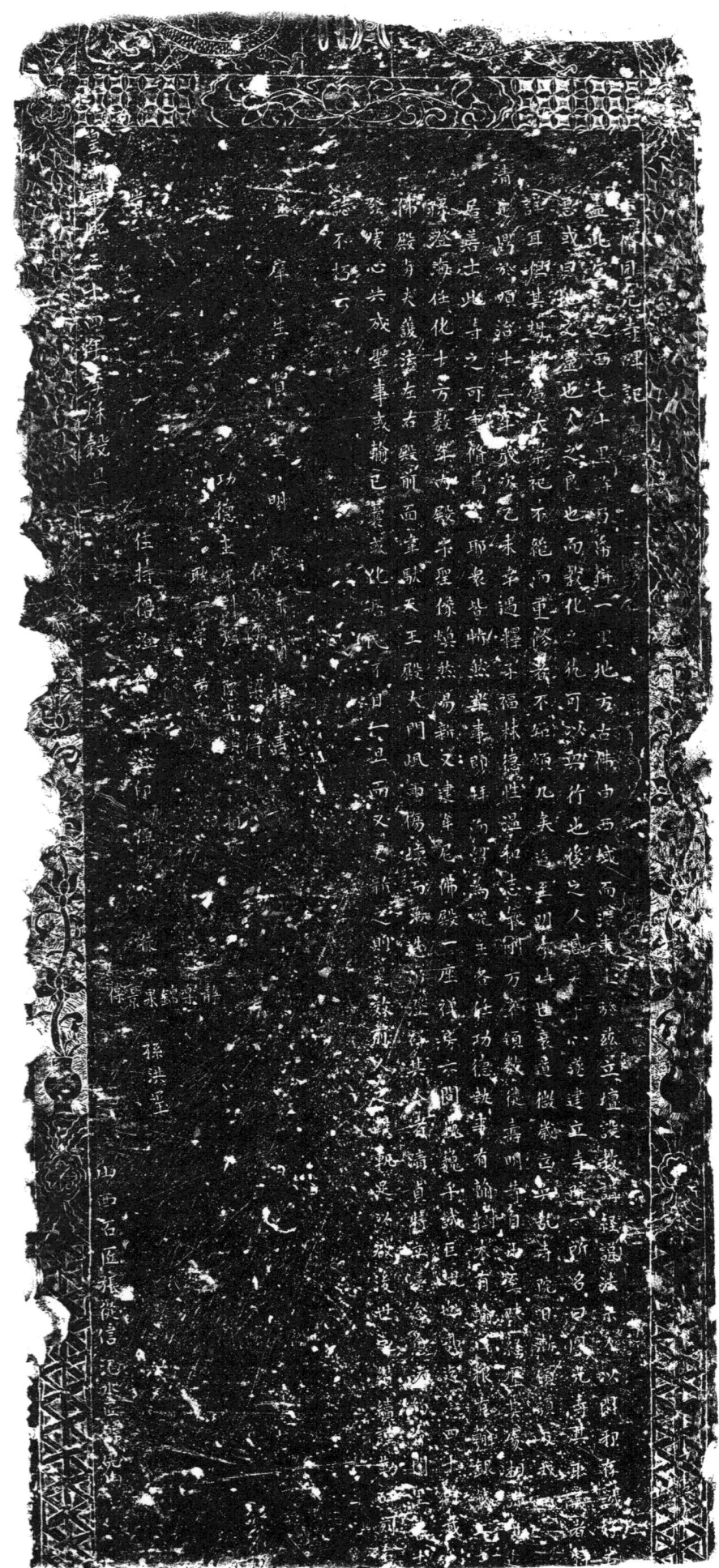

【一七〇】 重修圓光寺碑記

年代：清康熙三十四年

尺寸：高 159 釐米，寬 66 釐米

立石地點：宜陽縣高村鄉杜渠村圓光寺

重脩圓光寺碑記

蓋此宜縣之西七十里許，乃硌併一里地方，古佛由西域而渡東土，於茲立壇設教，講經説法，示人以閑邪存誠好美惡，或曰地之靈也，人之良也，而教化之，猶可以興行也。後之人感慕于心，遂建立寺院一所，名曰圓光寺，其取義者特詳耳。但其規模廣大，崇祀不絶，而重修者不知煩幾矣。迨至明季時，世衰道微，歲凶兵亂，寺院日漸傾頹。及我清定鼎，於順治十二年歲次乙未，幸遇釋子福林，德性温和，志氣剛方，率領數徒壽明等，自山至陝，經歷其處，相謀于近居善士，此寺之可重脩焉□耶。衆皆忻然樂事，即拜而留爲院主，各任功德、執事，有輸樹木，有輸口糧，有輸銀錢。二□孫澄海任化十方，數年内殿宇、聖像焕然易新。又建牟尼佛殿一座、禪房六間，巍巍乎誠巨觀也哉。迄今四十餘載矣，佛殿與夫護法左右殿，前面韋馱天王殿、大門，風雨傷壞。而復迭出澄祥其人者，清貞特立，善念愈溢，酌會閫里善士，發虔心共成聖事。或輸己囊，或化居民，不目一旦而又更新之，則是效前人之軼軌，足以啓後世之纘續。謹勒碑列石，誌不朽云。

宜庠生賀聖明際泰甫撰書。

功德主：伊承儒、宋計强、耿一榮、梁心傳、陳光顯、黄文朋、孫相敬。

住持僧：澄祥、弟澄印，徒侄：安寧，徒：安静、安樂、安錦、安果、安景、安保，孫：洪璽。

山西石匠：張從信。泥水匠：韓虎山。

皇清康熙三十四年季秋穀旦。

【一七一】 重修伽藍殿碑記

年代：清康熙五十一年

尺寸：高 156 釐米，寬 60 釐米

立石地點：宜陽縣蓮莊鎮鮑窑村龍興寺

〔碑首〕：重修

重修伽藍殿碑記

宜邑庠生楚奕光薰沐拜撰，洛濱□鬚子王□□薰沐拜書。

人生事業，不至湮没而弗□者。修葺之功，更大於創建也。如今之宜陽古韓城北山去城西五十里，蓮峯拱其右，洛水環其左，蔚然興秀，林壑幽□，波濤萬頃，蛟龍騰象。因而硐峽中創建佛寺，名曰“龍興”，其意蓋有所取耳。寺中兩旁，其南則地藏在焉，其北則伽藍在焉。伽藍非他，即漢時關夫子是也。嗚呼！如夫子者，忠義貫日月，德業配天地，真聖□人也。使夫子而生於春秋，孔子何以有未見剛者之嘆。倘夫子而生於戰國，孟子當必謂之大丈夫。是以生爲名臣，死爲尊神，孰能出於其右，而烏可不使廟貌之威嚴可觀，畫棟之輝煌可愛也。□□然獨計前朝創建時，至於今已數十年矣，風雨飄零，殿宇摧殘，不有人焉爲之修葺，未□不令四方之遊覽，縉紳先生□□爲之流建唏嘘者矣。是以通順里□民彭來朋、彭加貴等，素存善念，目擊心傷，遂羣集鄉友，各捐分金，庇材鳩工，重修殿宇。□□廟貌威嚴，畫棟輝煌，而□關夫子之忠義德業，亦與之而俱見。所謂修葺之功更大於創建者，其在斯乎，其在斯乎！□□告竣勒石，以表重修之功，使關夫子隨地而尊，來朋等亦不至湮没而弗彰云。

功德主：吏員彭來朋、室人徐氏，胞弟樂朋，王氏；信朋，□氏；男搏九、侄扶九。王氏施銀貳兩肆錢。

功德主：善士彭加貴、室人彭氏，男有先、張氏施銀壹兩。

化主：楊梅。

住持僧：法玉、□朝、宗喜、宗蘭、道慧、道法、道恒、興隆。

生員王旭：施銀伍錢。單彭年：施銀伍錢。張檀：施銀伍錢。彭友貞：施銀壹兩。王基：施銀乙兩。貢生王份：施銀叁錢。生員王洛：施銀貳錢。生員王相天：施錢貳錢。彭煜：施銀乙兩。胡名珍：施銀叁錢。貢監高起鴻：施銀叁錢。監生□百彭：施銀壹兩。生員安勛：施銀肆錢。單大受：施銀肆錢。王加善：施銀四錢。

石匠：稷山縣人龐继緒。

時康熙五十一年歲次壬辰莫（暮）春吉旦立石。

皇清
日
月
雍正七年季冬吉日
立

【一七二】　重脩觀音堂並金粧神像修蓋拜殿碑記

年代：清雍正七年

尺寸：高 119 釐米，寬 50 釐米

立石地點：宜陽縣董王莊鄉趙坡村菩薩廟

〔碑首〕：皇清　日月

康熙三十六年重脩觀音堂並金粧神像脩蓋拜殿碑記

嘗思事不能無因，而舉善不能無因而生此，固理所必然，亦情之不容誣也。吾鄉舊有觀音聖母行宫一所，亦不知創於何時，始於何人，第年深日久，風飄雨灑，墻傾棟折，未有不敝者也，倘不爲之重脩，並前創建之功俱泯，而神將安所依乎？況慈船普渡，疫災爲利，轉禍爲福，廣□衆生，孰非聖母之力，而胡可忘耶？此吾鄉信士趙君諱天龍覩斯廟之倒塌，痛神像之無存，慨然嘆曰：人所憑依在神，神所依賴在人，何昔人脩之於前，而今忍其毁於後乎？但泰山不讓土壤，故能成其大，河海不擇細流，故能就其深。於是，謀諸弟諱天福同力募化，晝不暇食，夜不遑寢，惟兹是圖。幸賴一方之信士，各蠲貲財，以成善事。未幾而廟貌焕然維新，神像爲之金塑，拜殿自此告成。然後之視今，亦猶今之視昔，若不刻之於石，則後世亦何所視而興乎？故勒諸貞珉，列叙時人，雖世殊事異，所以興懷且致一也。後之覽者亦將有感於斯文。

本邑盧琰撰書

正殿功德主：趙天榮、趙心儒、趙天鳳、趙天龍、趙天福、趙天奇、趙天祥、王明侯、劉從業：施銀五錢五分。王起家：施銀四錢。户州湯：施銀五錢。馬成昇：施銀五錢。郭進禄：施銀五錢。喬□松：施銀五錢。喬永良：施銀四錢。董振邦：施銀四錢。徐正祥：施銀四錢。張明：施銀一錢。張明太：施銀二錢。孫大明：施銀二錢。宋世乾：施銀二錢。喬林：施銀二錢。劉俊源：施銀三錢。于方學：施銀四錢。郭子趙：施銀三錢。古世高：施銀五錢。王玉：施銀五分。李表正：施銀五分。奎復春：施銀五分。孫百從：施銀二錢。温至大：施銀一錢。白心廷：施銀一錢。徐普：施銀一錢。王梨天：施銀一錢。李治：施銀一錢。李思明：施銀一錢。徐國祥：施銀五分。王六公：施銀五分。李敬：施銀五分。馬忠賢：施銀五分。齊九名：施銀五分。趙子芳：施銀五分。趙子合：施銀五分。趙天禄：施銀五分。趙天培：施銀五分。

石匠：李卓，子景泰。

時雍正七年季冬吉日立。

【一七三】 復重修觀音堂並粧塑神像碑記

年代：清乾隆四年

尺寸：高 130 釐米，寬 54 釐米

立石地點：宜陽縣香鹿山鎮下潘寨村奶奶廟

〔碑首〕：福壽

復重修觀音堂並粧塑神像碑記

潘家溝有觀音堂，由來久矣，不知創自何時，第考遺碑所載，乃重修於明末崇禎六年時也。竊思自崇禎以至於今，百有餘歲，其間變亂無常，玉步已更，殿宇之頹敝者，十有八九，神像之損壞者，□有太半，見者莫不俛首神傷，聞者悉皆撫膺致嘆。前有潘國瑞、潘鵬翼、潘鵬奇等，坐而視之，則心有所難，如起而脩焉，則力有所不能。不得已，變賣官柏數株，漸積以爲成功之計，不意有志而未逮也。今幸有潘鵬彩、潘永吉、潘永信、潘永登、潘永義之五人者，忽然動爲善之心，浡然生作福之意，同心協力，又計賣官柏數株，合之以前所積之錢財，約有數十餘兩。尚猶不給，又各捐己財，募化善人，因而改造堂殿，補塑神像。將見頹敝者復煥然一新，損壞者復燦然改觀，其輝煌俊逸之致較從前而更出萬萬者！功將誰歸乎？或曰冥寞之中，默以佑之也；或曰合溝之人，輔而助之也。其説雖未嘗不近似有理，而吾則不敢以爲然也。蓋堂之輪奂非常，神之華彩異致，要非五人晨夜謀爲，朝夕經營，勞心竭力，千辛萬苦之備嘗者，不至此。故磨碑篆詞，以功德二字美之，使傳於不朽云。

洛陽李帝賓撰書。

功德主：潘鵬彩：施銀一兩。潘永吉：施銀一兩。潘永信：施銀一兩。潘永登：施銀八錢。化主潘永義：施銀一錢。

潘家溝善人：潘永財：施銀七錢。孫弘壽：施銀五錢。郝起雲：施銀五錢。李景梅：施銀五錢。王廷：施銀四錢。潘門吕氏：施銀三錢。潘鵬程：施銀七錢。晉門劉氏：施銀三錢。潘鵬漢：施銀三錢。焦淑志：施銀二錢半。潘永科：施銀二錢半。潘永傳：施銀二錢。趙懷智：施銀二錢半。崔爾弘：施銀三錢。潘永秀：施銀二錢。陳宣：施銀一錢。邢廣禄：施銀一錢。聶天錫：施銀一錢。吕復仁：施銀一錢。吕文英：施銀一錢。于文善：施銀一錢。于文學：施銀一錢。張學詩：施銀一錢。潘永寧：施銀一錢。李太順：施銀一錢。聶福興：施銀一錢。聶福祥：施銀一錢。周自瑞：施銀一錢。于文魁：施銀一錢。聶福盛：施銀一錢。

木匠：孫林、吴睿。泥水匠：吕昭、樊爾禄。畫塑匠：張迎祥、張雲祥、段爾發。鐵匠：郝成德。

時大清乾隆四年歲次己未七月壬申二十六日庚午吉旦，功德主與合溝善人仝立。

重脩龍興寺
佛殿暨創建帝駝殿天王殿碑記
增廣生員彭翊萬法拜撰
後學逸士彭魁賢敬書

襄毅公故里西有四嶺頭村，即古徐城，爲洛水所逼，人民遷居於斯者也。村南三里許有古剎，寺名曰龍興，意者蓂源龍泉結聚于土
時尊二氏之說，偶興土木之役，而目以得名歟？嘗偕二三執契步徑其間，見夫屹然歸立、巖峻而無斜跛之態者，山也；波流瀠洄、澄然
而裕日新之象者，水也。釀泉晶潔，雲影與天光映照；佳木繁蔭，清風與明月鉶徊。禽鳴鳥以想和平，喈喈然唱歸去之好音；倚綠林爲
觀帝像，峭峭者咏長嘯之佳句。敢曰金陵地勝，時來畫龍之客；竊擬洪都高閣，間逑如雲之友。誠宇內之奇觀、精尊之樂境也。播閩[illegible]
祇於明萬曆年即經重脩，其肇自某氏、創自何代，竟苦於無可考稽者。迨我
國朝重脩以來，復經數十餘年，墻壁爲風雨飄搖，基址被灰燼荒燥，遂爾畫棟雕樑之宮等於丘土，紫戶應門之外莫瞻崔巍。鋭昌始[illegible]
無人將觀成之實。自今有住持比丘宗典，字則如，與徒道謙、徒侄道壽、道秀等，目覩宮墻之頹毀，頓生整理之盛心，因而設席會衆，同
功德主[illegible]協力重興，合贊創建。趣舊日之餘材，杰出雲漢之表；造未闕之規模，陡張日星之燦。荒縫參差，復蝶坽於始建；丹艧增
輝，彰藻繪於一新。不惮身心之瘁，豈惜金丹之耗。由甲子至乙丑，越一年而告竣。爲求文於余，勒石琭以垂來裔。余將何以爲文哉？
慙漢代未窺如來之堂奧，才媿唐人不聞捏槃之妙旨，予將何以爲汝哉？

[illegible]
陳克恭　男經傑　邦彥　孫惠崇　曾孫黑　施艮七兩
[illegible]　男端　鋪　孫道雲　道霧　施艮六兩
[illegible]

洛邑畫匠許建章施艮一兩
□匠張景唐
泥水匠趙培公
石匠係山西稷山縣張君盤華等

旹乾隆拾年歲次乙丑十一月初一日立

【一七四】 重脩龍興寺佛殿暨創建韋馱殿天王殿碑記

年代：清乾隆十年

尺寸：高 195 釐米，寬 73 釐米

立石地點：宜陽縣蓮莊鎮鮑窑村龍興寺

重修龍興寺佛殿暨創建韋馱殿天王殿碑記

增廣生員彭趐薰沐拜撰，後學逸士彭冠賢敬書。

襄毅公故里西有四嶺頭村，即古徐城，爲洛水所逼，人民遷居於斯者也。村南三里許有古剎，寺名曰龍興，意者發源龍泉，結聚茲土，時尊二氏之説，偶興土木之役，而因以得名歟。嘗偕二三執契步徑其間，見夫屹然壁立，巖峻而無斜跛之態者山也；波流瀠洄，澄然而裕日新之象者水也。釀泉晶潔，雲影與天光映照；佳木蘩蔭，清風共明月徘徊。聽鳴鳥以想和平，喈喈然唱歸去之好音；倚緑林而觀啼猿，峭峭者咏長嘯之佳句。敢曰金陵地勝，時來畫龍之客。竊擬洪都高閣間，迓如雲之友，誠宇内之奇觀，棲真之樂境也。繙閲貞珉，有明萬曆年即經重脩，其肇自某氏，創自何代，竟苦於無可考稽者。迨我國朝重修以來，復經數十餘年，墻壁爲風雨飄摇，基址被灰燼瓦爍，遂爾畫棟雕梁之宫等於丘土，紫户應門之外莫瞻崔巍。既倡始之無人，將觀成之奚自。今有住持比丘宗典字則如，與徒道謙、徒侄道壽、道秀等，目覩宫墻之頹毁，頓生整理之盛心。因而設席會衆，同功德主彭若弘、陳克恭、彭若濟協力重興，合贊創建，起舊日之餘材，傑出雲漢之表，造未闢之規模，陡張日星之燦，瓦縫參差，復嶫崆於始建。丹雘增輝，彰藻繪於一新，不憚身心之瘁，豈惜金丹之耗。由甲子而乙丑，越一年而告竣焉。求文於余，勒石珉以垂來茲。余將何以爲文哉，學慚漢代，未窺如來之堂奥，才愧唐人，不聞涅槃之妙旨，予將何以爲文哉！

功德主陳克恭，男邦傑、邦用、邦選，孫惠等，曾孫黑，施銀七兩。功德主彭若弘，男瑞輔，孫道雲、道霧，施銀六兩。功德主彭若濟，男佛保，施銀壹兩五錢，又板銀二兩。化主張延宗施銀三兩，男朝楝、朝相施銀貳兩。化主彭若聖施銀貳兩伍錢。化主王伸施銀壹兩伍錢。化主陳克相施銀壹兩貳錢。化主盧進寶施銀壹兩。

本寺住持僧人比丘：宗典、宗朝，徒侄：道明、道聰、道口、道全、道謙、道秀、道寧，孫：興文、興湛、興亮、興務，曾孫：隆會，玄孫：至來。

木匠：李千祥、張美吾。泥水匠：趙培公。洛邑畫匠許建學：施銀一兩。石匠係山西稷山縣張華、張君盤等。

時乾隆拾年歲次乙丑十一月初一日立。

重修觀音堂記
王岳之名何自昉哉世傳　岳武穆昔嘗札營於斯
故此村之西有地名曰韓門新庄之東有丘名曰將
臺其信然耶抑傳之非其真耶余何敢質第聞此村
當　國初時固所稱礼義之鄉者也士樂横經農安
負耒習和順於家庭儀有入孝出弟之俗致謙恭於
鄰里彷彿讓路讓畔之風人務正業天錫嘉祥一時
策名黌宮者有人身入上庠者有人即不學之輩亦
皆豐衣足食不受飢寒之苦此固皆務民義之所致
非因諂瀆鬼神而始然也而既能事人亦未嘗不能
事鬼故當村之中亦有觀世音堂當雍正四年間
几於頹壞有張全故父克蘇暨余先伯夔韶約會合
村共修堂宇而獻殿之功則未暇及至乾隆九年又
有賈君自恭復約村中夫老量其貧富酌出錢財獻
殿功成開列木牌而金塑之功亦未之及乾隆十
五年賈君自家慨然以為己任獨出資財粧塑神
像而塑匠飲食合村供之嗟經營三次始成厥功
因念前人締造之初更不知若何况瘁也迄於今功
竣已久洵可告無愧於前人矣第不知横經負耒之
輩以及入孝出弟之俗讓路讓畔之風亦可告無愧
於前人否碣形短狹不能多録但願　義之風與此
堂之輝永如　國初則　武穆之遺識百世不朽矣
本村王崇禮撰書
乾隆二十年三月初十日石匠胡　朋　立

【一七五】 重修觀音堂記

年代：清乾隆二十年

尺寸：高 53 釐米，寬 67 釐米

立石地點：宜陽縣張塢鎮王岳村

重修觀音堂記

王岳之名，何自昉哉？世傳岳武穆昔嘗扎營於斯，故此村之西有地名曰轅門，新莊之東有丘名曰將臺，其信然耶，抑傳之非其真耶，余何敢質？第聞此村當國初時，固所稱禮儀之鄉者也，士樂橫經，農安負耒。習和順於家庭，儼有入孝出弟之俗，致謙恭於鄰里，仿佛讓路讓畔之風。人務正業，天錫嘉祥，一時策名黌宮者有人，身入上庠者有人。即不學之輩，亦皆豐衣足食，不受饑寒之苦，此固皆務民義之所致，非因諂瀆鬼神而始然也。而既能事人，亦未嘗不能事鬼，故當村之中，亦有觀世音堂。當雍正四年間，幾於頹壞，有張全故父克讓暨餘先伯夢驥，約會合村，共修堂宇，而獻殿之功則未暇及。至乾隆九年，又有賈君自恭，復約村中父老，量其貧富，酌出錢財，獻殿功成，開列木牌，而金塑之功亦未之及。及乾隆十五年，賈君自宏慨然以爲己任，獨出資財，粧塑神像，而塑匠飲食合村供之。嗟嗟！經營三次，始成厥功。因念前人締造之初，更不知若何況瘁也。迄於今功竣已久，洵可告無愧於前人矣。第不知橫經負耒之業，以及入孝出弟之俗，讓路讓畔之風，亦可告無愧於前人否。碣形短狹，不能多録，但願□義之風與此堂之輝永如國初，則武穆之遺誠百世不朽云。

本村王崇禮撰書。

石匠：胡朋。

乾隆二十年三月初十日立。

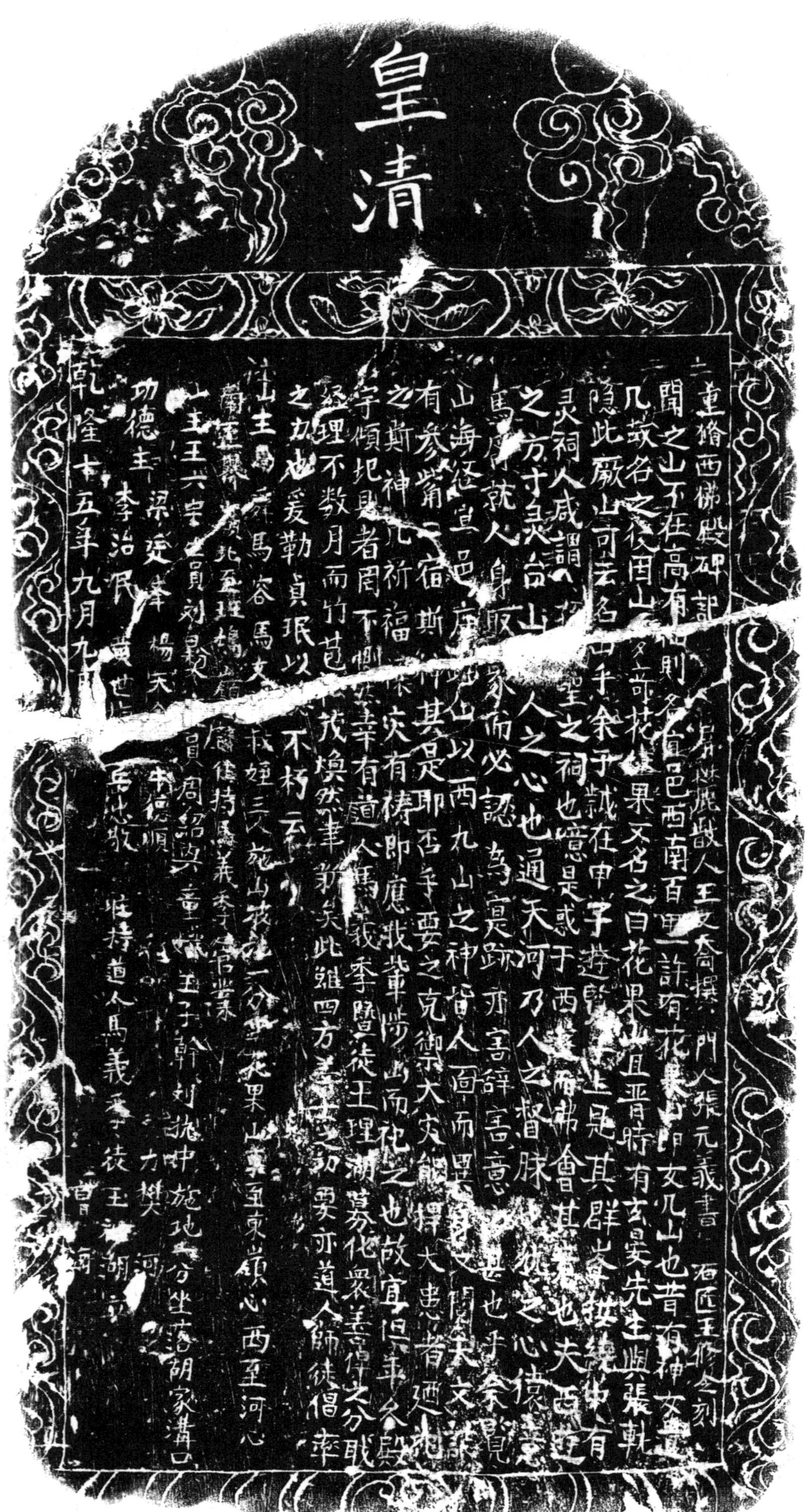

【一七六】　重脩西佛殿碑記

年代：清乾隆十五年

尺寸：高 83 釐米，寬 43 釐米

立石地點：宜陽縣花果山鄉花山村花山寺

〔碑首〕：皇清

重脩西佛殿碑記

屏麓散人王文喬撰，門人張元義書。石匠王脩令刻。

聞之山不在高，有仙則名。宜邑西南百里許有花果山，即女几山也，昔有神女道几，故名之。後因山多奇花□果，又名之曰花果山。且晉時有玄晏先生與張軌隱此，厥山可云名山乎。余于歲在甲子遊覽于上，見其羣峯拱繞，中有靈祠，人咸謂孫大聖之祠也。噫！是惑于西遊而弗會其意也夫。西遊之方寸靈臺山，□人之心也，通天河乃人之督脉也。猶之心猿意馬，胥就人身取象，而必認爲寔跡，亦害辭害意之甚也乎。余覽《山海經》，宜邑座□山以西，九山之神，皆人面而異身。又閱《天文誌》有參觜二宿，斯神其是耶否乎？要之克禦大災，能捍大患者，迺花之斯神，凡祈福禳災，有禱即應，我輩陟山而祀之也。故宜但年久，殿宇傾圮，見者罔不惻然。幸有道人馬義季暨徒王理湖募化衆善，俾之分職經理，不數月而竹苞松茂，焕然聿新矣。此雖四方善士之功，要亦道人師徒倡率之力也。爰勒貞珉，以志不朽云。

山主馬舜、馬容、馬文叔侄三人施山坡地一分于花果山，東至東山頂心，西至河心，南至界嶺，北至斑鳩嶺。□住持馬義季□官業。山主王六宇、生員劉曰芬、生員周紹興、童斌、王子幹、劉執中施地一分，坐落胡家溝口。

功德主：梁廷舉、李治民、楊天□、黄世梅、牛德順、岳忠敬。

住持道人馬義季，徒：樊河、王理湖、曹海。

乾隆十五年九月九日。

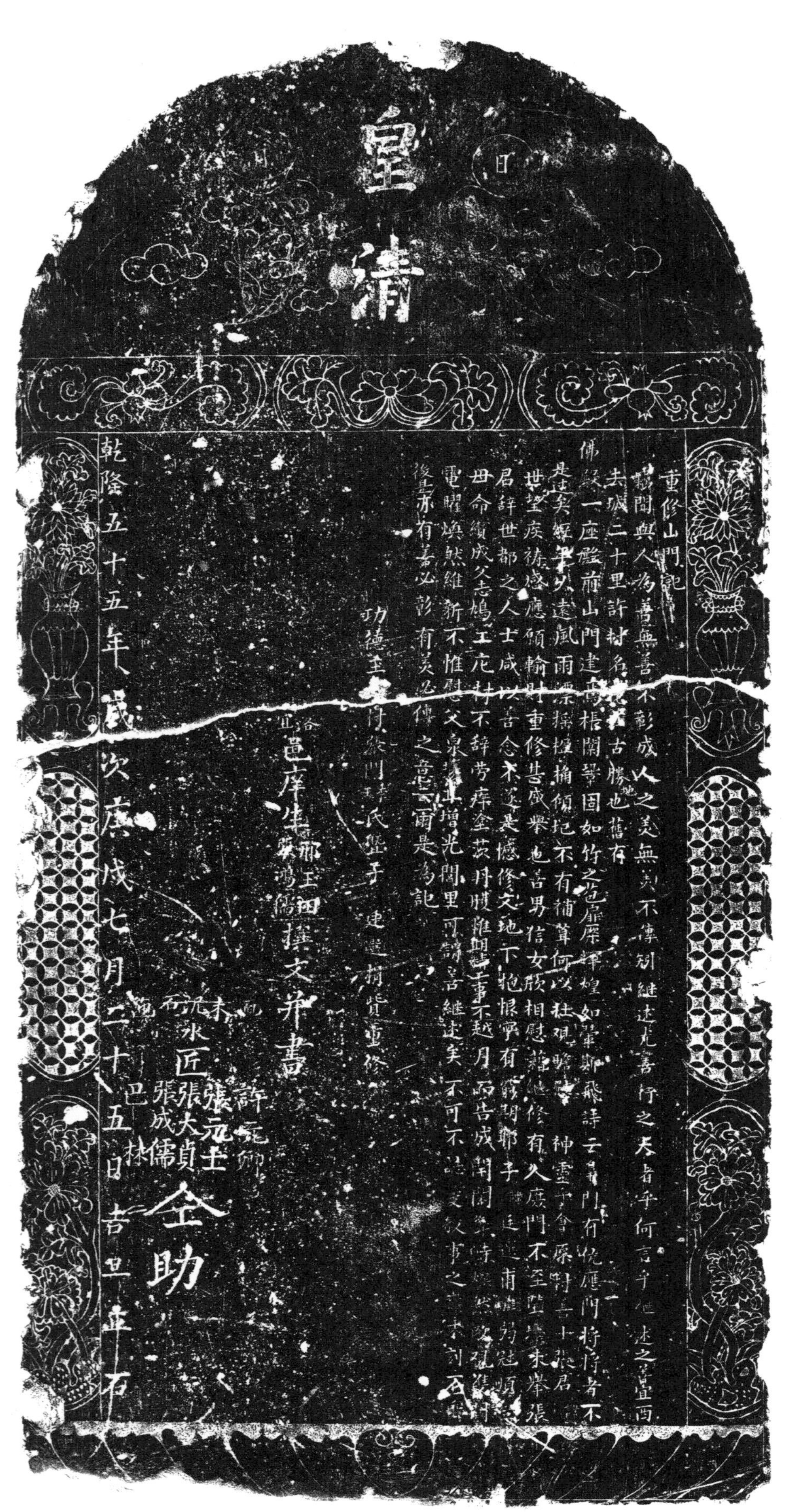

【一七七】 重修山門記

年代：清乾隆五十五年

尺寸：高 127 釐米，寬 63 釐米

立石地點：宜陽縣柳泉鎮花莊村

〔碑首〕：皇清

重修山門記

竊聞與人爲善，無善不彰；成人之美，無美不傳。矧繼述，尤善行之天者乎，何言乎繼述之善？宜西去城二十里許，村名花莊，古勝地也，舊有佛殿一座，殿前山門建焉，棖闑鞏固，如竹之苞，扉檕輝煌，如翬斯飛。詩云"臯門有伉，應門將將"者，不是過矣。經年久遠，風雨漂摇，楹桷傾圮，不有補葺，何以壯觀瞻、慰神靈乎？會原村善士張君諱世望，疾禱感應，願輸財重修，甚盛舉也。善男信女欣相慰藉，繼修有人，庶門不至墜壞未舉。張君辭世，都之人士咸以善念不遂是憾，修文地下，抱恨寧有窮期耶。子諱廷選，甫能弱冠順從母命，纘成父志。鳩工庀材，不辭勞瘁，塗茨丹雘，惟期精工，事不越月而告成。閈閎聳峙，焕然改觀，隻門電曜，焕然維新。不惟慰父泉壤，且增光閭里，可謂善繼述矣，不可不誌。爰叙事之巔末，刻石垂後，是亦有善必彰，有美必傳之意云爾。是爲記。

功德主□村張門李、王氏暨子廷選捐貲重修。

洛邑庠生邢玉田、宜邑庠生張鴻儒撰文並書。

瓦匠：許元卿。木匠：張元士。泥水匠：張大貞。石匠：張成儒。畫匠：巴林。仝助。

乾隆五十五年歲次庚戌七月二十五日吉旦立石。

重脩觀音堂序

西巖北舊有觀音堂一座，巍然坐鎮
許村東偏，乃許君諱自強、天錫施地
植樹，不事募化，創自康熙二十年者
也。壬申歲，自強孫天位、曾孫昇、天錫
孫安民賣樹四株，得錢十千有奇，約
今積錢六十千零。去冬覩廟貌不古，
心切重修，念先蹟將頹，思深再理，遂
與兄弟侄輩鳩工庀材，經始春仲，春
晚落成焉。事竣，囑余為文。余念慈航
普渡，感救護之有靈；善果深結，獲福
禪於無際。此理甚明，何煩贅及。惟叙
其顛末，使君家桂子蘭孫觸目了然，
知創者維艱，述者非易，不忘繼述，思
則後此之脩理自必永紹弗替，將規
模由此式增，而神長得所憑依，為合
村保障，豈不勝於美言麗詞無當高
深也乎？是為序。
姓名開列於后

【一七八】　重脩觀音堂序

年代：清乾隆五十九年

尺寸：高 50 釐米，寬 66 釐米

立石地點：宜陽縣白楊鎮石垛村許村觀音廟

重脩觀音堂序

西巖北舊有觀音堂一座，巍然坐鎮許村東偏，乃許君諱自强、天錫施地植樹，不事募化，創自康熙二十年者也。壬申歲，自强孫天位、曾孫昇，天錫孫安民賣樹四株，得錢十千有奇，約今積錢六十千零。去冬，覩廟貌不古，心切重脩，念先蹟將頹，思深再理，遂與兄弟、侄輩鳩工庀材，經始春仲，春晚落成焉。事竣，囑余爲文，余念慈航普渡，感救護之有靈；善果深結，獲福祥於無際，此理甚明，何煩贅及。惟叙其顛末，使君家桂子蘭孫觸目了然，知創者維艱，述者非易，不忘繼述，思則後此之脩理，自必永紹弗替，將規模由此式增，而神長得所憑依，爲合村保障，豈不勝於美言麗詞，無當高深也乎！是爲序。

姓名開列於後。

皇清

重修

文殊地藏菩薩殿碑記

繼志述事僧俗一理浮屠顯真不離俗而與斯有隱焉予村中一區有青峰寺

梵王鎮於上常陀居其中四大天王森列前廡巍峩輝煌蓋由重修尚不多年也惟文殊地藏分配

左右歷年久風雨飄摇瓦墁圮毁與諸殿宇配而不配矣予面閱舊碑文知為先和尚本然

勤儉齒積與本鄉庄山主慷慨樂施嗣葺而恢廓之耳迄於今莫為後雖盛何傳乎幸有本

然之徒顯花小心謹慎不忍廢墜乃無由以人事勝天時斯不能以今日猶昔日也因而率

其徒清源徒孫静等倫酌會衆叩募布施衆皆諒其心嘉其志本村倡於前外村隨於後

貧効力富輸財不數月而功成告竣煥然更新矣猗歟休哉是雖俗家輔助之勤亦由釋子

繼述之善也予碩而樂之苦無辱施此事屬詞刻著於石又從而為之咏曰明作顯紹清浄

傳星輝月朗日當天善男又有善妻聽夜半鐘聲到枕邊僧領其言不居其功爰刻布施於

碑陰不掩人善焉

邑庠生員張景穆撰經　　鍋王書

乾隆六十年八月十五日立

【一七九】 重修文殊地藏菩薩殿碑記

年代：清乾隆六十年

尺寸：高 175 釐米，寬 63.5 釐米

立石地點：宜陽縣蓮莊鎮禮曲村青峯寺

〔碑首〕：皇清

重修文殊地藏菩薩殿碑記

繼志述事，僧俗一理，浮屠顯□，真不離俗，而與斯有隱合焉。予村中一區有青峯寺，梵王鎮於上，韋陀居其中，四大天王森列前，庶巍莪輝煌，蓋由重修尚不多年也。惟文殊、地藏分配左右，歷年久，風雨飄摇，瓦墁圮毁，與諸殿宇配而不配矣。予面閲舊碑文，知爲先和尚本然勤儉齒積，與本鄉莊山主慷慨樂施，嗣葺而恢廓之耳。迄於今，莫爲後雖盛何傳乎？幸有本然之徒顯花小心謹慎，不忍廢墜，乃無由以人事勝天時，斯不能以今日猶昔日也。因而率其徒清源、徒孫静蓮、静禪、静寧等，備酌會衆，叩募布施。衆皆諒其心，嘉其志，本村倡於前，外村隨於後，貧効力，富輸財，不數月而功成告竣，焕然更新矣。猗歟休哉！是雖俗家輔助之勤，亦由釋子繼述之善也。予顧而樂之，苦無厚施，比事屬詞，刻著於石。又從而爲之咏曰：明作顯紹清净傳，星輝月朗日當天。善男又有善囊贈，夜半鐘聲到枕邊。僧領其言不居其功，爰刻布施於碑陰，不掩人善焉。

邑庠生員張景穆撰，姪鈉玉書。

乾隆六十年八月十五日立。

【一八〇】　觀音堂重修記

年代：清嘉慶三年

尺寸：高 57 釐米，寬 80 釐米

立石地點：宜陽縣白楊鎮鵝子山村北魚泉村老母洞

觀音堂重修記

考鐘鑄記，系明隆慶五年，堂或創於此歟。歷年久遠，墻宇傾圮。至雍正元年，相傳賣槐樹一株，余年方幼，積銀不知其數，僅憶除修補堂廟外，創拜殿一間，奈久而又敝。乾隆四十年，拆毀拜殿舊物，村中輪管一十餘年，積銀三十五兩零。目覩此堂殘破日甚，恐一旦棟折榱崩，壞及神像，于是重修之舉刻不容緩。但四腳落地，功倍於創，所積之銀不足濟事。幸好義者多，或捐工，或輸財，共費銀六十餘兩，工始告竣。雖不能如前之粧塑滿堂，金碧生輝，而以舊易新，亦可以紹前徽於不替云。

增庠周澤久年八十五歲撰，胞侄邑庠青蓮書丹。

同經理：周辛。監生周青雲。周青田。周瑄。

增生周澤久：二兩五錢。周澤放：一兩一錢。監生周青田：三兩。周琮：一兩五錢。周成：一兩五錢。周新：一兩。周瑢：一兩。周□：六錢。張永孝：六錢。□□振：五錢。張天貴：三錢。生員趙泰元：二錢。趙□振：二錢。趙家振：二錢。姚漢敬：二錢。張奇：二錢。白琮：二錢。李許：二錢。周青蓮：二錢。周元功：二錢。周元朝：二錢。周元智：二錢。周元仁：二錢。周元標：二錢。姚漢功：一錢。付全：一錢。谷志學：一錢。谷志泰：一錢。趙庭振：一錢。趙德振：一錢。趙銔：一錢。趙鏡：一錢。□金山：一錢。周瑛：一錢。白金聲：一錢。周瑞：一錢。周璟：一錢。周元吉：一錢。周元太：一錢。周元年：一錢。周元興：一錢。周元聚：一錢。周元禮：一錢。周元道：一錢。周煥：一錢。

泥工：王喜魁。木工：李信。石工：谷登朝。

大清嘉慶三年九月鐫石。

觀音堂丹墀墉路誌

許村▢觀音堂於乾隆五十九年重修廟
貌神像煥然一新垣墻山門非復仍旧無
石紀事前已備述之矣今有信男許濱及
許▢兩村信女十餘人念廟中拜瞻不廣
因積月錁錢兩八千有零鳩工聚石鋪丹
墀丈餘並修墉路以便朔望▢奔事峻有
一道士氣宇不凡至而謂曰此村男女竭
誠好善▢尊神慈航普渡靈佑無窮矣言
畢遂而去衆▢以為奇故誌之

首
許丁氏子濱　施不乙伯　許趙氏子安邦
許▢氏子瀛　許董氏子安陽
事
許張氏子坣　許張氏子萬章　施不乙伯
許謝氏子順　施不乙伯　▢李氏子總法　施不乙伯
許▢氏子梅　南趙▢氏子生景清
許李氏子枝　▢王氏子萬壽
許常氏子文　▢翟氏子萬壽
許楊氏子蘭　孫▢氏子福礼
許姚氏子安仁安國　薛韓氏子瑾
外有地稞不八伯文

邑庠生▢衍義撰文　▢萬德敬書
石工阮良

大清嘉慶柒年三月穀旦立

【一八一】　觀音堂丹墀墉路誌

年代：清嘉慶七年

尺寸：高 41 釐米，寬 62 釐米

立石地點：宜陽縣白楊鎮石垛村許村觀音廟

觀音堂丹墀墉路誌

許村觀音堂於乾隆五十九年重修，廟貌神像焕然一新。垣墻、山門非復仍舊，立石紀事，前已備述之矣。今有信男許濱及許□兩村信女十餘人，念廟中拜瞻不廣，因積月錁錢兩八千有零，鳩工聚石，鋪丹墀丈餘，並修墉路，以便朔望駿奔。事峻，有一道士氣宇不凡，至而謂曰：此村男女竭誠好善，尊神慈航普渡靈佑無窮矣。言畢逍遥而去，衆皆以爲奇，故誌之。

首事：許丁氏、子濱施錢乙佰。許李氏、子瀛。許張氏、子星。許謝氏、子順施錢乙佰。許楊氏、子梅。許李氏、子枝。許韋氏、子文。許楊氏、子蘭。許魏氏、子安國、安仁。許趙氏，子安邦。許董氏、子安陽、許張氏、康李氏、子萬章施錢乙佰。趙康氏，子德法施錢乙佰。趙王氏、子貢生景清。康翟氏、子萬壽。孫趙氏、子福禮。薛韓氏、子瑾。外有地稞錢八百文。

邑庠生王行義撰文，康萬德敬書。

石工阮良。

大清嘉慶柒年二月穀旦立。

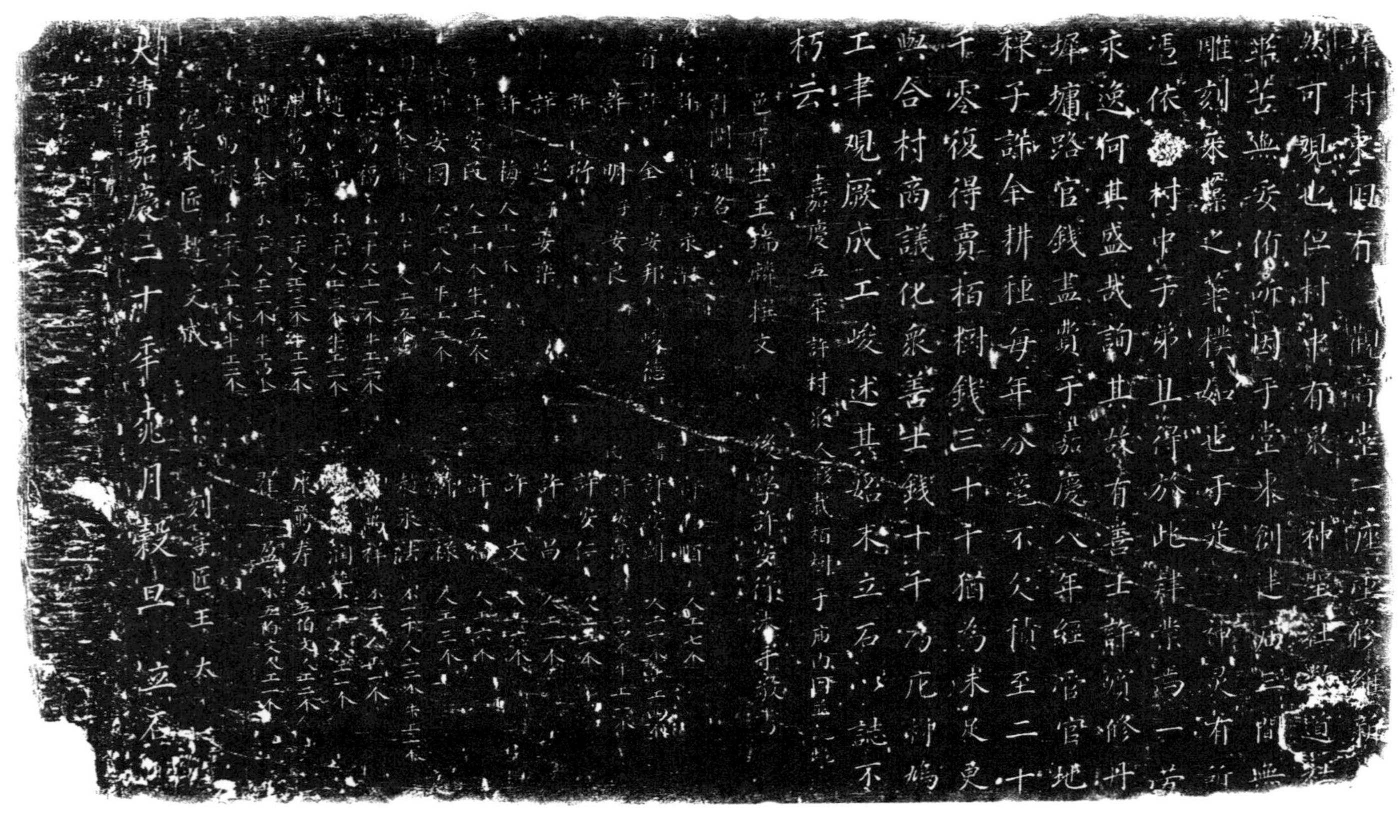

【一八二】 重修觀音堂碑記

年代：清嘉慶二十年

尺寸：高55釐米，寬92釐米

立石地點：宜陽縣白楊鎮石垛村許村觀音廟

許村東舊有觀音堂一座，重修維新，巍然可觀也。但村中有衆神聖社數道，社畢苦無妥侑所，因于堂東創建廟三間，無雕刻采藻之華，樸如也。于是，神靈有所憑依，而村中子弟且得於此肄業焉，一勞永逸，何其盛哉。詢其故，有善士許賓修丹墀墉路，官錢盡費。于嘉慶八年經管官地，稞子許全耕種，每年分毫不欠，積至二十千零。復得賣柏樹錢三十千，猶爲未足，更與合村商議，化衆善士錢十千，乃庀材鳩工，聿觀厥成。工竣述其始末立石，以誌不朽云。嘉慶五年許村衆人移栽柏樹于廟内，因並記此。

邑庠生王瑞麟撰文，後學許安作沐手敬書。

計開姓名：功德主：許賓，子永春、永清。首事：許全，子安邦，孫峻德。許明，子安之。許珩。許芝，子安樂。

許梅：人工一個。耆民許安民：人工十個，牛工五個。許安國：人工八個，牛工二個。化主：國學王金聲：錢一千，人工一個，牛工五個。康萬福：錢一千，人工一個，牛工二個。趙寬：錢一千，人工三個，耨工三個。康萬章：錢一千，人工三個，牛工二個。趙全：錢一千，人工一個，牛工四個。康萬禄：錢一千，人工三個，牛工二個。許順：人工七個。耆民許安朝：人工一個，牛工四個。許安法：人工四個，牛工一個。許安仁：人工五個。許昌：人工一個。許文：人工一個。許福：人工六個。許禄：人工三個。趙永法：錢一千，人工二個，牛工二個。許萬祥：錢一千，人工一個。康福潤：施錢一千，人工一個。康萬壽：錢五百文，人工二個。翟盈：錢五百文，人工一個。

泥木匠：趙文成。刻字匠：王太。

大清嘉慶二十年桃月穀旦立石。

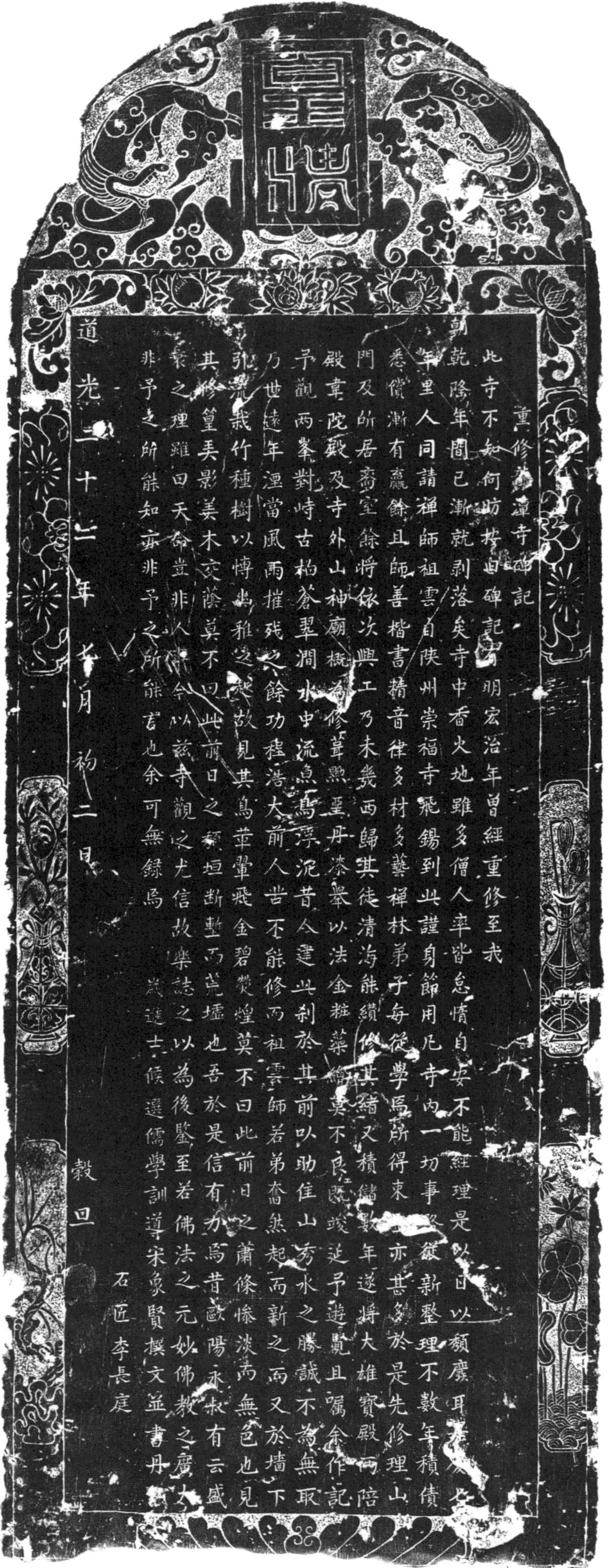

重修[illegible]潭寺碑記

此寺不知何昉，按[illegible]碑記，自明宏治年曾經重修。至我
朝乾隆年間，已漸就剝落矣。寺中香火地雖多，僧人率皆怠惰自安，不能經理，是以日以頹廢耳。[illegible]
[illegible]年，里人同請禪師祖雲自陝州崇福寺飛錫到此，謹身節用，凡寺內一切事[illegible]新整理，不數年，積債
悉償，漸有贏餘。且師善楷書，精音律，多材多藝，禪林弟子每從學焉，所得束亦甚多。於是先修理山
門及所居齋室，餘將依次興工，乃未幾西歸。其徒清海能續修其緒，又積儲數年，遂將大雄寶殿、兩陪
殿、韋陀殿及寺外山神廟概為修葺，黝堊丹漆，舉以法，金粧藻繪，莫不良[illegible]。既竣，延予遊覽，且囑余作記。
予觀兩峯對峙，古柏蒼翠，澗水中流，魚鳥浮泥，昔人建此剎於其前，以助佳山秀水之勝，誠不為無取。
乃世遠年湮，當風雨摧殘之餘，功程浩大，前人皆不能修，而祖雲師若弟奮然起而新之，而又於墻下
[illegible]栽竹種樹，以博幽雅之[illegible]，故見其鳥革翬飛，金碧熒煌，莫不曰此前日之蕭條慘淡而無色也；見
其修篁美影，美木交蔭，莫不曰此前日之頹垣斷塹而荒墟也。吾於是信有力焉。昔歐陽永叔有云：盛
衰之理，雖曰天命，豈非人事哉？今以茲寺觀之，尤信。故樂誌之，以為後鑒。至若佛法之元妙，佛教之廣大，
非予之所能知，亦非予之所能言也，余可無錄焉。

歲進士候選儒學訓導宋象賢撰文並書丹

石匠李長庭

道光二十二年七月初二日　穀旦

【一八三】 重修龍潭寺碑記

年代：清道光二十二年

尺寸：高 170 釐米，寬 62 釐米

立石地點：宜陽縣張塢鎮岳社村龍潭寺

〔碑首〕：皇清

重修龍潭寺碑記

此寺不知何昉，按舊碑記，有明宏治年曾經重修。至我朝乾隆年間，已漸就剥落矣。寺中香火地雖多，僧人率皆怠惰自安，不能經理，是以日以頹廢耳。嘉慶七年，里人同請禪師祖雲自陝州崇福寺飛錫到此，謹身節用，凡寺内一切事務從新整理，不數年積債悉償，漸有赢餘。且師善楷書，精音律，多材多藝，禪林弟子每從學焉，所得束□亦甚多。於是，先修理山門及所居齋室，餘將依次興工。乃未幾西歸，其徒清海能纘修其緒，又積儲數年，遂將大雄寶殿、兩陪殿、韋陀殿及寺外山神廟概爲修葺，黝堊丹漆，舉以法金粧藻繪，莫不良。工既竣，延予遊覽，且囑余作記。予觀兩峯對峙，古柏蒼翠，澗水中流，魚鳥浮沉，昔人建此剎於其前，以助佳山秀水之勝，誠不爲無取。乃世遠年湮，當風雨摧殘之餘，功程浩大，前人苦不能修，而祖雲師若弟奮然起而新之，而又於墻下引流栽竹種樹，以博幽雅之趣，故見其鳥革翬飛，金碧熒煌，莫不曰此前日之蕭條慘淡而無色也；見其修篁弄影，美木交蔭，莫不曰此前日之頹垣斷塹而荒墟也，吾於是信有力焉。昔歐陽永叔有云：盛衰之理，雖曰天命，豈非人事？今以兹寺觀之尤信，故樂誌之，以爲後鑒。至若佛法之元妙，佛教之廣大，非予之所能知，亦非予之所能言也，余可無録焉。

歲進士候選儒學訓導宋象賢撰文並書丹。

石匠：李長庭。

道光二十二年七月初二日穀旦。

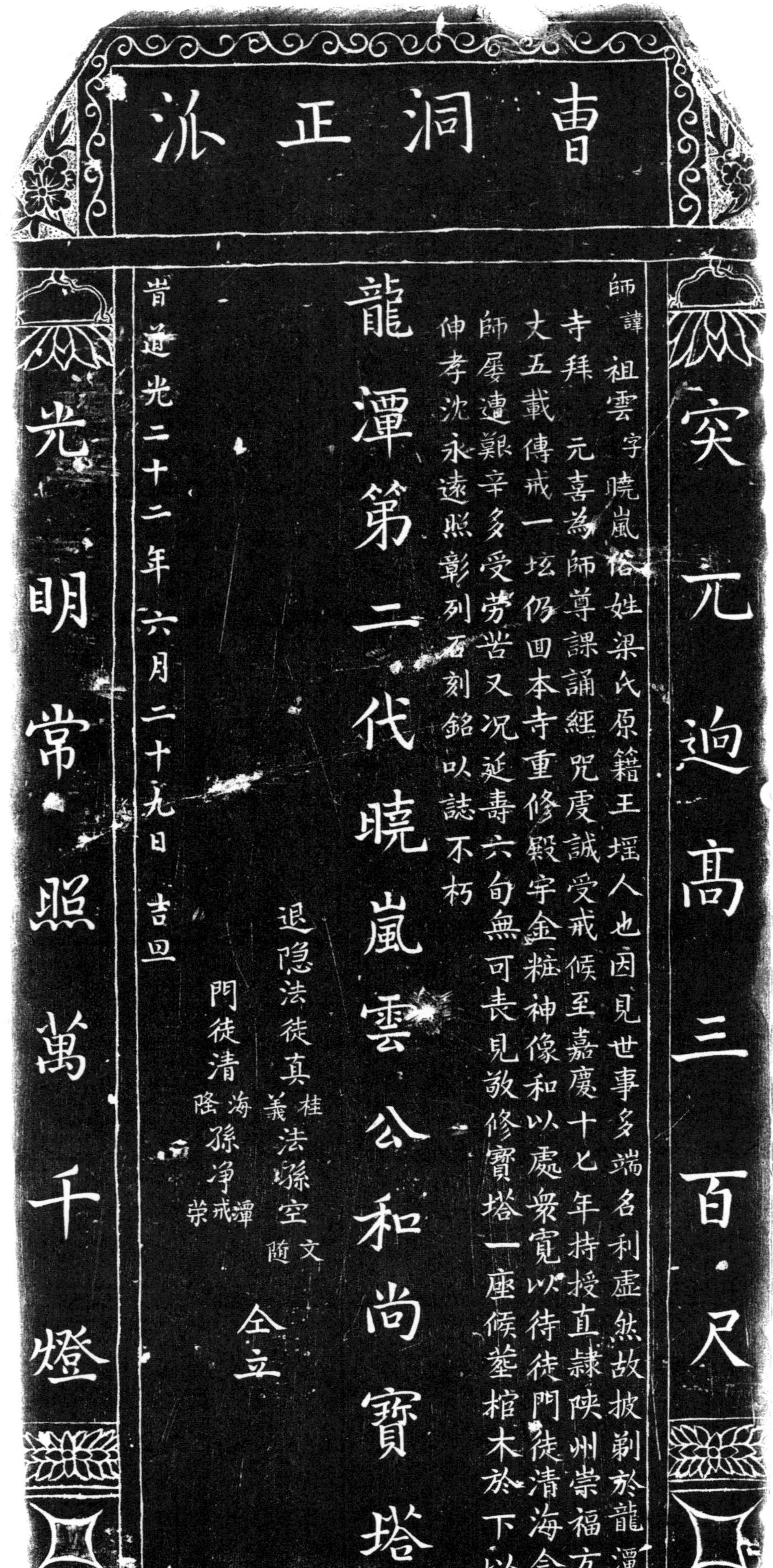

曹洞正派

突兀迥高三百尺

龍潭第二代曉嵐雲公和尚寶塔

師諱祖雲字曉嵐俗姓梁氏原籍王堰人也因見世事多端名利虛然故披剃於龍潭寺拜元喜為師尊課誦經咒虔誠受戒候至嘉慶十七年持授直隸陝州崇福方丈五載傳戒一坛仍回本寺重修殿宇金粧神像和以處衆寛以待徒門徒清海念師屢遭艱辛多受劳苦又况延壽六旬無可表見敬修寶塔一座候荃棺木於下以伸孝沈永遠照彰列石刻銘以誌不朽

退隐法徒真桂 義法孫空隨 文

門徒清海 清隆 孫淨潭 淨戒 淨崇 仝立

旹道光二十二年六月二十九日 吉旦

光明常照萬千燈

三九二

河南寺廟道觀碑刻集成 洛陽卷 四

【一八四】　祖雲和尚塔銘

年代：清道光二十二年

尺寸：高 114 釐米，寬 49 釐米

立石地點：宜陽縣張塢鎮岳社村龍潭寺

〔碑首〕：曹洞正派

龍潭第二代曉嵐雲公和尚寶塔

師諱祖雲，字曉嵐，俗姓梁氏，原籍王窑人也。因見世事多端，名利虚然，故披剃於龍潭寺，拜元喜爲師尊，課誦經咒，虔誠受戒。候至嘉慶十七年，持授直隸陜州崇福方丈。五載傳戒一玹，仍回本寺，重修殿宇，金粧神像，和以處衆，寬以待徒。門徒清海念師屢遭艱辛，多受勞苦，又況延壽六旬，無可表見，敬修寶塔一座，候葬棺木於下，以伸孝沈，永遠照彰，列石刻銘，以誌不朽。

退隱法徒真桂、真義，法孫空文、空隨，門徒清海、清隆，孫浄潭、浄戒、浄榮仝立。

時道光二十二年六月二十九日吉旦。

兩旁對聯：突兀迥高三百尺，光明常照萬千燈。

【一八五】　許村觀音堂施地碑記

年代：清咸豐五年

尺寸：高 48 釐米，寬 65 釐米

立石地點：宜陽縣白楊鎮石垛村許村觀音廟

許村東舊有觀音堂，靈應不爽，默佑衆生，前人已備述之矣。至於香稞地數畝，栽樹木數株，丹墀墉路，亦皆勒諸貞珉。今有許永昌善氣迎人，追已往之靈應，達當前之虔誠，施地四畝，酧神功香花之養可供敬，囑余爲文，余不敏，不敢多贅。但達其向善之意，以爲後之樂善不倦者勸也。是爲序。

其地坐落許村南坡，東至大務，南至高姓，西至溝，北至魏姓。行糧四分九厘四毫。

首事：康玉佩、趙新禄、許文。

趙誠一撰文，王槐堂書丹。

咸豐五年三月二十九日立石。

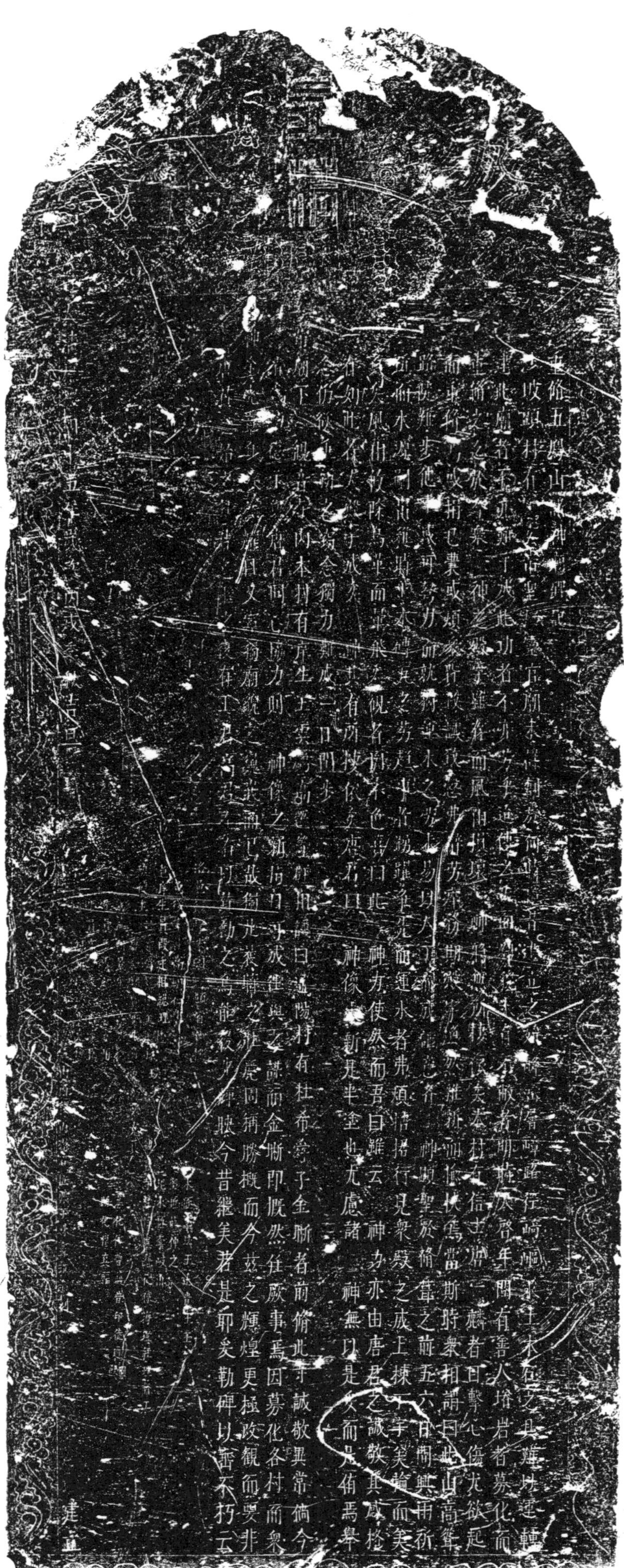

【一八六】 重脩五鳳山諸神廟碑記

年代：清康熙四十五年

尺寸：高 175 釐米，寬 65 釐米

立石地點：宜陽縣蓮莊鎮坡頭村小南頂

〔碑首〕：皇清

重脩五鳳山諸神廟碑記

沙坡頭村有上帝聖□、靈官廟，未詳創於何時。憶昔建立之始，峯巒層嶂，路行崎嶇，水土木石之具難以運轉，建此廟者不亦難乎！成此功者不亦勞乎！迨傳之久，而廟貌未有不敝者。明時天啓年間，有善人塔岩者，募化而重脩之。迄於今衆神之殿宇雖有，而風雨損壞，神將無所棲依矣。本村有信士唐麟者，目擊心傷，尤欲起而重脩焉，或捐己囊，或煩衆貲，致誠致慤，弗辭勞瘁，務期殿宇煥然維新而愉快焉。當斯時，衆相謂曰：此山高聳，路陡難步，他□或可努力，而就□運水之勞未易，以人丁而成詎意者。神顯聖於脩葺之前五六日間，興雨祈祈，而水源嗣出，維時□木磚瓦之勞，趨事者踴躍争先，而運水者弗煩拮据，行見衆殿之成，上棟下宇，美輪而美奐矣。風柏攸除，鳥革而翬飛矣。視者罔不色喜曰：此神力使然。而吾曰：雖云神力，亦由唐君之誠敬，其感格有如此者夫。殿宇成矣，神其有所棲依矣。唐君曰：神像未新，是半塗也。尤慮諸神無以是妥，而是侑焉。舉念仍欲之朔之，竊念獨力難成。一日閑步廟下，觀音寺内，本村有庠生王雲鵬、高邕等，羣相議曰：通陽村有杜希舜子金晰者，前脩此寺，誠敬異常，倘今請爲功德主，與唐君同心協力，則神像之新指日可成。往與之謀，而金晰即慨然任厥事焉。因募化各村，而衆神爽光章身，□□耀目，又寧獨廟貌之巍我而已哉！獨是曩時之壯麗，同稱勝概，而今兹之輝煌，更極改觀。而要非唐君□始之，杜君之繼之，後有王君、高君□有以贊勷之，焉能後先輝映，今昔繼美若是耶！爰勒碑以垂不朽云。

洛邑後學朱國□頓首拜撰。

……

大清康熙四十五年歲次丙戌季秋吉旦。

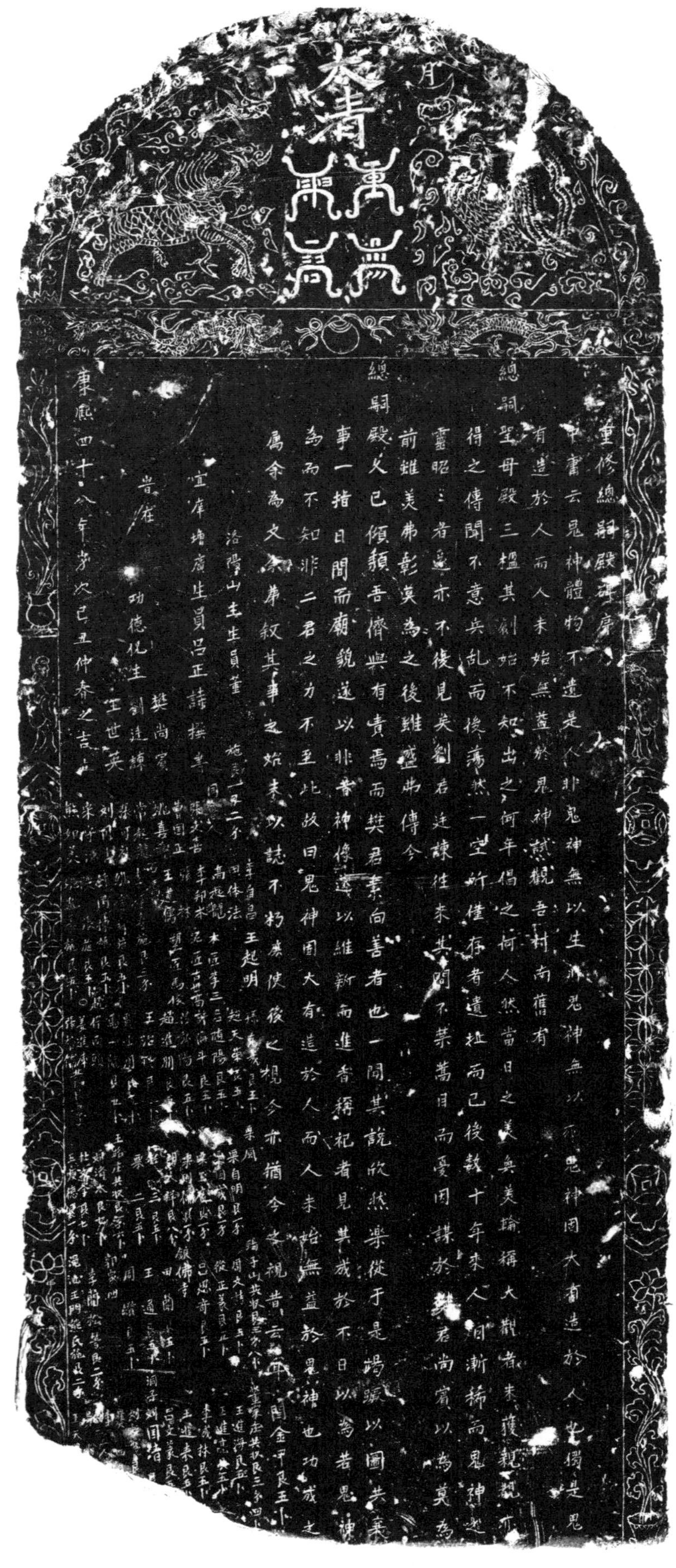

【一八七】　重修總嗣殿碑記

年代：清康熙四十八年

尺寸：高 164 釐米，寬 67 釐米

立石地點：宜陽縣董王莊鄉石橋村閆廟

〔碑首〕：大清　日月

重修總嗣殿碑記

《中庸》云：鬼神體物，不遺是人，非鬼神無以生，非鬼神無以死，鬼神固大有造於人也。獨是鬼（神）有造於人，而人未始無益於鬼神。試觀吾村南舊有總嗣聖母殿三楹，其創始不知出之何年，倡之何人。然當日之美奂美輪、稱大觀者，未獲親覩，亦得之傳聞。不意兵亂而後蕩然一空，所僅存者，遺址而已。後數十年來，人煙漸稀，而鬼神之靈昭昭者，遂亦不復見矣。劉君廷諫往來其間，不禁蒿目而憂，因謀於樊君尚賓，以爲莫爲前雖美弗彰，莫爲後雖盛弗傳。今總嗣殿久已傾頽，吾儕與有責焉。而樊君素向善者也，一聞其説，欣然樂從。于是竭蹶以圖，共襄□事。一指日間，而廟貌遂以非昔，神像遂以維新，而進香稱祀者，見其成於不日，以爲若鬼神□爲，而不知非二君之力不至此。故曰：鬼神固大有造於人，而人未始無益於鬼神也。功成之□，屬余爲文，余第叙其事之始末，以誌不朽，庶使後之視今，亦猶今之視昔者云。

洛陽山主生員董施銀一兩二錢。

宜庠增廣生員吕正詩撰書。

功德化主：樊尚賓、劉廷諫、王世英、同會人張文喜、曹國正、姚喜舜、常起龍、張可禮、劉國古、宋守法、熊如美、李自昌、田體法、高起龍、李邦本、張林、王建儒、石橋：李福壽：施銀三两。姚命舜：施銀五分。鍾國棟：施銀五分。段張：施銀五分。姚光義：施銀五分。孫克成：銀五分。趙天榮：銀五分。吕隨陽：銀五分。許偏斗：銀五分。吕弘陽：銀五分。趙進朋：銀五分。王治民：銀五分。賈士用：銀五分。馬一龍：銀五分。保西頭：姜進庫、張裕儒共收銀五錢。栗風：栗自明：銀一錢。栗國成：銀一錢。栗玉廣：銀一錢。栗則儒：銀一錢。胡大祥：銀八分。任三：銀五分。栗二：銀五分。王路莊共收銀一錢六分。劉濟太：銀七分。杜文學：銀七分。王順德：銀一錢。蝎子山共收銀三錢八分。周文詩：銀五分。從正義：銀五分。吕思奇：銀五分。鐵佛寺：田蘭：銀五分。王通：銀五分。周纘：銀五分。郭家凹：李蘭松等銀二錢。澠池：王門熊氏：施銀二錢。閆金平：銀五分。董家莊共收銀三錢四分。王進海：銀五分。王進亮：銀五分。李成林：銀五分。王進表：銀五分。吕文義：銀五□。洞子劉國清：銀□□。樊四，李二、劉三二人，黄□，王天□。

木匠：李三。泥匠：古世高。塑匠：馬俊。

時在康熙四十八年歲次己丑仲春之吉。

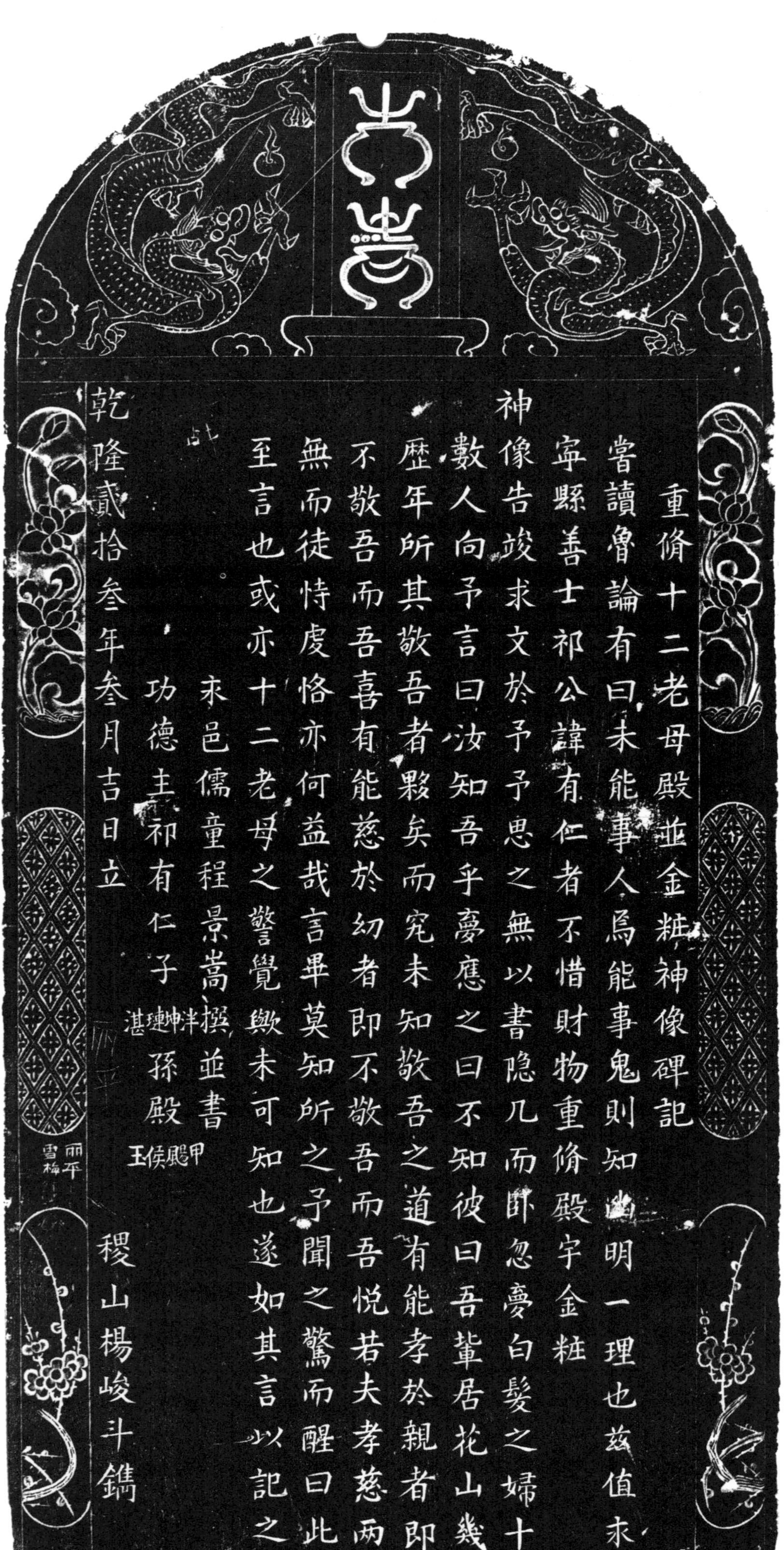

重脩十二老母殿並金粧神像碑記

嘗讀魯論有曰未能事人焉能事鬼則知幽明一理也茲值汞寧縣善士祁公諱有仁者不惜財物重脩殿宇金粧神像告竣求文於予予思之無以書隱几而卧忽夢白髮之婦十數人向予言曰汝知吾乎夢應之曰不知彼曰吾輩居花山幾歷年所其敬吾者夥矣而究未知敬吾之道有能孝於親者即不敬吾而吾喜有能慈於幼者即不敬吾而吾悅若夫孝慈兩無而徒恃虔恪亦何益哉言畢莫知所之予聞之驚而醒曰此至言也或亦十二老母之警覺歟未可知也遂如其言以記之

汞邑儒童程景嵩撰並書

功德主祁有仁　子洋坤璉湛　孫殿甲颺侯玉

乾隆貳拾叁年叁月吉日立

稷山楊峻斗鐫

【一八八】　重脩十二老母殿並金粧神像碑記

年代：清乾隆二十三年

尺寸：高 98 釐米，寬 46.5 釐米

立石地點：宜陽縣花果山鄉花山村花山寺

〔碑首〕：大清

重脩十二老母殿並金粧神像碑記

嘗讀《魯論》有曰：未能事人，焉能事鬼。則知幽明一理也。茲值永寧縣善士祁公諱有仁者，不惜財物，重脩殿宇，金粧神像，告竣求文於予。予思之無以書，隱几而臥，忽夢白髮之婦十數人向予言曰：汝知吾乎？夢應之曰：不知。彼曰：吾輩居花山幾歷年所，其敬吾者夥矣，而究未知敬吾之道。有能孝於親者，即不敬吾而吾喜；有能慈於幼者，即不敬吾而吾悦。若夫孝慈兩無而徒恃虔恪，亦何益哉？言畢，莫知所之。予聞之驚而醒，曰：此至言也，或亦十二老母之警覺歟，未可知也。遂如其言以記之。

永邑儒童程景嵩撰並書。

功德主：祁有仁，子泮、坤、璉、湛，孫殿甲、殿颺、殿侯、殿玉。

稷山楊峻斗鐫。

乾隆貳拾叁年叁月吉日立。

重修五神廟碑記　宜邑西北五十里許村名塔泥舊有

五神廟焉不知創於何時世遠年湮廟宇傾圮過之者不勝蒸麥棲息秋風之悲合村公議而新之求文於余余學疎才淺不能為文固辭不允不得已而以俚言繼之余聞之記曰淫祀無福知士庶所宜祭者祖禰外唯此牛馬諸神為不太悖耳夫有功德於民者祀之為民禦災捍患者祀之古之制也從來引重致遠以利天下者莫牛馬為勞歲時降阿飲池角濈耳濕無癘疫之患謂非神之所庇不可至若青苗穀食之始土地生物以養人羣擬古社稷遺意若夫村居錯雜人物平安免爪牙搏噬之驚抑亦山神捍衛之力居多是五神誠不可以不祀則修五神廟而合饗之亦宜第古之為此意者尤寓敦睦之意焉故鐘鼓琴瑟以洽酒醴和之至矣今而後居是村者共敦和睦勿相唇舌庶神人共歡而受福無疆矣爰筆為文以誌不朽云

邑庠生周瑢薰沐拜撰並書丹

功德主閆仁三兩五分　閆文廣二兩七分　高不琮二兩五分　閆信二兩九分　高不岱二兩四分　閆文章一兩九分

閆惠一兩九分　閆義一兩九分　閆文斗一兩五分　閆文中一兩五分　閆醇一兩五分　閆法榮一兩五分　閆和一兩

閆文明一兩　王如貴九分　閆珣八分　閆輔楊六分　高如芑五分　雷世英五分　木匠高不瑚八分

雷有明五分　閆順三分　閆智三分　閆杰三分　任生富三分　閆恭三分　任生全二分

高如林二分　郭章二分　閆敬二分　高如學二分　瑤匠張昌二分　石匠周士明　塑匠胡世有二分　泥水匠段學孟二分

乾隆三十二年季春吉旦

【一八九】 重修五神廟碑記

年代：清乾隆三十二年

尺寸：高 97 釐米，寬 45 釐米

立石地點：宜陽縣鹽鎮鄉塔泥村五神廟

〔碑首〕：皇清　日月

重修五神廟碑記

宜邑西北五十里許，村名塔泥，舊有五神廟焉，不知創於何時，世遠年湮，廟宇傾圮，過之者不勝燕麥棲息秋風之悲。合村公議，□而新之。求文於余，余學疏才淺，不能爲文，固辭不允，不得已而以俚言繼之。余聞之記曰：淫祀無福。知士庶所宜祭者祖禰外，唯此牛馬諸神，爲不大悖耳。夫有功德於民者祀之，爲民禦災捍患者祀之，古之制也。從來引重致遠、以利天下者，莫牛馬爲勞，歲時降阿飲池，角濈耳濕。無癘疫之患，謂非神之所庇不可。至若青苗穀食之始，土地生物以養人事，擬古社稷遺意。若夫村居錯雜，人物平安，免爪牙搏噬之驚，抑亦山神捍衛之力居多，是五神誠不可以不祀，則修五神廟而合饗之亦宜。第古之爲此意者，尤寓敦睦之意焉。故鐘鼓琴瑟以洽酒醴，和之至矣。今而後居是村者，共敦和睦，勿相唇舌，庶神人共歡，而受福無疆矣。爰筆爲文，以誌不朽云。

邑庠生周瑢薰沐拜撰並書丹。

功德主：閆仁：三兩五錢。閆文廣：二兩七錢。高爾琮：二兩五錢。閆信：二兩九錢。高爾岱：二兩四錢。閆文章：一兩九錢。閆惠：一兩九錢。閆義：一兩九錢。閆文斗：一兩五錢。閆文中：一兩五錢。閆醇：一兩五錢。閆法榮：一兩五錢。閆和：一兩。閆文明：一兩。王如貴：九錢。閆珣：八錢。閆朝楊：六錢。高如苞：五錢。雷世英：五錢。高爾瑚：八錢。雷有明：五錢。閆順：三錢。閆智：三錢。閆杰：三錢。任生富：三錢。閆恭：三錢。任生全：二錢。高如林：二錢。郭章：二錢。閆敬：二錢。高如學：二錢。

窑匠：張昌：二錢。石匠：周士明。塑匠：胡世有：二錢。泥水匠：段學孟：二錢。

乾隆三十二年季春吉旦。

皇清
關帝廟碑記
大清乾隆三十二年九月二十

【一九〇】　關帝廟碑記

年代：清乾隆三十二年

尺寸：高 117 釐米，寬 50 釐米

立石地點：宜陽縣張塢鎮七峪村胡窑關帝廟

〔碑首〕：皇清

關帝廟碑記

間嘗流覽七峪，後依華山，前迎洛水，山水接連，龍潭虎穴，所在皆有宜乎。水秀山名，風景尤異，而乃佐山闕陷，地瘠民貧，抑何故歟？良由中無正應，故有風不藏，有氣不淤，此闕陷瘠貧之來由也。自乾隆三十二年間，有胡家窑胡希昌，素性醇厚，家計豐裕，生心創建欲獨力關帝廟，以補下煞。奈年逾七旬，捐輸不憂，其不給周旋，恒苦于無力。又幸本村溝李梅、李如興、李大成三人，一心幫湊成功，費貲財則希昌捐輸，費周旋則三人奔跛，不數日而廟貌巍莪，焕然成立。此正七峪地靈，肇於人傑之一機會也。一時感觸善男信女，崛起多人，各願輸錙珠，同勷此舉。然廟功告成，而神像尚未金塑，希昌不欲没人之善，即梅三人亦各願效奔走，竊跡募化，幫希昌以成厥功。告竣之（日），囑余爲文，余謹序其實于右。

府學生員韋乾一沐手撰書。

功德主：胡希昌。經理人：李梅：施錢一千，門一閤。李如興：施錢一千三百。李大成：施錢一千，窗一對。

觀音寺住持普義施地一所。

大清乾隆三十二年九月二十六日吉旦。

百世流芳

創建

藥王行宮暨火帝神廟碑記

嘗思建廟立神所以培風脈而祈福祥者也趙坡村東係一村水口舊有神廟一間予往來
所習見也今年復至其地見其廟東接連又有藥王行宮火帝神廟二間棟宇輝煌金身閃
爍撫甚善爲後延予作序詢其始末首事王君登科趙君子營廷舉廷玉嶄君克寬胡君克
勤謂予曰藥王行宮係里中二十四人結社積錢一十四千九百所修火帝神廟又合村各
捐己貲而爲之者也予曰首善衆善同歸于一行見人無疫癘家無火厄而地自此靈人自
此傑矣以培風脈以獲福祥有不因此舉哉是爲序

邑庠生員廷對氏辛登朝沐手敬撰并書

欽賜耆老趙子昌施地二分

趙子勳　趙廷元　王登第　趙子信
趙廷舉　趙廷文　趙子昌　趙文魁
首　王登科　馬忠璽　趙云霞　徐了科
事　嶄克寬　趙子炎　趙克亮　趙廷武
人　趙子營　趙子建　周建　趙廷秀
胡克勤　趙林山　馬文　趙廷選

大清乾隆伍拾伍年歲次庚戌癸未月下浣吉日　立石

【一九一】 創建藥王行宮暨火帝神廟碑記

年代：清乾隆五十五年
尺寸：高 125 釐米，寬 55 釐米
立石地點：宜陽縣董王莊鄉趙坡村

〔碑首〕：百世流芳

創建藥王行宮暨火帝神廟碑記

嘗思建廟安神，所以培風脉而祈福祥者也。趙坡村東係一村水口，舊有神廟一間，予往來所習見也。今年復至其地，見其廟東接連又有藥王行宮、火帝神廟二間，棟宇輝煌，金身閃爍，稱甚善焉。後延予作序，詢其始末，首事王君登科，趙君子營、廷棟、廷玉，靳君克寬，胡君克勤謂予曰：藥王行宮係里中二十四人結社，積錢一十四千九百所脩，火帝神廟又合村各捐己貲而爲之者也。予曰：首善衆善，同歸于一，行見人無疫癘，家無火厄，而地自此靈、人自此傑矣，以培風脉，以獲福祥，有不因此舉哉！是爲序。

邑庠生員廷對氏辛登朝沐手敬撰並書。

欽賜耆老趙子昌施地二分。

首事人：趙子勳、趙廷舉、王登科、靳克寬、趙子營、胡克勤、趙廷元、趙廷文、馬忠璽、趙子炎、趙子建、趙林山、王登第、趙子昌、趙云霞、趙克亮、周建、馬文、趙子信、趙文魁、徐子科、趙廷武、趙廷秀、趙廷選。

有施錢：趙廷玉：六百。靳克寬：六百。趙云霞：六百。趙子營：六百。趙子言：五百。趙廷文：五百。趙林山：五百。趙廷珩：五百。趙廷輔：五百。爨西章：五百。劉天章：五百。徐子科：四百。張玉春：四百。馬芝：四百。趙廷順：三百。王登第：三百。馬奇：三百。馬榮：三百。韓蘭：三百。韓萌：三百。趙廷元：三百。宋士友：三百。周建：二百。王登科：施錢一千二百文。胡克勤：施錢一千四百文。郭世炳：施錢一千。趙廷相：二百。趙廷路：二百。趙廷武：二百。趙克亮：二百。雷有明：二百。張正奇：二百。王登朝：二百。趙禄：二百。馬立：一百。馬智高：一百。郭世德：一百。趙子恭：一百。王從治：一百。來相朝：一百。趙廷林：一百。趙明：一百。趙子禮：一百。趙克全：一百。趙廷舉：一百。馬氏：一百。范成功：二百。趙廷武：二百。

泥木匠：趙連。塑匠：許安國。石匠：黄廣儒。

大清乾隆伍拾伍年歲次庚戌癸未月下浣吉日立石。

皇清

增修關帝廟樂樓碑記

宜治西百里許鄉名竹園溝泉甘而土肥木茂而民稠一大村落也村北有
關帝廟一座樓一間歷年久遠而樓傾焉本村善士功德等因其舊址而增修之功竣請記於余余思　壯繆□□□來歙嘗□□曹瑞
檀權逞兇肆逆甚至弒國母殺太子天子不知命在何時嗚呼漢之為漢洎歟而盡矣　公以匹夫之微身當其際義存漢室奮與□
曹被堅執銳不避艱險生平事跡雖以悉舉而以義制事一言蔽之夷考當日桃園結盟荊州就封畢生□□者義之全始而全終
許田欲誅曹華容又釋曹前後異轍者義之成忠而成仁也他如東燭達旦顛沛流離而義不渝也懸印而去危急存亡而義獨昭也
則允威加四海勇冠三軍孰非義之發皇而流貫也是以精忠貫乎日月義勇振於乾坤剛大不撓真所謂富貴不能淫威武不能屈
鼉鼓樂之聲樓臺之美足以動其心哉然書有教胄之典詩有有瞽之文作樂以祀亦因其宜而況義之所感洽於人心朝夕不違固
有莫知其然而然者矣不然禍福之說諸君弗計而踴躍首事同心共濟非沐浴於義之不容已何以成於不日也哉余因其請亦感
於義不可辭不揣固陋遂為之記

連昌居士陳鑑薰沐敬撰並書丹

功德主陳琚錢柒串五百
陳所東錢兩串
王便錢兩串

化主陳愷兩串　陳琳七百　史克良五百　陳所論五百　王振五百　梁生彩五百　陳令五百　史敬五百　陳表五百

張進法壹千　史學孟八百　張正年六百　陳琦五百　陳所富五百　王孟林五百　燕廷錫五百　史學周四百　張來奇四百

史秀林三百　史玉三百　陳建三百　史論三百　陳所才三百　史學曾三百　郭法三百　張來明三百　李士儒三百

陳起三百　程萬章二百　陳克相二百　陳聚二百　張富年二百　陳克潤二百　王金林二百　陳和二百　閆進民二百

田禮一百　楊克林一百　王成林二百　梁萬選二百　陳□選二百　喬克榮一百　陳克順一百　梁結彩一百　陳克□一百　彭□□一百　趙名成一百　陳克瑞一百

官錢共三十七千零八十布施錢二十八千五百共費錢六十八千五百文

嘉慶七年歲次壬戌梅月朔穀旦

仝立

【一九二】 增修關帝廟樂樓碑記

年代：清嘉慶七年

尺寸：高153釐米，寬50釐米

立石地點：宜陽縣張塢鎮竹溪村關帝廟

〔碑首〕：皇清

增修關帝廟樂樓碑記

宜治西百里許，鄉名竹園溝，泉甘而土肥，木茂而民稠，一大村落也。村北有關帝廟一座，樓一間，歷年久遠而樓傾焉。本村善士功德等，因其舊址而增修之。功竣請記於余，余思壯繆生漢末獻帝衰微，曹瞞擅權逞兇肆逆，甚至弒國母、殺太子，天子不知命在何時。嗚呼！漢之爲漢，洎獻而盡矣。公以匹夫之微，身當其際，義存漢室，奮然□曹，被堅執鋭，不避艱險，生平事跡難以悉舉，而以義制事，一言蔽之。夷考當日桃園結盟，荆州就封，畢生不離者，義之全始而全終也。許田欲誅曹，華容又釋曹，前後異轍者，義之成忠而成仁也。他如秉燭達旦，顛沛流離，而義不渝也。懸印而去，危急存亡，而義獨昭也。則凡威加四海，勇冠三軍，孰非義之發皇而流貫也。是以精忠貫乎日月，義勇振於乾坤，剛大不撓，真所謂富貴不能淫，威武不能屈，豈鼓樂之聲、樓臺之美足以動其心哉？然書有教胄之典，詩有有瞽之文，作樂以祀，亦固其宜，而況義之所感洽於人心，朝夕不遑，固有莫知其然而然者矣。不然禍福之説，諸君弗計，而踴躍首事，同心共濟，非沐浴於義之不容已，何以成於不日也哉？余因其請，亦感於義不可辭，不揣固陋，遂爲之記。

連昌居士陳鑑薰沐敬撰並書丹。

功德：陳玿：錢七串五百。陳所秉：錢兩串。王便：錢兩串。

化主陳愷：兩串。陳琳：七百。史克良：五百。陳所論：五百。王振：五百。梁生彩：五百。陳合：五百。史敬：五百。陳表：五百。張進法：一千。史學孟：八百。張正年：六百。陳琦：五百。陳所富：五百。王孟林：五百。燕廷錫：五百。史學周：四百。張來奇：四百。史秀林：三百。史玉：三百。陳建：三百。史論：三百。陳所才：三百。史學曾：三百。郭法：三百。張來明：三百。李士儒：三百。陳起：二百。程萬章：二百。陳克相：二百。陳聚：二百。張富年：二百。陳克潤：二百。王金林：二百。陳和：二百。閆進民：二百。田禮：一百。楊克林：一百。王成林：二百。梁萬選：二百。陳選：二百。喬克榮：一百。陳克順：一百。梁結彩：一百。陳克德：一百。彭士臣：一百。趙名成：一百。陳克瑞：一百。

官錢共三十七千零八十，布施錢二十八千五百，共費錢六十八千五百文。

嘉慶七年歲次壬戌梅月朔穀旦仝立。

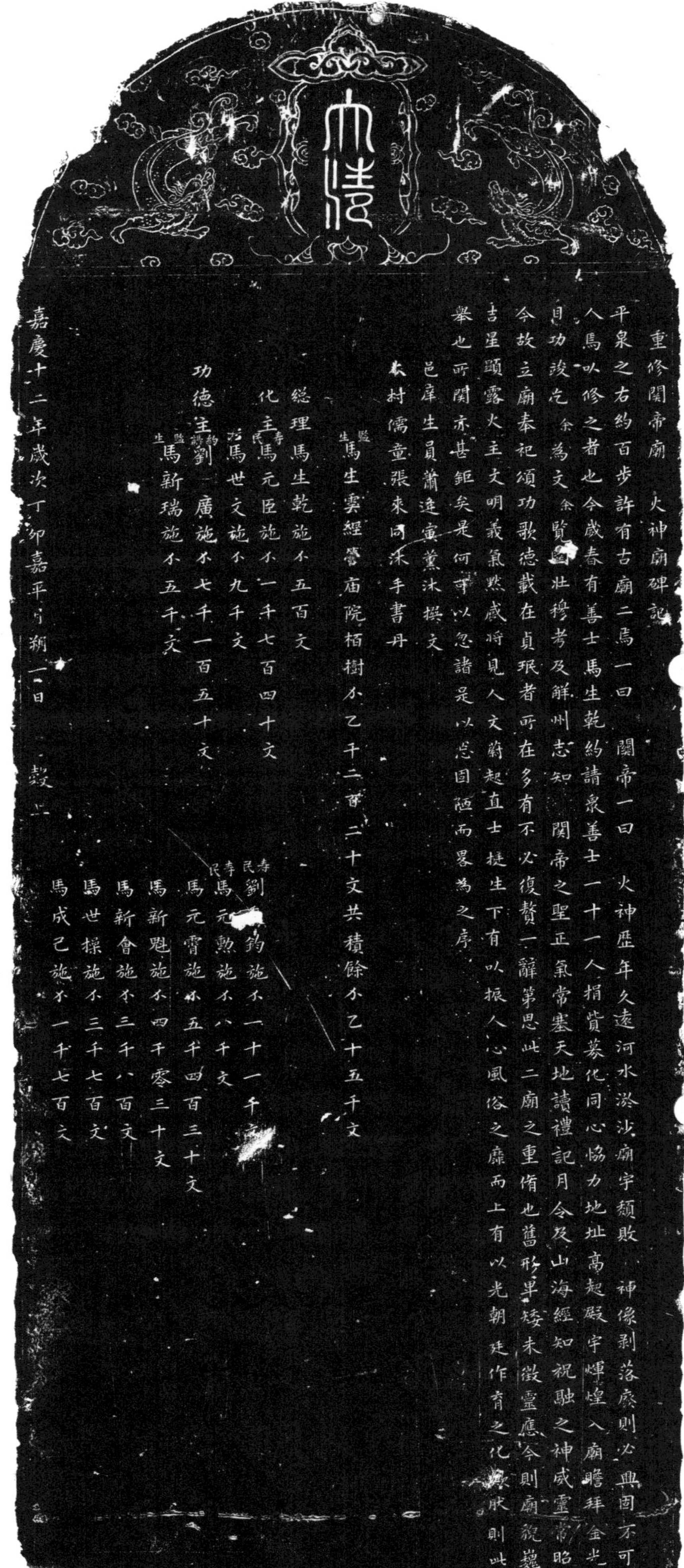

大清

重修關帝廟 火神廟碑記

平泉之右約百步許有古廟二焉一曰 關帝一曰 火神歷年久遠河水淤沙廟宇頹敗 神像剥落廢則必興固不可[illegible]人馬以修之者也今歲春有善士馬生乾約請衆善士一十一人捐貲募化同心協力地址高起殿宇輝煌入廟瞻拜金光耀目功竣乞余為文余覽[illegible]壯穆考及鮮州志知 關帝之聖正氣常塞天地讀禮記月令及山海經知祝融之神威靈常昭古今故立廟奉祀頌功歌德載在貞珉者所在多有不必復贅一辭第思此二廟之重脩也舊形卑矮未徵靈應今則廟貌巍然吉星頭露火主文明義氣然感將見人文蔚起直士挺生下有以振人心風俗之靡而上有以光朝廷作育之化[illegible]朕則此一舉也所關亦甚鉅矣是何可以忽諸是以忘固陋而畧為之序

邑庠生員蕭逢寅薰沐撰文

本村儒童張来同沐手書丹

監生馬生雲經營廟院栢樹仐乙千二百二十文共積餘仐乙十五千文

總理馬生乾施不五百文

化主寺民馬元臣施不一千七百四十文

洛馬世文施不九千文

功德主約請劉一廣施不七千一百五十文

監生馬新瑞施不五千文

寺民劉[illegible]鈞施不一十一千文

寺民馬元勲施不八千文

馬元霄施不五千四百三十文

馬新魁施不四千零三十文

馬新會施不三千八百文

馬世操施不三千七百文

馬成己施不一千七百文

嘉慶十二年歲次丁卯嘉平月朔一日 [illegible]穀旦

【一九三】 重修關帝廟火神廟碑記

年代：清嘉慶十二年

尺寸：高 142 釐米，寬 55 釐米

立石地點：宜陽縣張塢鎮平泉平南自然村關帝廟

〔碑首〕：大清

重修關帝廟火神廟碑記

平泉之右約百步許，有古廟二焉，一曰關帝，一曰火神。歷年久遠，河水淤沙，廟宇頽敗，神像剥落。廢則必興，固不可無人焉以脩之者也。今歲春，有善士馬生乾約請衆善士一十一人，捐資募化，同心協力，地址高起，殿宇輝煌，入廟瞻拜，金光耀目。功竣乞余爲文，余覽關壯穆，考及《解州誌》，知關帝之聖，正氣常塞天地。讀《禮記・月令》及《山海經》，知祝融之神，威靈常昭，古今故立廟奉祀，頌功歌德，載在貞珉者，所在多有，不必復贅一辭。第思此二廟之重脩也，舊形卑矮，未徵靈應。今則廟貌巍然，吉星顯露，火主文明，義氣默感，將見人文蔚起，直士挺生，下有以振人心風俗之靡，而上有以光朝廷作育之化歟。然則此一舉也，所關亦甚鉅矣，是何可以忽諸？是以忘固陋而略爲之序。

邑庠生員蕭逢寅薰沐撰文，本村儒童張來同沐手書丹。

監生馬生雲經管廟院柏樹錢乙千二百二十文，共積餘錢乙十五千文。

總理馬生乾：施錢五百文。化主壽民馬元臣：施錢一千七百四十文。馬世文：施錢九千文。功德主：約講劉廣：施錢七千一百五十文。監生馬新瑞：施錢五千文。壽民劉□鈞：施錢一十一千文。壽民馬元勳：施錢八千文。馬元霄：施錢五千四百三十文。馬新魁：施錢四千零三十文。馬新會：施錢三千八百文。馬世操：施錢三千七百文。馬成己：施錢一千七百文。

嘉慶十二年歲次丁卯嘉平月朔一日穀旦。

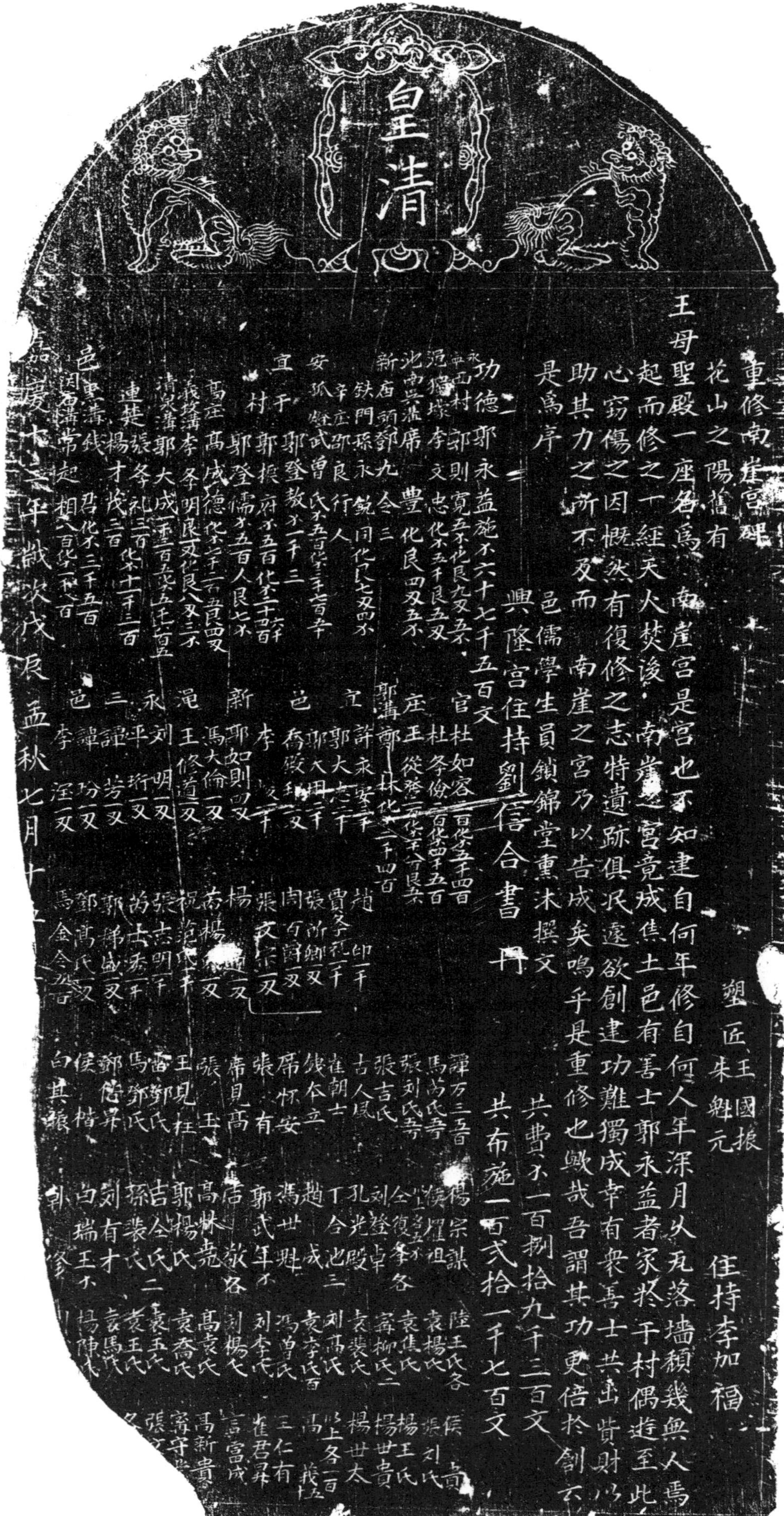

【一九四】　重修南崖宫碑

年代：清嘉慶十三年

尺寸：高 92 釐米，寬 45.5 釐米

立石地點：宜陽縣花果山鄉花山村花山寺

〔碑首〕：皇清

重修南崖宫碑

花山之陽舊有王母聖殿一座，名爲南崖宫。是宫也，不知建自何年、修自何人，年深月久，瓦落墻頽，幾無人焉起而修之，一經天火焚後，南崖之宫竟成焦土。邑有善士郭永益者，家於于村，偶遊至此，心竊傷之，因慨然有復修之志。特遺跡俱泯，遽欲創建，功難獨成。幸有衆善士共出貲財，以助其力之所不及，而南崖之宫乃以告成矣。嗚乎！是重修也歟哉，吾謂其功更倍於創云。是爲序。

邑儒學生員鎖錦堂熏沐撰文，興隆宫住持劉信合書丹。

共費錢一百捌拾九千三百文，共布施一百貳拾一千七百文。

功德郭永益：施錢六十七千五百文。永寧西村郭則寬：五錢，化銀九兩五錢。澠池獨檥李文忠：化錢五千，銀五兩。南吴溝席豐：化銀四兩五錢。新廟頭：鄧九令、鐵門孫永鋭、辛莊邵良行三人同化銀七兩四錢。安孤燈武曾氏：錢五百，化錢三千七百五十。郭登敖：錢一千三。宜邑：于村郭振府：錢五百，化錢二十六千四百。郭登儒：錢五百，化銀七錢。高莊高成德：化錢七千二百五，銀四兩。義墳溝李學明：銀一兩，化銀八兩三錢。清泉溝郭大成：一千三百五，化錢五千六百五。連楚：張學禮：三百。楊才茂：錢三百，二人化錢十一千三百。黑溝錢君：化錢三千五百。關廟溝常起相：八百，化錢一千八百。官莊：杜如容：三百，化錢五千四百。杜學儉：二百，化錢四千五百。王從發：二百，化錢一千八百，銀五錢。郭溝鄭林：化錢二千四百。宜邑：許永安：三千。郭大志：二千。郭大用：二千。喬殿琨：一兩。李峻：一千。新：郭如則：四兩。馮大倫：一兩。澠：王修道：一兩。永：劉明：一兩。平珩：一兩。三邑：譚芳：一兩。譚玢：一兩。李□：一兩。趙印：一千。賈學禮：一千。張所卿：一兩。周百爵：一兩。張文宗：一兩。楊通：一兩。芮楊氏：一兩。祝范氏：一千。張志明：一千。芮士秀：一千。郭梯盛：一兩。鄧高氏：一兩。馬金令：五百。譚萬山：五百。馬芮氏：五百。張劉氏：五百。張吉氏、古人風、崔朝士、錢本立、席懷安、張有、席見高、張玉、王見柱、雷鄧氏、馬鄧氏、鄧偕昇、侯楷、白其振、楊宗謀、侯耀祖，以上各五錢。仝復學、劉登卓、孔光殿、丁合池、趙成、馮世魁、郭武年各三錢。吉敬、高林堯、郭楊氏、吉仝氏、孫裴氏、劉有才、白瑞玉、韓修各二錢。陸王氏、袁楊氏、袁焦氏、寧柳氏、袁裴氏、劉高氏、袁李氏、馮曾氏、劉李氏、劉楊氏、高袁氏、袁喬氏、袁王氏、袁馬氏、楊陳氏各二百。侯貴、張劉氏、楊王氏、楊世貴、楊世太，以上各一百。高莪：五十。王仁有、崔君昇、言富成、高新貴、寧守□、張文□各□□。

塑匠：王國振、朱魁元。住持：李加福。

嘉慶十三年歲次戊辰孟秋七月十五日。

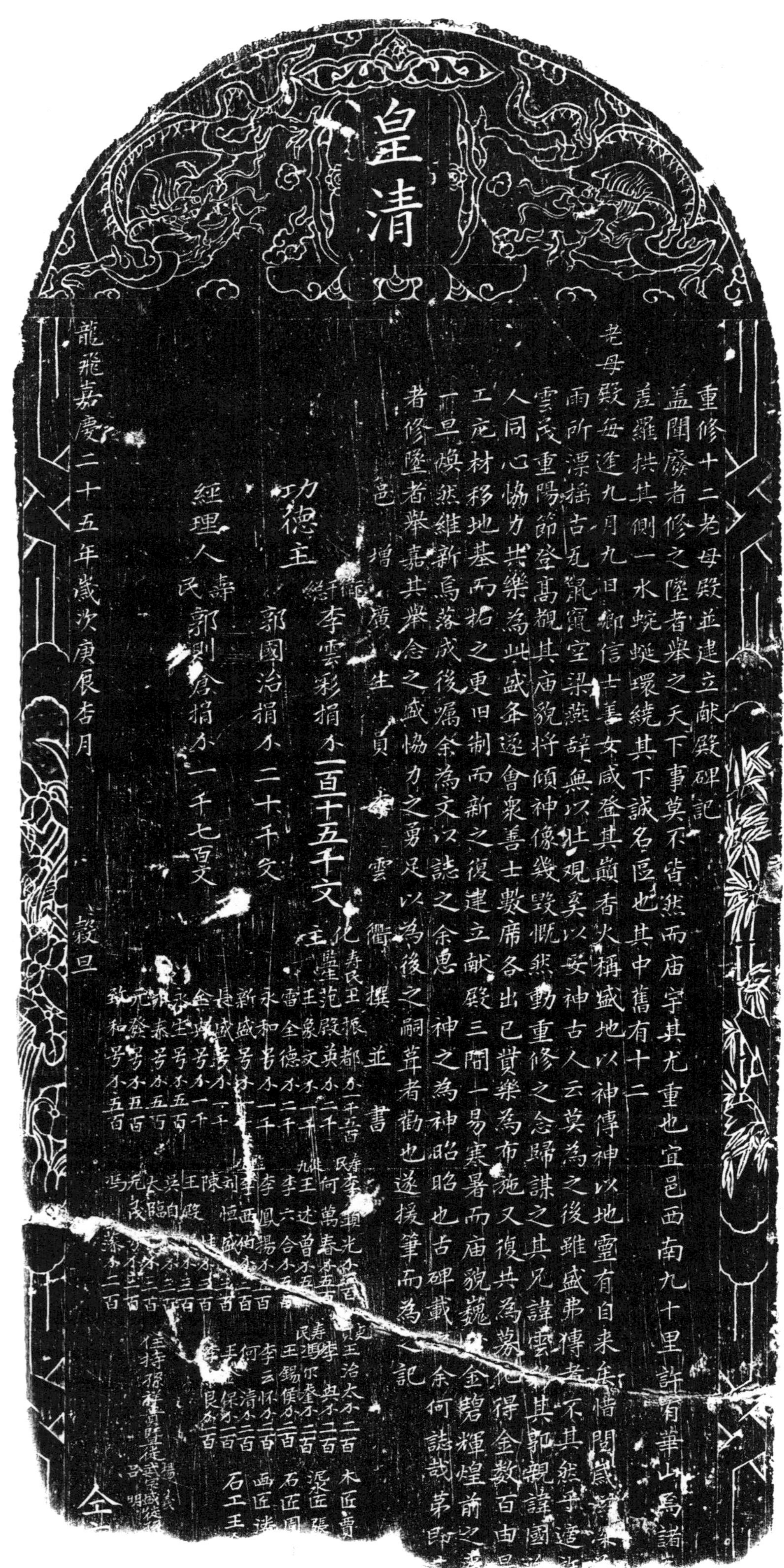

皇清

重修十二老母殿並建立獻殿碑記

蓋聞廢者修之墜者舉之天下事莫不皆然而廟宇其尤重也宜邑西南九十里許有華山爲諸[illegible]差羅拱其側一水蜿蜒環繞其下誠名區也其中舊有十二老母殿每逢九月九日鄉信士善女咸登其巔香火稱盛地以神傳神以地靈有自来矣惜閱歲[illegible]雨所漂揺古瓦鼠竄空梁燕辭無以壯觀矣以妥神古人云莫爲之後雖盛弗傳者不其然乎適[illegible]雲茂重陽節登高觀其廟貌将傾神像幾毀慨然動重修之念歸謀之其兄諱雲[illegible]其郭親諱國[illegible]人同心協力共樂爲此盛舉遂會衆善士數席各出己貲樂爲布施又復共爲募化得金數百由是[illegible]工庀材移地基而拓之更旧制而新之復建立獻殿三間一易寒暑而廟貌巍[illegible]金碧輝煌前之[illegible]一旦煥然維新焉落成後囑余爲文以誌之余思神之爲神昭昭也古碑載[illegible]余何誌哉第即[illegible]者修墜者舉嘉其舉念之盛協力之勇足以爲後之嗣葺者勸也遂援筆而爲之記

邑增廣生員李雲衢撰並書

功德主　經手李雲彩捐錢一百十五千文
郭國治捐錢二十千文

經理人　壽民郭則倉捐錢一千七百文

化主　壽民王振都錢二千五百　壁生范殿英錢二千　王象文錢一千　雷全德錢二千　永和号錢一千　新盛号錢一千　長盛号錢一千　全興号錢一千　永生号錢五百　永泰号錢五百　元發号錢五百　致和号錢五百

壽民李顯光錢五百　何萬春錢五百　九品王述曾錢五百　李六合錢五百　監生李鳳揚錢五百　李西佑錢二百　刘恒盛錢二百　陳[illegible]錢三百　王殿[illegible]錢三百　吴自[illegible]錢三百　太臨[illegible]錢三百　元良[illegible]錢三百　馮[illegible]蒸錢二百

壽民王洽太錢二百　李典錢二百　壽民馮爾奎錢二百　王錫侯錢二百　李云怀錢二百　何清錢二百　王保錢一百　李良錢一百

木匠賈[illegible]　泥水匠張[illegible]　石匠周[illegible]　画匠趙[illegible]　石工王[illegible]

住持孫[illegible]　徒[illegible]

龍飛嘉慶二十五年歲次庚辰杏月　穀旦

【一九五】 重修十二老母殿並建立獻殿碑記

年代：清嘉慶二十五年

尺寸：高 93 釐米，寬 45 釐米

立石地點：宜陽縣花果山鄉花山村花山寺

〔碑首〕：皇清

重修十二老母殿並建立獻殿碑記

蓋聞廢之修之，墜者舉之，天下事莫不皆然，而廟宇其尤重也。宜邑西南九十里許，有華山焉，諸峯差羅拱其側，一水蜿蜒環繞其下，誠名區也。其中舊有十二老母殿，每逢九月九日，鄉信士善女咸登其巔，香火稱盛。地以神傳，神以地靈，有自來矣。惜閱歲滋深，爲雨所漂搖，古瓦鼠竄，空梁燕辭，無以壯觀，奚以妥神？古人云：莫爲之後，雖盛弗傳者，不其然乎！適許雲茂重陽節登高，覩其廟貌將傾，神像幾毀，慨然動重修之念。歸謀之其兄諱雲彩、其郭親諱國治，□人同心協力，共樂爲此盛舉。遂會衆善士數席，各出己貲，樂爲布施，又復共爲募化，得金數百。由是，（鳩）工庀材，移地基而拓之，更舊制而新之，復建立獻殿三間。一易寒暑而廟貌巍巍，金碧輝煌，前之□□，一旦焕然維新焉。落成後囑余爲文以誌之，余思神之爲神昭昭也，古碑載之，余何誌哉。第即□□者修，墜者舉，嘉其舉念之盛，協力之勇，足以爲後之嗣葺者勸也。遂援筆而爲之記。

邑增廣生員李雲衢撰並書。

功德主：衛千總李雲彩：捐錢一百一十五千文。郭國治：捐錢二十千文。經理人：壽民郭則倉：捐錢一千七百文。

化主：壽民王振都：錢一千五百。監生范殿英：錢二千。王象文：錢一千。雷全德：錢二千。永和號：錢一千。新盛號：錢一千。長盛號：錢一千。金□號：錢一千。永生號：錢一千。永泰號：錢五百。元發號：錢五百。致和號：錢五百。壽民李顯光：錢五百。何萬春：錢五百。從九王述曾：錢五百。李六合：錢五百。李鳳揚：錢五百。李西伯：錢三百。劉恒盛：錢三百。陳桂：錢三百。王殿□：錢三百。吴自□：錢三百。大臨號：錢三百　元茂號：錢三百。馮藻：錢二百。吏員王治太：錢二百。李興：錢二百。壽民馮爾奎：錢二百。王錫侯：錢二百。李云懷：錢二百。何清：錢二百。王金保：錢二百。李□銀：錢二百。

木匠：賈□□。泥水匠：張□□。石匠：周□□。畫匠：潘□□。石工：王□□。住持：孫祥貴暨徒武宗盛、楊宗義、吕宗明，徒孫□□□。

龍飛嘉慶二十五年歲次庚辰杏月穀旦仝立。

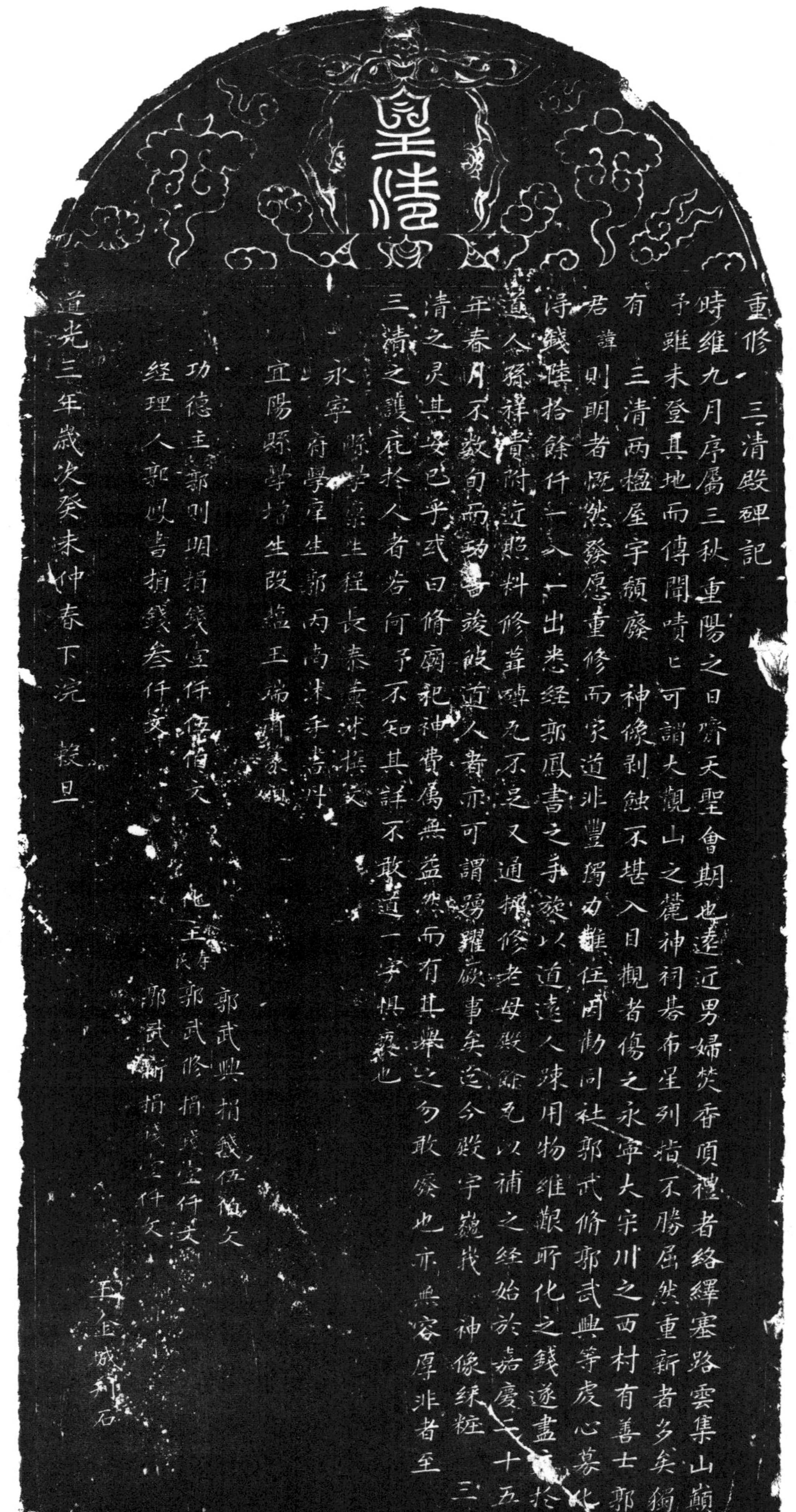
皇清

重修三清殿碑記
時維九月序屬三秋重陽之日齊天聖會期也遠近男婦焚香頂禮者絡繹塞路雲集山巔
予雖未登其地而傳聞嘖嘖可謂大觀山之麓神祠碁布星列指不勝屈然重新者多矣獨
有三清兩楹屋宇頹廢神像剝蝕不堪入目覩者傷之永寧大宋川之西村有善士郭
君諱則明者慨然發愿重修而家道非豐獨力難任因勸同社郭武脩郭武興等虔心募化
得錢陸拾餘仟一入一出悉經郭鳳書之手旋以道遠人疎用物維艱所化之錢遂盡□於
道人孫祥貴附近照料修葺磚瓦不足又通撥修老母殿磚瓦以補之經始於嘉慶二十五
年春月不數旬而功告竣彼道人者亦可謂踴躍厥事矣迄今殿宇巍峩神像綵粧三
清之灵其安已乎或曰脩廟祀神費屬無益然而有其舉之勿敢廢也亦無容厚非者至
三清之護庇於人者若何予不知其詳不敢道一字恐褻也
永寧縣學廪生程長泰薰沐撰文
府學庠生郭丙南沐手書丹
宜陽縣學增生段塩王端肅篆額
功德主郭則明捐錢壹仟伍佰文
經理人郭鳳書捐錢叁仟文
郭武興捐錢伍佰文
施主存民郭武脩捐錢壹仟文
郭武新捐錢壹仟文
王企城刻石
道光三年歲次癸未仲春下浣　穀旦

【一九六】 重修三清殿碑記

年代：清道光三年

尺寸：高 93 釐米，寬 45 釐米

立石地點：宜陽縣花果山鄉花山村花山寺

〔碑首〕：皇清

重修三清殿碑記

時維九月序，屬三秋重陽之日，齊天聖會期也，遠近男婦焚香頂禮者絡繹塞路，雲集山巔。予雖未登其地，而傳聞嘖嘖，可謂大觀。山之麓，神祠碁布星列，指不勝屈。然重新者多矣，獨有三清兩楹，屋宇頹廢，神像剥蝕，不堪入目，觀者傷之。永寧大宋川之西村有善士郭君諱則明者，慨然發愿重修，而家道非豐，獨力難任，因勸同社郭武修、郭武興等虔心募化，得錢陸拾餘仟，一入一出，悉經郭鳳書之手。旋以道遠人疎，用物維艱，所化之錢遂盡交於道人孫祥貴，附近照料修葺。磚瓦不足，又通挪修老母殿餘瓦以補之。經始於嘉慶二十五年春月，不數旬而功告竣。彼道人者，亦可謂踴躍厥事矣。迄今殿宇巍我，神像綵粧，三清之靈，其安已乎！或曰脩廟祀神，費屬無益，然而有其舉之，勿敢廢也，亦無容厚非者。至三清之護庇於人者若何，予不知其詳，不敢道一字，懼褻也。

永寧縣學廩生程長泰薰沐撰文，永寧府學庠生郭丙南沐手書丹，宜陽縣學增生段蘊玉端肅篆額。

功德主郭則明：捐錢壹仟伍佰文。經理人郭鳳書：捐錢叁仟文。化主：郭武興：捐錢伍佰文。壽民郭武修：捐錢壹仟文。郭武新：捐錢壹仟文。

王金城刊石。

道光三年歲次癸未仲春下浣穀旦。

【一九七】 重修閆家廟西舞樓碑記

年代：清道光三年

尺寸：高165釐米，寬63.5釐米

立石地點：宜陽縣董王莊鄉石橋村閆廟

〔碑首〕：樂善不倦

重修西舞樓

閆家廟西舞樓，乃太學生王公諱希孔字聖裔，於乾隆十四年獨力創造者也。厥後世遠年湮，風雨漂損，且去廟數武，每逢報賽之時，地狹難以容衆。公之五子邑庠生庚申暨公孫輩心舒等，惻然動念，以重脩爲己任，因于嘉慶二十四年仲春之吉，鳩工庀材，錙銖仍取諸己，片瓦尺椽絲毫不募於人。徙移西南二十餘步，革故鼎新，事雖屬因，而功實同創，朝夕經營，同心協力，不數日而厥功告竣。行見崔巍在望，觀瞻庶可壯乎；簷牙高聳，稱揚自難已也。於是兩社人等公議勒石，爰爲之贊曰：父作子述，前後輝映；祖創孫承，百代流芳。

庠生王庚申、監生王心舒、王心泰、廩生王文炳、王心鑑、王心坦、王文蔚、齋奏王際泰、王心平、王守愚。

重修太山拜殿東山門及補修各廟碑。

首事：壽民單有才：二千。監生李炎光：二千。庠生王際昌：二千。監生王心舒：二千。壽民陳常：二千。樊大有：一千。許心太：一千。馬生榮：二千。監生王心樂：一千。廩生王文炳：一千。壽民熊夢齡：一千。監生董謹：一千。庠生李先春：一千。監生王杞：一千。壽民李朝重：一千。程天性：一千。許心平：一千。齋奏王際太：六百。李健：五百。監生程□：五百。王義：五百。趙永友：五百。樊昇：五百。庠生王公三：五百。孫永合：五百。王自修：五百。王心太：五百。王守成：五百。張子璧：五百。程天樂：五百。張範：五百。鄧楷：五百。王從全：五百。王從治：五百。鍾宣：五百。張子健：五百。鄧擇中：五百。張明德：五百。李成章：五百。王松：五百。

天君氏許心太撰文並書丹。

石工：王國樂。住持：邊教法。

龍飛道光三年歲次癸未二月十九日立。

皇清

【一九八】 創修關帝廟山門碑

年代：清道光四年

尺寸：高 123 釐米，寬 50 釐米

存石地點：宜陽縣張塢鎮七峪胡窑村關帝廟

〔碑首〕：皇清

創修關帝廟山門碑

夫子，漢之精忠也。生爲名卿，殁爲明神，是以自邦國以達都鄙，莫不立廟以祀之。邑之西胡窑村舊有聖廟兩楹，殿宇肅穆，廟貌軒廠，誠足妥神靈，將禋祀，甚盛舉也。第山門、墻院未經修理，恐乞人匪類往來其中，敗黝堊之跡，貽污穢之患，不惟無以壯觀瞻，且將何以妥神靈乎？適有張君諱科年者，惻然念之，因約衆同志虔心募化，銖積寸壘，以成厥功。落成之後，求余爲文以記之。余曰：撰文勒石，所以垂永久也，宜求當世之學士、大夫。余才類雕蟲，學慚曹倉，何足以當是請？張君曰：余之爲是舉也，黽勉從事，不敢告勞，非徒壯一時之觀瞻，寔以保殿宇之肅穆，妥神靈之棲止也，先生何辭焉？余因嘉其意之善，且喜衆善士與之勠力也。遂不辭譾陋，述其約略。至於神之豐功駿烈，史冊之所誌昭然矣，亦不復爲之贅，懼褻也。

邑增生含山段蘊玉譔文，侄仁田書丹。

總理：張科年：施錢七仟文。化主：羅振金：施錢二仟九百文。胡進吉：施錢一仟六百文。郭士連：施錢一仟六百文。張朝英：施錢一仟六百文。胡振德：施錢二仟六百文。李建春：施錢二仟九百文。李秉正：施錢二仟六百文。馮爾錕：施錢二仟文。李秉吉：施錢二仟六百文。胡爾召：施錢二仟九百文。馮爾全：施錢二仟一百文。

石工：王金城施錢五百文。

地基係觀音寺。

時龍飛道光肆年歲次甲申孟秋下浣穀旦。

皇清

建修齊天大聖木熄閣序 進王帽一頂 貴錢伍仟文

盖花巢名山中州福地實 齊天大聖之所從出也神通顯於上古歸真原自唐代駆邪衛正至今猶顯赫耳四方士女感其靈應每歲朝拜丁亥年春澠邑劉君宗智新邑蘇君六合郭君景泰等朝山見殿宇焜煌熄閣傾頹意欲修理木閣較竹豊固言未已住持邱會諸君祈成斯功諸君不辞勞苦募化宜新澠三邑幸諸善男信女俱願捐貲因得鳩工庀材四香分閣規制崇隆文章妙麗不期年而功成焉諸君欲勒石以示後勸索余為文余不能文雅即 神之靈人之誠工之勤以敘之云爾

新邑鳳陽楊子卓沐手撰

郭景泰不五百文

劉宗智不五百文

首事 蘇六合不一千文

財楊成立不五百文 施枚燈四根

趙可舉不五百文

賈澤化不

郭奇修不一千六百文

化主 郭九齡不五百文

侯楷不五百文

宜邑進香錢兩仟文

道光八年歲次戊子八月 谷旦 石工王金城

【一九九】 建修齊天大聖木煖閣序

年代：清道光八年

尺寸：高 113 釐米，寬 49 釐米

存石地點：宜陽縣花果山鄉花山村花山寺

〔碑首〕：皇清

建修齊天大聖木煖閣序

進王帽一頂，費錢伍仟文。

蓋花菓名山，中州福地，實齊天大聖之所從出也，神通顯於上古，歸真原自唐代，驅邪衛正，至今猶顯赫耳。四方士女感其靈應，每歲朝拜。丁亥年春，澠邑劉君宗智、新邑蘇君六合、郭君景泰等朝山，見殿宇輝煌，煖閣傾頽，意欲修理木閣，較竹豐固。言未已，住持即會諸君，祈成斯功。諸君不辭勞苦，募化宜、新、澠三邑，幸諸善男信女俱願捐貲，因得鳩工庇材，四香分閣規制崇隆，文章妙麗，不期年而功成焉。諸君欲勒石以示後勸，索余爲文，余不能文，惟即神之靈、人之誠、工之勤以叙之云爾。

新邑鳳陽楊子卓沐手撰。

首事：郭景泰：錢五百文。劉宗智：錢五百文。蘇六合：錢一千文。木匠楊成立：錢五百文，施板欖四根。趙可舉：錢五百文。化主：賈澤化錢。郭奇修：錢一千六百文。鄧九齡：錢五百文。侯楷：錢五百文。宜邑進香錢兩仟文。

石工：王金城。

道光八年歲次戊子八月穀旦。

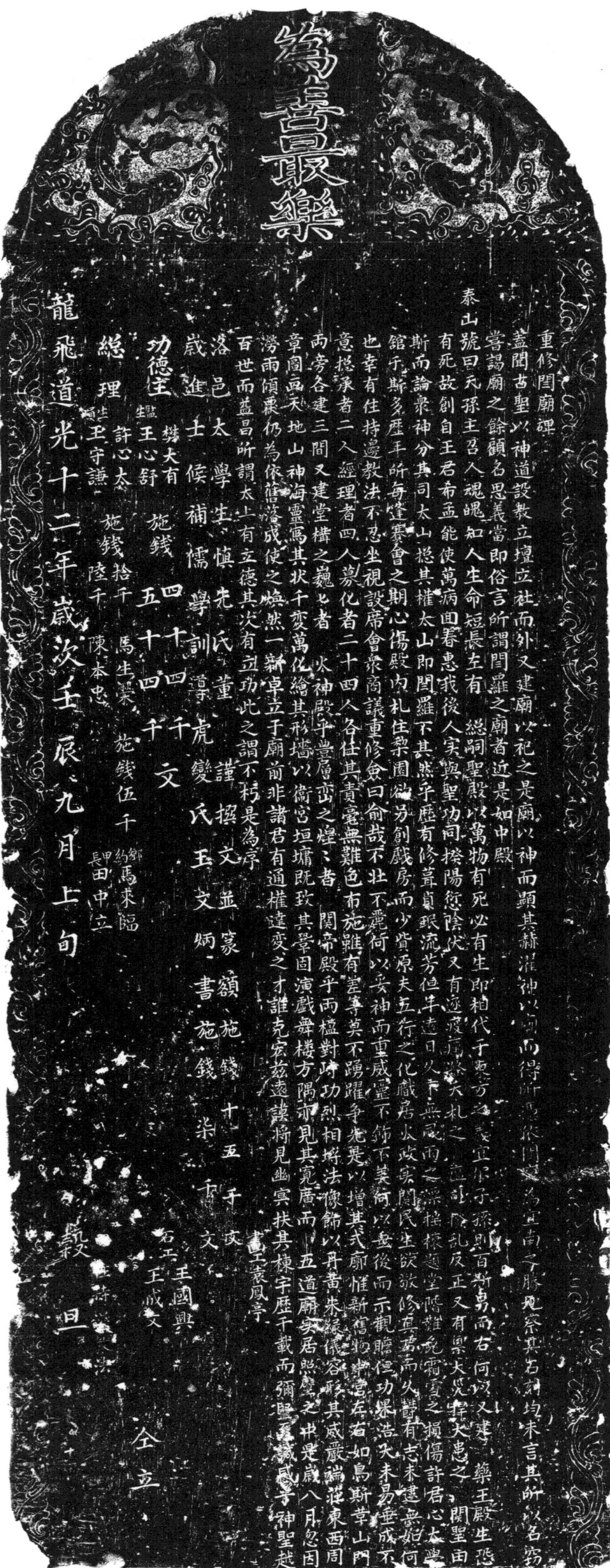
為善最樂

重修閻廟碑

蓋聞古聖以神道設教立壇立社而外又建廟以祀之是廟以神而顯其赫濯神以廟而得所[illegible][illegible][illegible]為宜南之勝[illegible]察其石刻均未言其所以名窮

嘗謁廟之餘顧名思義當即俗言所謂閻羅之廟者近是如中殿

泰山號曰天孫主召人魂魄知人生命短長左有總嗣聖殿以萬物有死必有生即相代于[illegible]方[illegible]宜[illegible]子孫則百斯男而右何以又建藥王殿生恐

有死故創自王君希孟能使萬病回春患我後人实與聖功同揆陽慾陰伏又有[illegible][illegible][illegible][illegible]夭札之[illegible][illegible][illegible]乱反正又有[illegible]大[illegible][illegible]大患之閻聖由

斯而論衆神分其司太山總其權太山即閻羅不其然乎歷有修葺貞珉流芳但年遠日久[illegible]無風雨之[illegible]榱題堂階雖免霜雪之損傷許君心太學

館于斯多歷年所每逢賽會之期心傷殿內札住梨園另創戲房而少[illegible]原夫五行之化戲居火政实閡民生欲敬修[illegible][illegible]而久[illegible]有志未逮無如何

也幸有住持邊教法不忍坐視設席會衆商議重修僉曰俞哉不壯不麗何以妥神而重威靈不飾不美何以垂後而示觀瞻但功[illegible]浩大未易垂成不

意總承者二人經理者四人募化者二十四人各任其責毫無難色布施雖有差等莫不踴躍爭先是以增其式廓惟新舊物中宮左右如鳥斯革山門

兩旁各建三間又建堂構之巍巍者　火神殿乎豐層峦之煌煌者　閻帝殿乎兩楹對峙功烈相埒法像飾以丹黃朱綠儀容形其威嚴端莊東西周

章圖畫天地山神海靈寫其狀千變萬化繪其形墻以衛宮垣墉既致其鞏固演戲舞楼方隅亦見其寬廣而五道廟实居[illegible][illegible]之中是歲八月忽因

滂雨傾頹仍為依舊落成使之煥然一新卓立于廟前非諸君有通權達變之才誰克宏茲遠謨將見幽冥扶其棟宇歷千載而彌[illegible][illegible][illegible]感[illegible]神聖越

百世而益昌所謂太上有立德其次有立功此之謂不朽是為序　書丹[illegible]工袁鳳亭

洛邑太學生慎先氏董謹撰文並篆額施錢十五千文

歲進士候補儒學訓導虎變氏王文炳書施錢柒千文　石工王國興　王成文

功德主　[illegible]大有　施錢四十四千文

監生王心舒　施錢五十四千

總理　許心太　施钱拾千　馬生[illegible]　施钱伍千　鄉約馬来臨

監生王守謙　施钱陸千　陳本忠　甲長田中立

龍飛道光十二年歲次壬辰九月上旬　穀旦　仝立

【二〇〇】 重修閆廟碑

年代：清道光十二年

尺寸：高 176 釐米，寬 54 釐米

存石地點：宜陽縣董王莊鄉石橋村閆廟

〔碑首〕：爲善最樂

重修閆廟碑

蓋聞古聖以神道設教，立壇立社。而外又建廟以祀之，是廟以神而顯其赫濯，神以廟而得所憑依。閆廟爲宜南之勝地，察其石刻，均未言其所以名。竊嘗謁廟之餘，顧名思義，當即俗言所謂閆羅之廟者。近是如中殿泰山，號曰天孫，主召人魂魄，知人生命短長。左有總嗣聖殿，以萬物有死必有生，即相代于東方之義，宜爾子孫，則百斯男。而右何以又建藥王殿？生恐有死故，創自王君希孟，能使萬病回春，惠我後人，實與聖功同揆，陽愆陰伏。又有逐疫癘，滌夭札之瘟，司撥亂反正。又有禦大災捍大患之關聖。由斯而論，衆神分其司，太山總其權，太山即閻羅，不其然乎！歷有修葺，貞珉流芳。但年遠日久，不無風雨之漂摇；榱題堂階，難免霜雪之損傷。許君心太，學館于斯，多歷年所，每逢賽會之期，心傷殿内札住梨園，欲另創戲房而少貲。原夫五行之化，職居火政，實關民生，欲敬修真君，而久鬱有志未逮，無如何也。幸有住持邊教法不忍坐視，設席會衆，商議重修，僉曰俞哉。不壯不麗，何以妥神而重威靈？不飾不美，何以垂後而示觀瞻！但功果浩大，未易垂成。不意總承者二人，經理者四人，募化者二十四人，各任其責，毫無難色，布施雖有差等，莫不踴躍争先。是以增其式廓，惟新舊物，中宫左右，如鳥斯革，山門兩旁，各建三間。又建堂構之巍巍者，火神殿乎！豐層巒之煌煌者，關帝殿乎！兩楹對峙，功烈相埒。法像飾以丹黄朱緑，儀容形其威嚴端莊。東西周章，圖畫天地，山神海靈，寫其狀千變萬化，繪其形墻以衛宫。垣墉既致其鞏固，演戲舞樓方隅亦見其寬廣。而五道廟實居照壁之中，是歲八月，忽因滂雨傾覆，仍爲依舊落成，使之焕然一新，卓立于廟前。非諸君有通權達變之才，誰克宏兹遠謨。將見幽冥扶其棟宇，歷千載而彌堅；至誠感乎神聖，越百世而益昌。所謂太上有立德，其次有立功，此之謂不朽。是爲序。

洛邑太學生慎先氏董謹撰文並篆額，施錢十五千文。歲進士候補儒學訓導虎變氏王文炳書，施錢柒千文。

功德主：樊大有：施錢四十四千文。監生王心舒：施錢五十四千文。

總理：許心太：施錢拾千。生員王守謙：施錢陸千。馬生榮：施錢伍千。陳本忠、鄉約馬來臨、甲長田中立。

石工：王國興。王成文。住持：邊教法。仝立。

畫工：袁鳳亭。

龍飛道光十二年歲次壬辰九月上旬穀旦。

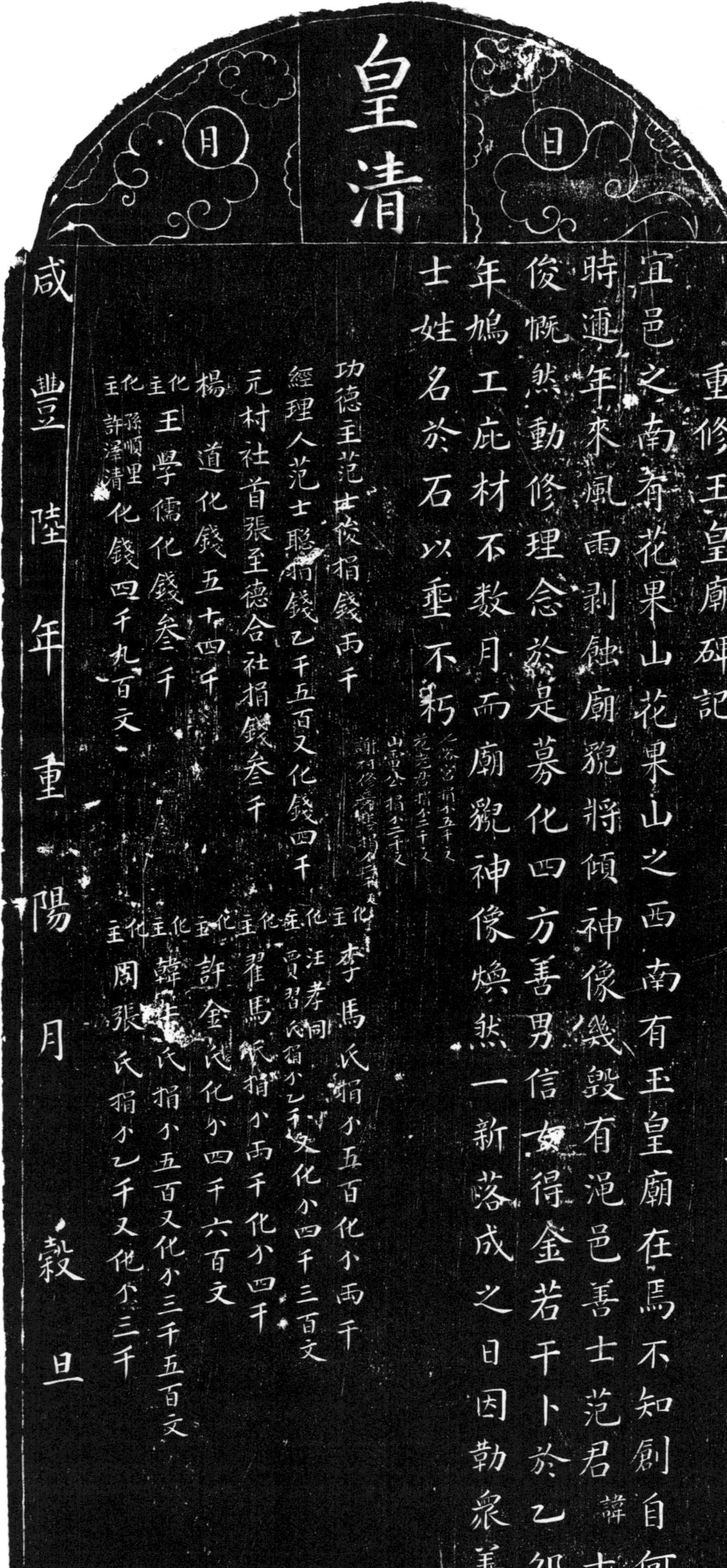

皇清

日　月

重修玉皇廟碑記

宜邑之南有花果山花果山之西南有玉皇廟在焉不知創自何
時邇年來風雨剥蝕廟貌將傾神像幾毀有邑善士范君諱士
俊慨然動修理念於是募化四方善男信女得金若干卜於乙卯
年鳩工庀材不數月而廟貌神像煥然一新落成之日因勒衆善
士姓名於石以垂不朽

之裕宮捐个五千文
范老君捐个三千文
山曹公捐个三千文
謝村修齋堂捐个[illegible]

功德主范士俊捐錢兩千
經理人范士聰捐錢乙千五百文化錢四千
元村社首張至德合社捐錢叁千
楊道化錢五十四千
化主王學儒化錢叁千
化主孫順里　許澤清化錢四千九百文

化主李馬氏捐个五百化个兩千
化主汪孝同　賈習氏捐个乙千文化个四千三百文
化主翟馬氏捐个兩千化个四千
化主許金氏化个四千六百文
化主韓牛氏捐个五百文化个三千五百文
化主周張氏捐个乙千文化个三千

咸豐陸年重陽月穀旦

【二〇一】 重修玉皇廟碑記

年代：清咸豐六年

尺寸：高 97 釐米，寬 44 釐米

立石地點：宜陽縣花果山鄉花山村花山寺

〔碑首〕：皇清　日月

重修玉皇廟碑記

宜邑之南有花果山，花果山之西南有玉皇廟在焉，不知創自何時，邇年來風雨剥蝕，廟貌將傾，神像幾毀。有澠邑善士范君諱士俊，慨然動修理念，於是募化四方善男信女，得金若干，卜於乙卯年鳩工庀材，不數月而廟貌、神像焕然一新。落成之日，因勒衆善士姓名於石，以垂不朽。

功德主：范士俊：捐錢兩千。經理人：范士聰：捐錢乙千五百，又化錢四千。元村社首張至德合社捐錢叁千。楊道：化錢五十四千。化主王學儒：化錢叁千。化主孫順里許澤清：化錢四千九百文。化主李馬氏：捐錢五百，化錢兩千。化主汪孝同、賈習氏：捐錢乙千，又化錢四千三百文。化主翟馬氏：捐錢兩千，化錢四千。化主許金氏：化錢四午六百文。化主韓牛氏：捐錢五百，又化錢三千五百文。化主周張氏：捐錢乙千文，又化錢三千。七峪宫捐錢五千文。花老君捐錢二千文。山雷公捐錢二千文。謝村修舞樓捐錢二千文。

咸豐陸年重陽月穀旦。

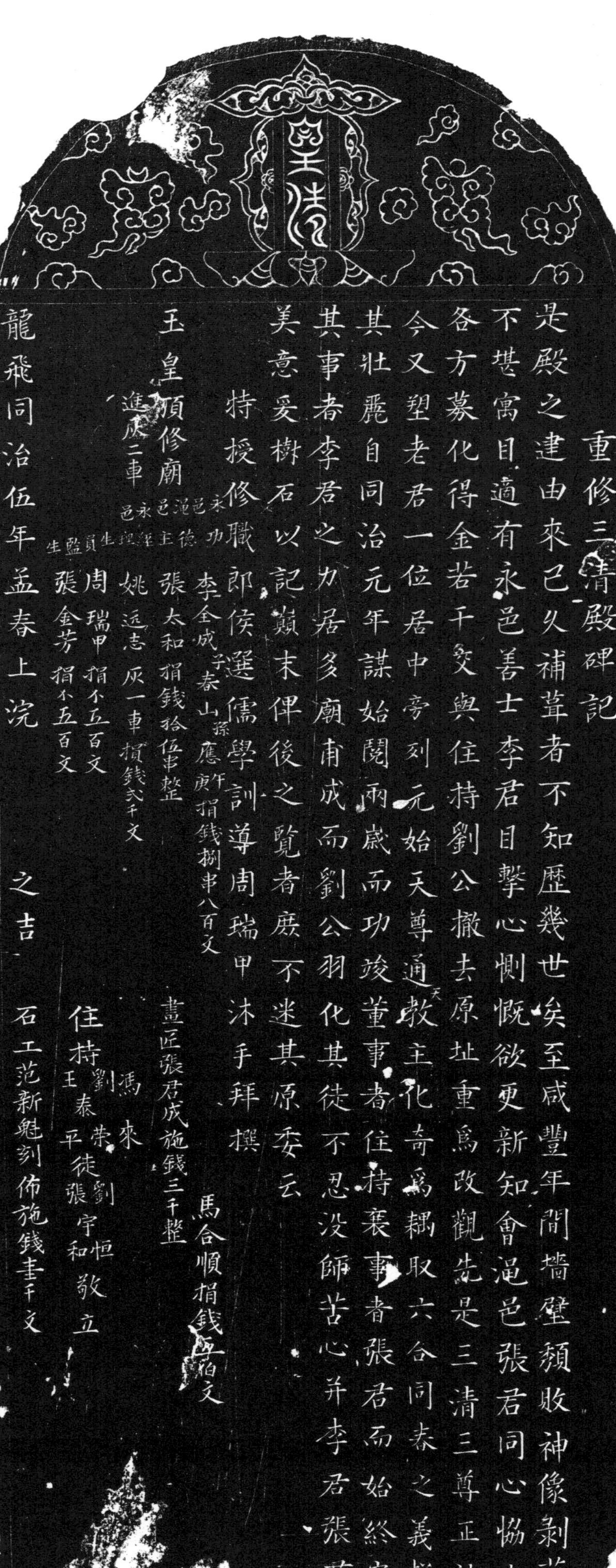

三清

重修三清殿碑記

是殿之建由來已久補葺者不知歷幾世矣至咸豐年間牆壁頹敗神像剝落不堪寓目適有永邑善士李君目擊心惻慨欲更新知會滍邑張君同心協力各方募化得金若干爰與住持劉公撤去原址重爲改觀先是三清三尊正神今又塑老君一位居中旁列元始天尊通天教主化奇爲耦取六合同春之義極其壯麗自同治元年謀始閱兩歲而功竣董事者住持襄事者張君而始終完其事者李君之力居多廟甫成而劉公羽化其徒不忍没師苦心并李君張君美意爰樹石以記巔末俾後之覽者庶不迷其原委云

特授修職郎候選儒學訓導周瑞甲沐手拜撰

永邑功德主李全成子春山孫應庚午捐錢捌串八百文

滍邑功德主張太和捐錢拾伍串整

永邑經理姚近志灰一車捐錢弍千文

生員周瑞甲捐不五百文

監生張金芳捐不五百文

玉皇頂修廟進灰二車

馬合順捐錢伍佰文

畫匠張君成施錢三千整

住持馮來　劉榮　王泰平　徒劉恒　張宇和敬立

石工范新魁刻佈施錢壹千文

龍飛同治伍年孟春上浣之吉

【二〇二】 重修三清殿碑記

年代：清同治五年

尺寸：高 117 釐米，寬 46.5 釐米

立石地點：宜陽縣花果山鄉花山村花山寺

〔碑首〕：皇清

重修三清殿碑記

是殿之建，由來已久，補葺者不知歷幾世矣。至咸豐年間，墻壁頹敗，神像剥落，不堪寓目。適有永邑善士李君目擊心惻，慨欲更新，知會澠邑張君同心協力，各方募化，得金若干，交與主持劉公，撤去原址，重爲改觀。先是三清三尊正神，今又塑老君一位居中，旁列元始天尊、通天教主。化奇爲耦，取六合同春之義，極其壯麗。自同治元年謀始，閱兩歲而功竣。董事者主持，襄事者張君，而始終完其事者李君之力居多。廟甫成而劉公羽化，其徒不忍没師苦心並李君、張君美意，爰樹石以記巔末，俾後之覽者庶不迷其原委云。

特授修職郎候選儒學訓導周瑞甲沐手拜撰。

玉皇頂修廟進灰三車。

永邑功德主李全成，子春山，孫應午、應庚捐錢捌串八百文。澠邑功德主張太和捐錢拾伍串整。永邑經理姚遠志：灰一車，捐錢貳千文。生員周瑞甲：捐錢五百文。監生張金芳：捐錢五百文。馬合順：捐錢五百文。畫匠張君成：施錢三千整。

住持：馮來、劉泰榮、王泰平，徒：劉宇恒、張宇和。敬立。

石工：范新魁刻，布施錢五千文。

龍飛同治伍年孟春上浣之吉。

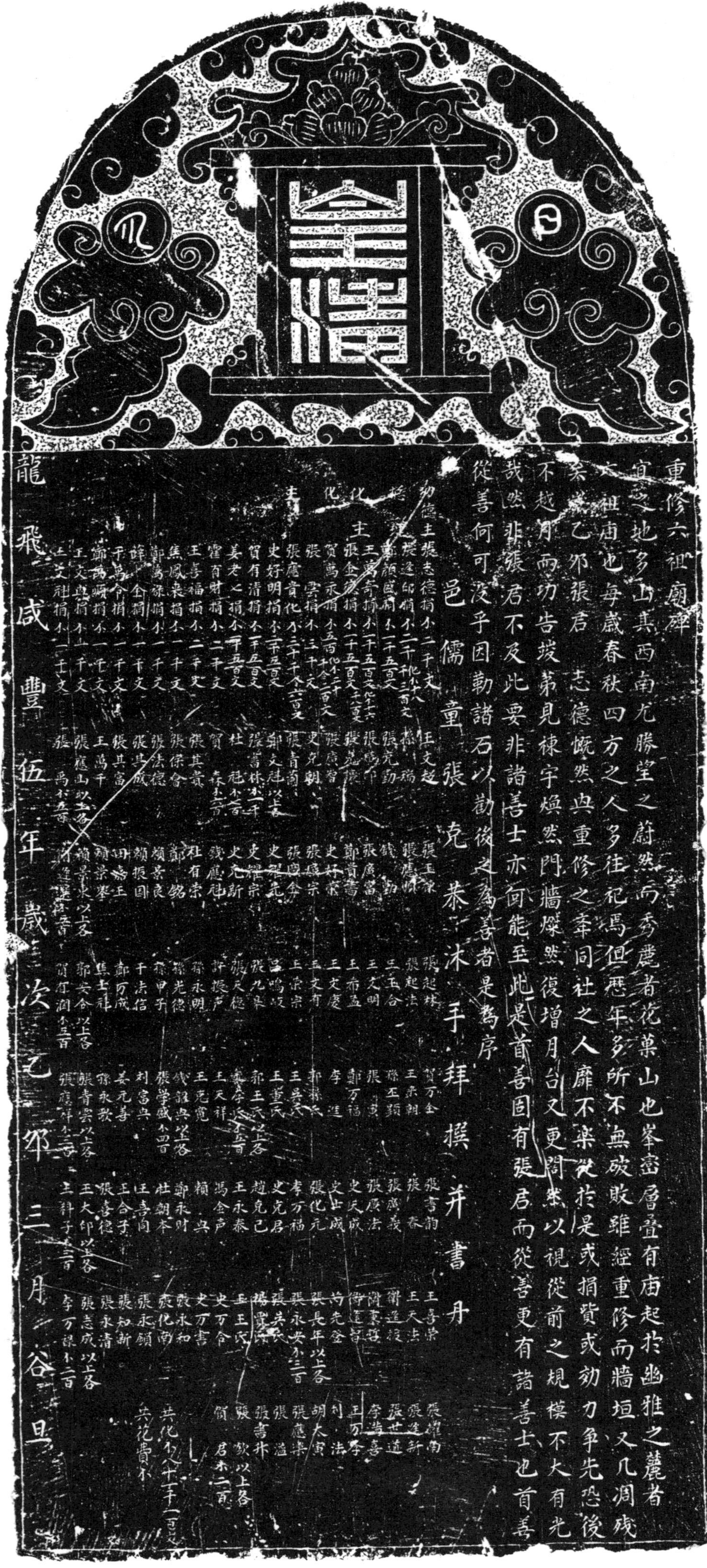
重修六祖廟碑

宜之地多山其西南尤勝望之蔚然而秀麓者花巢山也峯峦層疊有庙起於幽雅之麓者六祖庙也每歲春秋四方之人多往祀焉但歷年多所不無破敗雖經重修而牆垣又几凋残矣乙卯張君志德慨然與重修之舉同社之人靡不樂從於是或捐貲或効力爭先恐後不越月而功告竣第見棟宇煥然門牆燦然復增月台又更問其以視從前之規模不大有光哉然非張君不及此要非諸善士亦何能至此是首善固有張君而從善更有諸善士也首善從善何可沒乎因勒諸石以勸後之為善者是為序

邑儒童張克恭沐手拜撰并書丹

龍飛咸豐伍年歲次乙卯三月穀旦

【二〇三】　重修六祖廟碑

年代：清咸豐五年

尺寸：高 110 釐米，寬 48 釐米

立石地點：宜陽縣花果山鄉花山村花山寺

〔碑首〕：皇清　日月

重修六祖廟碑

宜之地多山，其西南尤勝。望之蔚然而秀麗者花菓山也，峯巒層疊，有廟起於幽雅之麓者六祖廟也。每歲春秋，四方之人多往祀焉。但歷年多所，不無破敗，雖經重修，而墻垣又幾凋殘矣。歲乙卯，張君志德慨然興重修之舉，同社之人靡不樂從。於是或捐貲、或效力，争先恐後，不越月而功告竣。第見楝宇焕然，門墻燦然，復增月臺，又更闊然。以視從前之規模，不大有光哉！然非張君不及此，要非諸善士，亦何能至此！是首善固有張君，而從善更有諸善士也。首善、從善何可没乎？因勒諸石，以勸後之爲善者。是爲序。

邑儒童張克恭沐手拜撰並書丹。

功德主張志德：捐錢二千文。總理張逢印：捐錢二千，化錢十八千三百文。郭顔盛：捐錢一千五百文。化主王萬奇：捐錢一千五百文，化錢十六千八百文。張金德：捐錢一千五百文。化主賀萬永：捐錢五百，化錢二十千零二百文。張雲：捐錢三千文。張應貴：化錢三十千零六百文。史好明：捐錢二千五百文。賀有清：捐錢一千五百文。姜老七：捐錢一千五百文。霍有財：捐錢二千文。王喜福：捐錢二千文。焦鳳來：捐錢一千文。鄭萬禄：捐錢一千文。薛卜全：捐錢一千文。于萬令：捐錢一千文。鄭萬順：捐錢一千文。王文興：捐錢一千文。王文魁：捐錢一千文。王文超、孫瑞、張克勤、張廣印、張克讓、張廣智、史克朝、張青蘭、鄭文魁、張書林，以上各錢一千。杜魁：錢七百。賀森：錢六百。張其貴、張保會、張法德、張其成、張其富、王萬千、張應山、張禹，以上各錢五百。張玉楝、張應順、錢勤、張廣富、鄭貴書、史好榮、張廣宗、張廣全、史耀先、史耀宗、史克新、錢應魁、杜有榮、鄭銘、賴景良、賴振國、田嘉玉、賴景峯、賴景東、符逢選，以上各五百文。張起林、張起法、王玉合、王文明、王希孟、王文慶、王文有、王榮宗、吕鳴岐、張九臯、張天德、許振聲、孫永明、孫光德、孫甲子、于法信、鄭萬成、焦士魁、郭安令、賀有潤，以上各錢五百。賀萬全、王來朝、孫丕顯、張寅、鄭萬福、李進、郭孫氏、王吴氏、王董氏、郭王氏、董李氏，以上各錢五百。王天祥、王克寬、錢韶興、張學盛，以上各錢四百。劉富興、姜元善、孫永歌、張青雲、張應祥，以上各錢三百。張書韻、張春、張廣義、張廣法、史天成、史士成、張化元、李萬福、史克君、趙克己、王永泰、馮金聲、賴興、鄭永財、杜朝本、王喜同、王合子、張喜德、王大印、王科子，以上各錢三百。王喜榮、王天法、衛逢拔、衛秉哲、衛逢智、芮先登、張長年、張永安，以上各錢三百。張吴氏、楊賈氏、王王氏、史萬令、史萬書、張永和、張化南、張永鎖、張知新、張永清、張志成、李萬禄，以上各錢二百。張耀南、張逢新、張世道、李滿喜、王萬學、劉法、胡太寅、張應樂、張溢、張書升、張欽、賀君，以上各錢二百。

共化錢八十一千一百文，共花費錢。

龍飛咸豐伍年歲次乙卯三月穀旦。

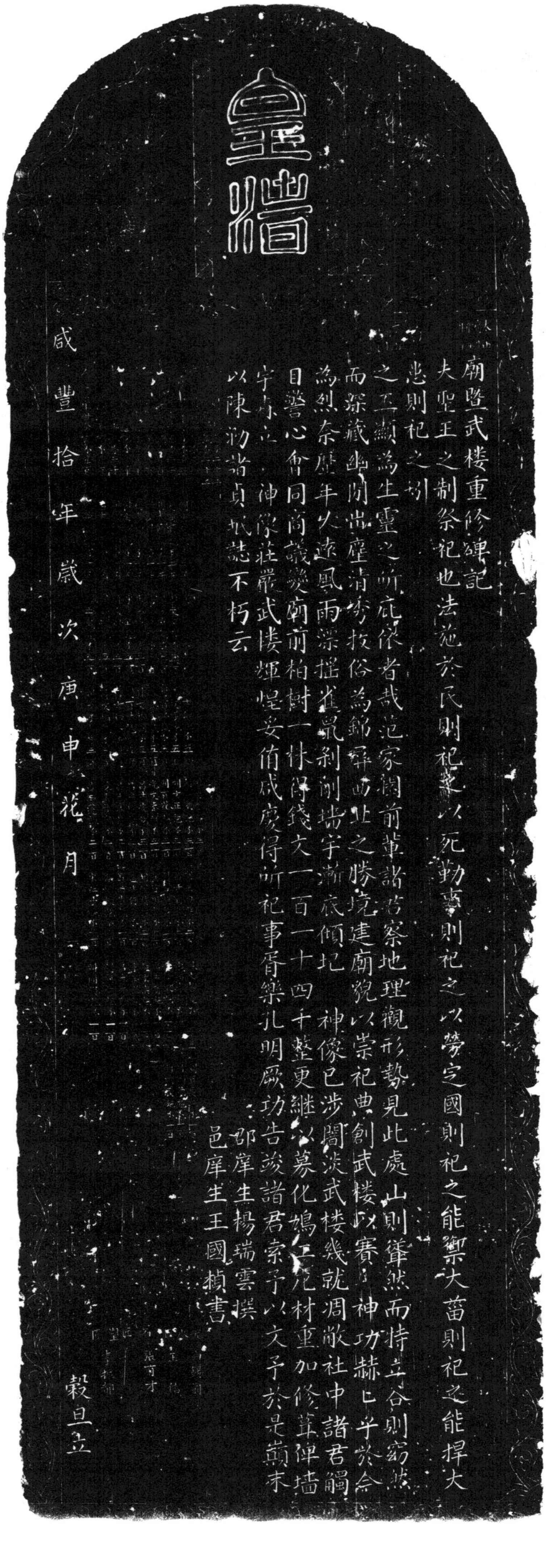

皇清

廟暨武楼重修碑記

夫聖王之制祭祀也，法施於民則祀，[illegible]以死勤事則祀之，以勞定國則祀之，能禦大菑則祀之，能捍大患則祀之，列之五嶽，為生靈之所庇依者哉。范家閣前輩諸君察地理，觀形勢，見此處山則聳然而特立，谷則窈然而深藏，幽閒出塵，清秀拔俗，為錦屏西壯之勝境，建廟貌以崇祀典，創武楼以賽神功，赫赫乎於今為烈。奈歷年久遠，風雨漂搖，雀鼠剝削，墻宇漸底傾圮，神像已涉闇淡，武楼幾就凋敝。社中諸君觸目警心，會同商議，變廟前柏樹一株，得錢文一百一十四千整，更繼以募化，鳩工庀材，重加修葺，俾墻宇亦立，神像莊嚴，武楼輝煌，妥侑咸慶得所，祀事胥樂孔明。厥功告竣，諸君索予以文，予於是巔末以陳，泐諸貞珉，誌不朽云。

邵庠生楊瑞雲撰

邑庠生王國楨書

咸豐拾年歲次庚申花月　穀旦立

【二〇四】　太山廣生龍王牛王廟暨武樓重修碑記

年代：清咸豐十年

尺寸：高180釐米，寬60釐米

立石地點：宜陽縣鹽鎮鄉西范園村泰山廟

〔碑首〕：皇清

太山廣生龍王牛王廟暨武樓重修碑記

夫聖王之制祭祀也，法施於民則祀之，以死勤事則祀之，以勞定國則祀之，能禦大菑（災）則祀之，能捍大患則祀之。矧太山、廣生、龍王、牛王之丕顯，爲生靈之所庇依者哉！范家園前輩諸君察地理、觀形勢，見此處山則聳然而特立，谷則窈然而深藏，幽閒出塵，清秀拔俗，爲錦屏西北之勝境，建廟貌以崇祀典，創武樓以賽神功，赫赫乎於今爲烈。奈歷年久遠，風雨漂搖，雀鼠剥削，墻宇漸底傾圮，神像已涉闇淡，武樓幾就凋敝。社中諸君觸目警心，會同商議，變（賣）廟前柏樹一株，得錢文一百一十四千整，更繼以募化，鳩工庀材，重加修葺。俾墻宇森立，神像莊嚴，武樓輝煌，妥侑咸慶，得所祀事，胥樂孔明。厥功告竣，諸君索予以文，予於是巔末以陳，泐諸貞珉，誌不朽云。

郡庠生楊瑞雲撰，邑庠生王國楨書。

功德主：劉進禮：施錢二十千。陳文學：施錢二十千。劉百□：施錢五千。化主：劉生□：施錢千五。吕士元：施錢一千。吕士盛：施錢五百。首事人：陳□尚：施錢五百。劉士香：施錢五千。陳廣善：施錢二千。宋王典：施錢三千。吕炳石：施錢五百。宋世全：施錢五百。劉書禮：施錢二千。劉可□：施錢二千。周書丹：施錢一千　陳文科：施錢一千。劉書田：施錢一千。陳文周：施錢一千。劉書禄：施錢一千。吕士□：施錢一千。宋玉璞：施錢一千。劉書□：施錢七百。陳文平：施錢五百。吕丙立：施錢五百。常文元：施錢五百。朱玉秀：施錢五百。宋文正：施錢五百。陳文隆：施錢五百。劉可□：施錢五百。吕士成：施錢五百。吕士位：施錢五百。陳文漢：施錢五百。劉百立：施錢五百。陳志善：施錢五百。陳文祥：施錢五百。劉百林：施錢五百。吕士如：施錢五百。陳文炳：施錢三百。劉文平：施錢三百。陳文彪：施錢三百。劉百東：施錢三百。劉文正：施錢三百。劉百花：施錢三百。光文泰：施錢三百。吕士安：施錢三百。吕氏江：施錢三百。吕士文：施錢二百。陳春平：施錢二百。吕玉蓮：施錢二百。劉天申：施錢二百。吕士有：施錢二百。劉百祥：施錢二百。劉百川：施錢二百。劉同信：施錢二百。吕士行：施錢二百。吕丙貴：施錢二百。張□拔：施錢二百。宋仁子：施錢二百。陳文普：錢一百。宋丙君：錢一百。吕士良：錢一百。吕士貢：錢一百。陳文宗：錢一百。宋玉魁：錢一百。吕太平：錢一百。劉同仁：錢一百。劉同海：錢一百。劉百長：錢一百。吕丙德：錢一百。劉同義：錢一百。

泥水匠：白錫爵、王信。石匠：張有才。塑匠：李振都。

咸豐拾年歲次庚申花月穀旦立。

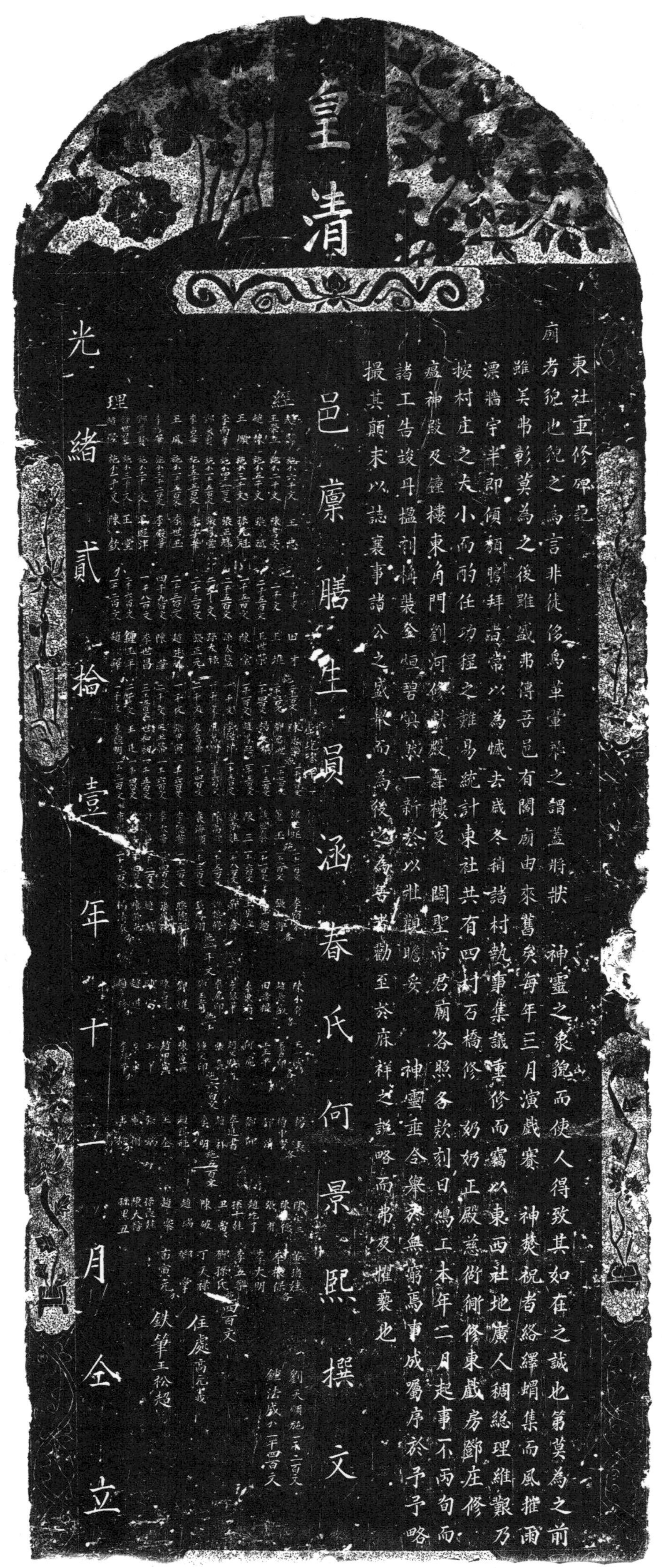

皇清

東社重修碑記

廟者祀也祀之為言非徒修鳥革翬飛之謂蓋將狀神靈之象貌而使人得致其如在之誠也第莫為之前雖美弗彰莫為之後雖盛弗傳吾邑有關廟由來舊矣每年三月演戲賽神焚祝者絡繹蝟集而風摧雨漂牆宇半即傾頹瞻拜者常以為憾去歲冬稍諸村執事集議重修而竊以東西社地廣人稠總理維艱乃按村庄之大小而酌任功程之難易統計東社共有四村石橋修奶奶正殿慈街衕修東戲房鄧庄修瘟神殿及鐘樓東角門劉河修獻殿舞樓及關聖帝君廟各照各款刻日鳩工本年二月起事不兩旬而諸工告竣丹楹刻桷裝金恒碧煥然一新於以壯觀瞻妥神靈垂今舉於無窮焉事成囑序於予予略撮其顛末以誌襄事諸公之盛舉而為後之為善者勸至於庥祥之說略而弗及懼褻也

邑庠膳生員涵春氏何景熙撰文

鐵筆王松起

光緒貳拾壹年十二月仝立

【二〇五】　東社重修碑記

年代：清光緒二十一年

尺寸：高 178 釐米，寬 57 釐米

立石地點：宜陽縣董王莊鄉石橋村閆廟

〔碑首〕：皇清

東社重修碑記

廟者，貌也。貌之爲言非徒侈，鳥革翬飛之謂，蓋將狀神靈之象貌，而使人得致其如在之誠也。第莫爲之前，雖美弗彰；莫爲之後，雖盛弗傳。吾邑有閻廟，由來舊矣，每年三月演戲賽神，焚祝者絡繹蝟集。而風摧雨漂，墻宇半即傾頹，瞻拜者常以爲憾。去歲冬稍，諸村執事集議重修，而竊以東西社地廣人稠，總理維艱，乃按村莊之大小而酌任功程之難易。統計東社共有四村，石橋修奶奶正殿，慈胡衕修東戲房，鄧莊修瘟神殿及鐘樓東角門，劉河修獻殿、舞樓及關聖帝君廟，各照各款，刻日鳩工。本年二月起事，不兩旬而諸工告竣，丹楹刻桷，裝金烜碧，焕然一新，於以壯觀瞻、妥神靈，垂令舉於無窮焉。事成囑序於予，予略撮其顛末，以誌襄事諸公之盛舉，而爲後之爲善者勸。至於庥祥之説，略而弗及，懼褻也。

邑廩膳生員涵春氏何景熙撰文。

經理：趙璧：施錢六千文。王榮立：施錢二千文。趙楝：施錢五千文。王順：施錢三千文。李南華：施錢四千二百文。鄧象賢：施錢一千五百文。李占華：施錢五千五百文。王鳳：施錢一千五百文。李裕華：施錢三千二百文。鄧尊賢：施錢二千文。鍾世賢：施錢三千文。趙營：施錢一千文。王忠：施錢乙千文。陳書安：施錢二千文。張斌：施錢二千五百文。孫元魁：施錢一千五百文。張正魁：施錢二千五百文。張鳳堂：施錢二千文。李芳華：施錢二千三百文。李世玉：施錢二千三百文。李殿華：施錢四千九百文。王遊泮：施錢一千八百文。王堂：施錢二千六百文。陳欽：施錢一千二百文。田才：施錢二千一百文。王堆：施錢二千六百文。王世榮：施錢一千四百文。陳堂：施錢一千一百文。孫太鰲：施錢一千文。孫太祿：施錢一千文。張正元：施錢二千文。趙廷魁：施錢一千文。陳華：施錢二千文。李世昌：施錢二千五百文。鍾玉平：施錢二千文。趙鐸：施錢一千文。李圪塔：施錢一千文。陳永樂：施錢一千七百文。鄧名世：施錢一千七百文。楊文焕：施錢一千三百文。趙鳳起：施錢一千五百文。李德祥：施錢一千五百文。原萬朋：施錢一千六百文。李萬華：施錢一千四百文。張甲寅：施錢一千六百文。王玉帶：施錢一千六百文。世和昶：施錢一千五百文。王廷：施錢一千四百文。李德明：施錢一千三百文。鍾世旺：施錢一千一百文。董玉：施錢一千二百文。鍾世泰：施錢一千一百文。陳三：施錢一千六百文。鍾吉娃：施錢一千八百文。陳萬順：施錢一千五百文。袁海順：施錢一千三百文。李德華：施錢一千二百文。李太華：施錢一千四百文。許益：施錢一千二百文。李古苟：施錢一千四百文。康麒□：施錢二千三百文。李宿來、張擰、王超、王成文、鄧倉、許慎修、張鳳翔、熊德魁、張鳳德、趙鎮、陳榮光、楊清泰各施錢一千文。陳小有、趙長盛、田晉根、李東海、李銀華、李虎印、鄧玉貴、鄧耀、陳占元、陳富、趙道、趙珍各施錢一千。王一雲、王書印、王玉平、何彪、趙文焕、張長、鍾文印、陳富義、趙甲寅、王羊、李卓、李魁華各施錢六百文。楊長、梅中賢、鄧清、鄧印、李進書、趙祥、李明、趙錫魁、王全、張端、董相、王捻各施錢五百文。陳寶三、陳□德、張有、趙圪了、孫十娃、王當、陳破、趙瑞、趙寨、孫長娃、陳大榜、孫黑丑、董豬娃、李振保、李大明、李五樂、鄧孫氏、丁天禄、鄧掌、布寅元各施錢四百文。劉天順：施錢一千二百文。鍾法成：施錢一千四百文。

住處：高元義。鐵筆：王松超。

光緒貳拾壹年十一月仝立。

重修碑記

也貌之為言非徒侈鳥革翬飛之謂蓋將狀　神靈之象貌而使

弗彰莫為之後雖盛弗傳吾邑有關廟由來舊矣每年三月演戲

宇半即傾頹瞻拜者常以為憾去歲冬稍諸村執事集議重修而

庄之大小而酌任功程之難易統計東社共有四村石橋修　奶

殿及鐘樓東角門劉河修獻殿舞樓及　關聖帝君廟各照各款

告竣丹楹刻桷裝金煙碧煥然一新於以壯觀瞻妥　神靈垂

顛末以誌襄事諸公之盛舉而為後之為善者勸至於庥祥之說

邑　稟膳生員涵春氏何

原大局部

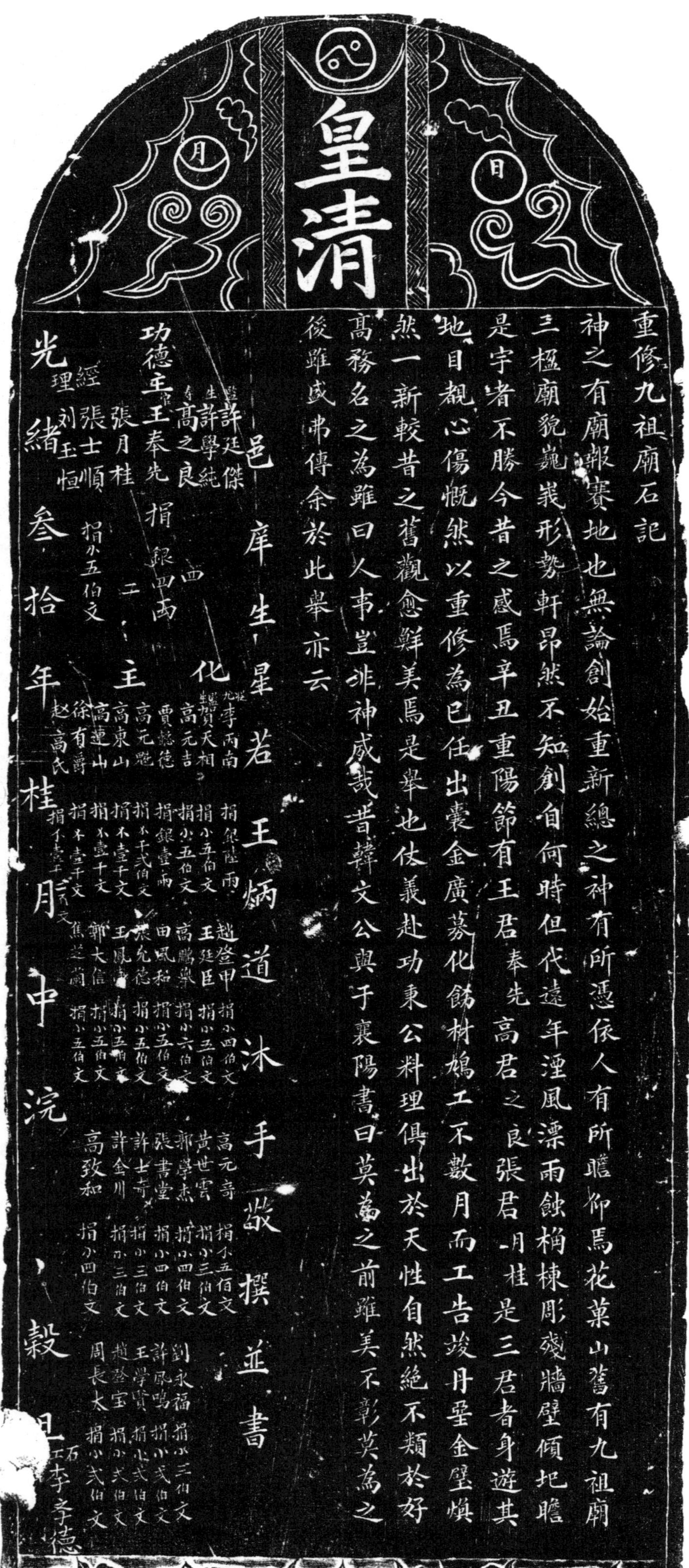

皇清
月
日
重修九祖廟石記
神之有廟報賽地也無論創始重新總之神有所憑依人有所瞻仰馬花菓山舊有九祖廟
三楹廟貌巍峩形勢軒昂然不知創自何時但代遠年湮風漂雨蝕桷棟彫殘牆壁傾圮瞻
是宇者不勝今昔之感焉辛丑重陽節有王君奉先高君之良張君月桂是三君者身遊其
地目覩心傷慨然以重修為己任出囊金廣募化餝材鳩工不數月而工告竣丹雘金壁煥
然一新較昔之舊觀愈鮮美焉是舉也仗義赴功秉公料理俱出於天性自然絕不類於好
高務名之為雖曰人事豈非神感哉昔韓文公與于襄陽書曰莫為之前雖美不彰莫為之
後雖盛弗傳余於此舉亦云
邑庠生星若王炳道沐手敬撰並書
監生許廷傑
生許學純
高之良
功德主王奉先　捐銀四兩
張月桂　二
化主
從九李丙南　捐銀陸兩
監生賀天相　捐小五伯文
高元吉　捐小五伯文
賈懿德　捐銀壹兩
高元魁　捐小千弍伯文
高東山　捐不壹千文
高連山　捐不壹千文
徐有爵　捐不壹千文
趙高氏　捐不壹千二百文
趙登甲　捐小四伯文
王廷臣　捐小五伯文
高鵬舉　捐小六伯文
田鳳和　捐小五伯文
張允德　捐小五伯文
王鳳　捐小五伯文
郭大信　捐小五伯文
焦芝蘭　捐小五伯文
高元奇　捐不五伯文
黄世雲　捐小三伯文
郭學杰　捐小四伯文
張書堂　捐小四伯文
許士奇　捐小三伯文
許金川　捐小三伯文
高致和　捐小四伯文
劉永福　捐小三伯文
許鳳鳴　捐小弍伯文
王學貴　捐小弍伯文
趙登宝　捐小弍伯文
周長太　捐小弍伯文
經理張士順　劉玉恒　捐小五伯文
光緒叁拾年桂月中浣穀旦
石工李孝德

【二〇六】 重修九祖廟石記

年代：清光緒三十年

尺寸：高 102 釐米，寬 41 釐米

立石地點：宜陽縣花果山鄉花山村花山寺

〔碑首〕：皇清　日月

重修九祖廟石記

神之有廟，報賽地也。無論創始、重新，總之神有所憑依，人有所瞻仰焉。花菓山舊有九祖廟三楹，廟貌巍莪，形勢軒昂，然不知創自何時，但代遠年湮，風漂雨蝕，桷棟彫殘，墻壁傾圮，瞻是宇者不勝今昔之感焉。辛丑重陽節，有王君奉先、高君之良、張君月桂，是三君者，身遊其地，目覩心傷，慨然以重修爲己任，出囊金、廣募化，飭材鳩工，不數月而工告竣，丹堊金璧，煥然一新，較昔之舊觀，愈鮮美焉。是舉也，仗義赴功，秉公料理，俱出於天性自然，絶不類於好高務名之爲。雖曰人事，豈非神威哉！昔韓文公與于襄陽書曰：莫爲之前，雖美不彰；莫爲之後，雖盛弗傳。餘於此舉亦云。

邑庠生星若王炳道沐手敬撰並書。

功德主：王奉先；捐銀四兩。壽官高之良：捐銀四兩。張月桂：捐銀二兩。監生許廷傑、許學純。經理：張士順。捐錢五百文。劉玉恒。 化主：從九李丙南：捐銀陸兩。監生賀天相：捐錢五百文。高元吉：捐錢五百文。賈懿德：捐銀壹兩。高元魁：捐錢千貳百文。高東山：捐錢壹千文。高連山：捐錢壹千文。徐有爵：捐錢壹千文。趙高氏：捐錢壹千二百文。趙登甲：捐錢四百文。王廷臣：捐錢五百文。高鵬舉：捐錢六百文。田風和：捐錢五百文。張允德：捐錢五百文。王鳳臺：捐錢五百文。郭大信：捐錢五百文。焦芝蘭：捐錢五百文。高元奇：捐錢五百文。黄世雲：捐錢三百文。郭學杰：捐錢四百文。張書堂：捐錢四百文。許士奇：捐錢三百文。許金川：捐錢三百文。高致和：捐錢四百文。劉永福：捐錢三百文。許鳳鳴：捐錢貳百文。王學賢：捐錢貳佰文。趙登寶：捐錢貳佰文。周長太：捐錢貳佰文。

石工：李學德。

光緒叁拾年桂月中浣穀旦。

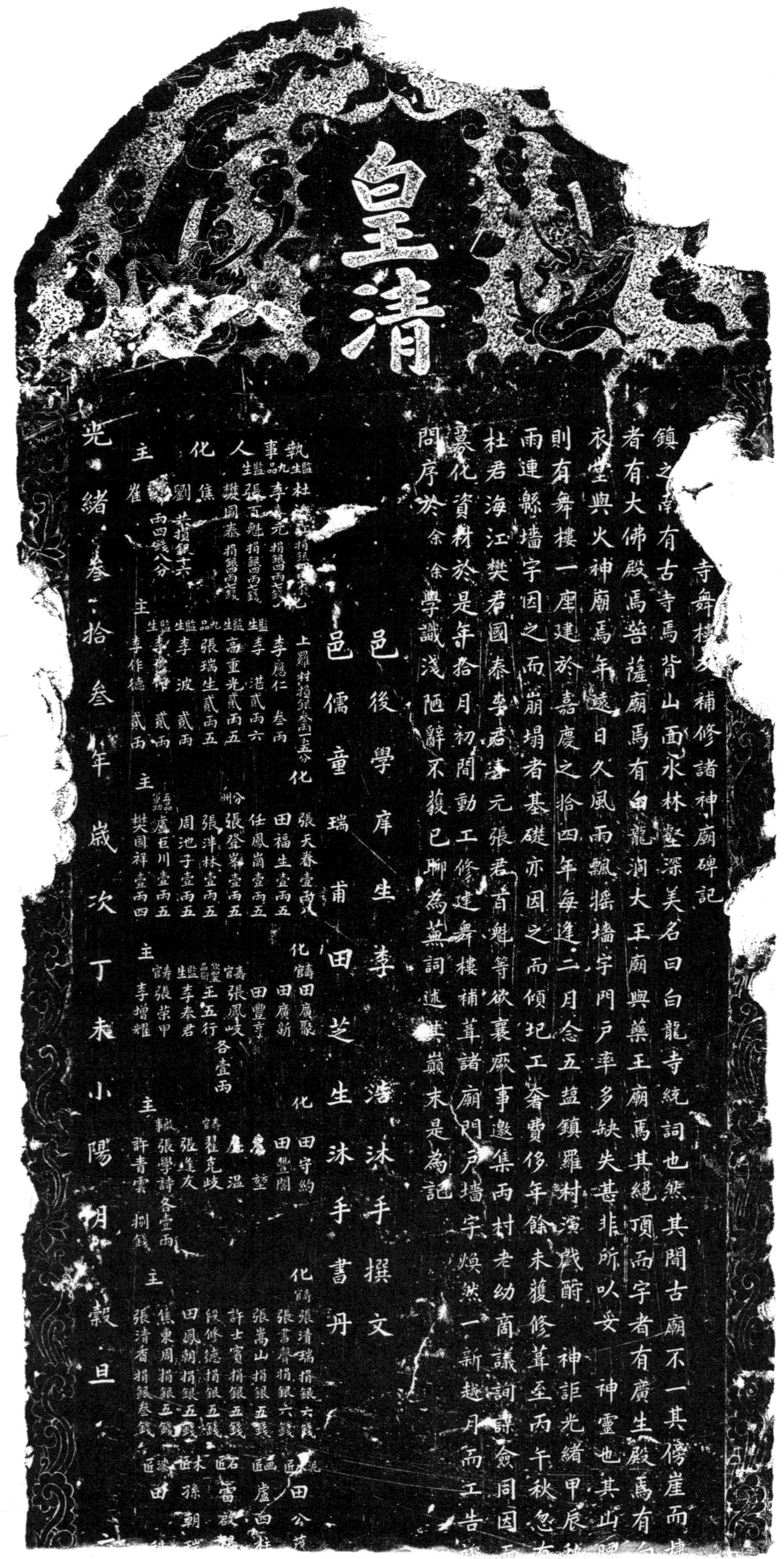

皇清

[illegible]寺舞樓及補修諸神廟碑記

[illegible]鎮之南有古寺焉背山面水林壑深美名曰白龍寺統詞也然其間古廟不一其傍崖而樓[illegible]者有大佛殿焉菩薩廟焉有白龍潤大王廟與藥王廟焉其絕頂而宇者有廣生殿焉有白[illegible]衣堂與火神廟焉年遠日久風雨飄搖墻宇門户率多缺失甚非所以妥　神靈也其山[illegible]則有舞樓一座建於嘉慶之拾四年每逢二月念五盐鎮羅村演戲酧　神詎光緒甲辰[illegible]雨連綿墻宇因之而崩塌者基礎亦因之而傾圮工奢費侈年餘未獲修葺至丙午秋忽有[illegible]杜君海江樊君國泰李君清元張君百魁等欲襄厥事邀集兩村老幼商議詢謀僉同因[illegible]募化資財於是年拾月初間動工修建舞樓補葺諸廟門户墻宇煥然一新越月而工告[illegible]問序於余　余學識淺陋辭不獲已聊為蕪詞述其巔末是為記

邑後學庠生李浩沐手撰文

邑儒童瑞甫田芝生沐手書丹

執事人化主
監生杜海江捐銀[illegible]
九品李清元捐銀四兩七錢
監生張百魁捐銀四兩七錢
樊國泰捐銀四兩七錢
焦[illegible]
劉[illegible]共捐銀十六兩四錢八分
崔[illegible]

上羅村捐銀叁兩一錢五分
化主
監生李應仁叁兩
監生李湛貳兩六
監生高重光貳兩五
九品張瑞生貳兩五
監生李波貳兩
監生李[illegible]貳兩
李作德貳兩

化主
張天春壹兩[illegible]
田福生壹兩五
任鳳崗壹兩五
分州張登[illegible]壹兩五
張泮林壹兩五
周池子壹兩五
五品[illegible]盧巨川壹兩五
樊國祥壹兩四

化主
耆官田廣聚
田廣新
田豐亨
耆官張鳳岐
從九品銜王五行各壹兩
監生李奉君
耆官張榮甲
李增耀

化主
田守約
田豐閣
[illegible]堃
[illegible]温
耆官翟克岐
張進友
執事張學詩各壹兩
許青雲捐錢

化主
耆官張清瑞捐銀六錢
張書聲捐銀六錢
張嵩山捐銀五錢
許士賓捐銀五錢
段修德捐銀五錢
田鳳朝捐銀五錢
焦東周捐銀五錢
張清香捐銀叁錢

泥匠田公茂
畫匠盧西[illegible]
石匠雷啟[illegible]
木匠孫朝[illegible]
[illegible]匠田[illegible]

光緒叁拾叁年歲次丁未小陽月穀旦[illegible]

【二〇七】　重修白龍寺舞樓及補修諸神廟碑記

年代：清光緒三十三年

尺寸：高 130 釐米，寬 50 釐米

立石地點：宜陽縣鹽鎮鄉大寨村白龍寺

〔碑首〕：皇清

（重修白龍）寺舞樓及補修諸神廟碑記

鎮之南有古寺焉，背山面水，林壑深美，名曰白龍寺，絨詞也。然其間古廟不一，其傍崖而棲者，有大佛殿焉、菩薩廟焉，有白龍洞、大王廟與藥王廟焉。其絶頂而宇者，有廣生殿焉，有白衣堂與火神廟焉。年遠日久，風雨飄揺，墻宇、門户率多缺失，甚非所以妥神靈也。其山腰則有舞樓一座，建於嘉慶之拾四年，每逢二月念五，鹽鎮羅村演戲酧神。詎光緒甲辰秋雨連緜，墻宇因之而崩塌者，基礎亦因之而傾圮。工奢費侈，年餘未獲修葺。至丙午秋，忽有杜君海江、樊君國泰、李君喜元、張君百魁等，欲襄厥事，邀集兩村老幼商議，詢謀僉同，因而募化資材，於是年拾月初間動工，修建舞樓，補葺諸廟門户、墻宇，焕然一新。越月而工告竣，問序於余，余學識淺陋，辭不獲已，聊爲蕪詞，述其巔末。是爲記。

邑後學庠生李浩沐手撰文，邑儒童瑞甫田芝生沐手書丹。

執事人：監生杜海江：捐銀四兩七錢。九品李喜元：捐銀四兩七錢。監生張百魁：捐銀四兩七錢。樊國泰：捐銀四兩七錢

化主：焦、劉、□、崔共捐銀十六兩四錢八分。上羅村捐銀叁兩一錢五分。李應仁：叁兩。監生李湛：貳兩六。監生高重光：貳兩五。九品張瑞生：貳兩五。監生李波：貳兩。監生：李世祥：貳兩。李作德：貳兩。張天眷：壹兩八。田福生：壹兩五。任鳳崗：壹兩五。分州張登峯：壹兩五。張泮林：壹兩五。周池子：壹兩五。五品軍功盧巨川：壹兩五。樊國祥：壹兩四。化主、壽官田廣聚。田廣新。田豐亨。壽官張鳳岐。欽加五品銜王五行。監生李奉君。壽官張榮甲。李增耀。各壹兩。化主：田守約、田豐閣、盧堃、盧温、壽官翟克岐、張逢友、啓事張學詩各壹兩。許青雲：捌錢。化主、壽官張清瑞：捐銀六錢。張書聲：捐銀六錢。張嵩山：捐銀五錢。許士賓：捐銀五錢。段修德：捐銀五錢。田鳳朝：捐銀五錢。焦東周：捐銀五錢。張清香：捐銀叁錢。

泥水匠：田公茂。畫匠：盧西柱。石匠：雷啓陽。木匠：孫朝瑞。漆匠：田科。

光緒叁拾叁年歲次丁未小陽月穀旦。

後記

宗教文化是中華文化的重要組成部分，在我國數千年的歷史進程中，貫穿始終，上至朝廷、官府，下至普通民衆，雖觀念各異，目的不一，而無不對神靈頂禮膜拜，虔誠有加。朝廷、官府通過宗教信仰，弘揚大道一統，束縛民衆思想，達到鞏固其長期統治的目的。而民眾則通過宗教信仰，祈求國泰民安，保障一方，福佑家庭。因此，千百年來，寺廟、道觀遍布城市、鄉村，缺而創、圮而修，不遺餘力，鍥而不捨。而正是這種對信念的追求，使得宗教文化代代傳承，長盛不衰。而寺廟、道觀碑刻，作爲最爲重要的文獻載體，承載着濃厚的宗教文化，見證了各個寺觀的興衰變化，折射出時代的變遷，從另一個角度反映各個歷史時期政治、經濟、文化以及各種社會關係狀況。寺觀碑刻書法、藝術價值也是毋庸置疑的，歷史上許多書法家作品的傳承，無不賴於碑刻的流傳；碑碣上的雕刻，也呈現了古代雕刻藝術的發展脈絡。同時，碑刻中描繪的廟宇建築風格，對當今研究古建藝術也有一定的借鑒意義。從這個意義上講，寺廟、道觀碑刻，是前人給我們留下的豐厚的文化遺産，是一部宗教史及社會發展史的百科全書，是一座燦爛輝煌的藝術寶庫。但隨着時間的變遷，風雨飄摇，人爲損壞，這些碑刻或漫漶不清，或殘缺不全，不免令有識之士心痛不已。因此，保護、挖掘、整理、研究這一文化遺産刻不容緩，也是一件功在當代、利在千秋的好事。河南省文物建築保護研究院正是基於這一原因，在大量調查研究的基礎上，編輯出版了“河南寺廟道觀碑刻集成”叢書，彌補了河南宗教石刻文獻的空白，對於傳承和保護中華文化，具有積極意義。

《河南寺廟道觀碑刻集成·洛陽卷四》，共精選輯録了洛陽市區的嵩縣、汝陽縣、宜陽縣等現存碑刻207件，時間跨度上至明代，下迄民國。作者運用文獻學、歷史學及語言文字學等相關學科相結合的整理研究方法，對碑刻進行釋文、點校、編目，按立碑時間先後順序，採取圖版與釋文對照的方法編排，印刷精美，對照方便，是編者竭盡心力試圖呈現給大眾的一道盛筵。

本書出版，得到了洛陽市文物局的大力支持和協助。本卷由郭茂育釋文，余扶危校對，陳文學垂拓，王志軍拍照，在此一并致謝。

由於編者水平所限以及參稽資料的短缺，在釋文、句讀等方面難免有疏漏和訛誤之處，敬請專家批評指正。

编　者

二〇二二年五月